유리꽃을 품다

Embracing the Yuri Flower

한유정 장편소설

1

유리꽃을 품다 1

펴낸날 2018년 11월 21일 초판 1쇄
지은이 한유정
책임편집 이현지

펴낸이 차보현
펴낸곳 주식회사 연필
출판등록 제2017-000009호
전화 070-7566-7406
팩스 0303-3444-7406
전자우편 bookhb@bookhb.com
홈페이지 bookhb.com

ISBN 979-11-6276-215-8 (1권)
     979-11-6276-217-2 04810 (전 2권)

유리꽃을 품다
Embracing the Yuri Flower

한유정 장편소설

1

목차

1장

"카사르, 잊었나요? 저예요, 유리!"

카사르는 물끄러미 발치에 엎드린 여자를 내려다보았다. 그 무심한 시선에 그녀는 애처로운 눈물을 흘리며 그의 다리에 매달렸다.

"저를 보세요. 당신이 사랑하는 유리예요."

카사르는 피식 웃었다. 하늘이라도 무너진 양 절박하게 구는 그 여잘, 그는 오늘 처음 보았다.

"그래, 그 여자를 사랑하긴 했지. 넌 아니지만."

"네? 어떻게 그런 말을……."

"당신, 유리가 아니잖아."

나직하면서도 싸늘한 목소리에 여자는 정곡을 찔린 듯 움찔했다. 이내 다시 정신을 차리고 눈물을 쏟기 시작했다. 카사르는 그 찰나를 놓치지 않고 싸늘하게 입매를 끌어 올렸다.

"누가 보면 내가 나쁜 마음을 품고 당신을 괴롭히기라도 하는 줄 알겠어."

결코 사실이 아니었다. 눈앞의 여자는, 탐욕에 눈이 멀어 타인의 간절한 마음을 짓밟는 괴물이었다.

"역겹군, 정말."

툭, 내뱉은 카사르가 말했다.

"지금 당장 저 가짜를 옥에 가둬."

"그게 무슨 소리……. 카사르 전하, 제가 바로 유리입니다. 유리라고요!"

이 고비만 넘기면 된다, 어차피 황태자는 그 여자를 모르잖아, 그러니까 내가 그 여자인 척, 태자비가 될 수 있어!

그 생각으로 이 자리에 섰던 여자의 얼굴이 허망하게 무너졌다. 기사들에게 끌려가지 않고자 마지막 발악을 하는 여자를 보며 카사르가 재미있다는 듯 웃었다.

"이 세상에 유리가 이렇게 많다니. 예전엔 미처 몰랐어."

지난달에도, 지난주에도, 그는 자신을 그의 '유리'라 주장하는 여자들을 만났다. 평민 아낙, 무용수, 유곽의 창부뿐 아니라 귀족 여인조차 그와 서로 사랑했던 사이라 했다. 어떻게 사랑했던 여자도 몰라보냐며 원망의 말을 쏟아 냈다. 전부 그의 옆자리를 노린 가짜들이었다.

"유리가 이 사실을 알면 참 재미있어 하겠군."

유리가 돌아오면 꼭 알려 주어야겠다. 그는 싱긋 웃으며 자리에서 일어났다. 그의 수하들이 다급히 다가와 전하, 괜찮으십니까, 저 가짜를 엄히 벌해야 합니다, 따위의 말을 늘어놓았다. 그는 대수롭지 않다는 듯 유유히 회장 밖을 빠져나왔다.

"뭐, 처음 있는 일도 아니고. 크게 신경 쓰지 않으니 경들도 괘념치 마시오."

그때까지만 하더라도 그는 여유롭게 웃고 있었다. 깊은 그리움은 그가 홀로 남았을 때 비로소 모습을 드러냈다.

'유리야, 대체 어딨어. 어디로 간 거야!'

과거를 좇는 짙푸른 눈동자에 선명한 고통이 어렸다. 그가 파르
르 떨리는 숨을 내쉬며 두 손에 얼굴을 묻었다. 삼 년 전, 그를 사랑
하던 여자가 어느 날 갑자기 사라졌다. 아무 단서도 남기지 않은 채
그를 떠났다. 아니 버렸다. 얼굴조차 모르는 여자를 찾아 헤맨 것이
자그마치 삼 년이었다. 지옥 같은 기다림이 계속될수록 그리움은
커져 갔고, 기대는 점차 사그라들었다. 어느덧 그에게 남은 소망은
단 하나뿐이었다.

'유리야, 제발 살아만 있어 줘.'

*

"그 여자가 오는 게 오늘이지?"

오늘 아침 프리우스 공작가엔 기묘한 긴장감이 감돌았다. 십이
년 만에 저택을 찾아오기로 한 손님을 맞이하기 위해서였다.

"다시는 돌아오지 않는다고 했었는데⋯⋯."

"제 발로 떠났으면 그걸로 끝이지."

"이해가 안 돼. 가문을 저주한 사생아를 모셔야 해?"

손님을 맞이하기 위해 분주히 움직이면서도 하인들은 연신 수군
거렸다. 그들의 얼굴에 새 손님을 향한 설렘은 전혀 찾아볼 수 없었
다. 오히려 상대를 불청객으로 여기는 불쾌함이 가득했다.

"얘들아, 들었니? 리디아가 편지에 '프리우스'라고 서명했대."

"세상에, 그게 정말이야?"

"사생아 주제에 가문의 성을 쓰다니, 간도 크다."

오늘 저택에 돌아오기로 한 여인의 이름은 리디아 프리우스. 프
리우스 공작의 사생아였다.

"창녀의 딸을 주인으로 모시게 생겼네."

"미쳤어? 난 절대 그럴 생각 없어. 상대도 하지 않을 거야."

"걱정 마. 미하엘 님이 알아서 해 주실 테니까."

미하엘 프리우스, 그는 죽은 프리우스 공작부인의 아들이자 리디아의 배다른 오라비였다.

반년 전 공작이 쓰러져 식물인간이 된 뒤 실질적으로 가문을 지배하는 주인이기도 했다. 미하엘은 무척이나 잔인한 성격이었다. 사생아인 리디아가 거슬린다는 이유로 리디아의 친어머니를 죽게할 정도였다. 리디아가 불과 열 살 때의 일이었다. 그날의 충격으로 리디아는 가문을 저주하며 프리우스를 떠났고, 영영 돌아오지 않겠다는 맹세를 했다.

"그 여자가 골치 썩는 꼴은 좀 보고 싶네."

제 주인의 악랄함을 빼다 박은 하인들은 깔깔거리며 리디아를 헐뜯었다. 어린 소녀가 사랑하는 어머니를 잃고 겪었을 고통엔 그 어떤 관심도 없었다.

"그나저나 너희 그 이야기 들었어? 텟센 가문 딸이 오늘 태자궁에 갔다더라."

"왜? 무슨 일로?"

"뭐긴, '유리'라고 우기는 거지."

"태자 전하를 살린 여자가 그분이라고?"

"그럴 리가. 이번에도 가짜일 게 뻔해."

"그 여자들 지치지도 않나? 태자궁에 또 피바람 불겠네."

"야, 나라도 한번 해 보겠다. 잘하면 태자비가 되는 거잖아. 어차피 황태자는 그 여자 얼굴도 모른다면서?"

하인들의 관심은 잠시 지난 삼 년간 제국을 떠들썩하게 했던 황태자의 연인으로 향했다. 황태자 카사르가 사랑하는 여인을 찾는

데, 그 여자의 얼굴조차 모른다는 건 이제 제국에서 모르는 이가 없었다.

"삼 년이나 지났으면 포기해야지. 아직도 찾다니 이해가 안 돼."

"그러게나 말이야. 저 좋다는 여자가 널렸을 텐데."

"그 여자, 이미 죽은 거 아니야?"

"그런 거 같아. 돌아오기만 하면 태자비가 되는 건데 나타나질 않잖아?"

"죽었으면 나도 한번 도전해 볼까?"

"아서라! 그러다 경을 치지."

한참 황태자의 반려에 대해 깔깔거리던 하인들은 다시 신나게 '리디아'를 골탕 먹일 준비를 하였다. 주인과 하인 할 것 없이 리디아를 향한 악의로 똘똘 뭉쳤다. 미하엘은 저택에서 가장 허름한 방을 누이에게 내어 주라 하였고, 하인들은 그 방을 엉망으로 만들었다.

"여기가 공녀님께서 머무실 방이에요. 마음에 드세요?"

엉망진창인 방을 내보이며 하녀장은 씨익 웃었다. 두 눈빛엔 승리감이 가득했다. 리디아는 아무 대답 없이 방 안을 훑어보았다. 단정히 틀어 올린 검은 머리카락 아래로 녹색 눈동자가 맑게 빛났다. 수수한 옷차림에, 별다른 장신구조차 하지 않은 모습에 하녀장의 입가에 비웃음이 어렸다.

'속이 좀 쓰릴 게다. 어느 정도는 각오하고 왔겠지만.'

본래 천한 것들일수록 무시 받는 일에 예민한 법이었다. 하녀장은 상대가 금세 펄펄 끓을 거라 확신했다. 만일 그런 일이 벌어지면 잘근잘근 밟아줄 계획도 세워 놨다. 이 저택의 진짜 주인은 미하엘과 그를 따르는 하인들이었다. 사생아는 발붙일 자격도 없었다.

"마음에 들어요. 갑자기 와서 힘들었을 텐데 신경 써 주서서 감사해요."

그런데 그런 하녀장의 기대가 무색하게 리디아의 어조는 담백했다. 무척이나 맑은 미소였다. 전혀 예상치 못한 반응에 하녀장이 눈을 크게 떴다. 리디아는 생긋 눈웃음을 지으며 방 안으로 들어갔다.

"정리는 내가 할게요. 고마워요. 가서 쉬어요."

쾅. 대답할 틈도 없이 문이 닫혔다.

하녀장은 당황한 채 코앞에서 닫힌 문을 바라보았다. 근 몇 년간 이 저택에서 그녀를 이리 무시한 자는 아무도 없었다. 그녀는 평범한 하녀가 아니라 미하엘과 몸을 섞는 정부였다. 프리우스 사람들은 모두 그녀의 눈치를 보기 바빴다. 낯선 모멸감에 얼굴이 붉게 달아올랐다.

"저게 감히!"

하녀장은 화를 이기지 못하고 문을 걷어찼다. 그 소란은 고스란히 안에 있는 리디아에게까지 들려왔다. 리디아의 표정엔 일말의 흔들림도 없었다. 그녀는 차분한 얼굴로 창문을 열어 환기를 시킨 뒤 짐을 풀었다. 정말 아무렇지도 않았다.

진짜 리디아 프리우스가 아니었기 때문이다. 그녀는 리디아 프리우스의 신분을 빌려 이곳에 온 가짜였다.

"그럼, 청소를 시작해 볼까?"

여자는 천천히 방 안을 훑어보며 청소 계획을 세웠다. 녹색의 눈동자가 명민하게 반짝였다. 이내 두 손을 걷어붙이고 청소를 시작했다. 넓은 방을 혼자 치우면서도 힘든 내색 하나 하지 않았다. 정말 힘들지 않았다. 그동안 그녀가 겪은 고난에 비하면, 이건 괴로움 축에도 들지 않았다.

청소를 모두 마치고 옷을 갈아입기 위해 가방 쪽으로 손을 뻗던 여자가 멈칫했다. 가방 한쪽에 고이 접힌 편지가 들어 있었다. 편지를 바라보는 얼굴에서 표정이 사라졌다. 이 저택에 들어와 여자가 처음으로 보이는 동요였다. 가라앉은 눈으로 편지를 바라보다 천천히 집어 들었다. 구겨진 종이를 펴는 손끝이 조금 떨렸다. 녹색 눈동자엔 어느새 스르르 눈물이 고였다. 곧이어, 그녀가 사무치게 그리워하는 사내의 필체가 나타났다.

편지였다. 그녀가 사랑했고, 여전히 사랑하고 있으며, 그럼에도 제 발로 떠났던, 그 남자가 남긴 마지막 흔적이었다.

─나의 사랑하는 유리에게, 카사르.

*

유리의 본래 이름은 유리엘 발렌타인.

이제는 사라진 발렌타인 백작 가문의 외동딸이었다. 발렌타인 가문은 구 년 전, 황제를 독살하려 한 죄로 멸문당했다. 평생 황제에게 충성했던 부모님은 반역의 누명을 쓰고 돌아가셨다. 가까스로 그 피바람 속에서 살아남은 뒤 유리는 사람들 곁을 떠났다. 도저히 사람들 틈에서 살 수가 없었다. 그녀는 반역자의 딸이었으니까. 늘 사람이 많은 곳을 피해 다녔다. 수시로 거처를 옮기고 지인도 만들지 않았다.

열두 살, 가족을 잃은 그녀의 목표는 오직 하나였다. 살아남는 것.

─유리엘! 너는 반드시 살아야 한다! 살아야 해!

부모님의 유언대로 유리는 살기 위해 살았다. 처음에는 무척이나 힘들고 외로웠지만, 시간이 지나자 적응할 수 있었다.

어느덧 자신만의 집도 생겨서, 산속 작은 집에서 유리는 자신만의 평화를 누리고 있었다.

그러던 어느 날 카사르를 만났다.

"이봐요! 정신 좀 차려 봐요!"

약초를 캐고 돌아오던 길이었다. 집 근처에 누가 자고 있었다.

이런 외진 곳에 대체 누구란 말인가? 처음엔 낯선 이의 출현에 심장이 철렁 내려앉았다. 그런데 가까이 가 보니 자는 게 아니었다. 짧은 금발에 피가 흥건했다. 유리는 깜짝 놀라 남자의 상태를 살폈다.

"설마 죽은 건 아니겠지?"

유리는 다급히 남자의 맥을 쟀다. 다행히 맥박은 규칙적이었다. 안도의 한숨을 내쉬었지만 금세 또 다른 걱정이 생겼다. 남자는 머리뿐 아니라 온몸이 피투성이였다. 출혈이 어마어마했단 뜻이었다. 유리의 난처한 시선이 슬쩍 하늘로 향했다.

"이 남자, 이대로 두고 가면 안 되겠지?"

아침부터 흐리던 하늘에 어느덧 먹구름이 가득했다. 곧이어 한바탕 비가 쏟아질 게 분명했다. 겨울이 지나긴 했어도, 아직은 초봄인지라 아침저녁은 제법 추웠다. 이렇게 큰 상처를 입고 의식도 없이 찬비를 맞다간 자칫 초상을 치를 수도 있었다. 유리는 초조함에 입술을 잘근잘근 깨물었다.

'제발 이 사람이 깨어나서, 멀쩡히 마을로 내려갔으면 좋겠다.'

문제는 그럴 가능성이 없어 보인다는 것이다. 그때였다. 의식이 없던 남자가 눈을 번쩍 떴다.

남자의 푸른 눈동자를 본 유리가 반색하며 말했다.

"저기 정신이……!"

"누구야!"

"네?"

남자가 와락 얼굴을 일그러트린 채 잔뜩 쉰 목소리로 말했다. 그의 손이 다급히 유리의 멱살을 움켜쥐었다. 아니, 움켜쥐려다 실패하곤 허공만 쥐었다. 유리는 놀라 눈을 동그랗게 뜬 채 남자가 제 얼굴 앞에서 허우적대는 걸 바라보았다.

"너, 설마, 바론이 보냈……."

"누구요?"

"절대로, 용서……!"

남자의 손이 툭 떨어졌다. 유리는 멍하니 다시 의식을 잃은 남자의 모습을 바라보았다. 이내 조심스레 몸을 숙여 남자의 호흡을 확인했다. 제법 고른 숨소리가 들려왔다. 유리는 배시시 웃으며 남자의 뺨을 툭 건드렸다.

"소리 지를 힘 있는 거 보니 멀쩡하네. 다행이다."

*

유리는 결국 남자를 자기 집으로 데려왔다. 낯선 이를 집에 들인 건 부모님이 돌아가시고 처음이었지만, 달리 방법이 없었다. 남자를 그대로 두면 분명 찬비에 경을 칠 터였다.

"일단 상처를 좀 봐야겠다."

유리는 소매를 걷어붙이고 남자를 치료할 준비를 하였다. 수건을 깨끗하게 빨고, 상처에 붙은 옷을 오릴 가위도 꺼냈다. 각종 치료 도구가 담긴 상자도 모습을 드러냈다. 혼자 산 세월이 긴 탓에 웬만한 상처는 치료할 수 있었다. 상처를 살피기 전 말간 녹안이 결연하게 남자를 내려다보았다. 부디 이 사람의 상처가 자신이 치료할 수 있는 정도이길 바랐다. 여의치 않으면 의사를 불러야 하는데, 낯선 이를 또 집에 들이는 건 정말 싫었다. 그녀는 간절한 마음으로 남자의 전신을 살피기 시작했다.

"어?"

상처를 찾던 유리의 얼굴이 의아하게 변했다.

"상처가 없잖아?"

유리는 깊게 숨을 내쉬며 팔을 움켜쥐었다. 스멀스멀 기어오르는 옛 기억에 심장이 조여왔다. 남자를 보는 것이 너무나도 힘겨웠다. 자꾸만 하루아침에 모든 것을 잃었던 예전 생각이 났다.

—아저씨, 정말 저기 전시된 시체가 발렌타인 백작 부부예요? 그게 정말이에요?

끔찍했던 그날을 떠올리며 유리가 살짝 몸을 떨었다. 그날 자신이 느꼈던 절망이 저 사내에게서 고스란히 느껴졌다. 그게 유리가 사람을 죽였을지도 모를 사내를 내보내지 못하는 이유였다.

"하, 하하. 대단해……."

그때 멀거니 허공을 바라보던 남자가 파들거리는 웃음을 토해 냈다. 유리는 딱딱하게 굳은 채 그 모습을 보기만 했다. 남자가 한 손에 얼굴을 묻은 채 중얼거렸다.

"바론, 차라리 나를 죽이지……."

고통이 선연한 그의 목소리에 유리는 주먹을 움켜쥐었다. 자꾸만 심장이 뛰었다. 그녀는 저 사람에 대해서 아무것도 몰랐다. 알아서도 안 되었다. 사람을 해쳤다면 분명 위험한 사람일 것이다.

"이 카사르를 장님으로 만들었어. 큭, 크큭."

그가 얼굴을 가린 손을 떼어 냈다. 그는 여전히 웃고 있었다. 유리가 숨을 멈추었다. 짙푸른 눈동자에선 한 줄기 눈물이 흘러내리고 있었다. 그 눈물 때문이었을까. 유리는 어느새 그의 이름을 부르고 있었다.

"카사르, 나는 유리예요."

유리는 살며시 그의 손을 잡고 말했다. 낯선 온기에 그가 흠칫하며 그녀 쪽을 바라보았다. 그의 눈빛에 스쳐 지나가는 두려움이 너무도 안타까웠다. 그를 달래 주고 싶고, 도와주고 싶었다. 제 어릴 적과는 달리, 죽은 가족들과는 달리 지켜 주고 싶었다.

"나와 같이 살래요? 내가 당신을 도울게요."

해서는 안 될 사랑의 시작이었다.

*

그리고 삼 년이 지났다.

한참 창밖을 바라보던 유리는 어둠이 내려앉은 즈음에야 자리에서 일어났다. 가느다란 목에 금사가 걸린 펜던트가 달랑거렸다. 흰 손가락이 펜던트를 열어 그가 마지막으로 남겨 준 편지를 집어넣었다. 그를 떠날 때 그의 흔적은 전부 버리고 왔으나, 이 편지만큼은 도저히 버릴 수가 없었다.

"카사르."

유리가 입술을 달싹였다. 한때는 온 마음을 다해 사랑했으나, 지금은 아는 척조차 불가능한 사람의 이름이었다. 사무치는 그리움에 녹안이 말갛게 젖어 들어갔다. 서글픈 눈동자가 창밖의 풍경을 바라보았다.

"저곳이 황궁이구나."

프리우스에 오기 전 리디아에게 들은 적 있었다. 프리우스 저택은 황궁 바로 앞이니 길 하나만 건너면 네가 사랑하는 사람을 만날 수 있다고. 가능할 리 없었다. 가능해서도 안 되었다. 유리는 더는 그를 사랑하지 않았다. 아니, 사랑한다 하여도 사랑해서는 안 되었다.

―유리야, 사랑한다. 나랑 결혼하자. 이제 내가 널 지켜 주고 싶어.

그리 따뜻하게 속삭이던 사람을 유리는 이별의 말도 없이 떠났다. 남겨진 그의 상실감이 얼마나 컸을지는 상상도 하고 싶지 않았다. 유리는 가까스로 황궁에 고정된 시선을 떼어냈다. 그곳을 보고 있노라면 자꾸만 잊어야 할 목소리가 떠올랐다.

　—앞이 보이면? 일단 널 제일 먼저 보고 싶지. 네가 어떻게 생겼는지, 어떻게 웃는지 알고 싶어.

　그는 그리 말하며 참으로 따스하게 웃었다. 심장에 아릿함이 밀려들었다. 유리는 질끈 눈을 감고 감정이 흘러가길 기다렸다.

　지난 삼 년간, 유리는 이렇게 홀로 앓았다. 그 누구의 도움도 받을 수 없는 오직 그녀만의 상처였다. 벌떡 자리에서 일어나 젖은 걸레를 움켜쥐었다. 오늘따라 유독 짙게 떠오르는 과거가 심상치 않았다. 무엇이든 해야 했다. 그렇지 않으면, 떠올리고 싶지 않은 잔인한 과거까지 그녀를 집어삼킬 것이다.

　—당장 찾아내. 발렌타인의 핏줄은 단 하나도 살려 두어서는 안 돼.

　걸레질을 하는 손이 부들부들 떨렸다. 유리는 결국 제자리에 웅크려 앉았다. 호흡이 거칠어졌다. 필사적으로 과거에서 벗어나려 하였으나 늘 그랬듯, 아무런 효과가 없었다.

　—이 여자야? 카사르를 살린 게?

　—그렇습니다. 바론 전하.

　—큭. 진짜 심하네. 얼굴도 못 알아보겠네. 적당히 하라고. 죽이는 건 안 돼.

　—조심하도록 하겠습니다. 그런데 이 여자가 홀몸이 아니라 합니다.

　—뭐? 임신? 카사르는 모르던데? 없애 버려! 태자 자리 포기할 일 있어? 그나저나 역시 하늘은 내 편이군그래.

　유리의 뺨이 파랗게 질려갔다. 훅 넘어가려는 호흡을 붙잡고 억지로 침대로 향했다. 금방이라도 정신을 잃을 듯 아찔했다. 엉금 기어 침대로 올라간 유리가 곧 찾아올 고통에 대비해 몸을 웅크렸다. 그리고 어느덧 과거의 목소리는 잔인한 현실이 되고야 말았다. 그날의 기억 속에서 유리는 무력하게 가쁜 숨만 내쉬었다.

　—축하해. 그 자식 아이가 죽었단 뜻이야.

*

"이제 곧 약을 주입하겠습니다."

따끔한 감촉과 함께 날카로운 주삿바늘이 살을 파고들었다. 약물이 혈관을 타고 흐르는 걸 느끼며 카사르가 감았던 눈꺼풀을 들어 올렸다. 아주 짙은 안개라도 낀 듯 희뿌연 시야 안으로 회색의 그림자만이 어른거렸다.

여전히 앞은 보이지 않았다. 카사르는 침착하게 눈을 감고 약효가 돌길 기다렸다. 증상이 처음은 아니었기에 초조해할 필요 없다는 걸 알았다.

"이제 슬슬 보이십니까?"

"아직은. 형체는 조금 보이는 것 같군. 그래도 희미해."

다시 눈을 떠 눈앞을 확인한 카사르가 고개를 저었다. 테온이 싱긋 웃으며 고개를 끄덕였다.

"약효가 도는 시간이 빨라졌군요. 완치가 멀지 않았단 뜻이지요. 경하드립니다, 전하."

삼 년 전, 카사르는 사고로 시력을 잃은 적이 있었다. 지방 시찰 도중 자객의 공격을 받은 것이다. 머리에 치명상을 입고 시력 상실까지 일어났다. 두 달 후 치료를 받아 앞을 볼 수 있게 되었지만, 후유증은 남아 있었다. 종종 앞이 보이지 않았다. 몸 상태가 좋지 않거나 극심한 스트레스를 받을 때 그러했다. 예고도 없이 갑자기 발생하는 일이기에 막을 수는 없었다. 그래도 약을 쓰면 금방 증세가 좋아졌다.

"전에 말씀드렸습니다만 증상을 다스리는 데 마음의 안정이 중요합니다. 마음이 편할수록 완치가 빨라질 겁니다."

"가짜 유리만 나타나지 않으면 가능할 것 같군."

테온의 조언에 카사르가 피식 웃으며 말했다. 한동안 잠잠하던 그의 증상을 깨운 건 바로 가짜 유리였다.

텟센 가문의 딸인 그녀는 정체가 밝혀진 뒤에도 발악을 멈추지 않았다. 그가 착각한 거라며, 제 얼굴도 본 적이 없으면서 가짜인 줄은 어찌 아느냐 울부짖었다. 들어줄 가치도 없는 소리였다.

그는 유리의 얼굴을 본 적은 없었다. 그러나 그 외의 모든 것들을 알았다. 그녀의 목소리, 그녀의 몸, 그녀의 얼굴 윤곽까지. 그녀와 함께 산 두 달 동안 그는 시각을 제외한 모든 감각을 사용하여 그녀를 가슴에 새겼다. 암흑 속에서 사랑하는 연인을 느낄 유일한 방법이었다.

사고를 당한 직후 그는 도저히 헤어 나올 수 없는 절망에 빠졌다. 당시 그의 행로는 가장 가까운 지인들만 알고 있었다. 극비였던 그의 일정이 새어 나갔다는 건, 그중 누군가가 배신을 했단 뜻이었다.

그 누구도 믿을 수 없으니 수도에 연락할 수도 없었다. 하루아침에 모든 것을 잃었다는 고통이 그의 목을 졸랐다. 그 악몽 속에서 그 여자가 그에게 손을 내밀었다.

유리가 카사르를 돕겠다며 함께 살자던 때를 기억한다. 이전에도 없고, 이후로도 없을 경험이었다. 새까만 어둠 속에서 오직 그녀의 목소리만이 빛났다. 순간 그 여자가 제 빛이 된 듯한 착각이 들었다. 마치 정해진 순서처럼 그녀의 제안을 받아들였다. 그리고 얼마 지나지 않아 그는 최고의 선택을 했다는 걸 알게 되었다. 유리를, 사랑하게 된 것이다.

유리가 떠난 뒤 제일 먼저 한 일은 손끝에 남은 감각을 되살리기 위해 노력한 것이다. 지난 삼 년간 그의 손은 수도 없이 그리운 궤적을 그렸다. 그는 그녀의 얼굴을 몰랐고, 초상화도 그릴 수 없었다. 그녀를 잊지 않기 위한 방법은 오직 제 손의 감각에 기대는 것이다.

그러나 삼 년이 지났다. 그의 노력을 아는 이들도 그가 그녀를 만나도 이젠 알아보지 못할 거라 말했다. 얼굴을 본 것도 아니고, 그저 손 끝에 남은 기억뿐이었다. 희미한 기억만 붙잡은 채 계속 그 여자를 기다리는 건 무모하다고도 했다.

아니, 그렇지 않았다. 무수히 많은 되새김 끝에 이젠 눈만 감으면 그의 손이 그리운 궤적을 따라 움직였다. 세 마디쯤 되는 동그란 이마, 도톰한 눈매, 오똑한 콧날, 보드라운 볼살, 자그마한 입술까지. 그의 손끝은 늘 그녀의 얼굴 형태를 회상했다. 비록 그걸 그림으로 옮기는 건 실패했지만, 다시 만났을 때 알아볼 수 있을 정도는 될 거라 확신했다. 그러니 이제 그 여잘 다시 만나기만 하면 된다.

그럼 무조건 알아볼 자신이 있었다. 어쩌면 목소리만 들어도 충분할지 몰랐다. 그동안 그가 수많은 가짜의 정체를 밝힌 게 그 증거였다. 이번 가짜 역시 목소리만 듣고도 가짜라는 걸 알았다. 문제는 그 후였다. 그동안 유리를 사칭했던 가짜들은 황족 모욕죄로 감옥에 들어갔다. 그 사실을 알고 있는 텟셴 영애는 반쯤 미쳐 날뛰기 시작했다. 이내 절대 건들지 말아야 할 걸 건드렸다.

─당신 후회할 거야. 날 이렇게 만들고, 그 여자가 무사할 수 있을 것 같아! 당신은, 절대로 그 여자를 못 찾아. 죽음보다 더한 고통이 그 여자의 목을 조르길!

그를 향한 모욕은 그러려니 넘길 수 있다. 벌을 내리면 그뿐이니까. 그러나 유리를 향한 저주는 참을 수가 없었다. 그의 여자는, 유리는 말로도 해쳐서는 안 될 사람이었다.

23

―유리가 고통스러워할 거라고? 내 눈이 닿지 않는 곳에서? 감히 당신이 그따위 소리를 지껄여!

그 순간 눈이 뒤집혔다. 온화한 황태자의 모습은 완전히 사라지고, 정신을 차렸을 땐 그 여자의 목에 칼을 꽂기 직전이었다. 곁에 있던 신하들은 난리가 났다.

―전하! 고정하십시오! 귀족입니다! 죽일 땐 죽이더라도, 재판은 해야 합니다!

칼이 떨릴 정도로 손잡이를 쥔 손에 힘이 들어갔다. 텟센 영애는 반쯤 넋이 나가 칼 끝을 올려다보았다. 한참을 거친 숨을 내쉬다 미칠 것 같은 분노를 억지로 누르고 칼을 집어 던졌다. 그리고 그 순간 앞이 보이지 않았다.

"전하, 앞으로 가짜는 제가 처리할 터이니 전하께서는 부디 치료에 전념하십시오. 테온 경의 말대로 마음을 편히 가지십시오. 아까는 제가 죽는 줄 알았습니다. 전하께서 앞이 안 보인다 하실 때마다 제 수명이 주는 걸 모르십니까."

두 사람의 대화를 듣던 루한이 우는 소리를 냈다.

루한 아델바오르. 아델바오르 백작 가문의 주인인 그는 카사르의 충실한 신하였다. 카사르와는 동갑으로, 둘만 있을 땐 스스럼없이 말을 놓는 막역한 지기이기도 했다. 테온은 애가 달아하는 루한의 모습에 느긋한 웃음을 지었다.

"앞을 못 보시는 건 전하이신데 왜 백작님께서 수명이 줄어드십니까?"

"테온 경, 몰라서 물으십니까? 주변의 눈을 피해 전하를 모시는 게 쉬운 줄 아십니까? 아까도 정말 보는 눈이 얼마나 많았는지, 하마터면 들키는 줄 알았다고요."

지난 삼 년간 카사르는 자신의 증상을 주변엔 알리지 않았다. 그의 가장 가까운 수하들 역시 예외는 아니어서, 친우 루한과 그의 치료를 담당하는 테온만 알고 있었다. 증상이 나타나면 지금처럼 다른 사람의 눈을 피해 숨어서 치료를 받았다.

그의 배다른 형제, 바론 때문이었다. 현 황후의 아들인 바론은 황자이면서 황태자 자리를 노리고 있었다. 거대 외척의 힘을 등에 업은 채 수단과 방법을 가리지 않고 카사르에게 위해를 가했다.

오 년 전 태자 책봉이 있고 나서는 아예 물불을 가리지 않았다. 삼 년 전 있었던 자객의 습격 역시 증거가 없다뿐이지 바론의 짓이 분명했다. 어떻게든 형제의 약점을 잡기 위해 혈안이 되어 있는 바론이 카사르의 증상을 알게 된다면 분명 가만있지 않을 것이다. 황제가 될 사람이 앞을 볼 수 없다는 게 말이 되느냐며 여론몰이를 시작할 게 분명했다. 혹시 모를 위험을 감수하느니 차라리 숨어서 치료를 받는 게 나았다.

'바론, 그 자식만 아니었어도 전하께서 이 고생은 안 하실 텐데……."

문제는 숨어서 치료받는 게 무척이나 위험하고 어려운 일이라는 것이다. 위험한 고비 때마다 뒷수습을 했던 루한은 바론에 대한 감정이 매우 나빴다. 삼 년 전 카사르가 자객의 습격으로 두 달간 실종되었던 일이 있었던 후부터는 부모 죽인 원수 대하듯 했다. 요즘엔 아예 대놓고 욕을 퍼붓곤 했다.

"그 씹어 먹어도 시원치 않을 놈이……."

"어, 흠, 백작님. 말씀이 좀."

점점 사나워지는 욕에 테온이 민망한 듯 헛기침을 했다. 루한은 안 그래도 속이 끓던 차에 옆에서 툭 건들자 참지 못하고 테온에게 화풀이를 하기 시작했다.

"제 말이 어때서요. 우리밖에 없는데 욕이라도 시원하게 해야 하는 거 아닙니까?"

"그, 그래도 좀."

"테온 경도 솔직히 말씀해 보십시오. 저랑 생각이 같지 않으십니까? 그놈은 개자식이라고요. 그 빌어먹을 놈이 보위를 탐내는 게 말이 됩니까? 네?"

"어, 흠, 크흠."

머리가 희끗희끗한 주치의는 젊은 백작의 말발을 이기지 못하고 쩔쩔맸다. 그 상황을 해결한 건 카사르였다.

"이제 앞이 보이는군."

"어? 벌써 말입니까?"

예상보다 빠른 회복에 루한이 테온을 향한 공격을 멈추며 놀라 물었다. 예상했던 반응에 카사르가 모른 척 웃음을 삼키며 침착하게 자리에서 일어났다.

"그래. 이젠 잘 보여."

조금 무리를 한 탓인지 시야가 울렁이긴 했지만, 사물을 분간하지 못할 정도는 아니었다. 그는 아무렇지 않은 척 집무실 책상 쪽으로 다가가 의자에 앉았다. 이내 부드럽게 웃으며 감사 인사를 했다.

"테온, 고맙소. 덕분에 오늘도 다시 앞을 볼 수 있게 되었군."

"신이 응당해야 할 일입니다, 전하. 정말 머지않아 완치될 것 같습니다. 경하드립니다."

테온은 카사르의 회복을 제 일처럼 기뻐하며 방을 나갔다. 잰걸음 소리로 미뤄보아 잔소리에서 벗어난 게 기쁜 것 같기도 했다.

루한은 방금의 말다툼은 까맣게 잊고 카사르의 증상에 완전히 정신이 팔렸다.

"카사르. 정말 앞이 보여? 벌써?"

두 사람만 남자, 루한이 편한 말투로 조심스레 물었다. 제 증상에 안달복달하는 친구의 모습에 카사르가 피식 웃었다.

"그럼. 걱정하지 마."

"그래도 좀 쉬는 게 낫지 않겠어?"

"어차피 잠도 안 올 텐데 뭐. 그 시간에 차라리 일하는 게 낫지."

책상 위에는 치료를 받는 동안 미뤄 둔 일들이 산더미처럼 쌓여 있었다. 그는 익숙하게 호흡을 고르며 눈앞의 아지랑이들이 잠잠 해지길 기다렸다.

자정이 훌쩍 넘은 시간이었지만 잠들 생각은 없었다. 잠이 오지 도 않을 것이다. 지독한 불면, 그건 유리와의 이별 후 겪게 된 또 하 나의 후유증이었다. 그녀와의 이별은 아무 예고도, 전조도 없었다. 하루 전까지만 하더라도 그에게 사랑을 속삭이던 여자가 어느 날 갑자기 그를 떠났다. 사고를 당한 것도 아니었다. 앞을 보지 못하는 그를 버려둔 채 사라진 것이다. 짧은 이별의 편지가 그에게 남겨진 전부였다. 꿈에서도 상상한 적 없는, 끔찍한 이별이었다.

—미안해요, 카사르. 앞으로 행복해야 해요.

만일 그녀가 직접 이별을 선고하고 떠났다면 좀 나았을까? 그건 잘 모르겠다. 어쨌든 그날 이후로 자고 싶어도 잘 수가 없었다. 설 핏 잠이 들었다가도 소스라치게 놀라 잠에서 깨어났다. 반사적으 로 허전한 옆자리를 더듬었다가 눈 뜬 채로 악몽에 빠졌다. 아무리 애타게 그 이름을 불러도 돌아오는 대답 없던, 그 끔찍했던 그날로 돌아간 것이다. 그렇기에 그는 더욱 필사적으로 유리를 찾았다. 그 래야만 조금이라도 숨을 쉴 수 있을 것 같았으니까.

시간이 지나자 불면의 이유가 차츰 바뀌었다. 그녀를 찾지 못하 는 시간이 길어지면서부터였다. 누군가 그랬다. 그녀가 나타나지 않는 게 아니라, 나타나지 못하는 것일지도 모른다고. 내내 외면하 고 있던 가능성에 덜컥 숨이 막혔다. 그녀를 향한 그리움은 자연스 레 그녀의 안위를 향한 걱정으로 변했다. 만에 하나 크게 다치거나 죽은 거라면, 그래서, 돌아오고 싶어도 돌아오지 못하는 것이라면.

─카사르. 사랑해요. 정말 사랑해요. 내 목숨보다도, 더, 더 사랑해요.

그따위 가정은 떠올리지도 말았어야 했다. 저를 목숨보다 귀하에 여겼던 그 여자가……. 그 자그마한 여자가 제 눈이 닿지 않는 곳에서 다쳤을지도 모른다는 상상만으로 돌아 버릴 것 같았다. 가만히 있다가도 손이 덜덜 떨릴 정도로 두려웠다. 태자 자리고 뭐고, 궁을 뛰쳐나가 제 발로 그녀를 찾고 싶었다. 실제로 이성을 잃고 날뛴 적도 여러 번 있었다. 주위에선 그를 위한답시고 그의 악몽을 부추겼다. 지나간 인연은 흘러보내야 한다며, 이제껏 돌아오지 않는 거 보면 죽었을 거란 말도 했다. 심지어 유리가 죽어야 한다는 인간들도 있었다.

─전하. 아뢰옵기 황송하오나, 신은 그 여자가 죽어 마땅하다 생각합니다. 전하께서 그 여자 때문에 겪으신 고통을 생각하면 죽음으로도 부족하다 봅니다.

미친 소리. 그 말을 듣자마자 상대의 팔을 반쯤 잘라 버렸다. 제정신으로 한 건 물론 아니었다. 그렇게 반쯤 미쳐있는 날들이 계속되었다. 시간이 흐르자 흥분은 조금 가라앉았지만 두려움은 여전했다. 그 끔찍한 공포에서 벗어날 방법은 일에 파묻히는 것뿐이었다. 뭔가에 집중하고 있을 때면 두려움을 잊을 수 있기 때문이었다.

'리디아 프리우스? 프리우스 공작에게 딸이 있었단 말이야?'

각 가문에서 올라온 보고서를 읽던 중이었다. 낯선 이름에 그의 눈빛이 이채를 띠었다. 리디아 프리우스, 오늘 프리우스 가문으로 돌아왔다던 공작의 사생아였다.

'미하엘도 지독하군. 그래도 피가 섞인 누이인데 말이야.'

리디아 프리우스에 대한 보고서를 읽으며 카사르가 미간을 찌푸렸다. 프리우스에 잠입해 있는 정보원이 보낸 이 보고서에는 공녀와 관련하여 오늘 있었던 일들이 상세하게 기록되어 있었다.

'몇 시간이고 저택에 들어가지도 못하고 뙤약볕 아래 서 있었다, 한참 뒤에 방 안내를 받았지만, 그마저도 쓰레기 같은 방이었더라. 하, 하인들이 주인을 경멸하고 조롱하기까지. 정말 최악이군.'

평범한 귀족 가문에서는 상상도 할 수 없는 일이었다. 이 모든 건 전부 배다른 누이를 향한 미하엘의 증오 때문이었다. 천박한 핏줄은 결코 제 가문으로 받아들일 수 없다는 아집 때문이기도 했다.

―황제 폐하! 태자 책봉을 재고하여 주십시오. 아살론의 황좌엔 그 자리에 걸맞는 혈통이 필요합니다!

불과 몇 년 전까지만 하더라도 황실엔 미하엘과 비슷한 자들이 많았다. 그들은 카사르의 모친이 평민 출신이라는 이유만으로 카사르를 깎아내렸다. 모진 반대와 싸우며 결국 이 자리에 앉긴 했지만, 그 과정은 결코 순탄치 않았다.

'리디아 프리우스라……'

자신과 비슷한 일을 겪고 있기 때문일까. 그는 낯선 여자에게 마음이 쓰였다. 좀처럼 다음 서류로 넘어가지 못하고 그녀에 대해 읽고 또 읽었다.

―리디아 프리우스는 검은색 머리카락, 녹색 눈동자를 가지고 있으며 마른 체격임. 나이는 스물둘이며……

서류를 움켜쥔 그의 손에 힘이 들어갔다. 짙푸른 눈동자가 번뜩였다. 스물둘. 유리의 나이 역시 올해 스물둘이었다. 그녀의 흔적을 느낀 심장이 본능적으로 빠르게 뛰었다.

*

뚫어져라 리디아의 신상 명세를 바라보던 카사르가 가까스로 자신을 달랬다. 나이가 같다고 이 여자가 유리일 수는 없어. 지극히 당연한 일이었다. 머리로는 알면서 심장은 자꾸만 헛된 희망을 좇았다.

그는 결국 서류를 내려놓고 쓴 침을 삼켰다. 카사르가 물끄러미 제 손을 내려다보았다. 오른손을 가로지르는 긴 흉터가 있었다. 이 상처가 생긴 날, 사랑을 깨달았다.

─나는 소중한 사람들을 너무 많이 잃었어요. 또 그걸 반복하고 싶지 않아. 당신만은 지킬 거야. 꼭 지키고 말 거야.

제 손을 붙잡고 그 여자가 흘리던 눈물을 기억한다. 카사르가 스르르 눈을 감았다. 어둠 속에서 그때의 일이 다시 벌어지는 듯 생생하게 떠올랐다. 저를 끌어안은 채 절박하게 이어지던 약속, 팔딱이는 심장 소리, 달콤한 땀내음까지.

움켜쥔 손이 저도 모르게 움찔했다. 그 작은 몸을 끌어안고 사랑한다 속삭이고 싶었다. 젖어 있을 그녀의 뺨을 닦아 주고, 보드라운 입술을 쓸고, 그리고······.

"전하?"

순식간에 뒤통수가 잡아당겨진 듯 얼얼한 기분으로 카사르는 눈을 떴다. 의아한 듯 자신을 바라보는 루한의 모습에 아, 그가 짧은 탄식을 내뱉었다. 꿈이 깨진 상실감에 허탈함이 밀려왔다. 이곳에 유리는 없었다. 그 홀로 남아 저를 떠난 여인을 찾고 있을 뿐이었다.

─카사르. 사랑해요. 당신과 영원히 함께하고 싶어요······.

*

아주 새카만 밤이었다. 유리는 온몸이 땀에 젖은 채로 겨우 눈을 떴다. 몇 시간이나 정신을 잃었던 것일까. 묵직한 몸을 겨우 일으켜 시계를 확인하였다.

자정이 넘은 시간. 유리는 저도 모르게 창밖으로 시선을 옮겼다. 태자궁엔 여전히 불이 켜져 있었다.

'아직도 불이 켜져 있구나.'

그의 존재를 인식하는 것만으로 가슴엔 파문이 일었다. 유리는 가쁜 숨을 내쉬며 자리에서 일어났다. 다리에 힘이 들어가지 않아 자꾸 걸음이 휘청였다. 선반을 붙잡고 가까스로 욕실 쪽으로 다가 갔다. 희게 질린 손이 수도꼭지를 움켜쥐었다.

─마르디네 발렌타인이 만든 음식에 독이 들어 있었습니다. 폐하를 독살하려 했음이 분명합니다. 발렌타인 백작이 모반을 일으 킨 겁니다!

─거짓말이오! 이건 모함이야! 내 아내가 그럴 리 없어!

삐걱. 수도꼭지가 돌아가며 차가운 물줄기가 쏟아졌다. 차게 식 은 몸에 얼음장 같은 물이 닿자 온몸이 다 떨렸다. 유리는 이를 악 물고 몇 번이나 얼굴을 씻어 내렸다.

─카사르라고 했죠? 난 유리예요. 올해로 열아홉이에요.

─유리……?

─당신, 도와줄 사람은 있어요?

─없어. 아무도.

─그럼 내가 당신을 도울게요. 내 이름 유리예요. 꼭 기억해 줘요.

물끄러미 거울을 응시하던 유리가 중얼거렸다.

"내 이름은 유리가 아니야. 유리엘 발렌타인이야."

─저기요, 저 초상화에 그려진 게 진짜 황태자 카사르예요? 저 사람이 정말 황제의 아들이란 말이에요?

그녀는 더는 그 사람의 유리가 아니었다. 그 사람이 황제의 아들이라는 걸 알게 된 후 정해진 일이었다.

"정신 차리자, 유리엘 발렌타인. 그 사람과 나는 이미 끝났어."

유리는 다시 한번 되뇌며 찬물로 얼굴을 씻어내렸다. 냉기와 함께 가슴속 그리움이 차게 식었다. 녹색 눈동자에 맺혔던 눈물 역시, 투명한 물에 섞여 사라져 버렸다.

*

물끄러미 먼동이 터 오는 창밖을 바라보던 유리가 자리에서 일어났다. 이내 선반 위에 늘어져 있는 불을 차례대로 껐다. 촛불은 한 개가 아니었다. 유리가 어둠을 무서워하기 때문이었다.

새까만 어둠 속에선, 발작이 일어나곤 했다. 처음부터 그랬던 건 아니었다. 부모님이 돌아가실 때 트라우마가 생겼기 때문이었다.

그녀의 아버지 발렌타인 백작은 현 황제와 매우 막역한 지기였다. 황제가 종종 정무 중에도 친구가 보고 싶다며 영지에 놀러 올 정도였다. 황제를 처음으로 보았던 날을 기억한다. 반듯한 이목구비가 동화 속에서 나온 왕자님처럼 보였다. 중후한 목소리는 멋진 악기 연주 소리 같았다.

처음 만난 황제의 모습에 설레는 유리에게 그는 자상하게 말했다.

─네가 유리엘이구나. 마르디네를 꼭 빼닮았네. 나도 네 나이 또래 아들이 있단다. 너보다 네 살이 많지. 나중에 꼭 소개해 주마.

그녀의 아버지, 발렌타인 백작은 충신 중의 충신이었다. 어머니께서 난산의 기미가 있을 때조차도 황제의 부름에 영지를 떠나셨다고 했다. 어머니는 그런 아버지를 원망하기는커녕 존경했다. 백작의 우직한 충심에 반해 혼인을 결정했기 때문이었다.

—폐하께서 드신 음식에 독이 있었소! 마르디네 발렌타인이 폐하를 독살하려 한 거야!

그런 아버지께서 황제 폐하를 독살하려 했다는 누명을 썼다.

어느 겨울밤이었다. 연락도 없이 황제가 영지를 찾아 왔다. 어머니께선 하인들을 물리고 친히 음식을 만드셨다. 귀한 손님을 대접하는 어머니만의 방식이었다. 그날의 요리가 발렌타인의 멸문으로 이어질 것이라곤, 상상도 못 했다.

—끔찍한 독입니다. 폐하께선 당분간 깨어나지 못하실 겁니다.

—이건 반역이다. 저택을 수색해! 분명 증거가 있을 거다!

—백작의 집무실에서 발견하였습니다. 백작이 적국과 내통하고 있단 서신입니다!

—난, 정말 모르는 일이오! 이건 모함이오!

황제가 피를 토하며 쓰러진 후, 상황은 폭풍처럼 흘러갔다. 늘 침착하고 인자하시던 아버지께서 사색이 되어 고함을 치셨다. 평소엔 충신의 표본이라 그를 칭송하던 기사들이 그런 아버지를 찍어 눌렀다. 어머니와 함께 끌려가는 동안 등 뒤에서 아버지의 피맺힌 절규가 울려 퍼졌다.

—유리엘! 너는 살아야 한다! 너는 살아야 해!

하늘이 아버지의 간절한 소망을 들어준 걸까. 어머니와 유리가 갇힌 방엔 마침 비밀 벽장이 있었다. 잠시 감시가 소홀한 틈을 타 어머니는 유리를 벽장 안에 밀어 넣었다. 두 사람이 숨기엔 공간이 부족했다. 어머니는 망설임 없이 저 대신 유리를 살렸다.

—유리엘, 절대로 이곳에서 나오면 안 된다.

—엄마는?

—이곳에 조용히 있으면 곧 만날 수 있어. 명심하렴. 절대로, 그 어떤 소리도 내서는 안 된다.

그게 어머니와의 마지막 인사였다. 달빛에 창백해진 얼굴로 어머니는 희미하게 웃었다. 펜던트를 손에 쥐어 주며 잠깐만 이 펜던트를 엄마 삼아 기다리면 될 거라 했다. 그 펜던트가 어머니의 유품이 될 줄은 전혀 몰랐다.

빛 한 점 없는 어둠 속에서 열두 살 유리는 눈을 꼭 감았다. 무척이나 무서웠지만, 잘 버티고 있으면 어머니께서 돌아오시리라 생각했다. 그리고 잠시 후 벽장 밖에서 익숙한 목소리가 들렸다.

—폐하. 백작의 딸이 사라졌습니다. 백작 부인이 숨긴 것 같습니다.

—그래 봤자 꼬마야. 멀리까지 움직일 순 없을 거다. 당장 사냥개를 풀어. 명심해. 발렌타인의 핏줄은, 단 하나도 살려 두어서도 안 돼.

유리는 제 귀를 의심했다. 저를 죽이라는 목소리는 황제의 것이 분명했다. 이상했다. 어머니의 독 때문에 사경을 헤매야 한다던 황제가 어찌 이리 금방 멀쩡해진 걸까. 서늘한 예감에 정신이 번쩍 들었다.

—마르디네! 안 돼!

멀지 않은 곳에서 아버지의 피맺힌 고함이 들렸다. 온 저택에 울려 퍼지던 절규가 어느 순간 뚝 끊겼다. 어린 나이에도 그것이 죽음의 소리라는 걸 알았다. 척추가 곤두서는 소름과 함께 유리는 모든 진실을 깨달았다. 이 모든 것이 황제의 짓이었다. 황제가 부모님을 죽였다.

그 순간 발작이 일어났다. 그 뒤론 어둠을 견디질 못했다. 특히 갑작스럽게 어둠이 찾아올 때는 맥없이 쓰러져 버렸다. 깨어날 때까지 심장을 쥐어짜는 고통과 싸워야 했다. 혼자 고통을 견뎌야 하는 시간이 너무도 외롭고 힘들었다. 그랬다, 그를 만나기 전까지는.

―유리야, 어둠을 무서워하지 마. 이건 아무것도 아니야.

―내가 옆에 있어. 내가 네 옆에 있을 거야.

―어둠이 아니라, 그저 눈을 감고 있을 뿐이야. 눈을 감아 봐. 잘했어. 내 목소리 들리지?

그의 품속에서 유리는 처음으로 발작을 극복할 수 있었다. 물론, 이미 다 지난 일이었다. 물끄러미 마지막 남은 촛불을 바라보았다. 이 불이 꺼지면 또 발작이 일어날까. 발작이 일어나는 동안은 내 과거를 모두 잊을 수 있을까. 그러진 않을 것이다. 등 뒤에 찬란한 태양이 떠오르고 있었으니까.

차분한 얼굴로 마지막 촛불을 껐다. 담담하게 방을 정리하고 나온 유리를 본 하인들이 수군거렸다.

"저 여자 아직도 저택에 있었어?"

"와, 진짜 뻔뻔하다. 자기를 진짜 공녀라고 생각하나 봐."

오늘도 프리우스 하인들의 박대는 여전했다. 유리는 그들의 악담을 흘려들으며 걸음을 옮겼다. 수도로 오기 전 들었던 리디아의 경고가 떠올랐다.

―유리야, 몸조심해. 네가 내 이름으로 사는 한, 프리우스 가문은 절대 널 환영하지 않을 거야. 아니, 증오할 거야. 무슨 수를 써서라도 널 쫓아내려 할 게 분명해. 어쩌면 널 해치려 할지도 몰라.

이젠 그 말을 완벽하게 이해할 수 있었다. 큰 걱정은 하지 않았다. 유리는 얼마든지 이 상황을 역전시킬 자신이 있었다. 그녀의 뒤엔 '그자'가 있었으니까. 프리우스에 성공적으로 입성한 것도 '그자'의 힘 덕분이었다. 세상에서 가장 증오스러운 사내이지만, 지금은 그녀의 뒷배 역할을 톡톡히 했다.

"뭐야, 저 여자. 눈 하나 깜빡 안 하잖아?"

"와, 진짜 독하다. 어쩜 저런 독종이 다 있지?"

담담한 유리의 모습에 하인들은 약이 올라 어쩔 줄을 몰랐다. 유리는 차분히 앞으로 저들을 어찌할지 고민했다. 그들의 행동이 딱히 불쾌하진 않았다. 그렇다고 맹렬한 악의를 좌시할 생각도 없었다. 잦은 분쟁이 앞으로의 계획에 걸림돌이 될 수 있기 때문이었다. 그녀는 결코 쉬운 마음으로 그가 있는 수도에 온 게 아니었다. 무슨 수를 써서라도 반드시 해야 할 일이 있었다.

바로 복수였다. 억울하게 죽은 가족과 먼저 떠나보낸 아이의 빚을 갚아야만 했다.

"아악! 살려주세요!"

그때, 찢어지는 비명이 고막을 울렸다.

"아아악!"

놀란 유리가 소리가 들리는 쪽을 바라보았다. 주변에 있던 하인들 역시 그쪽으로 시선을 돌렸다. 그런데 이상한 일이 벌어졌다. 그 누구도 비명의 주인에게 관심을 두지 않은 것이다.

"결국 그 꼬맹이가 일을 쳤군."

"잘되었어. 미하엘 님의 명령을 어겼으니 벌 받을 만해."

그들은 자기들끼리 쑥덕거리더니 이내 킬킬대며 그 자리를 떠났다. 유리는 다른 사람의 비극에 즐거워하는 그 모습에 얼음처럼 굳어 버렸다. 그 비열한 모습 위로 잊고 싶어도 잊을 수 없는 한 사람이 겹쳤다.

—이 계집이야? 카사르를 살린 게? 큭. 이름이 유리라고 했나?

쓰러진 그녀를 보며 킬킬대던 그의 얼굴. 조롱어린 눈빛으로 그녀를 내려다보던 그 사내. 바론이었다.

*

"지나, 너 아주 배짱이 대단하다. 미하엘 님 명령을 거역하고, 사생아에게 음식을 가져다줘? 네가 제정신이야!"

"잘못했어요, 하녀장님. 흑, 한 번만, 한 번만 용서해 주세요."

모퉁이를 돌아선 유리가 가쁜 숨을 내쉬며 벽을 짚었다. 이내 눈앞에 펼쳐진 광경에 그대로 굳어 버렸다. 비명 끝엔, 작은 소녀가 엎드려 빌고 있었다. 그 주변을 다른 하녀들이 빙 둘러싼 채였다.

"용서? 말은 잘하네. 잘못했으면, 벌을 받아야지."

하녀장은 그리 말하며 땅에 떨어진 빵을 짓이겼다. 이내 눈을 번뜩이며 손을 들어 올렸다. 말리는 이가 아무도 없었다. 어린 소녀가 머리를 팔로 감싸는 게 보였다. 생각할 시간이 없었다. 유리는 그대로 달려가 소녀의 앞을 막아섰다.

"멈춰요!"

매서운 손이 허공에서 멈추었다. 하녀장은 어처구니없다는 듯 유리를 보았다.

"뭐야?"

"난 어제 당신이 안내한 프리우스의 공녀예요. 내 얼굴도 잊었어요?"

"뭐?"

"지금 이게 뭐 하는 짓이에요. 이 어린아이에게!"

유리가 강하게 힐난하며 하녀장의 손을 떨쳤다. 그제야 상황 파악이 된 하녀가 기가 막힌 얼굴을 했다. 화가 치밀어 올랐지만, 차마 다시 손을 들진 못했다. 유리는 하녀장의 손이 지나에게서 멀어진 걸 확인하고 나서야 얼른 돌아앉았다.

"세상에, 어떻게 이런 짓을…… 괜찮니? 나 보여?"

"윽…… 헉. 고, 공녀님."

덜덜 떨던 소녀는 유리를 보자마자 축 늘어졌다. 긴장이 풀렸기 때문인 듯싶었다. 소녀의 한쪽 뺨이 발갛게 부풀어 있는 게 보였다. 유리가 왈칵 치밀어 오르는 눈물을 참으며 소녀를 끌어안았다.

"이 아이가 그렇게 큰 잘못을 했어요? 내게 음식을 가져다준 게 죽을죄예요? 어떻게 힘없는 아이를 어른이 합세해 때릴 생각을 해요! 당신들이 그러고도 사람이에요?"

심장이 터질 것만 같았다. 유리도 사람을 도운 죄로 공격받은 적이 있었다. 그날 이후 유리는 모든 것을 잃었다. 하여 이 상황이 더욱 끔찍하게 느껴졌다.

"공녀님, 비키십시오. 프라우스에는 프라우스의 규칙이 있습니다."

말만 존댓말이지 사나운 명령에 가까웠다. 유리는 상대의 눈을 똑바로 바라보며 말했다.

"그따위 규칙, 내가 용납하지 않겠어요."

그와 동시에 비웃음이 터져 나왔다. '공녀는 무슨', '사생아 따위가' 하는 쑥덕거림이 들려왔다. 유리는 그 모든 것에 아랑곳하지 않고 단호히 말했다.

"프라우스의 규칙이 제국법 위에 있진 않겠죠."

유리를 노려보던 하녀장의 눈이 가늘어졌다.

"난 엄연히 프라우스의 딸이에요. 주인의 명에 불복하는 하인은 태형이라는 제국법! 알고 있겠죠. 당신들은 이미 한 번 불복했어요! 이 아이의 꼴이 되고 싶으면, 어디 한번 버텨 봐요. 그럴 수 없다면 지금 당장, 의사를 불러와요!"

"내 말 안 들려요? 제국법으로 심판을 받아야 정신을 차리겠어요?"

"……알겠습니다. 공녀님 명대로 하지요."

서릿발 같은 호령에 하녀장은 일보 후퇴를 했다. 제국법 운운한 협박이 통한 것이다. 하녀장은 짜증스러운 얼굴로 고개를 돌렸다.

'미하엘 공자님은 대체 언제 돌아오는 거야.'

그녀의 뒷배인 미하엘은 도박 때문에 저택을 비운 상태였다. 하녀장은 미하엘이 돌아오기만 하면 이 멍청한 사생아에게 본때를 보여 주겠노라 다짐하며 이를 갈았다.

"잠시만 기다리십시오, 공녀님. 곧 가문의 의사를 부르도록 하죠. 제니, 저 아이를 어서 숙소로 옮겨. 마틸다. 너는 이곳 좀 정리하고……."

"당신이 직접 해요."

"네?"

"당신이 직접, 지나를 업어서 내 방으로 옮겨요. 어서요!"

유리의 일갈에 하녀장은 멍해졌다.

그녀는 미하엘의 정부로, 수년 동안 권세를 누려왔다. 이 저택에서 미하엘 말고는 그녀를 거스르는 자가 아무도 없었다. 한데, 천한 사생아 따위가 그녀에게 명령하고 있었다.

"하녀장님 한마디도 못 하시는데?"

"사생아가 제법이긴 하네……."

뒤에서 들리는 쑥덕거림에 하녀장이 휙 고개를 돌렸다. 둘의 모습을 구경하던 하녀들이 얼른 고개를 숙이는 게 보였다. 굴욕감에 하녀장의 얼굴이 벌겋게 달아올랐다. 일의 원흉인 사생아에겐 증오가 피어올랐다.

"당장 움직여요. 어서!"

결국, 하녀장은 의식을 잃은 지나를 직접 업고 계단을 올라야 했다. 그동안 하녀장의 악의는 극에 달했다. 그러거나 말거나, 유리는 지나를 치료할 의사까지 불러오라 채근했다.

"지금 당장 의사를 불러와요. 프리우스의 의사들은 도저히 믿을수 없으니, 가문 밖에서 데려와요!"

"하지만 공녀님, 지금 시각이……."

"변명하지 마요. 내 명에 불복하는 건가요? 제국법대로 해 보자는 거예요?"

결국, 하녀장은 이를 갈며 그녀의 명을 받들었다. 다행히 밖에서 데려온 의사는 제정신이 박힌 듯 제법 성심성의껏 지나를 치료했다.

"공녀님, 큰 걱정은 마십시오. 상처가 크지는 않습니다. 몇 군데 멍이 심하긴 하지만 단순 타박상입니다."

"의식은 언제쯤 돌아올까요?"

"의식이랄 것도 없습니다. 놀라서 잠시 정신을 잃은 겁니다. 잠든 거나 마찬가지죠. 곧 깨어날 겁니다. 공녀님은 잘 모르시겠지만 이런 애들이 맷집이 좋습니다. 많이 맞고 자란 만큼 잘 피하는 방법도 알고 있지요. 크게 걱정하진 않으셔도 됩니다."

의사는 마지막으로 몇 가지 처치 방법을 말해 준 뒤 주섬주섬 짐을 쌌다.

"하여간 마음이 아주 넓으십니다. 아가씨 덕분에 이 아이가 살았습니다. 무릇 귀족이란 아가씨처럼 남을 불쌍히 여길 줄 알아야 하지요. 아주 훌륭하십니다."

유리는 의사의 칭찬에 쓴웃음으로 답했다. 지나를 구한 건 그의 말대로 아량이 넓어 그런 것이 아니었다. 그저 그냥 보고 있을 수가 없었다. 사람을 살렸다가 해를 입은 그녀의 모습이 삼 년 전 자신의 모습을 보고 있는 것 같았다.

―리디아, 나 언젠간 그 사람에게 돌아갈 수 있을까? 그래도 될까?

―당연하지. 그 사람, 너 많이 사랑했다면서. 사정을 알면 이해해 줄 거야.

―카사르가 아이 이야기를 들으면 기뻐할까?

―당연한 소릴. 넌 걱정하지 말고, 아이나 건강하게 낳을 생각만 해. 영영 비밀로 할 생각은 꿈에도 말고! 아이에겐 아버지가 꼭 필

요하니까. 알겠지?

그가 황제의 아들이라는 걸 알고 그를 떠난 뒤에도 유리는 계속 그를 그리워했다. 지금은 차마 그의 곁을 견딜 수 없어도, 언젠가는 돌아갈 수 있을 거란 꿈을 품었다. 어쩌면 그에게 그를 닮은 아이를 안겨 줄 수 있을지도 모른단 희망과 함께였다.

그리고 그 희망은 참으로 무참하게 끝이 났다.

─축하해. 드디어 네가 하혈을 했어. 그 자식 아이가 죽었단 뜻이야.

"윽. 으윽."

유리가 거칠어지려는 호흡을 삼키며 배를 끌어안았다. 둥글게 부풀어 올랐어야 할 배가 납작한 게 너무 아팠다. 아이를 따라갔어야 했는데, 혼자 살아남은 자신이 죄스러웠다. 방 안엔 잠든 지나의 색색거리는 숨소리만 가득했다. 침대보를 움켜쥔 손등으로 푸르스름한 핏줄이 도드라졌다. 유리가 질끈 눈을 감았다. 견뎌야 했다. 견디다 보면, 언젠가는 아픔이 끝났다.

"여기야? 그 계집이 있는 곳이?"

그때, 노크도 없이 문이 벌컥 열렸다. 유리는 바로 일어나지 못하고 깊은숨을 몰아쉬다 가까스로 허리를 폈다. 문 앞에 선 사내가 비틀거리며 방 안으로 들어왔다. 훅, 하고 끼치는 독한 술 냄새에 두통이 이는 것 같았다.

"뭐야. 너 아직도 내 집에 붙어 있어?"

그는 유리, 아니 리디아와 같은 흑발에 녹안을 가지고 있었다. 살짝 올라간 눈꼬리와 얇은 입술이 리디아와 몹시 비슷했다. 유리는 물을 필요도 없이 그자의 정체를 직감했다.

미하엘 프리우스. 리디아의 배다른 오라비였다. 미하엘. 리디아의 설명대로라면 그는 쓰레기 중의 쓰레기였다.

아살론에선 사생아는 이름만 가문의 일원일 뿐 아무 권리도 없었다. 사생아를 견제하거나, 괴롭힐 필요가 없다는 뜻이었다. 그럼에도 미하엘은 리디아의 어머니를 죽음으로 몰고 갔다. 단지 제 누이가 거슬린다는 게 그 이유였다. 리디아는 태어난 직후 어머니와 함께 수도를 떠나야 했다. 공작부인이 두 사람을 쫓아냈기 때문이었다. 공작부인이 죽고 난 후에야 공작의 부름을 받고 수도로 돌아왔다. 리디아 모녀가 저택에 머문 건 불과 일주일 정도였다. 미하엘은 그 일주일을 참지 못하고 리디아의 어머니를 죽음으로 몰고 갔다. 공작은 모녀의 비극을 외면했고, 절망한 리디아는 가문을 저주하며 수도를 떠났다. 리디아가 열 살 때 벌어진 일이었다.

—나는 미하엘, 그 자식을 절대 용서하지 않을 거야. 반드시 지옥으로 데리고 갈 거야.

십 년도 지난 일을 이야기하며 리디아는 펑펑 눈물을 쏟았었다. 리디아가 유리의 상실을 제 일처럼 아파하며 도왔던 것도 그런 과거가 있기 때문이었다. 그녀는 유리의 복수를 적극적으로 지원하며 자신의 신분까지 내어 주었다.

"안녕하세요, 오라버니. 리디아 프리우스예요."

유리가 '리디아 프리우스'가 되기로 했을 때 리디아가 몇 가지 경고한 것이 있었다. 그중 하나가 미하엘의 앞에서 '프리우스'를 담을 땐 조심해야 한다는 것이다. 더불어 '오라버니'라는 말 역시 쉽게 써서는 안 된다고 했다.

"뭐? 너 지금 뭐라고 했어?"

리디아의 경고를 증명이라도 하듯, 미하엘은 술이 확 깬 표정으로 유리를 바라보았다. 유리는 한 글자 한 글자 또박또박 말했다.

"리디아 프리우스요. 오라버니."

"프리우스도 부족해서, 오, 오라버니?"

차분한 대답에 미하엘은 황당한 듯 그녀의 말을 반복했다. 이내 사납게 이를 드러내며 욕을 지껄이기 시작했다.

"이런 정신 나간 계집을 보았나. 세실을 건드렸다기에 얼마나 멍청하면 그런 짓을 하나 싶었는데. 지금 보니 멍청한 걸 넘어서 미쳤잖아?"

세실이란, 아마도 하녀장의 이름일 것이다. 유리는 지나를 업고 올 때 독기로 타오르던 눈빛을 생각했다. 아마도 미하엘에게 유리에 대한 온갖 악담을 퍼부은 것 같았다. 상대의 격렬한 반응에도 유리는 흔들림이 없었다. 미하엘과의 대면은 언젠간 해결해야 할 일이었다.

'미하엘이 이제 어떻게 나올까?'

유리는 차분히 상대의 다음 행동을 예상했다. 모욕이나 폭력, 감금 등 몇 가지 가능성이 머리에 스쳤다. 약간의 부상은 감수하고 있었다. 다치는 게 딱히 두렵지는 않았다. 심지어 죽음조차 유리에겐 더는 두려움의 대상이 아니었다. 삼 년 전 아이가 죽은 후, 잃을 것이 아무것도 남지 않았기 때문이었다.

"큭, 네가 뜨거운 맛을 봐야 정신을 차리겠구나."

음산한 목소리와 함께 날카로운 날붙이가 모습을 드러냈다. 유리는 미하엘의 손에 들린 단검을 보고 미미하게 인상을 찌푸렸다.

'칼이라니. 칼은 상처가 남잖아.'

아무리 그래도 가문의 일원인데 피까지 보지는 않을 거라 예상했건만. 아무래도 미하엘은 유리의 예상보다 훨씬 미친놈인 모양이었다. 노을을 받아 번쩍 빛나는 단검의 날이 성큼, 그녀에게로 다가왔다.

*

세실은 정원에 서서 초조하게 이 층 테라스를 올려다보았다. 미하엘을 리디아의 방으로 올려보낸 지 십 분이 지났다. 이제 슬슬 뭔가 결판이 나야 할 상황이었다.

―미하엘 님, 너무 원통해요. 저는 단지 미하엘 님의 명령을 충실히 따랐을 뿐인데! 그년이 미하엘 님까지 모욕하며 저희를 짓밟았어요! 채찍질까지 하는데 어쩔 도리가 없었어요!

도박장에서 돌아온 미하엘은 만취 상태였다. 세실은 그런 미하엘을 붙잡고 독주를 더 퍼먹였다. 평소에도 성격이 더러운 미하엘이 술만 먹으면 누구도 말릴 수 없을 만큼 포악해진다는 걸 이용한 것이다. 심할 땐 아비인 공작조차도 아들의 패악을 감당하지 못했다.

세실은 미하엘을 술독에 처박은 뒤, 유리의 죄를 잔뜩 부풀려 속살거렸다. 세실의 의도대로 미하엘은 몇 마디 듣지도 않고 욕을 지껄이며 유리의 방으로 갔다.

"제국법? 웃기고 있네. 너도 이젠 끝이야."

당당했던 유리를 떠올리며 세실은 코웃음을 쳤다. 이왕 이렇게 된 거 미하엘이 정말 본때를 보여 주길 바랐다. 칼이라도 휘두르면 더 바랄 것이 없었다. 혈육을 다치게 했단 추문을 피할 순 없겠지만, 상관없었다. 어차피 그에 대한 세간의 평가는 더 떨어질 곳 없는 바닥이었다. 거대한 공작 가문을 십 년 내로 말아먹을 쓰레기. 그게 바로 세상이 보는 미하엘이었다.

쨍그랑! 날카로운 소리와 함께 테라스의 유리가 깨졌다. 커다란 도자기가 흙바닥 위로 산산조각이 나는 걸 보자 머리끝까지 희열이 차올랐다. 드디어 바라는 바가 시작된 것이 분명했다. 만족하며 몸을 돌릴 때였다.

"반쪽짜리 귀족 주제에. 주제를 알았어야지. 훗."

"반쪽짜리 귀족?"

낯선 목소리에 세실이 깜짝 놀라 한 걸음 물러섰다. 붉은 기가 도는 금발, 남색의 눈동자를 가진 낯선 사내가 그녀를 보고 있었다. 왠지 모를 잔혹한 인상에 위축되었다.

"반쪽짜리 귀족이 누구야?"

그가 싱긋 웃었다. 길게 올라가는 입매가 불길했다. 세실은 얼른 당황을 감추고 고개를 숙였다.

"안녕하십니까. 프리우스의 하녀장, 세실입니다."

그녀의 시선이 힐끔 사내의 허리에 맨 검으로 향했다.

'귀족, 아니면 그 이상의 자.'

세실은 눈도 마주치기 어려운 신분의 사내란 뜻이었다. 사내는 묘하게도 세실은 쳐다보지도 않고 사생아의 방만 뚫어져라 올려다보고 있었다. 살짝 일그러진 그의 얼굴을 보며 세실이 조심스레 입을 열었다.

"혹시 미하엘 공자님의 손님이십니까?"

저택에는 종종 미하엘의 손님들이 찾아오곤 했다. 도박 중독자인 미하엘이 저택 안에서 도박판을 벌이곤 했던 것이다. 세실은 그들을 위한 술과 여자들을 준비했다. 예의 바르게 읍한 와중에도 고개를 갸웃했다. 오늘은 딱히 판이 벌어질 거란 언질을 받지 못했다.

"이쪽으로 오시지요. 응접실로 안내해 드리겠습니다."

어찌 되었든 주인의 손님이니 귀히 맞이하여야 할 것이다. 당장 데려올 수 있는 여자들을 떠올리면서도 힐끔 테라스를 바라보았다.

미하엘이 언제쯤 그 계집을 처리할 수 있을까. 딱히 오래 걸리지는 않을 것이다. 설령 계집이 반항한대도 별 차이는 없을 것이다. 미하엘이라면 단번에 그 목숨을 끊어 버릴 테니까.

그때, 이름 모를 사내가 물었다.

"반쪽짜리 귀족이 누구냐니까?"

"네?"

"설마 저 방이, 그 반쪽짜리 귀족 방이야?"

사내는 저를 안내하려는 세실은 무시한 채 테라스를 올려다보았다. 방 안에서 또 한 번 날카로운 소음이 들리자 그가 확 인상을 찌푸렸다. 세실은 슬슬 이상한 기분을 느끼며 상대를 바라보았다.

불현듯, 이곳이 외부인들은 잘 들어오지 않는 건물 뒤편 정원이라는 걸 깨달았다. 손님이라면 저택 입구에서 바로 응접실로 향하기 마련이다. 굳이 건물을 뒤져 이곳까지 오지는 않는다.

"저, 실례지만 객의 성함을 여쭈어도……."

"바론."

사내는 세실의 말을 뚝 자르며 씨익 입매를 끌어 올렸다.

"너 따위가 감히 올려다볼 수 없는 존귀한 사람이지."

세실은 바론의 말에 놀라지도, 대답하지도 못했다. 바론이 그녀의 멱살을 움켜쥔 것이다. 그의 사나운 눈빛에 세실은 얼음처럼 굳어 버렸다.

"그러니까 어서 말해. 네가 말한 반쪽짜리 귀족이, 설마 내 약혼녀 리디아를 말하는 건 아니겠지?"

*

"그러게 왜 여길 기어들어 와. 얌전히 촌구석에 박혀 있을 것이지. 네 어미가 어떻게 죽었는지 잊었어? 머리가 그렇게 안 돌아가? 네가 돌아오면 내가 널 가만히 놔둘 거로 생각했어?"

미하엘이 이죽거리는 동안 유리는 재빨리 가까운 곳을 훑었다.

상대의 손에는 여전히 단검이 들려 있었다. 혹시라도 검이 날아오면 급소를 막을 것이 필요했다. 약간의 상처는 피할 수 없겠단 생각이 들었다. 상관없었다. 죽지만 않으면, 어떻게든 다시 살 수 있으니까.

"윽!"

어깨를 스치는 통증에 유리가 신음을 뱉으며 어깨를 움켜쥐었다. 등 뒤에 있던 유리창이 요란한 소리를 내며 무너져 내렸다. 텅 빈 선반을 보며 유리가 인상을 찌푸렸다. 미하엘이 던진 건 그 위에 있던 커다란 화병이었다. 제대로 맞았다면 분명 크게 다쳤을 것이다.

"이게 대체 무슨 짓이에요?"

말이 통할 상대가 아니란 걸 안다. 그래도 일단 시간을 벌어야 했다. 곧 있으면 '그자'와의 약속 시각이었다.

"무슨 짓이냐고요!"

미하엘은 킬킬 웃기만 했다. 그녀가 아파하는 모습을 즐기는 게 분명했다. 술에 찌든 갈색 눈동자는 소름이 끼칠 정도로 탁했다.

"정말 저를 죽이기라도 할 셈이에요?"

깨진 창으로 새어 들어온 찬 바람에 검은색 머리카락이 앞으로 흩날렸다. 미하엘과의 거리를 벌리기 위해 한 걸음 뒤로 물러섰다. 아그작, 소리와 함께 바닥에 뒹굴던 유리 조각이 발에 밟혔다. 힐끔 내리깐 녹색 눈동자에 잠시 날카로운 빛이 스쳤다.

"죽기를 바라면. 죽어 주기라도 하려고?"

미하엘이 킬킬거리며 되묻는 사이 유리가 얼른 몸을 숙였다. 이내 유리 조각을 맨손에 쥔 채 몸을 일으켰다.

"아니요. 여기서 죽을 생각은 절대 없어요."

유리의 목소리는 얼음장처럼 싸늘했다. 미하엘은 의외의 반항에 놀란 듯하더니 이내 픽 웃었다.

"절대로요."

유리 조각을 움켜쥔 손바닥에선 피가 흘러나왔다. 붉은색 액체는 손바닥을 지나 가느다란 손목을 물들였다. 손목을 가로지르는 긴 흉이 금세 핏빛으로 변했다. 그 흉터가 처음 생겼던, 그날과 같았다.

—맥박 소리를 듣고 있으면 네 표정이 보이는 것 같아. 그래서 좋아.

삼 년 전만 하더라도 유리의 손목엔 그러한 흉터가 없었다. 가느다란 손목은 푸르스름한 핏줄이 도드라질 정도로 희고 깨끗했다. 카사르는 종종 유리의 손목을 쥐거나 입술을 묻곤 했다. 왜 이상한 곳에 키스하느냐며 따지면 싱긋 웃으며 말했다.

—네 얼굴을 볼 순 없지만 심장이 뛰는 소리를 들을 수 있잖아. 그럼 네 표정이 보이는 것 같거든.

유리에게 카사르는 첫사랑이자 첫 사내였다. 낯간지러운 애정 표현에 익숙하지 않아 처음엔 그와의 접촉을 부러 피하기도 했다.

부끄럽기도 했지만, 기실 걱정스럽기 때문이기도 했다.

날이 갈수록 그를 향한 마음은 커지는데, 그의 마음은 제 마음처럼 크지 않은 것 같았다. 자신이 더 많이 사랑하고 있을지도 모른단 생각이 들자 불안해졌다. 그가 재게 뛰는 제 맥박 소리를 들으면 그 마음을 모두 들켜버릴 것만 같았다. 하여, 부러 그를 피한 적도 있었다.

—널 알고 싶어. 보고 싶어. 허락해 줘. 유리야.

그러나 유리는 번번이 그에게 졌다. 사랑하는 여자를 알기 위해 감각을 최대한 이용하고 싶다는 간절한 부탁을 뿌리칠 수 없었다. 유리가 허락하면 그는 설레는 미소를 지으며 가느다란 손목에 조심스럽게 입술을 묻었다. 세상에서 가장 여린 꽃잎을 만지는 듯 세심한 손길에 불안은 사라지고 감동이 그 자리를 채웠다.

그가 그리 소중히 여겼던 그곳에 유리는 칼을 대었다. 그와 헤어지고 딱 두 달이 지났을 때였다.

―네가 왜 죽어야 하는데, 왜! 널 이렇게 만든 사람들은 뻔히 살아 있는데, 네가 왜!

욕실에서 피를 흘리고 쓰러져 있는 유리를 리디아가 발견했다. 눈을 떴을 때 유리는 자신이 여전히 살아있다는 걸 받아들이지 못했다.

―리디아. 대체 내가 왜 살아 있어? 왜?

―제발 정신 좀 차려! 네가 왜 죽어야 해! 어?

―내가 잘못했잖아. 나 때문이잖아. 내가 그 사람을 떠나지만 않았어도, 그런 잔인한 짓을 하지만 않았어도, 아이는 안 죽었어. 이 죄를 어쩌지? 아이에게 미안해서 어쩌지? 그 사람은, 제 아이 명복도 빌어주지 못해. 아이의 존재조차 몰랐으니까. 나 때문이야. 어떻게든, 그의 곁을 지켰어야 했어. 사실을 말했어야 했는데. 광장에 걸린 초상화를 보지 말았어야 했는데…….

목숨보다 소중한 두 사람의 심장에 비수를 꽂았단 죄책감에 도저히 살 수가 없었다. 그 후로도 유리는 두 번이나 같은 시도를 반복했다.

회복되지 않은 상처에 칼을 댄 탓에 손목엔 푹 패일 정도로 깊은 흉이 생겼다. 누군가 유리의 손목을 만지기만 해도 바로 알아챌 정도였다.

―리디아. 다음엔 절대 날 살리지 마. 나, 더는 살 수가 없어.

마지막 시도가 좌절되었을 때 유리는 소리도 내지 못하고 울며 리디아에게 애원했다. 어떻게든 유리를 설득하려던 리디아는 결국 마지막 수단을 택했다.

―그래, 죽어. 대신 그냥 죽지 마. 죽어도 너를 이렇게 만든 자들과 같이 죽어! 그래야 아이 얼굴이라도 당당하게 볼 거 아니야! 죽은 아이에게 미안하지도 않아?

아이에 대한 죄책감은 유리에게 남아 있던 몇 안 되는 감정 중 하나였다. 무슨 염치로 아이의 얼굴을 볼 거냐는 리디아의 호통에 유리는 정신을 차렸다. 리디아는 그 여세를 몰아 유리를 다그치고 얼렀다.

―내가 도와줄게. 수도로 가. 그곳에서 널 이렇게 만든 사람들에게 복수해. 내 이름으로. 그러니까 일단 살아.

결국 유리는 다시 살기로 했다. 진정으로 생의 의지를 갖게 된 것은 아니었다. 복수가 끝날 때까지 한시적으로 삶을 연장한 것뿐이었다.

"오라버니가 원하는 대로 곱게 죽어줄 생각은 없어요."

유리 조각을 움켜쥐며 유리가 단호하게 말했다. 이렇게 죽을 거였으면 애당초 살아나지도 않았다. 그 지독했던 삼 년을 견딜 필요도 없었을 것이다.

"하. 재미있네."

의외의 반항에 미하엘이 어처구니없다는 듯 헛웃음 쳤다. 그의 눈엔 유리가 들고 있는 유리 조각은 애들 장난감처럼 우스워 보였다.

"설마 그걸로 날 어떻게 할 수 있을 것 같아? 정말 그렇게 생각해?"

대답 대신 유리는 재빨리 테라스 쪽으로 물러났다. 창문은 완전히 박살이 났기 때문에 유리의 등 뒤에 있는 건 차가운 난간뿐이었다.

한층 짙어진 노을이 그녀의 얼굴에 깊은 음영을 드리웠다. 싸늘한 저녁 바람이 온몸을 감싸자 피부 위로 선뜩한 소름이 올라왔다.

유리는 조각을 움켜쥔 손에 힘을 주었다. 이것으로 칼을 든 미하엘과 맞서는 것과 이층에서 뛰어내리는 것 중 무엇이 나을지 고민했다. 어느 쪽이나 만만치 않은 상처를 입을 게 분명해 보였다.

그래도 죽지만 않는다면 상관없었다. 살아만 있다면, 얼마든지 해야 할 일을 할 수 있었다.

"리디아, 무슨 일이야!"

등 뒤에서 들리는 경악성에 유리가 퍼뜩 몸을 돌렸다. 상대의 얼굴을 확인한 유리의 얼굴에 기쁨이 빛이 스쳤다.

"바론!"

유리가 애처롭게 그의 이름을 불렀다. 물기 어린 목소리에 속이 끓는 증오는 꼭꼭 숨겼다.

지금 바론의 눈앞에 있는 건 '카사르의 계집' 유리가 아니었다. 프리우스의 이름을 빌려 바론의 연인이 된 '리디아 프리우스'였다.

"오지 마요, 흑, 위험해요!"

유리는 일부러 피가 흐르는 손으로 난간을 움켜쥐었다. 붉은 피가 흰 난간에 선명한 자국을 남기며 흘러내려 갔다. 유리는 밖에서 충분히 볼 수 있도록 비틀거리며 몸을 돌렸다. 바론의 표정은 굳이 확인할 필요 없었다. 사나운 욕설과 함께 그의 목소리가 멀어졌으니까.

"흑, 으흑."

어느새 유리의 두 뺨엔 눈물이 흘러내리고 있었다. 이유 없이 흘리는 눈물이 아니었다. 지난 삼 년간 유리는 늘 울고 있었다. 다만 눈물을 참고 있었을 뿐.

"뭐, 뭐가 어떻게 된 거야!"

미하엘은 유리의 눈물에 신경 쓸 정신이 없어 보였다. 유리의 입에서 '바론'이란 이름이 나온 후부터 술이 확 깬 표정을 했다. 유리는 상대의 의문을 해소해 주는 대신 쥐고 있던 유리 조각을 천천히 들어올렸다. 이내 상앗빛 소매 위에 댄 채, 차갑게 속삭였다.

"오라버니, 이젠 끝이에요."

*

—황자 전하와 대화를 마친 프리우스 공녀는 미하엘 프리우스를 바라보며 모든 것이 끝났다고 말했습니다. 이내 유리조각으로 자신의 팔에 상처를 낸 뒤 그대로 쓰러졌습니다. 미하엘은 갑작스러운 상황에 당황한 듯 움직이지 못했고, 그 틈에 황자 전하가 들어왔습니다. 피를 흘리던 공녀는 바론 전하의 품에서 혼절을 하였고, 황자 전하는 미하엘 프리우스에게 검을 휘두르며 그녀가 자신의 약혼녀라 주장을 하였습니다. 미하엘은 부상 치료도 받지 못한 채 공녀 앞에 무릎을 꿇고 사죄해야 했으며…….

프리우스에서 온 보고서를 읽는 카사르가 웃음을 터트렸다.

"와, 리디아 프리우스. 이 여자 진짜 대단한데?"

근래 들어 그를 이리 유쾌하게 만든 여자는 프리우스 공녀가 처음이었다. 프리우스에서 온 보고서를 읽어내려 갈수록 그의 눈에 감탄이 어렸다.

—미하엘 프리우스는 프리우스 공녀가 자해했다고 주장했지만 바론은 믿지 않았습니다. 공녀의 방 상태를 확인하고는 몹시 흥분했으며, 저택의 고용인들을 한데 불러 모아 모두 다 죽이겠다며 협박을…….

이 보고서를 보낸 것은 프리우스의 '비야'였다. '비야'는 그만을 따르는 정보 조직으로 아살론 귀족 가문 곳곳에 잠입해 있었다. 덕분에 그는 수도에서 일어나는 일은 제 손바닥 보듯 알 수 있었다. 프리우스에도 역시 비야가 있었다. 그의 명에 따라 의도적으로 프리우스 공녀에게 접근했던 소녀는 운 좋게 미하엘과 리디아의 대립을 볼 수 있었다. 덕분에 그는 바론조차 모르는 공녀의 참모습을 알게 되었다.

"이 여자, 마음에 들어. 바론에겐 아까울 정도야."

그는 진심으로 그 여자가 존경스러웠다. 바론과 미하엘이라니. 아살론에서 가장 다루기 힘든 두 사내가 아닌가. 그들을 손바닥 위에 놓고 가지고 논 것이나 마찬가지다. 보통 여자가 아니었다. 온실속의 화초처럼 곱게 자란 귀족 영애들에겐 불가능한 일이었다.

"여자가 사생아라 좀 기우는 약혼이 아닌가 했는데. 그렇지 않아. 공녀 쪽이 더 아깝군."

처음엔 바론이 사생아 '따위와' 약혼했다는 걸 믿지 않았다. 사생아를 무시해서가 아니었다. 능력이 있다면 신분 고하를 막론하고 사람을 쓰는 카사르와는 달리, 바론은 핏줄이 그 사람의 모든 가치를 결정한다고 믿었다. 그러한 편협한 가치관은 후계 싸움에도 고스란히 영향을 미쳐서, 아살론에서 가장 고귀한 두 가문의 결합으로 태어난 자신만이 보위에 오를 자격이 있다고 주장했다.

—보위가 애들 장난입니까? 평민 여자의 몸에서 태어난 자가 황제가 되다니요. 그게 말이나 됩니까?

카사르의 어머니는 황후이긴 했지만 평민 출신이었다. 바론은 시도 때도 없이 제 형제와 그 어미를 모욕하곤 했다. 그랬던 바론이 반쪽짜리 귀족과 약혼을 했단다. 그것도 모자라 그 여자를 위해 검까지 휘둘렀다. 정식 대련이 아닌 일반적인 폭행이었다. 상대는 공작 가문의 유일한 후계자였다.

그가 그런 행동을 한 건 바로 그 여자 때문이었다. 리디아 프리우스, 프리우스 가문의 사생아.

"바론이 드디어 임자를 만났군."

카사르가 싱긋 웃었다. 이전까지 바론은 여자란 언제든지 갈아치울 수 있는 부속품처럼 여겼다. 하여 약혼녀가 있는데도 외도를 서슴지 않았다. 그에게 여자란 제 세력을 넓혀 줄 수단, 그 이상도 그 이하도 아니었다.

바론의 약혼은 이번이 처음이 아니었다. 네 번 약혼했고, 세 번 파혼했다. 마지막 파혼은 그의 외도 때문이었다. 외도 사실을 알고 상심한 약혼녀가 눈물로 읍소하자, 바론은 사과는커녕 약혼녀를 집착녀 취급하며 나가 죽으라 했다. 평생 곱게 떠받들어져 살아온 영애는 큰 충격을 받고 수면제를 입에 털어 넣었다. 다행히 목숨은 건졌지만 살아도 산목숨이 아니게 되었다. 소식을 듣고 진노한 황제가 그를 끌고 왔지만, 바론은 눈곱만큼의 반성도 하지 않았다.

─제가 대체 무슨 잘못이 있습니까? 오히려 미친 여자가 황자비가 되지 않는 게 다행 아닙니까? 황후가 될지도 모를 여자가 핀잔 좀 들었다고 스스로 목숨을 끊으려 해요? 폐하께서 보시기엔 그 여자가 제정신 같습니까?

그게 딱 반년 전에 있었던 일이었다. 진노한 황제가 바론을 지방으로 보내 버렸다. 영영 처박아 버릴 것을 드펜이 난리를 쳐서 그 정도가 되었다. 대외적으론 지방 시찰이 이유였지만 기실 근신 처분이었다. 리디아 프리우스를 만난 건 그곳에서였던 듯싶었다.

"리디아 프리우스. 이 여자 진짜 마음에 드네."

본 적 없는 공녀의 얼굴을 상상하며 그가 빙그레 웃었다. 이젠 진심으로 이 여자가 궁금했다. 단지 맞수의 약혼녀여서만은 아니었다.

바론이 아무리 황자라 한들 귀족에게 함부로 칼을 휘두를 순 없었다. 귀족을 벌하기 위해선 반드시 정식 재판이 필요했던 것이다.

그럼에도 그는 미하엘의 피를 보았다. 그가 알던 바론은 겨우 여자 때문에 이런 골치 아픈 일을 저지를 위인이 아니었다. 여자의 특별한 무언가가 바론을 변화시켰을 것이다. 카사르는 바로 그 매력이 궁금했다.

'만일 유리가 똑같은 일을 당했다면.'

카사르의 눈빛이 깊어졌다. 만일 그따위 일이 벌어졌다면 그 역시 똑같이 행동했을 것이다. 아니, 미하엘을 살려 두지도 않았을 것이다. 그 여자가 흘릴 피를 상상만 해도 피가 거꾸로 솟았다. 상대가 귀족이든, 황족이든 상관없이 베었을 것이다.

"빌어먹을. 미치겠다. 정말."

카사르가 서류를 던지듯 놓으며 눈을 감았다. 얼굴을 가린 손이 바르르 떨렸다. 다른 생각을 하려고 해도 의식은 틈만 나면 그녀에게로 향했다. 심장이 뻐근하게 아팠다. 유리가 너무도 보고 싶었다. 지금은 그 여잘 지켜 줄 힘이 있었다. 찾기만 하면 무조건 지킬 수 있었다. 그러니 살아만 있으면, 살아 있기만 하면 되었다.

—카사르. 제발 그 여자는 잊어. 다 끝났어. 그냥 죽음 셈 치자고. 설령 살아 있어도, 이게 죽은 거랑 대체 무슨 차이야.

반드시 살아 있어야만 하는 여자에게 루한은 그리 말했다. 바론과 프리우스 공녀의 약혼 소식이 전해지고 난 후였다.

—바론이 너보다 먼저 혼인을 하려고 하면 어쩌려고 해? 자식이라도 보면? 공녀가 아들이라도 낳는다면? 다 끝나는 거야. 핏덩이를 끌어안고 곧장 폐하께 달려가겠지! 당장 태자 자리를 바꿔야 하니 옥새를 내놓으라 떼를 쓸 거라고.

황족의 아이는 황위 계승권을 가진다. 그 황족이 황태자가 아닌 황자라 하여도 변함이 없다. 바론은 늘 보위에 오를 사람에게 자식이 없는 게 말이 되느냐며 카사르를 공격했다. 물론 그리 말하는 바론도 자식은 없었지만, 최소한 그는 여자를 만나고는 다녔다. 신나게 여자를 갈아 치우는 와중에도 언젠가 자식이 생길지도 모른다며 루한은 두려워했다.

—사서 걱정하지 마. 그렇게 해서 바뀔 자리였으면 진작 바뀌었어.

　—정말 그 여자뿐이야? 다른 여자로는 안 되는 거야? 생각을 바꾸면 안 돼? 바론이 약혼까지 한 마당에 손 놓고 기다리기만 할 거야?

　바론이 약혼했단 소식이 들릴 때마다 루한은 초조함을 감추지 못했다. 마냥 느긋한 카사르를 답답해하며 여태껏 나타나지 않는 유리를 원망했다.

　—오죽했으면 그 여자가 죽은 게 낫겠다는 생각마저 했겠어. 죽었는지 살았는지 모르니까 기다리는 너만 애가 타잖아! 이럴 거면 차라리 시체가 돼서 돌아오는 게 나아. 그럼 새 출발이라도 할 수 있을 테니까! 카사르, 제발 정신 차려. 네 마음은 사랑이 아니야. 집착이라고!

　루한의 애원은 전부 비수가 되어 카사르의 심장이 꽂혔다. 상대가 제 가장 소중한 친우가 아니었다면 결코 들어줄 수 없는 말이었다.

　저를 생각하는 마음이 깊어 답답한 나머지 그러는 것이리라, 그는 핏물을 삼키는 심정으로 그 잔인한 말들을 견뎠다.

　—집착이라. 그래, 그럴지도 모르지.

　집착. 집착이 맞을 것이다. 그게 아니라면 이 지독한 감정을 설명할 수 없을 테니까. 이 세상이 전부 망해 버려도 그 여자만 산다면 그는 기뻤다. 제가 죽어 그 여자가 웃는다면 백번이고 천번이고 죽을 것이다. 제 답답한 인정에 루한의 눈빛이 시커멓게 죽어가는 게 보였다. 그걸 알면서도 무시했다. 다른 이의 감정까지 받아줄 여유가 없었으니까. 유리의 생존은 그토록 절박했다.

　'아이라…… 유리와 나의 자식이라.'

　사실 진짜 문제는 유리가 아니었다. 둘 사이의 아이가 있었다면 전부 해결될 일이다. 그 아이가 카사르의 후계자가 되었을 테니까.

기다렸다는 듯 떠오르는 아픈 기억에 카사르가 쓰게 웃었다.

─좋은 소식이 있어요. 확실해지면 말해 줄게요.

한때 유리가 제 아이를 가졌을지도 모른다는 꿈을 꾼 적이 있었다. 그녀가 사라지기 며칠 전이었다. 그 목소리가 무척이나 들떠 있던 것을 기억한다. 잔뜩 설렌 분위기에 어쩐지 '좋은 소식'이 무엇인지 알 것 같았다.

─뭔데? 궁금해. 어떤 건데?

─비밀이에요. 하지만 며칠 뒤에는 알 수 있을 것 같아요.

그는 애써 부풀어 오르는 마음을 가라앉혔다. 그러면서도 한편으론 '좋은 소식'이 무엇인지 반쯤은 확신하고 있었다. 가슴 벅찬 행복이 밀려왔다. 그 행복을 확인하고 싶어 연신 조르는 그에게, 유리는 곧 알려주겠다며 장난스럽게 웃었다.

─죄송합니다, 전하. 아무 흔적도 찾지 못했습니다. 그분께서 보내신 편지에 발신인은 없었습니다.

결국 그 답이 무엇인지는 끝내 듣지 못했다. 며칠 뒤 유리가 말한마디 없이 그를 떠난 것이다. 앞을 못 보는 그를 홀로 버려둔 채였다. 풍선처럼 부풀었던 희망은 이별의 아픔에 산산이 찢겼다. 그래서 처음엔 이 이별을 더 믿을 수가 없었다.

유리가 저를 떠났을 리 없다. 좋은 소식을 전하겠다는 여자가 제발로 그를 떠난다는 게 말이 되나. 그러나 결국엔 이별을 받아들일수밖에 없었다. 그 뒤로 '좋은 소식'에 대한 가능성은 모두 지워 버렸다. 희망이 사라진 자리가 너무 쓰려서 더 생각하고 싶지도 않았다.

"하아."

카사르가 깊은 한숨을 내쉬며 눈을 감았다. 오늘도 쉽게 잠들기는 어려울 것 같았다.

*

　가족이 죽은 후 유리는 늘 혼자였다. 유리는 반역자의 딸이었고 멸문한 가문의 유일한 생존자였다. 타인과 교류를 할 수 있는 상황이 아니었다. 무척이나 외로웠지만 반드시 살아남아야 한다는 부모님 말씀을 떠올리며 견뎠다. 카사르는 그런 유리의 마음을 연 첫 사람이었다. 유리가 그를 받아들일 수 있었던 건 그가 앞을 볼 수 없기 때문이었다. 그는 그녀의 얼굴도, 그녀가 반역자의 딸이라는 것도 몰랐다. 그의 곁에서 유리는 비로소 유리엘 발렌타인이 아닌 한 여자로 설 수 있었다.

　처음엔 사랑이 아니라 동질감이었다. 자신처럼 하루아침에 모든 것을 잃은 그가 안타까웠다. 그 마음은 늘 그의 세상을 살피는 것으로 이어졌다. 유리는 금세 그가 어떤 사람인지 알아차렸다. 그는 힘들어도 힘들단 말을 안 했다. 투정을 부리기보다는 묵묵히 고통을 삼키는 데 더 익숙한 사람이었다. 그래서 더 안쓰러웠다.

　유리는 그가 불편을 견디려 하기 전에 먼저 도움의 손길을 내밀었다. 걸으려 하면 얼른 지팡이를 가져다주고, 머뭇대는 팔을 먼저 제 어깨에 둘러 기대게 하였다. 처음엔 유리의 도움을 어색해하던 그도 차츰 익숙해졌다. 그렇게 늘, 한 몸처럼 지내는 날들이 이어졌다. 맞닿은 몸으로 세차게 뛰는 그의 심장 소리가 들렸다. 그 소리가 참 좋아 그 몰래 배시시 웃었다. 그리고 어느 순간부턴 그녀의 심장 역시 두근거렸다. 숙명처럼 서로를 사랑하게 된 것이다.

　―사랑한다, 유리야.

　한 번 시작된 사랑은 마른 잎에 붙은 불길처럼 빠르게 커졌다. 그의 품속에서 유리는 처음으로 가족이 죽은 후 잃어버린 안정감을 느꼈다.

사실 처음에는 이 사랑이 영원하리란 기대는 하지 않았다. 그녀는 반역자의 딸이니 언젠가는 헤어질 수밖에 없다 여겼다. 그걸 알면서도 깊어지는 사랑을 어쩔 수가 없었다. 결국, 그 몰래 눈물짓는 일이 잦아졌다. 그를 향한 욕심을 줄이는 게 너무 힘들고 아팠다. 그럴 때마다 그는 거짓말처럼 유리의 눈물을 알아차렸다.

—유리야, 아프지 말자. 울지도 말고.

다정하면서도 안타까움이 가득 담긴 목소리에 또다시 눈물이 쏟아졌다. 그는 서툰 손길로 제 눈물을 닦고 뺨에 입을 맞추었다. 너는 내 빛이라고, 내 사랑이라고 속삭였다. 그러던 어느 날, 그가 그녀의 손에 반지를 끼워 주었다.

—유리야, 결혼하자.

그렇게 그는 유리에게 영원한 사랑을 맹세했다. 그가 반지를 끼워주던 순간을 영영 잊지 못할 것이다. 벅찬 감동에 과거의 아픔이 사르르 녹아내렸다. 그는 유리를 끌어안고 속삭였다.

—내가 눈을 뜨면 너를 세상에서 가장 행복한 신부로 만들 거야. 함께 행복하자.

달콤한 속삭임에 아찔함이 밀려왔다. 언젠가는 끝나버릴 관계에서 처음으로 희망을 느끼게 된 것이다.

—카사르, 좋은 소식이 있어요. 확실해지면 말해 줄게요.

행복은 연이어 온다고 했던가. 이 이상의 행복은 없을 줄 알았는데 또 하나의 기쁨이 찾아왔다. 늘 규칙적이던 달거리가 웬일로 찾아오지 않았다. 괜히 잠이 쏟아지는 일이 늘고, 예전에는 별로 좋아하지 않던 음식이 먹고 싶어졌다.

—좋은 소식? 그게 뭔데?

그의 채근에도 유리는 배시시 웃기만 했다. 그가 제 임신을 무척이나 반길 거라는 걸 알았지만 혹시나 착각일 경우 그가 실망하는 게 싫었다.

　—말 안 해도 알 것 같은데?

　그는 유리의 침묵에도 어느 정도 예감을 한 것 같기는 했다. 키득 거리는 그녀를 끌어안고 납작한 배를 살살 쓰다듬었다. 그에게서 들려오는 은근한 웃음소리를 듣고 있노라니 가슴이 보글거렸다. 행복이 계속해서 커져, 가슴이 터질 것만 같았다.

　—새댁, 축하해요. 임신이 맞아요.

　며칠 뒤 마을로 내려가 산파를 찾아갔다. 기대했으면서도 막상 그 말을 듣자 머리가 멍했다. 도저히 믿지 못하고 몇 번이나 사실이 맞느냐며 물었던 것 같다. 나이가 지긋한 산파는 손녀뻘 되는 유리 가 감격의 눈물을 흘리는 모습에 인자하게 웃었다.

　—그럼 당연하지. 어서 빨리 남편에게 자랑하도록 해요. 태교가 참 중요하니까.

　목소리도, 배를 감싼 손도 전부 떨렸다. 사랑하는 사람의 아이를 가졌다는 건 온 세상의 꽃이 핀 듯 황홀한 일이었다. 너무도 외로웠 던 지난날들이 주마등처럼 흘러 지나갔다. 이젠 다시는 그렇게 힘 들어할 필요가 없었다. 완벽한 가족이 생겼으니까. 카사르에게 이 기쁜 소식을 전해 주어야겠다는 생각에 발걸음은 깃털처럼 가벼웠 다. 하늘도 그녀의 설렘을 눈치챈 듯 가슴이 뻥 뚫리도록 맑았다.

　그 행복은 참 짧게도 끝났다.

　—저 사람이 실종된 황태자야?

　—황제 폐하가 제일 아끼던 아들이라 하더군.

　—황실이 발칵 뒤집혔대.

　무슨 일인지 광장에 사람들이 잔뜩 모여 있었다. 사람이 많은 곳 을 좋아하지 않는 유리는 얼른 그 자리를 피해 가려고 했다. 사람들의 목소리 중 귀를 붙잡는 이름이 아니었다면 분명 그리했을 것이다.

　—사라진 황태자 이름이 카사르라고?

　—두 달이라. 두 달이면 죽은 거 아니야?

　—바론이 한 짓이라던 소문이 있던데.

　—그렇겠지 뭐. 둘이 완전히 원수잖아.

　벽에 걸린 초상화엔 무척이나 익숙한 얼굴이 담겨 있었다. 초상화의 문구를 읽는 그녀의 눈동자가 정신없이 떨렸다. 두 달 전 압살브롱 지역에서 실종된 황태자 카사르, 그를 목격한 이에겐 황제 폐하가 친히 포상을 내릴 계획이며…….

　—바론, 차라리 나를 죽이지!

　카사르는 분명, 그렇게 말했었다. 사람들이 웅성거리는 소리가 아주 커다랗게 들려 왔다. 바론, 배다른 형제, 황태자 카사르를 죽이기 위해서라면, 영혼이라도 팔겠다던.

　빙글빙글 세상이 돌았다. 마치 촛농이 흘러내리듯 바닥에 무너졌다. 초상화 속 그의 얼굴 위로 유리의 모든 것을 앗은 사내의 얼굴이 겹쳤다. 아살론의 황제, 아버지의 친우이며, 발렌타인 백작을 살해한 자. 독의 영향으로 며칠이나 의식을 찾지 못할 거란 말이 무색하게, 가족들이 잡히자마자 자리에서 일어나 직접 유리가 숨어 있던 곳을 뒤지던 바로 그자.

　온몸이 사시나무처럼 떨렸다. 우르릉, 소리와 함께 마른벼락이 내리쳤다. 후드득 비가 쏟아졌다. 우산도 없이 찬비를 맞으며 유리는 비에 젖은 손가락을 내려다보았다. 그가 준 반지가 세찬 빗줄기 속에서도 밝게 빛났다. 소름이 돋았다. 그는 이 반지가 어머니의 유품이라고 했다. 제 아버지가 결혼식 날 어머니에게 끼워준 반지라고도 했다.

　구 년 전, 부모님의 목숨값으로 겨우 살아남았다. 그런 딸이 가족을 죽인 황제의 아들을 살렸다. 원수의 반지로 결혼을 약속하고 원수의 핏줄을 잉태했다. 그 사실을 도저히 받아들일 수가 없었다. 보석처럼 반짝였던 두 달이 삽시간에 끔찍한 고통으로 변했다. 빛나는 축복인 줄 알았던 그의 아이가 이젠 저주처럼 느껴졌다.

갑자기 내린 비로 대로엔 사람이 하나도 없었다. 유리는 반쯤 정신이 나간 상태로 걸었다. 걷다가, 울다가, 하늘을 향해 미친 사람처럼 악을 써댔다.

—왜! 하필 나예요! 내가 무슨 잘못을 했어요! 왜, 왜!

그렇게 어딘지 모를 곳에 주저앉아 울다가 반쯤 혼절했던 것 같다.

—유리야, 정신 좀 차려봐. 유리야!

다시 눈을 떴을 때 그녀는 작은 집에 누워 있었다. 비에 젖은 옷은 어디로 가고 머리부터 발끝까지 말끔한 채였다. 반면 그는 반쯤 마르다 만 옷을 입은 채 서툰 손길로 그녀의 몸을 주무르고 이마를 닦아 내었다.

—유리야, 정신이 들어? 나 보여?

유리의 얼굴을 더듬던 그가 그녀가 눈을 뜬 걸 확인하고는 두 손으로 그녀의 뺨을 감쌌다.

—몸은 괜찮은 거야? 대체 얼마나 오랫동안 비를 맞고 있었던 거야! 아픈 곳은 없어? 괜찮아? 내 말 들려?

걱정이 가득 담겨 있는 목소리가 유리의 귓가에서 마른 낙엽처럼 부서졌다. 유리는 그에게 대답하는 대신 묻고 싶었다. 내가 어떤 심정인지 알고 있느냐고. 당신을 보고 있는 이 순간이 지옥이라는 걸 짐작이나 할 수 있겠느냐고.

그는 머리부터 발끝까지 온통 흙투성이였다. 그의 손엔 자잘한 상처가 가득했다. 밤이 깊어서도 돌아오지 않는 그녀를 찾기 위해 온 산을 헤맸다는 걸 바로 알 수 있었다. 앞을 볼 수 없는 사람이 비오는 날 산을 나서는 게 어떤 의미인지도, 잘 알고 있었다.

　─열은 없는 것 같아. 다행이다.

　제 이마를 짚는 그의 손은 불덩이처럼 뜨거웠다. 열이 나는 것은 그녀가 아니라 그였다. 그녀가 아프지 않아 다행이라고 말하는 그의 뺨이 창백하게 질려 있었다. 아픈 그의 모습에도 유리는 아무 감정도 느낄 수 없었다. 머릿속에는 오직 한 가지 생각뿐이었다.

　아살론의 핏줄을, 낳을 순 없어. 없애야 해. 없애 버려야 해……

　그가 잠이 들었을 때 서랍을 뒤져 칼을 꺼냈다. 어떻게 찌르면 아이가 죽을 수 있을지 고민했다. 아이와 같이 죽어 버리는 것도 괜찮을 것 같았다. 제 죽음이 황태자 카사르에게 괴로움이 된다면, 황제에게 복수가 될 수도 있을 것 같았다.

　─유리야, 첫 아이는 널 닮은 딸이었으면 좋겠어.

　그러나 결국 유리는 아무것도 하지 못했다. 제 아이를 간절히 바라던 그의 목소리를 떠올리니 차마 칼에 힘이 들어가지 않았다. 그날 밤 바로 짐을 싸서 그를 떠났다. 그의 곁에선 도저히 숨을 쉴 수가 없었다. 아무 말도 남기지 않으려다가 결국 편지 한 장만 남겼다. 제 발로 그를 떠났으면서도 이별은 결코 쉽지 않았다. 문턱을 나서는 순간부터 갓난아이를 버리는 어미가 된 것 같았다.

　한 걸음 한 걸음마다 다시 그에게 돌아가고 싶었다. 모질게 먹은 마음이 무색하게 그와 멀어질수록 그를 향한 사랑을 실감할 따름이었다. 마음이 흔들릴 때마다 떠오르던 황제의 목소리가 아니었다면, 정말 그에게 돌아가 버렸을지도 모른다.

　막상 그를 떠났지만 유리는 갈 곳이 없었다. 결국 아이를 버린 어미처럼 뱅뱅 그 근처만 돌다가 자신을 진찰했던 산파의 집으로 향했다. 산파는 마을에서 유일하게 그녀와 안면이 있는 사람이었다.

　─아니, 새댁! 이게 대체 무슨 꼴이야! 왜 짐을 싸들고 나왔어!

산파의 얼굴을 보자마자 참았던 눈물이 쏟아져 나왔다. 어제까지만 해도 세상을 다 가진 것 같았는데, 하루아침에 모든 것이 변해 버렸다는 걸 믿을 수가 없었다. 대체 무슨 일이냐는 산파의 물음에 답을 할 수도 없었다.

─혹시 남편이 애를 가졌다고 새댁을 쫓아내기라도 한 거야? 그런 거여? 이런 육시럴! 가끔 그런 몹쓸 놈들을 보긴 했는데 하필 처자 남편이 그런 쓰레기일 줄이야!

산파는 유리의 침묵을 제멋대로 해석했다. 카사르가 유리의 임신을 달갑지 않게 여겨 그녀를 쫓아낸 거라 착각한 것이다.

─망할 놈! 처자식을 소중히 여기지 않는 놈은 된통 당해 봐야 해! 확 천벌이나 받으라지!

산파의 저주에 유리는 말문이 틀어막힌 채 그저 눈물만 흘렸다. 그가 자신을 얼마나 사랑하는지, 제 아이를 얼마나 기대했는지 생각하면 가슴이 찢어질 것 같았다.

─어서 그런 자식은 잊도록 해. 그런 놈이 아비가 되면 오히려 애한테 안 좋아. 아이를 생각하고 마음을 편히 먹어. 갈 곳이 없다면 얼마든지 이곳에 있어도 좋아. 마침 우리 손녀가 쓰던 방이 있으니.

오해든 뭐든 유리를 가련히 본 산파 덕분에 유리는 그곳에 머물 수가 있었다. 산파의 배려에도 불구하고 유리는 지독한 아픔에서 벗어나지 못했다. 제 마음 추스르는 것도 힘겨워 태교는 꿈도 꿀 수 없었다. 아이에게 몹쓸 짓을 하고 있다는 죄책감은 유리를 두 배로 더 힘들게 만들었다.

─안녕? 난 리디아야. 네가 할머니가 말한 바로 그 애구나. 이름이 유리랬나?

그리고 얼마 지나지 않아 산파의 외손녀가 찾아 왔다.

그녀의 이름은 리디아. 외할머니를 만나기 위해 왔다는 그녀는 잿빛 머리카락에 유리와 같은 녹색 눈동자를 가지고 있었다. 나중에 알게 된 사실이지만 병 때문에 머리가 세었을 뿐, 본래는 유리와 같은 흑발이라고 했다.

─마침 우리 나이도 같던데. 만나서 반가워. 우리 앞으로 잘 지내보자.

리디아는 유리에게 무척이나 호의적이었지만, 유리는 그 인사를 받아줄 상태가 아니었다. 아살론의 핏줄을 품지도, 지우지도 못한 채 하루하루 말라갔다. 자식과 아비를 생이별시켰다는 죄책감도 그녀를 짓눌렀다. 이러지도 저러지도 못하는 상황 속에서 유리는 점점 약해져 갔다. 아이가 위험해질 뻔한 적도 여러 번이었다. 그때마다 아이를 향한 미안함이 또 다른 굴레가 되어 그녀의 목을 조였다. 점점 무너져가는 그녀를 바로 곁에서 간호한 것이 바로 리디아였다.

─카사르? 그 사람이 대체 누구야?

밤새 앓다가 깨어난 아침이었다. 그녀를 간호하던 리디아가 전에 없이 심각한 얼굴로 물었다.

─네가 밤새 그 사람 이름을 불렀어. 혹시 그 사람이 황태자 카사르는 아니지?

너무 놀라면 눈앞이 깜깜해진다는 게 이런 뜻일까. 유리는 하얗게 질린 채 입술만 떨었다. 그 침묵이 긍정임을 알아챈 리디아가 경악성을 내질렀다.

─설마 황태자가 찾는 유리가 정말 너였어? 네 아이가 황태자의 아이인 거고?

─그, 그걸 어떻게······!

─지금 마을은 완전히 난리가 났어. 거리에 온통 널 찾는 사람들로 바글바글하다고!

리디아가 받았던 충격은 유리에게 고스란히 돌아왔다. 카사르가 자신을 찾는다는 걸 도저히 믿을 수가 없었다.

—네 흔적을 아는 사람에겐 큰 상을 내릴 거래. 이게 대체 어떻게 된 일이야? 너, 남편에게 쫓겨나서 여기 있는 게 아니었어? 그게 아니라 네가 그 남자를 떠난 거야? 아직도 사랑하잖아. 그런데 왜?

그렇게 리디아는 순식간에 진실에 다가갔다. 결국, 유리는 자신의 사정을 모두 털어놓을 수밖에 없었다. 자신의 행방을 알리면 큰 상을 받는다는 걸 알면서도, 침묵을 지켜 준 리디아를 속일 수 없었던 것이다.

—그랬구나. 정말 힘들었겠다.

한번 입을 열기 시작하자 그동안의 마음고생은 끝없는 눈물이 되어 쏟아졌다. 엉엉 울며 사실을 말하는 유리에게 리디아는 안타까운 얼굴로 그녀의 손을 꼭 잡았다. 그 지독한 슬픔에 깊이 공감한 것이다. 리디아의 따뜻한 태도는 유리에게 큰 위로가 되었다.

—네가 언젠가 그 사람에게 돌아갈 수 있다면 좋겠다.

그날부로 리디아와의 인연은 전혀 새로운 국면을 맞이했다. 그녀는 단지 유리의 건강을 챙기는 걸 넘어서 마음마저 다독였다. 힘들 때 기댈 곳이 생겼기 때문일까. 유리는 점차 힘을 내기 시작했다. 리디아의 응원 덕분에 마침내 배 속의 아이도 인정하게 되었다.

어느 순간부터는 그에게 돌아갈 날을 꿈꾸기도 했다. 지금은 비록 힘들어도 세 가족이 함께 만날 날을 상상하다 보면 아픔도 조금 잦아드는 것 같았다. 그러나 그 행복은 얼마 가지 않았다.

두 사람의 사랑을 간절히 바란 리디아의 염원이, 독이 된 것이다.

—유리야, 지금 당장 여기를 떠나야 할 것 같아. 내가 실수를 했어. 사실은 너랑 그 사람 사정이 너무 안타까워서, 너를 찾는 사람들에게 네 이야기를 했는데, 그 사람들 분위기가 너무 이상했어. 곧

찾아온다고 했으니 빨리 이곳을 떠나야 할 것 같아.

바론은 카사르가 살아 있다는 소식을 들은 후 유리를 찾기 위해 혈안이 되어 있었다. 자기 일을 망친 여자에게 복수하기 위해서였다. 문제는 리디아와 유리 모두 그 사실을 몰랐다는 데 있었다. 비극은 그렇게 시작되었다.

ㅡ네가 바로 유리란 계집이야? 감히 어디를 도망가려고. 우리 일을 망치고 네가 살아날 수 있을 거로 생각했어?

화급히 짐을 챙기고 문을 나서는데 바론의 수하들이 실실 웃으며 그녀의 앞을 막아섰다. 그들은 일전에 카사르를 공격했던 자객들이었다. 자신들의 일을 망친 유리에게 깊은 원한을 품은 채였다. 바론의 수하들은 유리를 빛도 없는 지하실에 가두었다. 소식을 들은 바론이 달려올 때까지 유리에게 '복수'를 했다. 힘없는 여인이었던 유리는 무력하게 그들의 폭행을 견뎌야 했다.

ㅡ와, 이거 진짜 심한데. 얼굴도 못 알아보겠어.

바론이 유리를 처음 보았을 때 유리는 살아 있는 것이 기적일 정도로 상태가 나빴다. 온몸이 상처와 멍투성이가 된 채로 손 하나 까딱하지 못했다. 곱고 선량한 얼굴은 알아볼 수 없을 만큼 엉망이되었다. 출혈도 무척이나 심했다. 그런 유리를 보며 바론은 낄낄 웃었다.

ㅡ짐승이 따로 없네. 지 여자가 이 꼴이 된 걸 알면 카사르가 아주 좋아 죽겠는데. 큭. 그나저나, 이 계집이 홑몸이 아니라는 거지.

유리의 임신 사실을 안 바론은 무척이나 즐거워했다. 카사르를 살린 여자에게 제대로 복수를 할 수 있을 거라 킬킬대었다. 바론은 자기 수하들보다 훨씬 지독하고 집요했다. 유리는 결국 아이를 지키지 못했다. 바론은 까무룩 의식을 잃는 유리의 머리채를 움켜쥔 채 나른히 웃었다.

―잘 들어. 드디어 네 아이가 죽었어. 이게 다, 너 때문이야.

유산 후, 리디아 덕분에 유리는 구사일생으로 목숨을 건졌다. 그러나 살아도 산목숨이 아니었다. 아이를 잃은 뒤 유리는 도저히 헤어 나올 수 없는 절망에 빠졌다. 겨우 되살아난 생의 의지는 완전히 바스러져 몇 번이나 자진을 시도했다. 리디아는 그런 유리를 붙잡고 이런 죽음이 억울하지도 않으냐며 설득을 했다.

―그렇게 죽고 싶니? 그래. 죽어. 대신에 그 인간들에게 값을 건 갚고 죽어! 그래야 너도 네 아이에게 좀 떳떳하지 않겠어?

그 말에 유리는 다시 살기로 했다. 정말 되살아난 것이 아니라, 죽음을 잠시 미루어두었을 뿐이었다. 때문에 유리는 아직도 리디아가 자신을 살린 게 잘한 일인가 싶었다. 지금까지도 종종 모든 것을 놓고 싶을 만큼 힘들었기 때문이었다. 어쨌든 유리는 복수를 선택했고 리디아는 유리의 선택을 적극적으로 도왔다. 유리가 수도로 올 수 있었던 것은 그녀가 리디아의 신분을 빌렸기 때문이었다. 바론에게 접근할 수 있었던 것 역시 리디아가 '프리우스'의 성을 가지고 있었기 때문이었다. 그리고 몇 가지 우연이 겹쳐 유리는 바론과 교제하게 되었다. 이내 바론의 비공식적인 약혼녀까지 되었다.

그렇게 리디아 프리우스가 되어 새 삶을 시작했건만 시작은 평탄치 않았다. 프리우스 사람들은 리디아로 돌아온 유리를 싫어하다 못해 증오했다. 심지어 미하엘은 유리에게 칼까지 휘두르려고 했다. 그리고 그 맹렬했던 적의는 바론이 한바탕 난리를 치고 난 후 완전히 사라졌다.

"고, 공녀님. 필요한 거 있으신가요?"

프리우스 하인들은 그녀가 잠에서 깨기가 무섭게 세숫물과 수건을 들고 들어왔다. 배가 고프다는 말도 안 했는데 출출하진 않으시냐며 온갖 진수성찬과 디저트를 실어 나르기까지 했다. 그러면서도 유리와는 제대로 눈도 마주치지 못했다. 바로 공포 때문이었다.

─리디아는 내 약혼녀야. 나, 바론의 약혼녀라고.

하인들의 태도가 하루아침에 백팔십도 달라진 건 바론 때문이었다. 그날, 바론은 미하엘을 완전히 밟아 버렸다. 하인들은 가문에서 무소불위의 권력을 휘두르던 미하엘이 아무 반항도 하지 못하고 당하는 데에 큰 충격을 받았다. 그 바론의 약혼녀가 저들이 괄시하던 사생아라는 데에선 더욱더 큰 충격을 받았다.

바론이 떠나자마자 하인들은 유리의 앞에 무릎을 꿇었다. 미하엘의 피가 채 마르지도 않았을 때였다.

─공녀님, 한 번만 용서해 주세요. 다시는, 다시는 그런 짓을 하지 않겠습니다.

하인들은 손이 발이 되도록 빌었지만 유리는 그 누구의 사과도 받아들이지 않았다. 그들을 용서해야 할 사람은 자신이 아니라 리디아와 지나였기 때문이었다. 이유가 어찌 되었든 용서의 말을 듣지 못한 하인들은 언제 불벼락이 떨어질까 전전긍긍이었다. 유리는 그들의 두려움을 눈치챘지만 당분간은 그대로 두기로 했다. 그들도 나름의 죗값을 치러야 한다 여긴 것이다. 아무리 미하엘의 명령이 있었다는 걸 고려해도 그들의 행동은 너무 과했다.

"저, 고, 공녀님. 필요하신 건 없으신가요?"

유리의 눈치를 보던 하녀가 쭈뼛거리며 그녀에게 다가왔다. 엊그제 유리가 식당 위치를 물었을 때 침을 뱉던 여자였다. 유리는 그때 입었던 드레스를 쥐여 주며 상냥히 말했다.

"이걸 세탁해야 할 것 같아요. 침 자국을 제대로 닦아 주면 좋을 것 같아요."

하녀는 그 말이 끝나기 무섭게 졸도할 것 같은 얼굴을 하곤 방을 나갔다. 다른 하인들의 얼굴 역시 비슷비슷했다.

딱 한 명, 예외는 있었다.

"공녀님, 뭐 필요한 거 없으세요?"

지나는 프리우스의 하인 중 유일하게 얼굴을 펴고 살았다. 그날 이후 지나는 유리의 직속 하녀가 되었다. 생명의 은인에게 은혜를 갚게 해 달라며 유리에게 매달렸던 것이다. 처음엔 다친 아이가 다 낫기도 전에 절 위해 일을 하겠다는 게 부담스러웠지만, 제발 허락해 달라며 눈물까지 글썽이는 모습에 고개를 끄덕였다.

"아니, 괜찮아. 너도 쉬어야지."

"필요한 거 있으면 언제든 맡겨만 주세요."

"고마워. 그래도 너무 무리해서는 안돼."

"걱정하지 마세요. 의사 선생님도 그러셨는걸요. 큰 상처 아니라고요."

지나는 뺨에 붙인 거즈를 두드리며 헤헤 웃었다. 그 모습을 보는 유리의 입가에 자연스레 웃음이 맺혔다. 만난 건 얼마 되지 않았지만 지나의 밝음이 유리는 마음에 들었다. 새삼 지나를 살리기 참 잘했다는 생각이 들었다.

―당연히 죽여야지. 하지만 절대 쉽게 죽이지는 마. 내 일을 망친 계집이야. 충분히 죗값을 치러야지.

물론 사람을 살리는 게 늘 좋은 결과로 이어지는 건 아니었다. 바론은 카사르를 살렸기 때문에 유리가 죽어야 한다고 했다. 결국 유리는 아이까지 잃고 말았다. 사람을 살린 게 왜 죽어야 할 죄가 되는 것일까? 유리는 여전히 받아들일 수 없었다. 바론이 한 말 중에 맞는 말도 있긴 했다.

―기억해. 네 아이가 죽은 것도, 다 너 때문이야.

아이가 죽은 건 그녀 잘못이 맞았다. 하여 유리는 여전히 자신이 살아 있어서는 안 된다고 생각했다. 아이와 그녀, 둘 중 하나만 살았어야 한다면 아이가 살아남았어야 했다.

'미안하다. 아가.'

아이를 떠올리는 유리의 눈에 눈물이 고였다. 생각하면 생각할수록 저는 참 모진 어미였다. 존재를 알았을 땐 대체 왜 네가 내게 온 것이냐며 원망하고, 사랑한단 말 한마디 해 준 적이 없었다. 심지어 그 흔한 태교조차 해 주지 못한 채 그리 허무하게 하늘로 떠나보냈다.

'같은 상황이었다면 그 사람도 똑같이 행동했을까?'

만일 누군가 바론을 살렸다면 카사르는 어떻게 했을까. 두 번 생각할 필요도 없는 질문이었다. 그는 절대로 죄 없는 여자를 해치지 않았을 것이다. 아무리 바론이 밉다 하여도 다른 길을 선택했을 것이다.

'그렇겠지. 그 사람, 참 좋은 사람이니까.'

그는 참 좋은 사람이었다. 가족이 그리워 몰래 울 때도, 발작이 일어났을 때도 그가 그녀를 지켰다. 늘 곁에 있을 거라며 위로하고, 어둠을 무서워할 필요가 없다며 그녀를 다독였다. 그 역시 빛 한 점 없는 어둠을 살고 있는데도 그러했다. 그는 그녀가 자신을 구했다 했지만, 기실 구원을 받은 건 그가 아니라 그녀였다.

그 좋은 사람에게 저는 대체 무슨 짓을 했나. 아무 말 없이 그를 떠나고 그에게서 아이를 앗았다. 그에게 말 못 할 상처를 준 주제에 힘들 땐 그와의 추억에 기대어 버텼다. 바론의 수하들이 그녀를 잡지 않았다면 그리움을 견디지 못하고 돌아갔을지도 모른다.

'내가 이렇게 망가진 걸 알면 그 사람은 어떤 표정을 지을까.'

지옥 같던 삼 년을 생각하며 유리가 흐린 미소를 지었다. 제 삼 년을 안다면 그가 슬퍼할지, 기뻐할지, 종잡을 수가 없었다. 한때 그가 제게 영원한 사랑을 맹세하긴 했으나 전부 다 지난 일이었다.

'지금은…… 기뻐할 수도 있지 않을까.'

어쩌면 통쾌해할지도 모른다. 절 버린 여자가 마땅한 벌을 받았노라 기꺼워할 수도 있다. 그건 예상이라기보다는 소망에 가까웠다. 유리는 부디 그가 자신을 미워하고 증오하다, 결국은 잊었기를 바랐다.

'어차피 날 알아보지도 못할 텐데.'

그녀가 사랑했던 푸른 눈을 떠올리며 유리가 희미하게 웃었다. 그는 그녀의 얼굴을 모른다. 목소리를 듣고 눈치챌 순 있지만, 잡아떼면 그만이다. 자신이 사랑했던 여자가 바론의 약혼녀가 되어 돌아온 상황에 더는 의심하지 못할 것이다.

아니, 목소리조차 잊었을지 몰랐다. 그와 헤어지고 벌써 세 번째 봄을 맞이하고 있었다. 삼 년은 절실히 사랑하는 연인 사이도 남이 될 수 있는 시간이었다. 그 긴 시간 동안 최악의 이별을 주고 떠난 여자를 마음에 품고 있었을 리 없다. 떠올리는 것조차 악몽이었을 터다. 그러니 분명, 그녀를 잊었을 것이다.

"그나저나 곧 황자 전하가 오실 시간이네요."

상념에 젖어 있는데 지나의 목소리가 아스라이 들렸다. 유리는 꿈에서 깨어나듯 차츰 현실로 돌아왔다.

"벌써?"

"네, 잠시만 기다리세요. 치장 준비를 할게요."

곧 바론이 찾아올 예정이었다. 유리와 점심을 함께하기 위해서였다. 유리가 프리우스에서 겪은 일을 전해 듣고 바론은 길길이 날뛰었다. 감히 내 여자를 무시하는 것들을 가만두지 않겠다며 매일 저택에 찾아오겠노라 선언했다. 제 약혼녀가 자신이 처참히 짓밟았던 여자인 줄은 상상도 못 한 채였다.

바론을 떠올리자 유리의 얼굴에선 마지막 미소가 사라졌다. 그

자와 얼굴을 맞대고 웃어야 할 생각을 하니 숨이 막힐 것만 같았다. 그자와의 시간은 견딜 만하다가도 불쑥 힘들게 느껴지곤 했다. 유리의 흰 손가락이 어느새 목에 걸린 펜던트를 쥐었다. 그 안에 담겨있을 그의 편지를 생각하니 마음이 조금 가라앉았다.

"공녀님, 이쪽에 앉으세요. 제가 머리를 빗겨 드릴게요."

"고마워."

지나는 잔심부름뿐 아니라 유리의 치장도 담당했다. 소녀는 무척이나 재주가 많았다. 기초적인 화장이나 머리 꾸미기도 잘했고, 드레스를 고르는 안목도 뛰어났다. 덕분에 유리는 프리우스 하인들의 도움 없이도 바론을 맞이할 준비를 할 수 있었다.

지나가 빠른 손놀림으로 화장을 하는 동안 유리는 물끄러미 거울을 바라보았다. 소녀의 능숙한 손길 아래 그녀의 얼굴이 화사하게 바뀌었다. 길게 늘어트린 흑발에 화려한 장신구들이 꽃처럼 어여쁘게 피어났다.

"오늘은 목걸이랑 팔찌도 해 드릴게요. 제가 아주 예쁜 걸 발견했거든요. 잠시만요."

며칠 전 바론이 프리우스를 뒤집은 이후 저택에 있는 패물은 죄그녀의 방으로 옮겨졌다. 지난 며칠간 지나는 그 보석이 제 것이라도 된 양 기뻐하며 유리가 사용할 장신구를 골랐다.

"이거예요. 예쁘죠? 반짝반짝한 게, 공녀님께 딱 어울릴 거예요."

유리는 물끄러미 은사로 된 팔찌를 내려다보았다. 얇은 은사 곳곳엔 자잘한 보석이 박혀 있었다. 지나의 말대로 무척이나 아름다웠지만 바로 손을 내밀고 싶진 않았다.

"저, 공녀님?"

유리가 아무 말도 없자 지나는 와락 겁을 집어먹은 얼굴로 그녀의 눈치를 살폈다. 혹시나 자신이 무슨 잘못을 한 건 아닌가 걱정을 한 것 같았다.

"여기, 고마워."

유리는 부드럽게 웃으며 손목을 내밀었다. 어차피 앞으로 몇 달을 함께할 것인데 숨겨서 될 일이 아니었다. 활짝 웃으며 유리의 손목에 팔찌를 매려던 지나가 멈칫했다. 가느다란 손목 위로 길게 자리한 흉터가 무엇인지 곧바로 알아본 것이다.

"헉, 아, 저, 죄송해요."

지나는 얼른 당황스러움을 감추고 팔찌를 둘렀다. 그러면서도 흉터가 손에 스칠 때마다 어찌할 바를 모르는 얼굴을 했다. 반짝이는 은색의 줄이 휘감기자 옛 상처가 그 아래로 모습을 감추었다.

"좋구나. 상처도 가려지고. 이런 방법이 있는 줄 몰랐네."

유리는 보석함을 뒤져 직접 또 하나의 팔찌를 꺼내 들었다. 이번엔 왼손이라 혼자서도 감을 수 있을 것 같았다. 조금 서툴게 손목에 팔찌를 감았다. 비슷한 흉터가 그곳에도 있는 것을 본 지나가 애꿎은 입술만 깨물었다.

"덕분에 치장이 잘 끝났어. 고마워."

거울 속에 담긴 제 모습을 보며 유리가 옅게 웃었다. 비록 속은 망가졌어도 겉은 참 곱고 어여뻤다. 한때는 제 생이 저리 찬란하게 빛나던 때가 있었다. 카사르, 그와 함께한 시절이 그랬다. 그의 모든 것이 좋았다. 애정을 확신하며 짓궂게 웃는 모습도, 불쑥 보이는 약한 모습도. 바다처럼 푸른 눈동자도, 봄볕처럼 온화한 미소도, 언제든 기댈 수 있는 너른 품도, 전부 다.

하혈을 했다는 말을 들었을 때 유리는 벌을 받는 거라 생각했다. 그 좋은 사람에게 상처를 주었으니 하늘이 벌을 주는 것이라며, 먹지도, 마시지도 않고 생 넋이 뜯어진 모양새로 죽을 날만 기다렸다.

마지막으로 정신을 잃기 전, 유리는 자신이 토한 피를 보며 웃었다. 이젠 정말 끝이구나. 드디어 죽을 수 있구나. 그런 꿈을 꾸었었다.

'나도 참 오래 버티는구나. 끝날 수 있는 순간이 여러 번 있었는데도······.'

유리가 물끄러미 손목의 상흔을 내려다보았다. 서글픈 웃음이 맺혔다. 속은 상처투성이인 채, 그럴듯한 껍데기로 참 오래 버티고 싶었다. 물론 그 껍데기도 오래가진 못하겠지만.

*

근래 중 가장 바쁜 날이었다. 카사르는 아침부터 연달아 네 개의 회의에 참석했다. 오후에도 상황은 별반 다르지 않았다. 안 그래도 바쁜 그가 물 한 모금 마실 시간 없이 바빠진 이유는 바로 리디아 프리우스, 바론의 새로운 약혼녀 때문이었다. 사생아에서 하루아침에 황자의 약혼녀가 된 신데렐라 때문에 아살론의 수도 전체가 들썩였다. 각 계파는 이번 일이 자신들에게 어떤 영향을 줄지 계산기를 두드리느라 바빴다. 오늘 참석한 회의 역시 이번 일의 이해득실을 따지고 대응책을 마련하기 위해서였다.

모두들 일단 이번 일이 바론에겐 손해라는 데 동의했다. 아무리 공작의 딸이라도 사생아는 사생아였다. 황자에 비해서 너무 격이 떨어졌다. 설령 혼인이 성사된다 하더라도 겨우 반쪽짜리 귀족이 바론의 힘을 강화해 줄 것 같진 않았다. 게다가 바론의 어머니, 드펜 황후가 이번 약혼을 그냥 두고 볼 리 없었다. 드펜은 제 아들을 황태자로 만들기 위해 인생을 건 여자였다. 아들의 약혼녀가 제 꿈을 이루는 데 방해가 된다면 가차 없이 죽여 버릴 수도 있었다.

카사르는 황제와 아주 살가운 부자 사이는 아니었다. 어렸을 적 어머니께서 돌아가신 뒤로 거듭된 암살 시도에서 황제가 그를 지켜

주기는 했으나, 가족의 정을 나눌 시간은 없었다. 카사르는 황제를 존경했으나 애틋한 감정이 크진 않았었다. 그런데 유리와 헤어지고 난 후부턴 황제에 대한 감정이 점점 특별하게 변했다. 바로 동질감이었다. 평민이었던 카사르의 어머니가 황후 자리에 오를 수 있었던 것은 오직 황제의 사랑 때문이었다.

지난 삼 년간 유리를 찾으면서 카사르는 황제가 아내를 황후의 자리에 올리기 위해 얼마나 많은 반대와 싸웠을지 알 수 있었다. 황제는 그리 사랑했던 어머니를 오 년 만에 잃어야 했다. 그 절망이 어땠을지 감히 짐작도 할 수 없었다. 게다가 어머니의 죽음에는 석연치 않은 구석도 있었다. 황제의 가까운 지인 중에도 그 죽음에 연루된 자가 있다는 소문이 돌 정도였다. 당시 황비였던 드펜은 황후의 죽음에 가장 유력한 용의자였다. 드펜은 말도 안 되는 모략이라며 의심의 눈길을 보내는 이들에게 곱절로 복수했다. 그녀가 그리 당당할 수 있었던 것은 타국 황족의 피가 섞여 있는 그녀의 혈통 때문이었다. 어찌 되었든 결국 드펜은 황후의 죽음과 아무런 관련이 없는 것으로 결론이 났다.

그런데 황제는 그 결론을 받아들이지 못했던 것 같다. 황제는 죽은 황후가 그립다는 핑계로 십 년이 넘게 황후 자리를 비워 두었다. 죽은 귀신 따위에게 밀려 내내 황비에 머물러 있었던 드펜의 가슴 속에는 독이 쌓여 갔다. 그녀가 아들을 황태자로 만드는 데 집착하여 카사르에게 칼을 겨누는 건 그때의 원한도 한몫하고 있었다.

벌써부터 바론의 약혼 소식을 전해 들은 황후가 노발대발하여 황후궁을 뒤엎었다는 소문이 파다했다. 바론의 세력은 대부분 제어머니에게서 나온 것이었다. 모자간의 대립이 바론의 세력 약화로 이어질 거란 추측은 자연스러운 것이었다. 다만, 이번 약혼이 카사르에게도 이익인지는 의견이 분분했다. 바론에게 손해인 것이 카사르에게 이익인 건 맞지만, 혹시라도 태어날지 모를 '바론'의 후사는 분명 위험 요소였다.

─카사르 전하, 혼인을 다시 고려해 보시는 것이 좋겠습니다. 프리우스 공녀가 황자 전하의 후손을 잉태하기라도 한다면 상황이 급변할 수도 있습니다.

결국, 이야기는 돌고 돌아 또 카사르의 혼인으로 흘렀다. 귀족들은 연신 태자비 자리를 채울 때가 왔다며 국혼의 필요성을 주장했다. 카사르는 전보다 훨씬 버겁게 그들의 공격을 막아내야 했다. 평소 같았으면 카사르 대신 싸워주었을 루한이 입을 꾹 다물고 있었던 것이다.

─혼인이라니요, 공들께서는 카사르 전하가 간절히 찾는 여인이 있다는 걸 모르십니까? 그 여인이 있었기에 전하께서 이 자리에 계실 수 있었던 겁니다. 사람이 은혜를 알아야지요. 은혜를 모르고 어떻게 한 나라를 다스릴 수 있겠습니까?

평소에는 그런 말을 잘만 하던 녀석이 이번에는 몇 시간 내내 침묵을 고수했다. 엊그제 혼인과 관련한 언쟁 이후로 계속 그 상태였다. 사실 루한과 유리의 일로 갈등이 있던 건 이번이 처음이 아니었다. 일 년쯤 전부터 루한은 은근슬쩍 유리를 포기하는 게 좋지 않겠냐는 말을 내비쳤다. 카사르가 단칼에 거절해도 포기하지 않고 꾸준히 그를 설득하려 했다. 얼굴도 모르는 여자를 무슨 수로 찾겠느냐는 권유가, 고성이 오가는 상황으로 번진 적도 여러 번이었다.

물론 카사르는 유리의 얼굴을 몰랐다. 그래도 그는 유리를 알아볼 자신이 있었다. 손끝으로, 온몸으로 그녀를 느꼈으니까. 삼 년이 지났지만 유리의 얼굴뿐 아니라 체형에 대한 기억도 선명했다. 그가 유리를 끌어안으면 그의 빗장뼈엔 유리의 이마가 닿았다. 고개를 살짝 숙이면 정수리에 입을 맞출 수 있었다. 자그마한 어깨는 한 품에 꼭 들어왔다. 가녀린 등허리를 만지다 보면 어느새 오돌토돌한 척추를 쓸어내리게 되곤 했다.

유리를 기억하는 방식 때문에 그는 그녀로 속이는 가짜들이 증오스러웠다. 가짜가 진짜인지, 아닌지 확인을 할 때마다 겨우 붙잡고 있는 유리의 기억이 훼손될 거 같았다. 이러다 영영 유리를 잊는다면? 상상도 하고 싶지 않았다. 눈앞에 두고도 그녀를 몰라볼 날이 오다니, 그 가능성조차 끔찍했다.

요즘 그는 슬슬 한계에 부딪히고 있었다. 삼 년은 짧으면서도 긴 시간이었다. 그 혼자선 유리의 죽음에 대한 두려움도, 망각에 대한 공포도 모두 벅찼다. 지금도 종종 훅 벼랑 끝에 선 듯 아찔해질 때가 있었다. 온 힘을 다해 치밀어 오르는 것을 참고 괜찮을 거라 자신을 달래도 소용없었다. 그럴 때마다 정말 간절히, 누구라도 좋으니 그녀가 살아 있다는 말 한마디만 해 주길 바랐다. 그럼 다시 힘을 내 그녀를 기다릴 수 있을 것 같았다. 예전엔 루한이 먼저 그 말을 해 주며 용기를 주었다. 반면 지금은 유리를 미워하는 게 눈에 보일 정도였다.

"프리우스에서 온 보고서입니다."

루한이 무뚝뚝한 얼굴로 검은색 종이를 내밀었다. 비밀스러운 약물이 묻어 있는 터라 글자는 보이지 않았다.

프리우스의 비야, 지나가 보낸 것이었다. 지나는 요즘 공녀의 일거수일투족을 감시 중이었다. 후계 구도에서 변수가 될지도 모르는 여인을 확인하라는 카사르의 명령 때문이었다.

카사르는 보고서를 받아들지 않고 빤히 루한을 바라보았다.

"루한, 지금은 우리 둘밖에 없잖아. 언제까지 공대할 거야?"

카사르의 말에 루한은 딱딱한 목소리로 답했다.

"신하된 자가 전하께 공대하는 건 당연한 일입니다."

공대를 유지하며 끝까지 시위하겠단 뜻이었다.

"하. 언제까지 이렇게 불편하게 굴 거야?"

"루한!"

카사르가 버럭 화를 내며 루한을 노려보았다. 루한은 입술을 꾹 깨문 채 매서운 시선을 받아내었다.

"저를 전하의 친우로 여기신다면 한 번만 제 말을 들어 주십시오. 제발 그 여자에게서 시선을 돌려주십시오. 부탁드립니다."

간절한 목소리였다. 그는 진심으로 카사르가 새 여자를 찾기를 바랐다. 다른 귀족들처럼 후계 싸움에서 힘을 실어 줄 만한 대 귀족의 딸을 원하는 것도 아니었다. 그저, 살아 있는 여자이기만 하면 되었다. 루한에게 유리란 카사르를 옭아매는 망령일 뿐이었다.

"그 여자가 한 번은 전하를 살렸을지 모르지만 이제는 아닙니다. 그 여자가 전하를 떠났을 때 전하는 앞도 못 보시는 상태였습니다. 그래놓고 삼 년 가까이 사람 애를 태웠습니다. 사랑이요? 대체 무슨 사정이 있었기에 사랑하는 이에게 그리 모진 짓을 합니까?"

루한도 한때는 카사르 못지않게 그녀가 돌아오길 간절히 바랐었다. 유리는 카사르뿐 아니라 루한의 은인이기도 했다. 카사르를 살리기도 했거니와, 그녀의 편지 덕분에 바론의 자객들보다 먼저 그의 위치를 알 수 있었던 것이다.

하지만 다 지난 일이었다. 루한은 더 이상 그 여자를 기다리지 않았다. 그 여자가 주는 절망이 지긋지긋했다. 그 여자가 카사르를 사랑한 것 같지도 않았다. 사랑하는 사람을 이리 애태운다는 게 말이 되지 않았다. 물론 지금도 그녀가 돌아온다면 두 팔 벌려 환영할 것이다. 그러나 불가능한 꿈이라는 걸 알았다. 아니, 기대조차 하고 싶지 않았다.

"지금 네가 원망해야 할 사람은 유리가 아니라 나야. 내가 그 여자를 놓지 못하는 거니까. 그러니 그 이야기는 이제 그만해. 나도 더 참을 여력이 없으니까."

냉정한 목소리였다. 루한은 이를 사리물었다. 따지고 싶은 말이 목구멍까지 차올랐지만 참았다. 카사르가 저리 강경하게 나올 땐 대화의 의미가 없다는 걸 누구보다 잘 알았다. 평소엔 융통성이 넘치던 인간이 그 여자만 관련되면 벽창호가 따로 없었다.

루한이 이를 벅벅 가는 사이 카사르는 보고서에 집중했다. 다행히 그 속엔 심란한 속을 달랠 내용이 풍성했다. 흥미로운 눈으로 공녀의 일거수일투족을 읽던 카사르가 멈칫했다.

"공녀가 자진을 시도한 적이 있다고 하는군."

"뭐? 그게 정말이야?"

엄청난 소식이었다. 깜짝 놀란 루한이 시위 중이라는 것도 평대를 쓸 정도였다. 카사르가 씨익 웃으며 은근한 목소리로 말했다.

"흠. 이젠 날 다시 친구로 대하기로 했나 봐?"

루한이 당황하여 말을 더듬었다.

"그, 그건."

"지금은 신하된 자의 도리는 잠시 잊었나 보지?"

"어, 흠, 크흠."

"뭐, 천천히 생각해 봐."

카사르의 놀림에 루한은 할 말을 찾지 못하고 우물쭈물이었다. 예상대로 오래 버티지 못하는 친구의 모습에 카사르의 웃음이 진해졌다. 역시 저 친구는 무조건 내 편이다. 그리 생각하자 괴롭던 마음도 한결 풀어지는 듯했다.

"여하튼 공녀가 자진을 시도한 건 맞아. 한 번도 아니야. 오른쪽 손목에 둘, 왼쪽 손목에 하나. 총 세 개라고 하는군."

마음이 든든해지자 그는 훨씬 여유로운 태도로 공녀의 상처에 대해 설명했다.

"세 흉터 모두 다른 잔흔 없이 깊게 팬 자국뿐이라는군. 반드시 목숨을 끊겠다는 각오였던 것 같아."

말을 잇는 카사르가 미간을 찌푸렸다. 왠지 모를 불편한 감정이 밀려왔다. 프리우스 공녀, 이 여자는 대체 어떤 삶을 살았기에 세 번이나 죽으려 했던 걸까.

'유리와 동갑이라서 신경이 쓰이는 걸까?'

공녀의 나이가 이제 스물 둘. 삼 년 전 유리의 나이가 열아홉이었으니 둘은 동갑이었다. 그는 막연히 유리의 삶 역시 편안하지는 않았을 거라 추측하고 있었다. 자세한 내막은 모르지만, 여자 홀로 가족도 없이 사람들과 떨어져 사는 덴 평범하지 않은 사정이 있을 터였다.

유리와 함께 있을 때 그는 종종 유리의 목소리에서 진한 외로움을 느끼곤 했다. 가끔은 웃음에서도 쓸쓸함이 묻어났다. 모른 척 안 아주면 어린 동물처럼 움찔하다가, 가만히 그의 품속에 몸을 기대었다. 유리의 몸이 아주 조금씩 떨리기 시작하면 보지 않아도 알 수 있었다. 유리가 눈물을 흘리고 있다는 걸.

'프리우스 공녀…… 내 눈으로 한번 직접 보는 것도 나쁘지 않을 것 같군.'

참 이상한 일이었다. 왜인지 자꾸만 공녀에게 마음이 쓰였다. 어쩌면 그 여자도 유리 못지않은, 유리보다 더한 아픔을 겪었을 것 같았다. 그리 생각하니 더욱 공녀에 대해서 알고 싶었다. 황자의 약혼녀 자리를 꿰찰 정도로 당돌한 사생아가 자진을 시도한 적이 있다는 것도 흥미로웠다.

"자진이라니. 바론도 이 사실을 알까?"

"모르겠지. 알았다면 당장 파혼했을 테니까."

카사르가 서류를 내려놓으며 말을 이었다.

"루한, 이 여자를 한번 만나고 싶어. 이른 시일 내에 자리를 마련해 줘."

그녀에 대한 호기심과는 별개로 언젠가는 그 여잘 보긴 해야 했다. 그 여잔 바론의 약혼녀이고 어쩌면 부인이 될지도 몰랐다. 바론의 반려는 카사르에겐 적일 수밖에 없었다. 그는 적이 될 이의 역량을 제 눈으로 직접 확인하고 싶었다.

"바론은 몰라야 해. 우연한 만남도 좋고 다른 사람이 함께해도 좋아. 귀부인들의 티파티라도 상관없어. 얼굴을 보고 대화만 나눌 수 있으면 돼."

"그 여자가 네 부름에 선선히 응할까?"

"아마 어렵겠지. 쉽지 않은 일일 거야. 아직도 그 여자를 본 귀족이 하나도 없잖아?"

공녀가 수도에 올라온 지 며칠이 되었는데도 귀족 중 누구도 그녀를 보지 못했다. 바론이 공녀를 꽁꽁 싸고돌기 때문이었다. 카사르의 눈에는 바론의 갈잖은 의도가 뻔히 보였다. 어떻게든 제 여자를 향한 사람들의 관심을 오래 유지하려는 전략일 것이다. 일종의 신비주의인 셈이었다.

"뭐, 안 된대도 상관없어. 곧 황궁 연회가 열릴 테니까."

얼마 후면 아살론 황실이 주관하는 연회가 열린다. 수도 귀족들은 대부분 그 연회에 참석했다. 바론 역시 예외는 아니었다. 어쩌면 공녀를 그때 처음 드러낼 생각일지도 모른다. 사생아라면 데뷔가 아직일 테니 사교계 데뷔를 노릴 수도 있었다.

"어쨌든 곧 만나게 되겠지."

카사르가 여유롭게 웃으며 의자에 몸을 기대었다. 이 재미있는 여자를 만날 날이 무척이나 기대되었다. 그때까지만 해도 공녀에 대한 감정은 일시적 호기심, 그 이상도 이하도 아니었다.

곧 지나갈 바람이 폭풍이 되어 그를 휘감을 것을, 상상조차 하지 못했다.

2장

리디아와 함께 살기 시작하면서 유리는 차츰 이별의 아픔을 극복했다. 그를 향한 죄책감은 여전했지만 밥도 잘 먹고 가끔 웃기도 했다. 리디아는 가끔 카사르의 소식을 전해 주었다. 그의 소식을 들을 때마다 눈물이 흘렀지만 그래도 계속 듣고 싶었다. 그가 수도에 잘 도착했단 말을 들은 날엔 감사 기도를 올릴 여유도 생겼다. 그의 소식을 듣는 것이 점점 편해지면서 유리의 마음속엔 희망이 생겼다. 언젠가는 아픈 겨울이 끝나고 봄이 올지도 모른다는 꿈을 꾸었다.

이제 그녀의 가장 큰 소망은 그의 아이가 건강하게 태어나는 것뿐이었다. 마음이 편해진 덕분인지 태어날 아이를 설레는 마음으로 기다리기 시작했다. 리디아는 유리의 태도가 바뀐 것을 제 일처럼 기뻐하며 아이를 축복해 주었다.

—아이 이름을 짓는 건 어때? 할머니가 그러는데 이름은 부모가 아이한테 주는 최초의 선물이래. 혹시 정해놓은 것 있어?

—이미 정했어. 아들이면 아르딘이고, 딸이면 아르디네.

—벌써? 빠르다.

─예전에 그 사람이랑 잠깐 이야기한 적이 있거든. 혹시라도 아이가 생기면 우리 어머니 이름을 따서 짓기로. 그 사람도 좋다고 했었어. 리디아. 그 사람이 우리 아이 이름을 불러줄 날, 오겠지?

─당연하지! 둘 다 좋다. 아르딘, 아르디네라. 궁금한데? 아가, 넌 누구야? 아르딘이야, 아르디네야?

리디아가 부르는 아이의 이름에 귀가 쫑긋거렸다. 다른 이의 입에서 나오는 아이 이름이 무척이나 달콤하게 들린 것이다.

만일 그 이름을 그 사람이 불러준다면. 카사르의 부름에 제 아이가 웃으며 달려가 안길 날이 온다면……. 그 꿈은 어느새 간절한 소망이 되었다. 그때까지만 하더라도 유리는 제 소망이 이루어질 수 있을 거라 믿었다.

그리 간절히 바랐는데, 결국 참혹하게 꺾여 버렸다.

─흑, 으흑, 미안해, 미안해. 정말 미안해. 유리야, 나 때문이야. 미안해, 흑흑.

반 시체가 되어 겨우 살아난 유리를 끌어안고 리디아는 울고 또 울었다. 유리는 텅 빈 눈으로 그녀의 사과를 흘려들었다. 잘못한 사람은 리디아가 아니었다. 모든 것은 그녀의 잘못이었다. 너무도 어리석었던 그녀 탓이었다. 자신이 한 행동 하나하나가 전부 후회스러웠다. 탐브란에 있는 한 바론은 언제고 유리를 찾아냈을 것이다. 진작 그곳을 떠났어야 했다. 그를 걱정한다는 알량한 핑계 따위는 버려두고 멀리멀리 떠났어야 했다. 아니 애당초 그를 걱정할 자격도 없었다. 욕심내서는 안 될 것들을 겁으로 탐낸 대가처럼 느껴졌다.

"오랜만에 돌아온 집은 어때? 이젠 조금 적응이 되는 것 같아?"

그때 탐브란을 떠나기만 했어도 원수와 마주 앉아 식사하는 일은 없었을 것이다. 그와 함께 식사하고, 그를 사랑하는 척 웃음을 짓고, 그의 손길에 볼을 붉힐 필요도 없을 것이다. 후회가 깊을수록 유리는 더욱 화사한 웃음을 지었다.

"아주 편해요. 당신이 날 도와준 덕분이에요. 정말 고마워요."

유리와 바론은 함께 식사 중이었다. 천장이 높다란 연회장은 수십 명이 동시에 식사할 수 있을 만큼 거대했다. 지금 그곳을 사용하고 있는 것은 그 둘뿐이었다. 미하엘은 바론이 두려워 찍소리도 못내고 방에 틀어박혀 있었다.

"혹시라도 저것들이 아직 정신을 덜 차렸으면 말해. 완전히 밟아 줄 테니까."

지나가는 하인을 바라보는 남색의 눈동자가 매섭게 빛났다. 접시를 든 하인의 손이 덜덜 떨렸다. 하인들은 바론이 저택에 들어온 순간부터 숨도 못 쉬고 두 사람의 눈치만 보았다. 바짝 긴장한 모양새가 터지기 직전의 풍선 같았다. 유리는 제 앞에서 쏟아질 듯 흔들리는 접시를 물끄러미 바라보다 고개를 저었다.

"그럴 필요는 없어요. 앞으론 그런 일 없을 테니까."

"잘해 주니 기어오르는 거야. 밟아야지."

유리의 만류에도 불구하고 바론은 음산한 위협을 던졌다.

"음식을 쏟기만 해 봐. 확 죽여 버릴 테니까."

"허억. 송구합니다, 전하."

하인은 경기를 일으킬 것 같은 얼굴로 가까스로 서빙을 끝냈다. 사색이 되어 식당을 빠져나가는 뒷모습을 바론이 낄낄대며 비웃었다. 유리는 낮게 가라앉은 눈동자로 그 모습을 물끄러미 바라보았다. 약자를 서슴없이 짓밟고 조롱하는 건 삼 년 전이나 지금이나 매한가지지 싶었다.

"당신 접시, 이리 줄래요?"

유리는 금세 부드럽게 웃으며 바론을 향해 손을 내밀었다.

"접시는 왜?"

"잠깐만 기다려 봐요."

유리는 바론의 접시를 제 앞에 놓더니, 먹음직스럽게 양념이 된 고기를 정성스레 썰기 시작했다. 바론은 흥미롭다는 듯 턱을 괴고 그 모습을 보다가 유리가 내미는 접시를 받아들었다.

"이걸 네가 왜 직접 해?"

"그냥, 내가 직접 해 주고 싶었어요."

유리가 살짝 눈웃음을 치며 대답했다. 웃음기 섞인 목소리는 깃 털처럼 부드러웠다. 이내 식탁 놓인 와인병을 집어 들었다. 근처에 서 안절부절못하고 대기하고 있던 하인이 얼른 다가왔다.

"고, 공녀님. 제가 하겠습니다."

"그럴 필요 없어요. 오프너만 이리 줘요."

유리는 오프너를 받아들고 직접 코르크 마개를 돌렸다. 잠시 후 펑, 하는 소리와 함께 와인의 마개가 열렸다. 알싸한 와인의 향이 퍼져나가자 바론이 킥 웃으며 와인잔을 내밀었다. 유리는 두 손으 로 정성스럽게 병을 기울였다. 유리잔을 채우는 피처럼 붉은 와인 을 바라보며 바론의 입가에 나른한 웃음이 퍼져나갔다.

"고기를 썰어 주다니. 이건 애들한테나 해 주는 행동이잖아."

"그래요?"

"우리 어머니도 해 준 적이 없어. 너, 나를 완전히 애 취급 하는 거 아니야?"

말은 그렇게 하면서도 바론은 만족스러운 웃음을 지었다. 약혼 녀가 보여 주는 소박한 배려는 화려하지는 않아도 귀여운 맛이 있 었다. 어미가 아이를 챙기듯 하나하나 세심하게 신경을 쓰는 것이 마치 완벽한 복종을 누리는 것 같기도 했다.

"당신한테는 뭐든지 해 주고 싶어요. 당신한테 받은 건 너무 많 은데 막상 난 준 게 없는 것 같아요."

그리 말하는 유리의 목소리에는 자신이 없었다. 불안한 듯 깨문 입술을 보며 바론은 또 한 번 너털웃음을 터트렸다. 이 여자가 불안해할 때면 그의 마음속에는 기분 좋은 충만감이 차올랐다.

"네가 나한테 무엇을 받았는데?"

굳이 묻지 않아도 무슨 답을 할지 알고 있었다. 그래도 바론은 굳이 확인하려 하였다.

"그냥, 전부 다."

"드레스도 싫다, 보석도 싫다, 내가 준다는 건 다 싫다면서 대체 뭘 받았다는 거야?"

바론이 짓궂게 웃으며 유리 쪽으로 손을 내밀었다. 유리는 조금 망설이는 기색으로 그의 손을 바라만 보고 있었다. 꼭 저 손을 잡아도 되는지 용기를 내지 못하는 모양새였다. 바론은 쿡 웃으며 자리에서 일어나 그녀 쪽으로 걸음을 옮겼다. 놀라 올려다보는 녹색 눈동자가 마음에 들었다. 의자에 앉은 그가 가느다란 허리를 끌어안았다.

"나한테 받은 게 뭔데? 말해 봐."

어느새 유리는 그의 다리 위에 앉아 있었다. 유리는 머뭇대다 그의 머리를 끌어안았다. 바론은 나른히 웃으며 그녀의 가슴에 얼굴을 묻었다. 귓가에 두근거리는 맥박 소리가 들려왔다.

"……그런 거, 별로 중요하지 않아요."

바론의 입매가 히죽 올라갔다. 그래, 다른 말도 해. 내가 듣고 싶어 하는, 그 말을 해.

"나는 당신만 있으면 되니까."

그 순간 그는 웃음을 터트릴 뻔했다. 그래, 이 여자의 이런 점이 좋았다. 그녀는 그가 만난 그 어떤 여자들과도 달랐다. 그동안 정말 많은 여자를 만났다. 일국의 황자의 눈에 들 만큼 다들 매력도 넘쳤다. 넘치는 매력만큼이나 욕심도 많았다. 늘 그에게 바라는 게 많았다. 그들의 탐욕이 마치 그의 어미를 보는 것 같았다. 그래서 역겨웠다.

—어떻게 내가 죽은 여자 따위에게 밀려날 수가 있어!

그의 어머니, 드펜 황후는 그가 보았던 여자 중 가장 욕심이 많았다. 선대 황후가 죽은 뒤에도 한동안 황후 자리는 공석이었다. 당시 황비였던 드펜은 당연히 제 것이라 여긴 황후 자리가 아무리 기다려도 손에 들어오지 않자 점점 히스테릭해져 갔다. 이내 자신의 시커먼 감정을 아들에게 쏟기 시작했다.

—무조건 네가 황제가 되어야 해. 그 여자 아들 따위에게 네가 밀려서는 안 돼.

그는 어미에게 꿈을 이루어줄 소유물 그 이상도 그 이하도 아니었다. 평민에게 밀려 잃어버린 지난 세월을 보상받겠다 이거였다. 모성애라는 건 느껴 본 적도, 경험해 본 적도 없었다. 어미답지 않은 어미가 딱히 원망스럽진 않았다. 그 역시 어머니를 존중하지 않았으니까. 경멸하면서도 그 세력은 날름 받아먹었으니 손해 보는 장사는 아니라고 생각했다.

"더 큰 건 바라지 않을래요."

"왜?"

"겁이 나서요. 옛말에 욕심이 큰 여자는 벌을 받는다고 했어요."

여자가 나붓이 웃으며 말했다. 바론이 피식 웃으며 그녀의 눈매를 쓸었다. 파르르 떨리는 속눈썹이 어여뻤다. 이런 말을 할 때면 이 여자가 제 어미와 같은 성별이 맞나 싶었다.

"말도 안 되는 소리. 그 말이 맞으면 우리 어머니는 벼락을 수도 없이 맞았을 거야."

낮게 가라앉은 속삭임과 함께 허리를 감싼 손이 유리의 몸 곳곳을 어루만지기 시작했다. 유리는 몸에 힘을 뺀 채 가만히 그의 머리에 뺨을 기댔다. 손이 닿는 곳이 은밀해질수록 허공을 응시하는 눈동자가 텅 비어갔다.

"조만간 널 정식으로 데뷔시킬 거야. 그럼 진짜 황자비가 되는 거지. 운이 좋다면 황후가 될 수도 있겠지."

웃음기 어린 바론의 말에 유리가 고개를 들어 그를 바라보았다. 유리가 황후가 되려면 바론이 황제가 되어야 한다. 카사르가 살아 있는 한 어림없는 일이었다. 유리는 헛된 욕심이 어려 있는 남빛의 눈동자를 응시하며 작게 말했다.

"황후라니. 그건 너무 무서워요. 그렇게 큰 건 바라지 않아요."

"꿈은 크게 꿀수록 좋아. 바라는 게 있으면 말을 좀 해."

"내가 바라는 건……."

유리는 그의 어깨에 얼굴을 묻으며 고요히 입술을 달싹였다.

죽은 아이를 되살려 줘. 카사르에게 그 사람도 몰랐을 아이를 안겨줄 수 있게 해 줘.

"말해. 뭐든 들어줄 테니까. 원한다면 황후 자리라도 줄 테니."

여자라면 누구나 꿈꿀 자리인데도 유리는 별로 기쁜 내색이 아니었다. 이미 그런 반응을 예상하였으면서도 새삼 그 모습이 기꺼웠다. 이 여자는 늘 이랬다. 놀라울 정도로 욕심이 없었다. 욕심이 없어서 그녀를 선택했고 욕심이 없기에 더 해 주고 싶었다. 참 이상한 여자다.

"그럼 하나만 들어줄래요?"

"뭔데?"

어느덧 그를 내려다보는 녹색 눈동자가 차츰 젖어 들어갔다. 그 모습을 보며 바론은 묘한 감흥에 휩싸였다. 이 여자는 왜 자꾸 이렇게 슬픈 얼굴을 하는 걸까. 내가 모든 것을 주겠다 할 때마다 왜 이리 안타깝게 저를 보는 걸까. 그러나 그의 의문은 오래가지 않았다. 방금의 눈물이 거짓말인 양, 유리가 꽃같이 환한 웃음을 지으며 달콤하게 속삭였다.

"사랑한다고 해 줄래요? 난 그거면 되니까."

그의 사랑만 바란다. 그리 말할 걸 알았음에도 그는 결국 만족스러운 웃음을 터트렸다. 역시 이 여자. 퍽 마음에 든다. 미워할 구석이 없다.

*

"루한, 벌써 왔어요? 설마, 땡땡이?"

아직 해도 지지 않은 이른 오후였다. 평소보다 훨씬 빠른 남편의 퇴궁에 엘레나가 놀라며 루한을 맞이했다. 동그랗게 뜬 갈색 눈동자가 참 사랑스럽단 생각을 하며 루한은 아내의 이마에 입을 맞췄다.

"땡땡이라니. 이 몸이 얼마나 성실하신데."

"그럼? 설마 또 태자 전하께 덤볐어요? 그래서 쫓겨난 거예요?"

'유리'로 인한 루한과 카사르의 사이의 갈등에 관해 묻는 것이다. 아내의 예리한 물음에 루한이 쓰게 웃으며 고개를 저었다.

"그런 거 아니야. 요즘 전하랑 별일 없어. 진짜야."

"흥. 아닌 것 같은데."

엘레나가 의심스러운 듯 눈을 흘겼다. '유리'에 대해서만큼은 그녀는 카사르 편이었다. 루한이 카사르를 말릴 때마다 제발 전하 원하시는 대로 두라며, 신하가 참견할 영역이 아니라는 매서운 충고를 하기도 했다. 루한은 그놈의 '유리' 때문에 여전히 속이 터질 지경이었지만, 여기서 말을 해 봤자 아내에게 잔소리만 들을 것이 뻔하니 화제를 돌렸다.

"전하께서 당신에게 부탁이 있으시대. 그래서 빨리 퇴궁한 거야."

루한의 말에 엘레나가 반색하며 되물었다.

"부탁이요? 뭔데요?"

엘레나는 카사르를 무척 좋아했다. 그녀가 아카데미 교수가 될 수 있었던 건 카사르 덕분이었다. 처음 공부를 시작했을 때만 하더라도 어린 여자가 아카데미에 왔다며 깔보는 시선이 많았다. 그런 그들을 향해 제국의 보물에 같잖은 시선을 거두라며 호통을 친 것이 바로 카사르였다.

그녀가 루한과 만나 결혼하는 데에도 카사르의 도움을 받았다. 엘레나의 가문에서 계파가 다른 루한과의 만남을 무척이나 반대했던 것이다. 카사르는 그 반대를 진정시키고 양 가문을 화해로 이끌었다. 엘레나가 루한 못지않게 카사르에게 도움이 되고 싶어하는 이유였다.

"혹시 리디아 프리우스라고 들어 봤어?"

"리디아요?"

"아."

엘레나의 반문에 루한은 아차 싶었다. 리디아 프리우스는 근래 사교계에서 가장 주목받는 이름이었다. 수도 귀족 중에서는 그 여자의 이름을 모르는 이가 없었다. 그래서 당연히 알고 있을 거라고 생각했다. 그런데 생각해보니 아니었다. 엘레나는 사교계 소식에 영 귀가 어두웠다. 여자들하고 노는 데 별 관심이 없는 편이었기 때문이었다. 물론 그런 엘레나도 가끔 티파티 같은 건 열기도 했다. 루한은 제 아내에게 부탁해 공녀와의 만남을 주선할 셈이었다.

"응. 어, 그러니까 프리우스 공작 딸인데. 아, 물론 프리우스엔 공녀가 없는 걸로 알려졌었지. 음, 그러니까, 어디서부터 이야기를 해야 하나. 그러니까 그 여자가 공작의 사생아인데 말이지……."

"잘 알아요. 친구인걸요."

"뭐?"

한데 엘레나는 그의 설명을 다 듣기도 전에 불쑥 말했다. 깜짝 놀란 루한의 얼굴이 귀여워 엘레나가 그의 볼을 토닥였다.

"예전에 내가 말한 리디아, 기억나요?"

"리디아, 아아, 당신 친구라던?"

"맞아요. 그 리디아가 리디아 프리우스예요."

엘레나의 설명에 잠시 잊었던 이름이 떠올랐다. 리디아는 엘레나가 십이 년 전 우연히 친구가 된 소녀의 이름이었다. 안 좋은 일이 있어 수도를 떠났지만 그 뒤에도 꾸준히 서신은 교환하고 있었다.

"그게 정말이야? 프리우스의 공녀가 당신이 말한 리디아 프리우스였단 말이야?"

이럴 수가. 루한은 그 리디아가 '프리우스'의 리디아일 줄은 상상도 못 했다. 엘레나가 한 번도 친구의 성을 알려준 적이 없었기 때문이었다. 처음 공녀의 이름을 들었을 땐 당연히 동명이인인 줄 알았다. 리디아는 결코 드문 이름이 아니었기 때문이었다. 그런데 그 여자가 프리우스 공작의 딸이었다니!

"그럼 얼마 전 공녀가 가문에 돌아온 것도 알고 있어?"

"어? 정말요? 언제요?"

이번에는 엘레나가 놀라 물었다. 좋아하는 친구가 가까이 있다는 말에 무척이나 반가운 얼굴을 했다. 루한은 얼른 리디아 프리우스의 충격적인 등장과 그로 인한 파장을 설명했다. 더불어 카사르와 왜 그녀를 만나고 싶어 하는지도 대략 알려 주었다.

"리디아가 바론 전하와 약혼했단 말이에요?"

루한의 설명에 엘레나는 깜짝 놀라 물었다. 리디아가 바론을 선택했다니, 믿을 수가 없었다.

"그게 정말이에요?"

리디아가 세상에서 제일 증오하는 건 미하엘이고, 그다음으로 증오하는 건 미하엘 같은 인간들이었다. 바론과 미하엘은 지위와 이름만 다를 뿐 하는 짓은 거기서 거기였다. 힘없는 자를 거리낌 없이 짓누르고, 그들의 고통을 아무 죄책감 없이 비웃었다. 가진 자들의 폭력을 경멸하여 가문을 떠났던 아이가 바론을 선택했다는 게 이해가 되지 않았다.

"왜, 공녀가 황자와 약혼하지 않을 이유라도 있어?"

"그건 아니지만……."

루한은 엘레나의 불신을 유심히 살피며 물었다. 엘레나라면 베일에 싸인 프리우스 공녀에 대해 자세히 알 것 같았다.

"글쎄요. 그럴 거라고 생각했는데, 지금은 잘 모르겠네요……."

루한의 물음에 엘레나는 자신 없는 듯 말끝을 흐렸다. 사람이란 얼마든지 변할 수 있었다. 마지막으로 리디아의 얼굴을 본 지도 벌써 십여 년이 지났다. 꾸준히 연락하긴 했지만, 고작 서신 정도로 리디아의 진심을 파악하는 게 가능할까 하는 생각이 들었다.

"그럼 일단 공녀와 약속 자리를 마련해 줄 수 있겠어? 카사르가 그 여자를 한번 보고 싶어 하거든. 우연한 만남도 나쁘진 않지만 이왕이면 제대로 만나는 게 좋겠지. 혹시 그 친구를 설득해 줄 수 있을까?"

루한의 부탁에 엘레나의 얼굴이 흐려졌다. 그 부탁 속에 숨어 있는 의도를 곧바로 알아챈 것이다.

'태자 전하께서 적이 될 여자의 역량을 직접 확인하고 싶으신 거구나.'

엘레나는 애써 심란한 한숨을 삼켰다. 자신이 아끼는 두 사람이 서로 칼을 겨눌지도 모르는 상황에 속이 어지러웠다.

"그런데 리디아가 정말 바론 전하와 약혼을 한 거예요?"

"응, 확실해."

"리디아가 정말 아까워요. 정말, 너무너무 아까워요."

연신 한숨을 내쉬던 엘레나가 걱정스러운 목소리로 물었다.

"혹시라도 리디아가 파혼당하면 어쩌죠? 황자 전하는 이번 약혼이 처음도 아니잖아요. 그동안의 파혼도 다 바론 전하 때문이고. 이전엔 자기가 외도를 해놓고 약혼녀를 집착녀 취급을 했다면서요? 이번에도 또 망나니짓을 했다간 리디아가 정말 큰 충격을 받을 거예요. 상처가 많은 아이라고요."

엘레나는 바론이 공주를 탑에 가둔 마왕이라도 된 양 험담을 늘어놓았다. 한마디로 요약하자면 리디아처럼 괜찮은 아이는 바론 같은 쓰레기에겐 너무도 아깝다는 것이다.

"음, 그 여자가 그렇게 여려?"

"그럼요. 걔가 겉으론 강해 보이지 속은 물러 터졌어요."

루한은 카사르에게 들었던 공녀에 대한 정보를 떠올리며 떨떠름한 표정을 지었다. 두 남녀 중 어느 쪽이 아까운지는 차치하고서라도, 공녀가 그리 가녀린 여자 같지는 않았다.

"뭐, 괜찮지 않을까?"

"그래요. 내가 걱정한다고 될 일도 아니고. 어떻게든 되겠죠. 일단 자리를 마련해 볼게요."

엘레나는 충격을 털고 얼른 이야기를 진행했다. 루한은 약속을 잡을 때의 주의점을 알려 주었다. 몇 가지 논의가 오간 뒤 루한은 자리에서 일어났다.

"리사는 잘 있지?"

"그럼요. 이야길 많이 해 보진 않았지만 사람이 굉장히 순하던데요. 아이도 얼마나 예쁜지. 막 삼 개월이 넘었다고 하던데. 맞죠?"

"응."

"어휴. 아이가 그렇게 어린데 엄마가 아파서 어떻게 해요. 폐병이 그렇게 심해서야……. 요즘 기침이 유독 잦은 것 같았어요. 치료는 정말 안 되는 거예요?"

"응, 불치병이야."

"하, 너무 안타까워요. 가족이라도 꼭 찾았으면 좋겠는데……. 요즘 그 모녀를 생각하면 마음이 짠해요."

리사는 일주일 전부터 루한의 저택에 머무는 손님이었다. 엘레나는 루한이 리사를 출장 중에 우연히 만났다가 도와주는 거로 알고 있었다. 리사를 걱정하는 엘레나의 모습에 루한의 눈빛이 묘하게 가라앉았다. 이미 끝난 인연을 놓지 못하는 친구의 얼굴도 스쳐 지나갔다. 친구를 향한 죄책감도 잠시 모습을 드러냈다.

'어쩔 수 없는 일이야. 다른 방법이 없어. 다 카사르를 위한 거야.'

루한은 다시 한번 마음의 갈등을 꾹 눌러 버렸다. 그 갈등이 얼굴에 드러난 듯 엘레나가 고개를 갸웃했다.

"무슨 일 있어요?"

"아니."

루한은 아무렇지 않게 웃으며 말을 이었다. 엘레나의 시선은 피한 채였다. 사랑하는 부인에게 자신이 준비하는 배신의 칼날을 들키고 싶지 않았다.

"걱정하지 마. 리사도 곧 원하는 걸 얻게 될 거야."

*

"리디아, 조만간 네 데뷔 무도회가 열릴 거야. 슬슬 준비를 시작해야 해."

아살론에선 귀족 여인이 대외 활동을 하기 위해선 반드시 사교계 데뷔를 해야 했다. 보통 열여섯에서 열여덟 사이에 가문에서 데뷔 무도회를 열어 주었다. 하지만 리디아는 그렇지 못했다. 지난 십 이 년간 가문을 떠나 있었기 때문이었다.

"네 데뷔는 황궁 연회에서 치를 거야. 일개 귀족 영애에겐 거의 불가능한 일이지."

황궁 연회는 황제의 이름으로 개최되는 만큼 수도에서 열리는 연회 중 최고 규모를 자랑했다. 일반적인 귀족 가문의 영애는 자신의 가문이 여는 연회에서 데뷔했다. 황궁 연회에서 데뷔할 수 있는 건 황족 혹은 그 반려뿐이었다.

유리는 아직 바론과 정식으로 약혼을 한 것은 아니었다. 황제나 황후의 인정을 받지 못했기 때문이었다. 그럼에도 바론이 유리의 데뷔를 황궁 연회로 밀어붙였다. 자신의 약혼녀가 돋보여야 한다는 욕심 때문이었다.

"그 전까지는 밖에 돌아다니지 마. 사람도 만나지 말고. 원래 주인공은 몸이 무거워야 하는 거야. 알겠지?"

"네, 그렇게 할게요."

바론은 지금 수도 사교계가 제 약혼녀 때문에 얼마나 혼란스러운지 잘 알고 있었다. 존재는 하되 절대 드러나지 않았기에, 온갖 소문만 무성해지고 있었다. 바론은 유리를 향한 관심이 점점 높아지는 것이 매우 기꺼웠다. 그 관심이 최고조일 때, 그녀를 데뷔시킬 생각이었다.

"정말 오랜만이야. 황궁 연회가 기다려지다니."

연회를 기다리는 바론의 눈빛이 번뜩였다. 오 년 전, 카사르가 황태자가 된 이후로 바론에게 황궁 연회는 그저 불쾌한 잡일에 불과

했다. 황제는 건강이 좋지 않다는 핑계로 제 일을 모두 황태자에게 맡겨 버렸다. 황궁 연회 역시 예외는 아니라서, 바론은 늘 카사르가 차려 놓은 잔칫상의 들러리가 되어야 했다. 어떻게든 연회에서 빠지려 했지만 황제의 불호령에 그러지 못했다.

삼 년 전 카사르가 죽어 버렸으면 그 꼴을 안 봐도 될 텐데, 그 빌어먹을 계집이 카사르를 살려 일이 어그러졌다. 물론 그 빚은 시원하게 갚아 주긴 했지만 황궁 연회는 여전히 짜증이 났다. 그리 싫었던 연회가 이번에는 무척이나 기다려졌다. 제 여자가 연회의 주인공이 될 게 분명했기 때문이었다.

바론은 자신의 꿈을 완벽하게 이루기 위한 준비를 시작했다. 유리를 데리고 고급 의상실로 이동한 뒤 연회 때 입을 드레스를 골랐다. 수도 없이 많은 드레스를 갈아입힌 뒤 딱 마음에 드는 것을 찾아냈다. 그가 고른 드레스를 유리는 완벽하게 소화해 냈다. 미리 맞춘 옷을 입기라도 한 듯, 한 떨기 꽃처럼 청초하고 아름다웠다.

"어때요. 괜찮아요?"

대강의 치장을 마친 유리가 생긋 웃으며 반 바퀴 돌았다. 레이스가 풍성하게 달린 드레스가 살짝 부풀어 오르며 부드러운 곡선을 그렸다. 바론은 만족스럽게 웃으며 유리의 허리를 끌어안았다. 유리가 돋보이면 돋보일수록 그는 기분이 좋았다. 가치 있는 소유물은 주인의 품격을 올려주기 마련이었다.

"아주 좋아. 카사르가 널 보면 어떤 표정을 지을지 궁금해 죽을 정도야."

제 형제가 젊은 계집만 보면 얼마나 애타는 눈빛이던가. 그 여자 또래 영애를 대할 때면 아무렇지 않은 듯하면서도 순간순간 얼굴이 일그러지는 게 다 보였다. 제 계집이 죽은 줄도 모르고 그리움을 억지로 누르는 꼴을 보고 있노라면 웃음이 터질 것만 같았다. 짜증 나는 황궁 연회를 버티게 해 준 유일한 낙이었다.

　―이 여자야? 카사르를 살린 게.

　처음 그 여자를 보았던 날을 기억한다. 당시 그는 카사르의 생환 소식으로 미치기 일보 직전이었다. 태자궁에 불이라도 싸지르고 싶을 만큼 화가 났었다. 날뛰던 분노가 가라앉은 건 그 여자를 본 직후였다.

　―꼴이 아주 엉망진창이네. 피가 참 많이도 났네. 얼굴도 못 알 아보겠어.

　카사르과 결혼까지 약속했던 여자가 짐승보다 못한 꼴이 되어 있음에 머리끝까지 쾌감이 차올랐다. 저는 죽어도 좋으니 배 속의 아이만 살려 달라던 멍청한 소릴 생각하면 아직도 킬킬 웃음이 나왔다. 대체 그 덜떨어진 머리로 어찌 카사르를 꼬셨는지 알 수가 없었다.

　'뭐 얼굴이나 몸은 좀 쓸 만했을지도 모르지. 계집은 계집이니까.'

　그건 그가 확인할 수 없는 부분이었다. 계집을 처음 보았을 때 이미 머리부터 발끝까지 멀쩡한 구석이 하나도 없었으니까. 아주 당연하게도 그는 그 여자에게 전혀 미안하지 않았다. 그녀가 죽은 건 그 때문이 아니라 멍청함 때문이었다. 카사르를 살렸다면 그를 떠나지 말든가, 작정하고 멀리 떠났어야 했다. 괜히 그 근처를 맴돌다 꼬리를 밟힌 건 그 여자 탓이었다. 그 여자가 어째서 카사르를 떠났는지 바론은 궁금하지도 않고 알 생각도 없었다. 다만 그 계집의 최후를 카사르가 알게 되면 어떤 일이 벌어질지, 그게 궁금했다.

　'재미있는 건 일단 나중으로 아껴 두자고. 다 적절한 때가 있으니까 말이야.'

　그때를 기다리며 바론은 씨익 웃었다. 그가 가진 패는 무적이었다. 포커로 치면 로열 스트레이트 플러시 패를 가진 셈이었다. 인정하기 싫지만 카사르의 세력은 견고했다. 거대한 둑을 무너트리기 위해서는 물이 모두 찰 때까지 기다려야 한다. 둑에 금이 갔을 때, 가장 최적의 지점을 때리면 아무리 단단한 둑이라도 와르르 무너지게 된다.

'그걸 이 여자가 도와주겠지.'

리디아와의 약혼은 그 둑을 무너트리는 첫걸음이었다. 충성심 깊은 카사르의 종들은 바론의 약혼 소식을 듣고 주인의 혼인에 안달을 낼 것이다. 영영 돌아오지 않을 여자를 기다리는 카사르와 그 종들 사이에 갈등이 일어날 건 불 보듯 뻔한 일이었다.

그 등쌀에 혹시라도 카사르가 그 여자를 포기한다면?

그건 더 좋았다. 자신이 포기한 여자가, 저 때문에 아이를 잃고 극한의 고통에 빠져 죽게 되는 걸 알게 되면 얼마나 큰 죄책감을 느낄지, 상상만 해도 즐거웠다. 완전히 미쳐 버릴지도 모른다.

제 즐거움의 시작인 약혼녀를 바라보며 바론은 또 한 번 만족스러운 웃음을 흘렸다.

*

"펜던트가 어디 있더라."

서랍을 뒤지는 유리의 손이 덜덜 떨렸다. 입술을 깨물고 후들거리는 팔에 힘을 주었다. 곧이어 서랍 깊숙한 곳, 검은색의 상자가 모습을 드러냈다. 유리는 떨리는 손으로 상자를 열고 펜던트를 꺼냈다. 금속의 차가운 감촉이 손에 닿자 그제야 숨을 쉴 수 있을 것 같았다. 그 안에 담긴 편지를 보고 나서야 가까스로 미소를 지었다.

오늘 유리가 이렇게 지쳤던 것은 바로 바론 때문이었다. 예정대로라면 티타임만 하고 떠났어야 할 바론이 갑자기 연회 타령을 하며 그녀를 끌고 나간 것이다. 그는 유리의 치장을 돕는다는 명목으로 반나절이 넘게 그녀를 끌고 다녔다. 유리는 최선을 다해 그의 인형 놀이에 동참했다. 바론의 약혼녀가 된 건 지난한 인생에 남은 마지막 행운이었다. 그녀는 그 행운을 놓칠 생각이 전혀 없었다.

유리는 바론이 선택한 옷으로 갈아입고 그가 고른 장신구를 걸쳤다. 너무 큰 선물은 아니냐며 부담스러워 하고, "난 해 준 게 없는데, 미안해요."라며 거짓 눈물을 짓기도 했다. 바론은 울먹이는 그녀의 모습이 마음에 든 듯 연신 키득거렸다.

—미안하기는. 앞으로 네가 나한테 줄 걸 생각하면 전혀 아깝지 않아.

그게 무엇인지 유리는 전혀 관심이 없었다. 복수만 할 수 있다면 무엇이든 내놓을 용의가 있었다. 그가 일부러 그녀에게 등이 깊숙하게 패인 드레스를 입히는 것도, 맨살을 만지며 희롱하는 것도 아무렇지 않게 넘길 수 있었다. 아무리 힘들어도 어쨌든 끝이 오긴 했으니까.

—아주 좋아. 카사르가 널 보면 어떤 표정을 지을지 궁금해 죽을 정도야.

그러나 바론의 입에서 카사르의 이름이 나오는 건 견디기 쉽지 않았다. 미리 대비하지 못한 채 듣는 그의 이름에 맨살을 송곳으로 찔리는 듯하였다.

평소에도 가짜 인격을 연기한 뒤에는 한참이나 감정적 후유증에 시달려야 했는데, 카사르의 이름까지 듣자 상태가 급격하게 나빠졌다.

유리의 눈물 젖은 눈동자가 카사르의 편지를 내려다보았다. 그와 헤어진 후에는 이 편지가 없으면 잠도 잘 수 없었다. 아이가 죽은 뒤에도 여전히 이 편지에 매달렸다. 괴로움이 밀려올 때마다 물에 빠진 사람이 호흡하듯 그의 흔적을 붙잡았다. 바로 지금처럼, 그와의 추억을 곱씹으며 현재의 고통을 잊은 것이다.

편지를 읽던 유리의 손길이 어느새 펜던트의 뚜껑을 매만지고 있었다. M과 V, 금색의 글자가 음각된 펜던트는 마르디네 발렌타인, 어머니의 유품이었다. 펜던트와 편지는 유리에게 가장 소중했던 두 사람이 남긴 물건이었다. 그리고 그 두 사람은 절대로 예전 같은 관계로 돌아갈 수 없다는 공통점이 있었다.

'카사르, 당신은 전혀 모르겠지. 당신 편지가 아직까지 날 살리고 있다는걸.'

그러고 보니 두 사람의 공통점은 또 있었다. 두 사람 다 죽음 끝에서 그녀를 살렸다. 이 편지가 없었다면 유리는 결코 바론을 참지 못했을 것이다. 그녀가 간절히 바라는 '끝'을 위해 몸을 던졌을지도 모른다.

"어쨌든 끝이 멀지는 않은 걸까."

유리의 젖은 시선이 열린 펜던트 안을 바라보았다. 펜던트 안에는 편지 말고도 유리에게 중요한 물건이 또 있었다. 손톱보다도 작은 크기의 흰 알약 세 개. 리디아가 직접 만든 것으로 성인 남성 정도는 어렵지 않게 죽일 수 있는 맹독이었다.

―유리야, 이건 원래는 내가 쓰려고 했던 거야. 하지만 네게 필요할 것 같으니 네게 줄게.

리디아는 복수를 권했을 뿐 아니라 그 수단까지 제공했다. 본디 이 약은 리디아가 자신의 어머니를 죽게 한 미하엘에게 쓰려고 했던 것이다. 의학에 능통한 리디아가 직접 제조한 만큼 정교하고 흔적도 남지 않는다고 했다.

―두 알이면 되잖아. 하나가 더 필요하단 말이야? 대체 왜?

처음에 리디아가 준 약은 두 알뿐이었다. 한 알은 바론에게, 한 알은 황제에게 쓰라고 했다. 유리는 굳이 졸라 한 알을 더 받아 내었다. 그 약을 어디에 쓸지 알아챈 리디아가 그녀를 말렸지만, 끝내 유리의 고집을 꺾진 못했다.

"고통이 없는 약이라고 했지. 다행이다. 아픈 건 싫으니까."

자그마한 알약을 보며 유리가 희미하게 웃었다. 아이 곁으로 가는 게 소원이기는 했지만 아픈 건 싫었다. 이제 와 고통이 두렵다는 것도 우습지만, 유리는 마음이 그랬다. 이미 충분히 오랫동안 아팠는데 죽음마저 괴롭다면 너무 억울할 것 같았다.

"역시 나는 그 사람에게 독일 수밖에 없는 걸까."

알약을 내려다보는 유리의 눈가에 서글픈 눈물이 맺혔다. 그에게 자신의 존재가 독이라는 건 진작 알고 있었다. 그의 아이를 죽였고 그의 아비를 해치기 위해 이 자리에 왔다. 타인에게 모든 것을 빼앗긴 유리도 그 사람 앞에서만큼은 죄인이었다.

"그냥, 우리는 만나지 말았어야 했어……"

세상에는 만나서는 안 될 악연이 있다. 사랑해서는 안 될 인연도 있다. 그 둘이 한꺼번에 찾아온 운명의 장난이 유리는 원망스러웠다. 지금 할 수 있는 건 그저 마지막 순간이 빨리 찾아오길, 그때까지 자신이 버틸 수 있길 기도하는 것뿐이었다. 떨리는 손으로 펜던트를 목에 거는 유리의 눈에서 끝내 눈물이 떨어졌다.

"공녀님, 다과를 준비했어요. 잠시 들어가도 될까요?"

그때 문밖에서 노크 소리가 들렸다. 유리는 아무 말 없이 먹먹함만 삼키며 펜던트를 매만졌다. 지금은 그 누구도 만나고 싶지 않았다. 그 누구도.

"공녀님, 주무세요?"

안에서 대답이 없으면 지나도 자는 줄 알고 들어오지 않을 것이다. 유리는 펜던트에 얼굴을 묻고 눈물을 참았다. 그렇게 숨죽여 우는데 갑자기 삐걱 소리와 함께 문이 열렸다. 반사적으로 고개를 든 유리의 모습에 발뒤꿈치를 들고 방 안으로 들어오던 지나가 놀라 물었다.

"어? 공녀님, 아직 안 주무셨어요?"

지나의 손엔 처음 보는 봉투가 들려 있었다. 유리의 눈물을 눈치 챈 지나가 깜짝 놀라 물었다.

"저, 초청장이 와서요. 공녀님, 무슨 일 있으세요?"

몹시도 당혹스러운 모습이 유리가 울고 있을 거라곤 전혀 상상 하지 못한 투였다.

당연한 일이었다. 불과 반 시간 전까지만 하더라도 그녀는 바론 의 곁에서 꽃처럼 환히 웃었다. 바론이 내미는 목걸이에 그녀가 행복하단 말을 몇 번이나 했는지, 곁에 있던 지나라면 잘 들었을 터였다.

"어머니 유품이야."

지나의 놀란 시선은 자연스레 유리가 꼭 쥐고 있는 펜던트로 향 했다. 지나가 무어라 묻기도 전에 유리가 먼저 선수를 쳤다.

"오늘 같은 날 어머니 생각이 났어. 행복해서. 놀라게 했다면 미 안하구나."

진실도 조금은 섞여 있는 거짓말이었다. 펜던트가 정말 어머니 유품인 것은 맞았다. 눈물의 이유가 어머니가 아니었을 뿐.

"아."

지나는 유리의 설명에 옅은 탄식을 내뱉었다. 리디아 어머니가 미 하엘 때문에 비참한 최후를 맞이했다는 걸 지나도 잘 알고 있었다.

"저, 죄송해요."

"괜찮아. 초청장이라니. 어디서 온 거야?"

유리는 일부러 밝게 웃으며 물었다. 오늘 그녀는 여인이라면 누 구라도 부러워할 하루를 보냈다. 바론은 그녀에게 온 세상의 보석 과 드레스는 다 가져다줄 것처럼 굴었다. 이 이상의 눈물은 '행복의 눈물'과는 어울리지 않을 터였다.

"어디 보자. 처음 보는 문양이구나. 발신인이⋯⋯."

유리는 입술을 꾹 깨문 채 낯선 초청장만 바라보았다. 자꾸만 맺히는 눈물 때문에 글자가 번져 보여 읽을 수가 없었다. 마음 놓고 그를 그리워하지도 못하는 상황이 너무도 서러웠다. 반질반질한 초청장 위로 눈물이 후드득 쏟아졌다. 유리는 얼른 초청장을 내려놓고 창가에 가 섰다.

"어, 공녀님."

등 뒤에서 당혹스러운 듯한 지나의 목소리가 들렸다. 유리에게는 뒤를 돌아볼 여력이 없었다. 흐느낌을 억지로 누르는 것이 최선이었다.

"죄송해요. 정말 죄송해요, 공녀님."

잠시 뒤, 지나가 떨리는 목소리로 연신 사과 인사만 하다 방을 나갔다. 문이 닫히는 소리와 함께 유리가 털썩 그 자리에 무릎을 꿇었다. 가슴을 치며 울고 싶었지만 그럴 순 없었다. 오직 펜던트만 꾹 쥔 채 제대로 된 소리도 내지 못하고 한참을 뜨거운 눈물만 흘렸다.

*

—엘레나 아델바오르.

텅 빈 녹색 눈동자가 탁자 위에 놓인 초청장을 응시했다. 초청장을 보낸 사람은 유리도 잘 알고 있는 사람이었다. 더 정확히는, 리디아가 잘 알고 유리는 그 이름만 전해 들은 사람이었다. 엘레나 아델바오르, 아델바오르 백작 가문의 안주인이자 리디아의 오랜 지인이었다.

—십 년 전쯤 알게 된 언니야. 십 년 넘게 못 만났지. 우린 지금도

닮은 편이니 걱정할 건 없어. 이름은 엘레나고, 무슨 백작하고 결혼했다고 했어. 좋은 언니니까 널 나로 생각하고 많이 도와줄 거야.

유리가 바론과 함께 수도로 떠나게 되었을 때, 리디아가 소개해 준 사람이 몇 사람 있었다. 엘레나는 그중 유일한 귀족이었다.

─내가 수도에 있을 때 우연히 위험에 처한 언니를 구해 줬었어. 그 언니 나랑 통하는 게 엄청나게 많더라고. 곧바로 친구가 되기로 했지. 참 좋은 언니였는데 오래 만나진 못했어. 미하엘 그 자식이 며칠 있다가 우리 어머니를 돌아가시게 했거든. 심지어 내게도 손을 대려 하더라고. 언니가 그걸 알고 날 가문에서 빼내 주었지. 난 수도를 떠올리는 것만으로 싫지만, 언니는 좋았어. 그래서 언니에게 고맙단 편지를 보냈지. 그 뒤로 종종 편지를 주고받았어. 네가 수도에 왔다는 걸 알면 분명 연락을 할 거야. 이왕이면 친하게 지내도록 해. 혹시라도 네 정체가 밝혀졌을 때 널 도와줄지도 모르잖아.

리디아는 유리에게 몇 번이나 엘레나와의 교류를 강조했다. 바로 유리의 안전 때문이었다. 아이러니하게도 그 때문에 유리는 리디아의 말을 듣고 싶지 않았다. 유리는 정체가 밝혀지는 게 딱히 두렵지 않았다. 아이가 죽은 뒤로는 한 번도 제 목숨이 아까운 적이 없었다. 게다가 다른 사람의 인생을 연기하는 건 바론 앞에서도 충분했다. 가끔 연기가 너무 힘들 땐 차라리 바론이 진실을 알게 되었으면 하고 바란 적이 있었다. 바론의 가슴에 칼을 꽂고 그녀 역시 혀를 깨물고 죽는 게 낫지 않을까 싶기도 했다.

그 꿈을 이루지 못했던 것은 예상외로 심했던 바론의 경계 때문이었다. 교제한 지 반년이 넘어가는데도 유리는 바론이 완전히 방심한 모습을 한 번도 본 적이 없었다. 만일 몸을 섞었다면 바론이 더 빨리 경계를 풀었을지도 모른다. 그러나 아직은 그 방법까지는 쓰고 싶지 않았다. 지금 수준으로 그자를 건드는 것도 한계였다. 바론이 유리에게 한 짓은 그만큼이나 끔찍했다.

바론은 유리의 유산을 확인한 뒤에도 유리를 죽이려 하지는 않았다. 살리려는 게 아니라 천천히 고통스럽게 죽이려는 것이었다. 피를 너무 많이 흘린 유리가 정신을 잃자 의사를 불러와 그녀를 치료하기까지 했다. 사흘 뒤, 영원할 것 같던 지옥이 잠시 멎었다. 바론이 수도로 돌아가야 할 일이 있었던 것이다. 바론의 부하들은 충성스럽긴 했지만 바론보다 노련하지는 못했다. 유리는 하루를 견디지 못하고 혼절하고 말았다. 숨을 쉴 때마다 피 거품이 흘러나왔다. 부러진 갈비뼈가 폐를 찌른 것이다. 그들은 급히 유리를 치료했던 의사를 불러왔지만, 의사는 유리가 이미 '숨이 끊어졌다'고 선언했다. 결국 부하들은 얼떨결에 주인의 명을 마무리하기로 했다. 유리의 '시체'를 적당한 곳에 가두고 불을 지르기로 한 것이다.

뜬금없는 곳에 화재가 발생하면 차후 의심을 받을 수 있기에, 그들이 선택한 곳은 유리를 치료한 의사의 병원이었다. 마침 의사의 입막음도 해야 했다. 그들은 유리의 '시체'와 의사를 병원에 가둔 채 불을 질렀다. 그리고 다음 날, 불에 탄 남녀 한 쌍의 시체가 그곳에서 나왔다. 부하들은 여자 쪽 시체를 수습하여 수도로 올라갔다. 근방에는 의사가 내연녀와 싸움을 하다가 불이 났다는 그럴듯한 소문까지 퍼트린 후였다. 그들은 몰랐겠지만, 사실 의사와 유리는 모두 살아 있었다.

두 사람을 구한 건 리디아였다. 리디아는 맨 처음 의사가 유리를 치료한 직후 그를 찾아가 경고했다. 유리를 본 이상, 어차피 당신은 죽게 될 거라고. 산파와의 인연으로 리디아를 잘 알고 있었던 의사는 그녀를 믿고 앞으로 찾아올 위기에 대비했다. 부인은 친정으로 피신시키고, 산 사람을 잠시 죽은 것처럼 보이게 하는 약을 준비했다.

부하들이 유리와 의사를 병원에 가둔 뒤에는 리디아가 움직였다. 그녀가 미리 수배해 둔 사람들이 두 사람을 구했고, 그 자리에는 무덤에서 파낸 시체를 두었다. 세 사람은 함께 리디아의 고향으로 떠났다. 의사는 리디아 덕분에 목숨을 구했다며 유리의 치료를 자처했다. 산파인 할머니 때문에 리디아 역시 의술에 능통했기에 유리를 살려내는 데 큰 도움이 되었다. 그렇게 유리는 죽음의 문턱에서 살아 돌아올 수 있었다. 그리 많은 사람의 노력으로 살게 된 목숨이었다. 한데 막상 그녀에겐 되살아난 삶이 너무도 버거웠다.

초청장을 내려다보는 녹색의 눈동자가 말갛게 젖어 들어갔다. 따지자면 엘레나의 초청을 받아들이는 것 역시, 유리의 생존을 위한 일이었다. 그래서 더욱 엘레나의 초청을 받아들이는 것이 꺼려졌다.

─리디아, 네가 수도에 도착했다는 소식을 들었을 때 얼마나 기뻤는지 몰라. 근래에 들은 소식 중 가장 행복한 일이었어. 널 다시 만나게 되다니! 이건 꿈인 걸까?

하지만 유리의 마음대로 초청을 거절하는 건 안 될 말이었다. 엘레나가 쓴 편지를 읽은 지금은 더욱더 거부하기가 힘들었다.

─우리 그이도 널 많이 보고 싶어 해! 내가 네 자랑을 얼마나 많이 했는지 몰라. 사실 나도 궁금하긴 해. 네가 어떤 모습일지, 얼마나 아름다운 레이디가 되었을지!

두 장의 편지에는 빈곳을 찾기 힘들 정도로 글자가 빽빽이 적혀 있었다. 초청 일시와 장소, 가문의 인장 정도만이 담겨 있는 일반적인 초청장과는 전혀 달랐다. 동글동글한 글자는 백작 부인이 자필로 쓴 것이 분명했다. 이토록 순수한 진심을 짓밟을 정도로 유리는 모질지 못했다.

'백작 부인과의 교류가 리디아에겐 도움이 될지도 몰라.'

유리는 자신의 생존을 위해 백작 부인에게 도움을 요청할 생각은 없었다. 하지만 리디아에게는 그녀의 도움이 필요할 것 같기는 했다. 혹시라도 자신의 정체가 탄로 났을 때, 운이 나쁘다면 그 화살이 진짜 리디아에게 향할 수 있었다.

그때 엘레나가 리디아를 구해 줄 수 있을 터였다. 결심을 굳힌 유리가 새 종이를 꺼냈다. 바론에게 보낼 서한을 쓰기 위해서였다. 오늘 바론은 유리에게 대외 활동을 자제해라 했었다. 양순한 약혼녀라면 친구를 만나는 일에도 약혼자의 허락을 구해야 할 것이다.

유리는 깊은 호흡을 내쉰 뒤 차분하게 편지를 써내려 가기 시작했다. 그녀의 성품을 닮은 듯 단정한 글씨체가 흰 종이를 채워 나가기 시작했다. 약혼자를 향한 '사랑 고백'이 늘어갈수록 유리의 눈동자는 서늘하게 가라앉았다. 마치, 날카로운 칼이라도 품은 것처럼.

*

챙! 채챙!

천장 높은 연무장에 금속이 부딪치는 소리가 울려 퍼졌다. 다시한번 챙! 치지 직! 매섭게 허공을 가르던 두 개의 검이 날카로운 소리와 함께 얽혀 들어갔다. 언뜻 보아서는 양쪽의 실력이 비등한 것 같지만, 실상은 그렇지 않았다.

"자피로, 요즘 수련을 너무 게을리한 것 아니야?"

카사르가 씨익 입매를 늘리며 맞붙은 검에 힘을 주었다. 여유가 넘치는 그의 모습과 달리, 그의 검을 막아 내는 젊은 사내는 점점 죽을상을 하고 있었다.

"그게 무슨 말씀이십니까! 얼마나 열심히 수련하는지 전하가 더잘 아시지 않습니까!"

"그런데 이렇게 쉽게 밀려? 핑계 대는 거 아니야?"

"크, 큭! 다른 비야에게 물어보십시오! 전 억울합니다!"

매섭게 날아오는 검을 겨우겨우 막아가며 자피로가 항의를 했다. 그는 카사르를 따르는 비야 중 한 명으로, 비야 중 조금 특별한 위치에 있었다. 비야이면서 기사의 신분으로 카사르를 보필하고 있었는데, 이는 그의 검술 실력이 특히 뛰어났기 때문이었다.

"다른 비야들은 다 궁 밖에 있어서 물어볼 수가 없지."

"윽, 아욱! 저도 차라리 궁 밖으로 보내 주세, 으악!"

"입이 살아 있는 걸 보니 아직 멀쩡하군."

부웅! 카사르의 검이 바람 소리를 내며 공기를 갈랐다. 아슬아슬하게 날아오는 검을 끝을 피한 자피로의 앳된 얼굴이 땀으로 젖어들어갔다. 대련하는 입장에서는 원망스러울 정도로 주인의 검은 매서웠다.

"아, 정말, 괴물처럼 세 가지고, 전하, 살살, 살살 좀 하시라고요!"

"그 입을 다물면."

"으악! 아오, 정말!"

대련이 계속될수록 자피로의 비명은 점점 높아져 갔다. 기사치고는 호들갑을 부리는 모습이 가벼워 보이긴 했지만 카사르는 개의치 않았다.

자피로의 나이는 올해로 열여덟, 프리우스의 지나보다 두 살이 많긴 하지만 비야로서도, 기사로서도 매우 어린 축에 속했다. 자피로를 볼 때면 꼭 나이 어린 아우를 대하는 것 같아 유쾌해졌다. 대련하다 보면 복잡한 고민도 잠시 잊을 수 있으니, 자피로와의 대련은 카사르에게는 일거양득인 셈이었다.

"장난은 여기까지!"

"아욱!"

챙그랑!

마지막 일격에 자피로가 쥐고 있던 검이 허공으로 날아갔다. 와

당탕 소리와 함께 쓰러진 자피로의 목 끝엔 어느새 날카로운 칼끝이 겨누어져 있었다.

"허억, 헉."

크게 가슴을 들썩거리며 헐떡이는 얼굴엔 패배에 대한 아쉬움이 잔뜩이었다. 한 시간 내내 일방적으로 밀리고도 승리에 대한 욕심을 버리지 않는 집착이 마음에 들었다. 카사르가 씨익 웃으며 자피로의 손을 잡고 일으켰다.

"나쁘진 않았어."

"좀 봐주면서 하시면 안 됩니까? 제가 얼마나 연약한지 모르십니까?"

자피로가 몸의 흙을 털어내며 툴툴거렸다. 카사르가 픽 웃으며 자피로의 어깨를 툭 쳤다.

"연약은 무슨. 네 녀석의 별명이 무엇인지 내가 모를 것 같으냐?"

명망 높은 무인 가문의 자손인 자피로는 세 살 때부터 검을 휘둘러 열세 살 땐 살귀라는 별명이 붙은 천재 중의 천재였다. 검으로만 치자면 비야 중에 당할 자가 없었다.

"어쨌든 전하가 이기셨잖아요!"

"그건 네가 어려서 그렇지."

"나이랑 검술 실력이랑 무슨 상관입니까?"

"나이가 아니라 경험의 차이다."

검술 실력을 높이기 위해서 자질만큼이나 중요한 것이 바로 경험이었다. 카사르가 처음으로 자객을 맞이한 것은 불과 다섯 살 때였다. 그를 지키는 기사들이 있기는 했지만, 언제 어디에서 나올지 모르는 자객과 맞서기 위해서는 그 자신이 더욱 강해져야 했다. 하여 그는 까마득한 유년 시절부터 오직 살아남기 위해서 악착같이 자신을 몰아붙였다. 성인이 되었을 때 그는 그 누구도 부정할 수 없을 만큼 빼어난 실력을 갖추게 되었다.

어떻게 보면 그가 황태자가 된 것은 그의 적들 덕분이었다. 외척을 등에 업고 가진 걸 즐기며 살기만 했던 바론은 절대로 그의 역량을 따라잡을 수 없었다. 검술 실력뿐 아니라 많은 분야에서 비교도 되지 않을 만큼 큰 차이가 있었다.

'바론은 결코 그 사실을 인정하지 않겠지만.'

한때는 바론도 검을 들고 설친 적이 있었다. 자신이 평민 출신보다 뛰어난 것을 증명하겠다는 호언장담과 함께였다. 그래놓고 며칠도 지나지 않아 손이 아프다며 검을 집어던졌다. 카사르가 픽 웃으며 굳은살이 잔뜩 박인 주먹을 움켜쥐었다. 그의 손이 이렇게 되기까지 얼마나 여러 번 찢어지고 아물었어야 했는지, 바론은 상상도 하지 못할 것이다.

며칠 전 바론이 수도에 있는 보석상과 고급 옷 가게를 한바탕 뒤집었다는 소식이 들려왔다. 약혼녀의 데뷔 때 사용할 물건들을 구하기 위해서였다. 최고 중의 최고가 아니면 보이지도 말라는 으름장까지 놓았다고 했다. 항간에서는 바론이 약혼녀를 얼마나 은애하기에 그 유난을 떠느냐며 놀라워했지만 카사르의 생각은 전혀 달랐다.

일주일 뒤면 황궁 연회가 열린다. 바론은 그때 자신의 약혼녀를 성공적으로 데뷔시켜 카사르에게 타격을 주려는 게 분명했다. 그게 아니라면 일개 귀족 가문의 영애를 그 가문의 무도회가 아니라 황궁에서 열리는 연회에서 데뷔시킬 리가 없었다.

'그 여자가 유리보다 낫다고, 과시라도 할 셈인가.'

카사르에게는 바론의 알량한 속셈이 다 보였다. 그날 어떤 일이 일어날지도 눈에 선했다. 제 약혼녀를 온갖 보석으로 치장해 놓고 상점에 진열된 상품인 양 뻐길 것이다. 카사르 앞에서 일부러 그 여자에게 농밀한 접촉을 할 수도 있다. 제 연인과의 내밀한 관계를 강조하여 혼자인 그를 자극하려는 걸 테다. 카사르에겐 바론의 그런 술수가 가소롭기만 했다. 사랑하는 여자를 수단으로 사용하는 저열함이 같잖기도 했다. 그는 연회에서 전혀 흔들리지 않을 자신이 있었다. 실력으로 겨룰 생각은 않고, 어떻게든 남의 약점을 짓밟는 자에게 질 순 없었다.

연회 당일 벌어질 일을 가늠하는 그의 눈이 차게 식었다. 바론은 예상외로 아무 동요도 않는 카사르의 모습에 매우 당황할 것이다. 처음에는 아무렇지 않은 척, 하던 짓을 계속하다가, 제 기대와는 달리 흘러가는 상황에 분노할 것이다. 과거에도 늘 그랬듯이 말이다.

'어쩌면 공녀가 다칠 수도 있겠군.'

그 생각을 하며 카사르는 미간을 좁혔다. 바론의 성격상 일이 마음대로 되지 않을 땐 주변 사람들에게 제 화를 풀었다. 이번엔 그의 약혼녀가 분노의 대상이 될 가능성이 컸다. 공녀가 다칠 수도 있단 뜻이었다.

'이번에는 좀 다를지도 모르지. 그 여자는 꽤 특별히 여기는 것 같으니.'

이미 수도 전체엔 바론의 유난이 쫙 퍼져 있었다. 바론이 프리우스 공녀를 무척이나 깊게 은애한다는 소문과 함께였다. 물론 카사르는 그 말을 믿지 않았다. 바론과 사랑이라니, 전혀 어울리지 않는 조합이었다.

'사랑이라. 그 마음을 아는 자가 내게 유리가 죽었다 지껄이나.'

지난 삼 년간 바론은 카사르의 속을 참 많이도 뒤집었다. 잊을 만하면 네 계집은 죽었을 거라며, 산 여자가 아니라 시체를 찾아야 하는 게 아니냐며 조롱을 퍼부었다. 그때마다 바론의 숨을 끊어버리고 싶은 걸 몇 번이고 참았다. 바론이 사랑을 안다면 그리 쉽게 타인의 마음을 짓밟을 순 없었다. 연인의 죽음이란 그런 것이다. 언급만으로 상대의 심장을 난도질할 수 있었다.

'리디아 프리우스. 그 여자의 미래는 어떻게 될까.'

알면 알수록 그 여잔 바론과 어울리지 않았다. 지나의 말에 따르면 물욕이 거의 없다시피 해서, 바론에게 받은 선물을 아무렇지도 않게 지나에게 준다고도 했다. 마냥 강한 줄만 알았더니, 십이 년 전 돌아가신 어머니의 유품을 붙잡고 소리 죽여 울기도 했단다. 만난 적은 없지만 그 여자 마음이 참 따뜻할 거 같단 생각이 들었다.

'유리와 동갑이라고 했나.'

왜일까. 자꾸만 프리우스 공녀에게 신경이 쓰였다. 유리와 비슷한 점이 많아서일지도 모르겠다. 유리도 공녀처럼 어릴 적 어머니를 여의었다고 했다. 언젠간 태어날 아이의 이름을 돌아가신 어머니의 이름을 따 짓고 싶다고 했다. 그게 유리가 가족에 대해 처음이자 마지막으로 한 말이었다. 프리우스 공녀를 생각하자 문득 떠오르는 생각에 카사르가 피식 웃었다.

'그러고 보니 참 기막힌 인연이야. 프리우스 공녀가 엘레나와 친분이 있다니.'

프리우스 공녀와의 만남을 부탁한 직후 루한은 놀라운 소식을 들고 왔다. 프리우스 공녀가 엘레나와 오랜 친구 사이라며, 그냥 친구도 아니고 꽤 가까운 사이라 하였다. 거리가 멀어 자주 만나지는 못했어도 편지를 꽤 주고받았다 하였다. 덕분에 카사르는 공녀에 대한 많은 정보를 알 수 있었다. 들으면 들을수록 또 유리가 생각났다. 어머니가 돌아가신 후 타지에서 외로운 삶을 살았다는 것도 같았다. 카사르가 픽 웃으며 농담처럼 중얼거렸다.

"엘레나에게 한번 물어볼까. 그 여자 진짜 이름이 혹시 유리는 아니었는지."

물론 말도 안 되는 생각인 건 알았다. 유리와 공녀는 아무런 접점이 없었다. 공녀의 고향은 유리와 만났던 탐브란과는 거리가 상당했다. 그저 잠시, 오랜 버릇이 튀어나왔을 뿐이었다. 젊은 여인만 보면 유리의 흔적을 찾던 옛날처럼 말이다.

"하늘이 참 푸르네."

연무장을 나오자 눈이 시리도록 푸른 하늘이 보였다. 그린 듯 맑은 하늘을 보며 카사르는 부드러운 미소를 베어 물었다. 어쩌면 유리 역시 저 하늘을 보고 있을지도 모른다. 아니 반드시 보고 있을 것이다. 유리는 분명 살아 있을 테니까. 지금은 그것으로 충분했다. 유리가 살아 있고 두 사람이 같은 하늘을 보고 웃을 수 있으면 되었다. 카사르는 잠시 눈을 감고 그 여유로움을 즐겼다. 산들바람에 땀이 씻겨 나가며 청량감이 밀려들었다.

"여어, 카사르."

그때였다. 낮게 그를 부르는 목소리가 잠시의 평온을 깼다. 하늘을 바라보는 카사르의 얼굴에서 미소가 사라졌다. 그는 차갑게 입매를 굳힌 채 몸을 돌렸다. 멀찍이 바론이 씨익 웃으며 그쪽으로 걸어오고 있었다. 입은 웃고 있지만, 눈은 웃지 않는 특유의 비릿한 웃음이었다. 바론은 사람을 죽일 때면 늘 그런 웃음을 지었다. 카사르가 자객의 공격을 받아 죽은 수하를 붙잡고 오열할 때도 그리 웃고 있었다. 생명에 대한 존중이나 동정심은 전혀 찾아볼 수 없었다.

"왜 대답이 없어? 내 말이 안 들려? 아님, 하늘을 보다가 목이 꺾여 뒈지기라도 한 거야? 왜, 네 어미라도 따라가려고?"

바론은 아무렇지도 않게 폭언을 퍼부었다. 카사르의 눈빛이 차갑게 가라앉았다. 유리를 추억할 때와는 정반대의 칼날 같은 눈이었다. 그에게 바론은 사람이 아니었다. 저를 죽이기 위해 수단과 방법 가리지 않는 이를 사람으로 여기면 그게 이상한 일이었다.

바론은 카사르의 많은 것을 앗았다. 자객의 습격 탓에 진짜 형제처럼 아끼던 수하들을 잃기도 했다. 삼 년 전, 그때도 그랬다. 증거만 있다면 바론을 완전히 날려 버릴 수 있었을 텐데, 그러지 못한 것이 원통할 뿐이었다.

"잘 듣고 있다. 다만 대답할 가치를 느끼지 못했을 뿐."

"뭐?"

"대답은 사람에게 하는 것이지."

차가운 목소리에 담긴 것은 분명 조롱이었다. 명백한 무시에 바론의 얼굴이 굳었다. 상대의 미소가 사라진 걸 본 카사르의 입매에 만족스러운 웃음이 어렸다.

"사람대접을 받고 싶나? 그럼 제대로 된 예의부터 갖춰야 할 거다."

분노로 활활 타오르는 바론의 시선과는 달리 카사르의 눈동자는 얼음처럼 냉랭했다. 이것이 상대와 그의 차이점이었다. 늘 주위의 떠받듦을 받고 살아온 바론과 달리, 이까짓 몇 마디 말로는 결코 카사르를 상처 입힐 수 없었다.

"이 새끼가, 겨우 천한 평민의 핏줄 따위가!"

드디어 등장했다. 바론은 밑천이 모두 털릴 때면 카사르의 핏줄을 공격했다. 불쾌하기는커녕 같잖아 웃음이 나왔다. 일국의 황후를 모욕하는 게 얼마나 천박한 짓인지 아직도 모르는 모양이었다.

"천한 평민이라. 그 천한 평민에게 진 너희 어머니는 대체 뭐지? 천한 평민의 아들에게 진 네놈은 대체 얼마나 천박한 건가?"

모욕에는 모욕으로, 비열함에는 비열함으로. 이게 카사르가 적을 대하는 방식이었다. 원칙을 무시하는 자를 정정당당하게 대해 줄 필요는 전혀 없었다. 상대가 바닥에서 싸우길 원하면 그 수준으로 밟아 주면 될 일이었다.

"오늘 용건은 네가 얼마나 천박한지 고해라도 하러 온 건가?"

"이 새끼가……!"

"이미 다 알고 있는 내용을 새삼 알려줄 필요는 없지. 황자께선 쓸데없는 발걸음을 하셨군."

그 말을 끝으로 카사르는 미련 없이 몸을 돌렸다. 상대의 수준에 맞춰준다고 해도 이 이상 유치하게 굴 필요는 없었다. 진짜 싸움에서 승패를 결정하는 건 이따위 말장난이 아니었다. 향후 누가 보위에 오르느냐가 긴 싸움의 승리자가 될 터였다.

"저 새끼, 내가 반드시 죽여 버릴 거야."

멀어지는 카사르의 뒷모습을 보며 바론이 이를 벅벅 갈았다. 들고 있던 종이는 엉망으로 구겨진 채였다. 밀랍으로 찍힌 프리우스의 인장은 완전히 바스러졌다. 그건 그가 방금 받은 리디아의 편지였다. 친구의 초대를 받았으니 방문을 허락해 달라는 내용이 담겨 있었다.

─어렸을 때부터 친하게 지낸 언니가 있어요. 아델바오르 백작 부인인 엘레나 언니예요. 그 언니가 오늘 초청장을 보냈어요. 십 년 넘게 얼굴을 보지 못해서 많이 그립고 궁금해요. 언니를 만나러 가 봐도 될까요?

편지를 읽고 바론은 여러모로 놀랐다. 가문에서 버림받은 사생아가 백작 부인과 친교를 나누고 있다는 것도 그랬고, 그 가문에서 먼저 리디아를 초청했단 것도 놀라웠다. 하필이면 그 가문의 주인이 루한이라는 덴 더 놀랐다. 놀라움은 곧 깊은 만족스러움으로 이어졌다. 그에게 엘레나는 루한과 한 몸이나 다를 바 없었다. 루한은 카사르의 개이니, 그의 뜻은 카사르의 뜻이라고 봐도 좋았다. 그 말인즉슨 이 초대에 카사르의 입김이 들어갔다는 것이다.

'카사르, 네가 리디아를 보고 싶어서 몸이 달았구나.'

바론은 자신의 약혼녀를 향한 카사르의 관심이 매우 기꺼웠다. 자신을 볼 때마다 마치 상대할 가치가 없다는 듯 깔보던 재수 없는 눈빛이 생각하면 더 그랬다. 천한 핏줄도 잊고 같잖은 거만을 떨더니, 뒤로는 제 약혼녀를 한번 보겠다고 되도 않는 수작을 부려대는 게 우스웠다. 바론은 오늘 그 저열함을 마음껏 비웃어 주려 하였다. 한데 상대는 그 생각을 비웃기라도 하듯 모욕에 초연했다. 심지어 바론에게 역공을 가하기까지 했다. 붉게 충혈된 남색의 눈동자가 분노로 활활 타올랐다.

"카사르, 네놈이 그리 잘난 듯 굴 날도 얼마 남지 않았어. 연회 때 분명히 실감하게 될 거야. 네놈과 나의 차이가 무엇인지."

바론은 확신했다. 지금 카사르는 리디아가 얼마나 대단한지 모르는 것이 분명했다. 그녀는 보석이었다. 타고난 미색이 빼어난 것은 둘째 치고 청아한 미소가 무척이나 아름다웠다. 강단이 있으면서도, 묘한 구석에서 여린 모습을 보였다.

그래서 더 눈을 뗄 수 없었다. 녹색 눈동자에 맺힌 투명한 눈물을 보다 보면 이유가 궁금하기보다는 이 여자를 괴롭혀 더 많은 눈물을 보고 싶다는 파괴적인 충동이 일 정도였다.

"죽은 계집 따위는 결코 리디아의 상대가 되지 못해."

눈으로 보고도 두 여자의 차이를 깨닫지 못한다면 깨닫게 해 주면 된다.

"필요하다면 그 계집이 죽었다는 걸 알려 줘야겠지."

죽은 여자 생각을 하자 분노로 날뛰던 마음이 순식간에 가라앉았다. 바론의 입가에 비릿한 미소가 어렸다. 그가 가진 패를 뒤집기만 한다면 상대를 지옥 불로 던져 넣는 것은 식은 죽 먹기였다. 진실이 독이 되어 카사르의 심장을 찌를 그날이 무척이나 기대되었다.

*

"공녀님, 아델바오르 저택에 도착했습니다."

편지로만 전해 들었던 아델바오르 저택은 상상했던 것보다 훨씬 규모가 컸다. 공작 가문인 프리우스에 비해서도 전혀 뒤떨어지지 않았다. 심지어 아델바오르 저택의 인상이 훨씬 좋았다. 집의 주인이 누구냐에 따라 집의 인상도 결정되는 것 같다며, 유리는 잠시 웃었다.

"리디아!"

"엘레나 마님! 넘어지십니다, 진정 좀 하세요!"

"맙소사, 마담 보르쉐, 리디아가 왔다고요!"

유리가 잠시 저택을 서서 올려다보는데, 멀지 않은 곳에서 상기된 여자의 목소리가 들려왔다.

갈색 머리카락, 갈색 눈동자를 한 자그마한 체구의 여자였다.

그 뒤로 나이가 지긋한 중년 부인이 사색이 되어 뒤를 따랐다. 위험하니 뛰지 말라는 애원과 함께였다. 유리는 소녀처럼 밝은 엘레나의 모습에 저도 모르게 흐뭇한 미소를 지었다.

"리디아! 너 맞니? 맞는 거지?"

"엘레나 언니."

"세상에, 너 맞구나. 이게 얼마만이야. 널 이렇게 다시 만나다니!"

감격에 겨워 유리를 끌어안은 엘레나의 목소리에는 옅은 울음기까지 어려 있었다.

"언니, 오랜만이에요."

맞닿는 뺨에 느껴지는 찬 기운에 유리는 그녀가 자신을 얼마나 오랫동안 기다렸는지 깨달았다. 유리의 입가에 진심으로 우러나오는 미소가 맺혔다. 다갈색 눈동자에 담긴 반가움이 비록 저를 향한 것은 아니었음에도 가슴이 따뜻해졌다.

"수도에서 널 다시 만날 수 있을 줄은 몰랐어. 이렇게 다시 만나게 되다니, 정말 꿈만 같다."

엘레나가 유리의 두 손을 꼭 붙잡고 재회를 기뻐했다. 유리도 마주 웃으며 고개를 끄덕였다.

"저도요. 언니를 이렇게 빨리 보게 될 줄은 몰랐어요."

바론이 엘레나의 초청을 허락하기는 했지만 이렇게 빨리 그녀와 만날 수 있게 될 줄은 몰랐다. 처음 초청 사실을 알렸을 때만 하더라도 그게 무엇이든 데뷔 무도회 끝난 후에 진행하라는 답이 돌아왔기 때문이었다.

―엘레나 아델바오르의 초청을 즉각 수락하도록 해.

한데 그 답이 오고 두 시간도 지나지 않아 황궁에서 또 다른 서한이 왔다. 당장 엘레나의 초청을 받아들이고, 최대한 빨리 그녀를 만나 보라는 것이었다. 거기엔 조건이 하나 있었다.

―단, 최고의 모습으로 가야 해.

지인의 집을 방문하는 데 왜 그런 쓸데없는 조건이 필요한 것인지 유리는 이해할 수 없었다.

'분명 과시욕 때문이겠지.'

바론은 요즘 다른 사람들이 유리를 어찌 볼지에 온 관심이 쏠려 있었다. 특히 곧 열릴 연회에서 그녀가 최고로 돋보여야 한다며 열을 올렸다.

'오랜 친구를 만난다는 데 반가움보다 과시욕이 먼저라니.'

유리는 그런 바론의 천박함이 어처구니없으면서 우스웠다. 그래도 굳이 토를 다는 대신 얌전히 바론이 보낸 드레스와 장신구를 걸쳤다. 어쨌든 얻어낸 방문 기회를 놓치고 싶지 않았기 때문이었다. 바론의 말도 안 되는 욕심 때문에 유리는 마치 무도회라도 가듯 화려한 차림새였다. 그런 유리를 바라보는 엘레나의 얼굴에는 부러움은커녕 순수한 감탄이 가득했다.

"정말 숙녀가 다 되었구나. 어쩌면 이렇게 예뻐졌을까!"

"고마워요, 언니. 언니도 정말 아름다워요."

엘레나의 칭찬에 유리의 미소가 진해졌다. 유리는 바론의 천박한 의도를 단번에 박살 내버린 이 자그마한 귀부인이 곧바로 마음에 들었다.

"아름답기는 얘. 우리 남편이 들으면 세상에서 제일 웃긴 소리를 들었다며 놀릴 거야."

엘레나는 쿡쿡 장난스레 웃으며 유리의 손을 잡아끌었다. 발랄하면서도 전혀 경박스럽지 않은 웃음이었다. 특유의 밝은 분위기에 곁에 있는 사람의 기분도 좋아지는 것 같았다.

'눈이 참 맑구나. 리디아가 만나 보라고 권할 만해.'

응접실로 가는 그 짧은 시간 동안 유리는 엘레나가 금세 좋아졌다. 엘레나는 귀족답지 않게 소탈한 성품인 듯싶었다. 거만함이 하늘을 찌르던 바론과는 정반대였다. 엘레나가 워낙 좋은 사람이어서인지 유리의 긴장도 차츰 풀렸다.

"우리가 이게 얼마만이지? 십 년? 십삼 년?"

"정확히는 십이 년이 조금 안 되었어요."

"아, 그런가?"

"우리가 처음 만난 건 여름이었잖아요."

엘레나는 수도에서 '리디아'를 가장 잘 알고 있는 사람이었다. '리디아'를 연기하는 유리에게는 조금 부담스러운 상대일 수밖에 없었다. 리디아와 엘레나가 나눈 편지를 읽고 공부를 하긴 했지만 긴장이 되는 건 어쩔 수 없었다.

"그렇지 벌써 십 년이구나. 그동안 우리도 정말 많이 변했어. 그렇지?"

"그럼요, 언니는 결혼을 하고, 아이도 있고."

그러나 그 긴장이 무색하게 엘레나와의 대화는 정말로 편했다. 마치 친언니와 대화를 하듯 자연스러웠다. 유리는 "언니가 유부녀가 되다니 거짓말인 줄 알았어요." 라며 리디아가 엘레나에게 보냈던 편지 문구를 인용했다. 익숙한 문장에 엘레나의 눈이 동그랗게 커지더니, 이내 유쾌한 웃음을 터트렸다.

"세상에, 맞아. 기억하는구나. 네가 그랬지. 거짓말이라고. 장난을 칠 거면 제대로 된 거짓말로 놀리라고."

리디아라면 정말 그렇게 말했을 것이다. 리디아 특유의 괄괄한 말투를 떠올리며 유리가 풉, 웃음을 지었다. 함께 나눈 추억의 온기만큼이나 방 안의 분위기도 모닥불처럼 따뜻해졌다.

"맞다. 리디아. 너도 약혼했다고 했지."

어째서일까. 약혼에 대해서 말하는 엘레나의 얼굴이 조금 어두워졌다. 갑자기 불편해진 분위기에 당황한 유리가 눈을 깜빡였다.

"네, 맞아요. 황자 전하와……. 언니, 무슨 일 있어요?"

"아니야, 그런 건 전혀 없어."

엘레나는 어색한 미소를 지으며 고개를 저었다. 유리는 영문을 몰라 그저 고개를 갸웃할 뿐이었다.

'혹시 아끼던 동생의 약혼 소식을 다른 사람에게 들어서 그런 건가? 그게 아쉬웠나?'

그런 거라면 충분히 이해가 갔다. 유리가 알기로 리디아는 엘레나에게 '자신의 약혼' 소식을 알린 적이 없었다. 두 사람이 마지막으로 편지를 교환한 것은 팔 개월쯤 전이고, 그때 리디아는 한창 유리를 살리느라 정신이 없었다. 그 뒤로는 유리가 리디아가 되어 바론과 교제를 시작해 자연스레 편지는 끊겼다.

"언니, 내가 미처 생각을 못 했어요. 미리 말을 했어야 했는데, 미안해요. 갑자기 소식을 들어 많이 놀랐죠?"

엘레나가 서운해서 그런 것이라 짐작한 유리가 얼른 사과를 했다. 엘레나가 아끼던 동생의 약혼 소식을 듣지 못한 건 제 책임도 있었다.

"아, 그건 괜찮아. 그럴 수도 있지. 그게 아니라……."

엘레나는 난처함에 말을 흐렸다.

"이걸 어디서부터 설명을 해야 하는 건지."

리디아와 바론의 약혼 소식을 들었을 때, 엘레나는 그야말로 경악을 했다. 리디아의 약혼자가 황족이어서 그런 게 아니었다. 황족 중에서도 하필, 바론이었기 때문에 그랬다. 엘레나는 리디아에게 자신의 남편에 대해서 제대로 설명해 준 적이 없었다. 백작이라고는 했지만 가문이나 계파에 대해선 따로 말하지 않았다.

미하엘 프리우스, 그 나쁜 놈 때문에 리디아에게는 귀족에 대한 뿌리 깊은 증오가 있었다. 그런 아이에게 굳이 귀족인 남편 자랑을 늘어놓고 싶진 않았다.

'리디아가 바론 전하의 약혼녀가 될 줄이야. 하필이면…….'

엘레나의 얼굴이 어두워졌다. 바론은 남편이 세상에서 가장 증오하는 사람이었다. 가끔 드펜 황후와 순위가 바뀌긴 하지만 대부분은 바론이 그 자리를 지켰다. 아주 어릴 적부터 카사르의 고난을 바로 곁에서 지켜봐 왔기 때문이었다. 황족에게 저래도 되나 싶을 정도로 대놓고 으르렁거린 적도 여러 번이었다.

루한의 증오는 삼 년 전 카사르의 실종이 있고 나서는 그야말로 최고치를 찍었다. 두 달 동안 카사르가 죽은 줄 알고 전국을 헤집고 다니면서 엄청난 충격을 받은 것이다. 카사르가 돌아온 뒤에도 주변 사람이 듣든 말든 바론을 향한 저주를 퍼부어댔다.

"그게 사실 우리 남편이 말이지. 바론 전하와는 사이가 별로 안 좋아. 그러니까, 음. 혹시 카사르 전하 아니? 태자 전하 말이야. 사실 우리 남편이 태자 전하와 굉장히 막역한 사이거든. 그래서."

말을 하면 할수록 갑갑함이 밀려들었다. 어떤 방법을 쓰더라도 내 남편과 네 약혼자가 서로 죽이지 못해 난리라는 걸 부드럽게 돌려 말할 수는 없었다.

"카사르 전하와 바론 전하는 지금 후계 싸움 중이야. 카사르 전하께서 태자 자리에 책봉되셨는데, 바론 전하께선 인정하지 않고 계시지. 그래서 갈등이 매우 많았어. 삼 년 전엔 태자 전하께서 크게 다치신 적이 있는데, 그 일이 바론 전하 소행이란 소문이 있을 정도였지."

결국 엘레나는 모든 사실을 솔직히 털어놓는 쪽을 택했다. 그녀는 정이 많긴 했지만 대책 없는 낭만주의자는 아니었다. 학자 출신인 만큼 냉철한 분석가에 가까웠다. 남자들이 서로 칼을 겨루면 그 부인들은 결국 멀어질 수밖에 없다는 걸 그녀도 잘 알았다.

"아델바오르 백작 가문은 카사르 전하를 지지하고 있어. 그래서 바론 전하와는 정말 사이가 나빠. 그냥 나쁜 정도가 아니야. 서로 증오한다고 하면 딱 맞는 표현일 거야."

그러나 머리로 이해한다 하여 가슴으로 받아들일 수 있는 건 아니었다.

"네 약혼 소식을 듣고 놀란 건 그 때문이야. 정말, 어떻게 해야 할지 모르겠어. 우리 우정을 지킬 수 있을지도 모르겠고."

엘레나는 진심으로 리디아와의 인연을 잃고 싶지 않았다. 차분하던 목소리는 어느새 소중한 친구와 멀어질지도 모른다는 두려움에 떨리고 있었다.

"카사르 전하께서는 벌써부터 널 만나고 싶어 하셔. 정적의 약혼녀를 직접 보고 싶으신 거겠지. 아, 물론 리디아. 나는 네가 원하지 않으면 그 무엇도 하지 않을 거지만……."

가슴에 가득 찬 답답함은 결국 한탄이 되어 흘러나왔다. 계파 싸움 때문에 고생한 건 루한과 결혼할 때 겪은 것이면 충분했다.

한데 인생이란, 왜 이리 알 수 없는 일 투성이인지.

"리디아, 나는 네가 누구와 약혼하든 널 좋은 친구로 생각할 거야. 네 마음도 나와 같았으면 좋겠지만, 아니 같을 거라고 생각하지만, 사람은 환경의 영향을 받잖아. 환경은 마음대로 되지 않는 거고. 그게 너무 걱정돼."

엘레나도 사실 리디아에게 별 방법이 없다는 건 알았다. 리디아의 우정을 의심하는 게 아니었다. 약혼자인 바론을 절대 믿을 수가 없었다. 바론은 결코 두 사람의 우정을 그냥 두지 않을 것이다. 벌써부터 그 끝이 보이는 듯하자, 절로 목이 멨다.

"리디아, 답답한 이야기만 해서 미안해. 그런데 숨기는 것보다는 차라리 솔직히 털어놓는 게 낫다고 생각했어. 약혼 축하도 제대로 못 해 주었는데, 정말 미안해."

"……아니에요."

"미안해. 정말 미안해."

"아니에요, 언니. 정말 아무렇지도 않아요."

유리는 거듭 사과하는 엘레나에게 부드럽게 웃으며 고개를 저었다.

"리디아……."

결국, 엘레나가 눈물을 삼키며 고개를 떨구었다. 유리가 얼른 그녀의 손에 손수건을 쥐여 주었다. 무척이나 다정한 태도였다.

'이제야 알겠어. 최고의 모습으로 엘레나 언니를 만나야 하는 이유가 무엇인지.'

바론이 보낸 서한을 떠올리며 유리가 쓰게 웃었다. 정적의 부인에게 제 액세서리의 화려함을 과시하고 싶었던 게 분명했다. 유리는 그런 바론의 의도를 어그러트리기 위해서라도 엘레나와 잘 지내야겠다는 결론을 내렸다.

"언니, 저는 제 약혼자가 누구든 언니와 계속 친하게 지내고 싶어요. 그럴 수 있어요. 그렇게 할 거고요."

"……정말이니?"

"그럼요. 제가 언니를 얼마나 좋아하는데요, 언니는 아니에요?"

유리가 배시시 웃으며 엘레나의 두 손을 꼭 잡았다. 다정한 태도에 엘레나의 눈이 커졌다. 사정을 다 알고도 친분을 유지하겠단 대답이 믿기지 않았다. 유리는 그런 엘레나의 마음을 짐작이라도 하듯 거듭해서 확신을 주었다.

"고마워, 리디아. 정말 고마워!"

엘레나가 활짝 웃으며 유리를 끌어안았다.

"고맙긴요. 당연한 걸요."

"당연하진 않아. 쉽진 않을 거야. 그래도, 말이라도 이렇게 해 주니 정말 기쁘다. 고마워, 정말."

엘레나는 몇 번이고 고맙다는 말을 했다. 그녀는 진심으로 유리의 말이 기뻤다. 물론 두 사람이 아무리 노력해도 우정을 지키긴 어려울 거라는 걸 알았다. 다만, 말이라도 그렇게 해 주는 게 고마웠다.

"아니에요. 언니랑 제가 멀어질 일은 없을 거예요. 우리 우정이 변할 일도 없고요."

정작 그 말을 하는 유리는 그저 인사치레가 아니었다. 유리는 진짜 리디아가 아니었고 이 약혼은 가짜였다. 몇 달 뒤면 유리는 세상에서 사라질 것이고, 운이 좋다면 바론 역시 그리될 터였다. 엘레나와 리디아의 우정에 금이 갈 이유는 그 어디에도 없었다.

─카사르 전하께서는 벌써부터 널 만나고 싶어 하셔. 정적의 약혼녀를 직접 보고 싶으신 거겠지.

정작 유리가 신경 쓰는 건 따로 있었다. 카사르. 엘레나에게 들은 그 이름이 그녀의 심장에 커다란 파문을 일으키고 있었다.

'카사르를 다시 만나면, 나는 어떻게 해야 하는 걸까.'

언젠가 그를 만나게 될 거란 예상은 했었다. 황자의 약혼녀가 되었는데 그 형제를 만나지 않을 수는 없었다.

그럼에도 그녀가 수도에 올 수 있었던 것은, 그가 그녀를 알아보지 못할 거라는 믿음이 있었기 때문이었다. 그는 그녀의 얼굴을 본 적이 없었다. 목소리는 기억할 수 있지만, 세상에 비슷한 목소리는 많았다. 게다가 유리는 지금 바론의 약혼녀였다. 자신을 버린 여자가 형제의 약혼녀가 되어서 나타날 거라고는 상상도 하지 못할 것이다.

'진정해. 그가 만나고 싶은 건 내가 아니야. 리디아 프리우스지.'

그걸 알면서도 그녀를 만나고 싶다는 엘레나의 말에 순간 심장이 철렁 내려앉았다. 그를 다시 만나 어떤 표정을 지어야 하는 걸까. 유리는 꾹 입술을 깨물며 마음을 다독였다.

'설마 아직도 날 찾고 있는 건 아니겠지.'

몇 달 전, 카사르가 그녀를 찾고 있다는 소식은 들었다. 그러나 벌써 반년도 더 된 일이었다. 그 뒤의 상황은 잘 알지 못했다. 유리는 바론과 교제하기 시작한 이후론 의식적으로 카사르의 소식을 피해 왔다. 카사르의 이름을 듣는 것만으로 마음이 저미는지라 리디아를 연기하는 게 힘겨웠기 때문이다.

'설마 이젠 다 잊었겠지.'

그의 사랑이 아무리 깊어도 절 버린 사람을 삼 년이나 기다릴 것 같진 않았다. 어쩌면 벌써 새 사람을 만났을지 몰랐다. 정작 자신은 마지막 순간까지 그 사람을 놓지 못할 것을 알면서도, 그녀는 정말 간절히 그의 망각을 바라고 있었다.

'내가 준 상처도 많이 괜찮아졌다면 좋으련만.'

한때는 그의 이름을 떠올리는 것만으로 눈물을 흘렸던 때가 있었다. 그에게 준 상처가 너무 미안해서, 그 상처가 제 것처럼 아파서 모든 것을 바쳐서라도 그의 인생에서 자신이 지워지길 기도했었다.

'부디 이젠 좋은 사람을 만나 더 따뜻한 사랑을 하고 있기를.'

자신은 그에게 상처밖에 준 것이 없는데 정작 그녀는 그에게 받은 것이 너무 많았다. 상처투성이의 삶에서 그와의 추억은 그녀에게 남은 유일한 행복이었다. 그 행복을 지키기 위해서 무엇을 해야 할지, 그녀는 잘 알고 있었다. 그에게 영원히 자신의 존재를 알려서는 안 된다. 그녀가 딛고 선 곳은 결코 헤어 나올 수 없는 늪이었다. 그 사람만이 저를 구하러 함께 늪에 빠지는 일은 결코 있어서는 안 되었다. 절대로……

*

"백작 부인. 오늘따라 기분이 좋아 보이세요. 오랜만에 만난 공녀님과의 시간이 즐거우신 게 눈에 보여요. 아, 홍차 티백은 그쪽에 있어요."

"고마워요. 마담 말이 맞아요. 리디아가 어떻게 변했을지 궁금했는데, 오늘 보니 그 아이한테 완전히 빠져 버릴 것 같아요."

엘레나가 싱긋 웃으며 찬장을 열어 티백을 꺼냈다. 끓인 물을 티포트에 옮기고, 홍차를 우려낼 티백을 담았다. 공기 중에 퍼지는 향긋한 얼그레이 향을 느끼며 엘레나가 다시 한번 소매를 추슬렀다.

곁에 서 있던 마담 보르쉐가 인자하게 웃었다. 아델바오르 저택의 하녀장인 그녀는 오늘따라 특히 유쾌해 보이는 주인마님의 모습에 특히 기분이 좋아졌다.

"도와드릴까요?"

하면서도, 내면엔 단단한 힘이 느껴져서 그런 것 같았다.

카사르는 온화하고 너그러운 성품이지만, 필요할 때는 벼린 칼처럼 날카로운 모습을 보여 주었다. 일국의 태자라는 높은 지위에 있음에도, 제 위치를 이용해 이유 없이 남을 핍박하는 짓도 하지 않았다. 틈만 나면 저보다 낮은 자들을 깔아뭉개기 바쁜 바론과는 정반대였다.

리디아 역시 카사르와 비슷했다. 세찬 비바람에 흔들릴지언정 꺾이지 않는 풀처럼, 강단이 느껴졌다. 아랫사람을 대하는 데에도 흠잡을 곳이 없었다. 저보다 신분이 낮은 하인들에게도 꼬박꼬박 존대를 했다. 평소 행동이 어떨진 안 봐도 눈앞에 그려지는 듯했다.

'그러고 보면 둘 다 내가 제일 좋아하는 스타일이잖아.'

엘레나의 입가에 풋 웃음이 맺혔다. 어느 순간부터 두 사람의 얼굴을 나란히 떠올리고 있었다. 가족만큼이나 소중해진 두 사람이 서로 칼을 겨누게 된 상황이 너무 아쉬우면서도, 그 사람들과 함께하게 된 것이 기뻤다.

'나는 내가 할 수 있는 일을 하자. 두 사람 모두 잃지 않을 방법이 있을 거야.'

이번만큼은 엘레나도 이상주의자가 되어 보기로 했다. 찾아보면 분명히 있을 것이다. 카사르와 바론의 약혼녀가 서로 적이 되지 않을 수 있는 방법이.

*

엘레나가 다과를 준비하는 동안 유리는 고용인의 안내를 받아 저택을 구경했다. 저택의 벽 곳곳에는 크고 작은 유화 그림이 여럿 걸려 있었다. 전문 화가가 그린 듯 하나같이 수준급이었다. 그림 한

구석에 적힌 익숙한 이름에 유리가 작게 탄성을 내질렀다.

"전부 다 언니가 그린 거예요?"

"네, 그렇습니다."

엘레나의 취미가 유화 그리기라는 건 리디아에게 들어 알고는 있었다. 이 정도로 그림을 잘 그리는 줄은 미처 몰랐다.

"정말 대단하네요. 멋져요."

유리는 그림이 걸린 복도를 걸으며 부러 길게 숨을 들이마셨다. 그림에서 풍겨 나오는 미미한 유화 냄새가 무척이나 익숙했다. 돌아가신 어머니 역시 그림 그리는 걸 즐기셨다. 유화 그리는 방을 따로 만들어두실 정도였다. 어릴 적 유리는 종종 그 방에서 어머니의 모델이 되곤 했다. 의자에 앉아 다소곳이 앉아 있다 보면 유화 특유의 기름 냄새가 물씬 풍겼다.

그녀를 안내하던 고용인이 잠시 자리를 비운 후에도 유리는 홀로 그림을 구경했다. 돌아가신 어머니가 생각나서일까. 아델바오르 저택의 복도는 무척이나 친근했다. 엘레나의 솜씨에 감탄하며 걸음을 옮기던 유리의 시선이 한 그림에서 멎었다.

"······아."

두 뼘이나 될까 한 캔버스 안에 아주 작은 아이가 그려져 있었다. 태어난 지 몇 달이 채 안 된 듯싶었다. 앙증맞은 주먹을 움켜쥔 아이는 보는 이도 평화롭게 만드는 미소를 짓고 있었다.

그림의 이름은 '나의 천사, 리우'.

엘레나의 두 살배기 아들의 이름이었다. 유리는 오늘 리우를 만나지 못했다. 엘레나의 어머님 댁에 가 있다고 했다. 엘레나는 유리에게 제 아들을 보여 주지 못한 걸 아쉬워했지만, 유리에겐 다행스러운 일이었다. 유산의 상처가 남아 있는 탓인지 아직까지도 어린아이, 특히 태어난 지 얼마 안 된 아기를 보는 게 힘겨웠다. 지나가

다 혹시라도 누군가 갓난아이를 안고 있는 모습을 보면 며칠이나 마음고생을 하곤 했다.

"천사. 맞네, 천사네. 정말 예쁘네."

유리가 희미하게 웃으며 손끝으로 아기의 살구색 볼을 쓰다듬었다. 오돌토돌한 유화 표면의 감촉으로 아이의 온기가 느껴지는 것 같았다. 제 아이의 얼굴을 그리고 그 그림에 천사라 이름을 붙인 엘레나가 참 부러웠다. 천사. 그래, 아이는 다 천사였다. 못난 어미를 만나 빛도 보지 못하고 세상을 떠난 그 아이 역시 천사가 분명했다.

"아가, 넌 천사니까 행복한 곳에서 살고 있겠지?"

분명 그럴 것이다. 그 아이는 그 누구에게도 죄를 지은 적 없으니 천사가 되어 천국에 갔을 것이다. 리디아는 유리에게 죽은 아이를 당당하게 만나기 위해서라도 반드시 살아남아 빚을 갚아야 한다고 했다. 그리 연장한 제 삶을 생각하며 유리는 웃음과 눈물이 동시에 나왔다.

'그날이 오면 정말 너를 만날 수 있는 걸까.'

그날을 생각하자 벌써부터 설렘이 밀려들었다. 아이에게 해 주고 싶은 것들이 정말 많았다. 아픔 없는 세상에서 어미로서 해 주지 못한 모든 것들을 해 주고 싶었다. 부디 죄 많은 그녀도 아이가 있을 천국에 갈 수 있기를. 그리 소망하며 얼른 눈물을 닦아 내었다.

그때였다.

"으앙……."

희미한 울음소리. 언뜻 들어서는 그냥 지나칠 만큼 소리는 작았다. 유리는 눈을 깜빡이며 소리가 나는 쪽으로 고개를 돌렸다. 처음엔 그리운 마음에 환청을 듣는가 싶었다.

환청이 아니었다. 흡사 고양이 울음소리 같은 그것은, 잠시 멈춘 후에 다시 이어지기 시작했다.

"으앙, 앙, 으앙."

쭈뼛, 목 뒤에 소름이 돋았다. 소리의 정체가 무엇인지 깨달은 유리의 눈이 커졌다. 아이, 그것도 아주 어린아이의 울음소리가 분명했다.

'아이가 여기에 왜 있지? 리우는 외할머니댁에 가 있다고 했잖아.'

아이의 울음소리를 듣는 것만으로 심장은 달리기라도 한 듯 쿵쿵 뛰었다. 대체 무슨 일이 있는 건지, 공기를 찢는 듯한 울음소리는 계속 이어졌다. 유리는 홀린 듯 그쪽으로 향하다가 제 행동을 깨닫고 흠칫 멈추어 섰다.

'내가 상관할 바 아니야.'

저 아인 자신과 전혀 상관이 없었다. 죽은 아이도 아니었다. 유리는 얼른 몸을 돌려 소리 반대쪽으로 걸어갔다. 마주 잡은 손에는 어느새 땀이 흥건했다. 빨리 이 자리를 떠나야겠다는 생각만 들었다. 그런데, 어째서.

'왜 아무도 아이를 달래지 않는 거지?'

유리가 우뚝 자리에 멈추었다. 이상했다. 아이의 울음소리가 그치지 않았다. 울음소리를 들으면 들을수록 그 아이가 무척이나 어리다는 걸 알 수 있었다. 어느새 배냇저고리를 입고 바동거릴 아이의 모습이 보이는 듯했다. 유리는 아이의 울음소리가 멎기를 초조하게 기다렸다. 저리 어린아이라면, 가까운 곳에 분명 엄마가 있을 것이다. 아이가 우는 건 엄마가 잠시 자리를 비웠기 때문이리라. 그러니 유리는 신경 쓰지 말고 그 자리를 떠나기만 하면 되었다.

그러나 유리는 어느새 울음소리가 들리는 문 앞에 서 있었다. 문손잡이를 돌리는 그녀의 손이 조금 떨렸다. 문이 열리자, 인기척을 느꼈는지 울음소리가 조금 잦아들었다. 예상대로 방 안엔 아무도 없었다. 아기 침대 난간 사이로 앙증맞게 움켜쥔 주먹이, 발갛게 상기된 얼굴이 보였다. 차마 다가가지도 못하고 그 모습을 눈에 담기만 하던 유리가 아이 쪽으로 다가갔다.

"아가, 괜찮니?"

엄마가 온 줄 알았나 보다. 초롱초롱한 눈이 그녀를 올려다보았다. 통통한 볼을 보며 유리가 떨리는 입술을 달싹였다. 태어난 지 길어야 서너 달 정도 되었을까. 자꾸만 아이 쪽으로 뻗으려는 손을 유리는 겨우 말아 쥐었다.

"안녕. 아가. 이름이 뭐야?"

유리의 보드라운 목소리에 아이가 언제 울었느냐는 듯 방긋 웃었다. 까르르 웃음을 흘리며 유리 쪽으로 손을 뻗었다. 유리는 조금 망설이다 아이의 주먹을 살며시 움켜쥐었다. 뜨끈하고 보드라운 감촉에 손이 욱신거렸다.

"……아가야."

그 온기 때문이었을 것이다. 유리는 홀린 듯 그 아이를 눈에 담았다. 보글보글 거품이 터지는 듯한 아이의 웃음소리가 들렸다. 어느새 말간 녹안이 차츰 젖어들기 시작했다. 자꾸만 희미해지는 아이의 얼굴을 보며, 유리가 작게 속삭였다.

"……아르디네, 아르딘."

이제 눈앞에 있는 건 낯선 아이가 아닌, 그녀의 아이였다. 수도 없이 상상했던 그의 아이이기도 했다. 그 사람을 빼닮아 금색 고수머리에 푸른 눈동자를 가진 아이가 배실거리며 웃었다. 가슴이 미어지는 아픔에 유리의 미소가 젖어들어 갔다.

"아가."

물론 유리도 눈앞의 아이가 제 아이가 아니란 걸 알았다. 곧 흩어질 환영일 뿐이었다. 그 아인, 죽었으니까.

"엄마는 네가 너무 보고 싶어."

그래도 참을 수 없는 것들이 있기 마련이었다. 그동안 엄마라는 말을 얼마나 하고 싶었는지 모른다. 차마 입에 담지 못하다 밤에 이불로 입을 틀어막고 한 적도 있었다. 길을 가다 우연히 들리는 엄마 소리에 소스라치게 놀라 돌아보곤 했었다. 혹시 그 아이가 살아 돌아와 절 부르는 건 아닐까 싶어서. 그리 말도 안 되는 생각을 할 정도로 아이가 그리웠다. 해 주지 못한 것이 너무 많아, 전하지 못한 말이 많아 마음이 아팠다. 유리는 어느새 낯선 아이에게 제가 하고픈 말을 털어놓고 있었다.

"아가야, 미안해. 엄마가 널 지켜 주지 못해서……."

"누구세요?"

그리고 짧은 꿈은 순식간에 깨졌다. 뒤에서 들리는 목소리에 유리가 퍼뜩 놀라 자리에서 일어났다.

처음 보는 젊은 여자가 당황스러운 얼굴로 그녀를 보고 있었다. 고동색 머리카락, 갈색 눈동자를 가진 여자는 어딘지 모르게 아파 보였다. 그녀의 손에 들린 아기 젖병을 보자마자 유리는 깨달았다. 저 여자가 이 아이의 엄마라는 걸.

"저, 그게, 그러니까."

무슨 말을 어떻게 해야 하는지 모르겠다. 머릿속이 하얘져 한마디도 하지 못했다.

"에, 으에!"

엄마의 목소리가 들렸기 때문인 걸까. 아이는 옹알이를 하며 소리가 나는 쪽으로 고개를 돌리려 했다. 문가에서 있던 여자가 얼른 다가와 아이를 끌어안았다.

"베티! 엄마 많이 기다렸니?"

아이의 이름을 들은 유리의 눈이 커졌다. 베티. 그게 아이의 이름이었다. 아르딘도, 아르디네도 아니었다. 그 사람을 닮은 사랑스러운 아이는 사라지고, 갈색 머리에 갈색 눈동자를 가진 낯선 아이만이 여자의 품에 안겨 있었다.

"아."

새삼 밀려드는 허탈함에 다리에서 힘이 풀렸다. 비틀거리다 가까스로 침대 난간을 짚으며 섰다. 여자가 놀라 눈을 크게 뜨는 것이 보였다. 상황을 설명할 여유가 없었다. 방금 자신이 본 것이 상상이라는 걸 알면서도 정신이 하나도 없었다. 터져 나오는 눈물을 참는 것이 한계였다.

"미안해요. 제가 아이를 착각한 것 같아요."

자신이 무슨 말을 하는 줄도 모른 채 입을 열었다. 가슴 찢어지는 상실감에 목소리가 덜덜 떨렸다. 그러니까, 그 아이는 영영 볼 수 없는 것이다. 아빠를 닮았을 그 예쁜 아이는, 영원히 만날 수 없는 것이다.

"미안해요. 제가 아이를, 착각했어요. 제 아이인 줄 알고, 그러니까, 그게."

"네?"

"윽, 으흑, 미안…… 미안해요."

미안하다는 말은 대체 누구에게 하고 싶었던 걸까. 유리는 결국 눈물을 참지 못하고 입을 틀어막았다. 맺힐 사이도 없이 후드득 떨어지는 눈물에 여자의 얼굴에 당황이 어렸다.

"저, 괜찮으세요?"

"미안해요."

유리는 손이 하얗게 질릴 정도로 침대 난간을 움켜쥐었다. 제대로 사과도 못 한 채 비틀거리며 방 안을 나왔다. 더는 그곳에 있을 자신이 없었다. 아이의 옹알거림이, 어린아이 특유의 젖비린내가 가시가 되어 그녀를 찔렀다.

"아이를 착각했다니, 그게 대체 무슨 소리람."

베티의 엄마, 리사는 당혹스러움을 삼킨 채 닫힌 문을 바라보았다. 아이에게 줄 분유를 타고 돌아와 보니 낯선 여자가 베티의 침대 옆에 앉아 있었다. 깜짝 놀라 다가가려는데, 여자가 갑자기 '아르디네, 아르딘'라는 이름을 부르더니 눈물을 뚝뚝 흘리기 시작했다. 보고 싶다는 말이 듣는 사람의 가슴이 미어질 정도로 아팠다. 차마 그 여자를 말릴 생각도 못 하고 그저 보고만 있었다.

"아르디네라. 그게 그 여자분 딸아이 이름일까?"

아르디네. 참 어여쁜 이름이었다. 보고 싶다는 걸 보면 아이에게 무슨 일이 생긴 것 같았다. 베티를 달래면서도 리사는 여자가 사라진 쪽에서 눈을 떼지 못했다. 대체 얼마나 가슴 아픈 일이 있었으면 저리도 서러이 눈물을 쏟나 싶었다. 뒤따라가 묻고 싶었지만 그녀에겐 불가능한 일이었다.

"밖에 나갈 수 없는 게 참 불편하구나."

리사는 답답한 마음에 짧은 한숨을 내쉬었다. 그녀를 저택에 데려온 루한은 저택에 머무는 내내 최대한 다른 이의 눈에 띄지 않기를 요구했다. 하여 마음대로 저택을 돌아다닐 수도 없었다. 아이의 분유를 다른 이에게 부탁하지 못하고 리사가 직접 준비한 것은 그 때문이었다. 딱히 루한이 원망스럽지는 않았다. 지금 루한과 그녀는 계약 중이었으니까. 리사가 원하는 걸 얻기 위해 루한의 요구에 따르는 건 당연한 일이었다.

"베티야. 일단 우리는 맘마 먹자……. 어라?"

베티를 침대에 누이려던 리사가 눈을 깜빡였다. 침대 위에 분유를 타러 가기 전까지만 해도 없던 물건이 떨어져 있었다. 물건을 내려다보던 리사가 고개를 갸웃하며 그것을 집어 들었다.

"이건…… 펜던트잖아?"

*

    리사의 방에서 나오자마자 유리는 도망치듯 아델바오르 저택을 떠났다. 엘레나에게는 저택의 고용인을 통해 몸이 많이 좋지 않으니 다음에 보자는 말만 겨우 전했다. 그 작은 행동에도 기력이 전부 빠져나간 듯 탈진을 해서 마차도 겨우 타고 돌아올 정도였다. 유리는 그 뒤로 꼬박 이틀을 앓아누웠다. 어린 아기를 본 것만으로 힘든 일인데, 그 아이를 제 아이로 착각까지 했으니 후폭풍이 상당했다. 속이 뒤집혀 먹는 음식마다 전부 게워냈다. 밤엔 갑자기 열이 위험할 정도로 올라 가문의 의사가 달려온 적도 여러 번이었다. 결국 유리가 완전히 침대를 벗어난 것은 황궁 연회 바로 전날이었다.

    몸 상태가 썩 좋지는 않았지만 무도회 준비를 더 미룰 수는 없었기에 자리에서 일어났다.

    —약하고 음식을 보냈으니까 잘 챙겨 먹어. 살이 너무 빠지면 곤란하다고. 드레스가 헐렁해지니까.

    유리가 아프다는 소식을 들었을 때 바론은 선심이라도 쓰듯 의사들을 보냈다. 주변에서는 약혼녀를 걱정하는 황자 전하의 모습이 멋지다고 치켜세웠지만 유리의 반응은 싸늘했다. 바론이 걱정하는 건 유리의 건강이 아니었다. 그저 '약혼녀의 성공적인 데뷔'뿐이었다.

    —혹시나 치수를 조정해야 되면 말해. 디자이너를 보낼 테니까. 솜씨가 좋은 자이니 하룻밤이면 충분히 처리를 할 수 있을 거야. 너무 마르면 볼품없단 말이지. 바론의 불만에 결국 유리는 다 낫지도 않은 몸으로 드레스를 입고, 치수를 조정했다. 힘이 없어 휘청거리는 그녀를 지나가 겨우 부축하였다. 죽은 아이 때문에 아파 놓고 그

아이를 죽게 만든 자를 위해 드레스를 입는 제 행동이 기가 막혀 유리는 그저 웃음만 나왔다. 웃는 낯 아래로 가슴에선 피 울음이 맺혔다.

─좀 마른 감이 있지만 괜찮아. 아주 훌륭해. 이 정도면 충분히 주인공이 될 수 있을 거야. 그 자식이 네 모습을 보고 얼마나 멍청한 표정을 지을지 궁금해. 자기가 주최한 연회에서 내 여자가 빛나는 걸 구경만 해야 한다라. 큭. 얼마나 속이 타겠어?

기가 막힌 건 그뿐만이 아니었다. 마지막 점검을 위해 찾아온 바론의 말을 듣는 순간 눈앞이 아득해졌다. '황자의 약혼녀'가 카사르에게 반가운 존재는 아닐 거라 짐작은 했지만, 제 데뷔 무도회조차 그를 공격하는 수단으로 쓰일 줄은 상상도 못 했다.

─아살론 사교계는 다들 목이 빠져라 네 데뷔를 기다리고 있어. 그 데뷔를 황궁 연회에서 한다는 게 얼마나 엄청난 일인지 알아? 그것도, 일개 사생아가. 전무후무한 일이라고. 그 전무후무한 일을 만들어 낸 게 나고. 무슨 뜻인지 알아듣지?

바론은 마치 빼기기라도 하듯 제 공을 자랑했다. 널 돋보이게 해주었으니 감사의 절이라도 해야 되는 거 아니냐며 농을 던졌다. 전부 헛소리였다. 바론은 자신을 사랑하는 것이 아니라 소유하는 걸 즐기는 것뿐이었다. 진정한 사랑이 무엇인지 경험했고, 그 사랑을 위해 목숨까지 바치려는 유리에게 바론의 행동은 껍데기에 불과했다.

─정말 고마워요. 바론. 역시 내겐 당신만 있으면 돼요. 사랑해요.

그러나 유리는 상관하지 않았다. 그녀가 그에게 보여 주는 모습도 어차피 전부 껍데기뿐이었다. 그 안에 감춰져 있는 것은 날카로운 칼날이었다.

잔뜩 열이 올라 온몸이 지끈거리는 와중에도 유리는 몇 번이나 그에게 입을 맞추고 사랑을 속삭였다. 몸이 아파 제대로 서 있지도 못하는 와중에도 약혼녀가 보이는 충만한 애정에 바론은 싱글벙글 웃었다. 늘 그렇듯, 그의 약혼녀가 보여 주는 완벽한 복종은 쾌감의 원천이었다. 복종 뒤에 숨어 있는 것이 무엇인지는 상상도 못한 그의 웃음은 더욱 진해질 따름이었다.

어느새 연회 당일이 다가왔다. 유리는 그 전날 밤에도 통증 때문에 밤에 잠을 거의 자지 못했다. 그래도 쉴 틈도 없이 새벽부터 움직여야 했다. 연회에 참석하기 위해서는 해야 할 일이 정말 많았다. 너무 지쳐 금방이라도 쓰러질 것 같았지만 유리는 이를 악물고 악착같이 견뎠다. 더 한 것도 참아냈는데 이 정도도 견디지 못한다면 말이 되지 않았다.

"어머, 공녀님. 정말 아름다우세요."

"흰 드레스가 머리색과 정말 잘 어울리세요. 보석은 전하께서 보내 주신 거지요?"

"와, 이렇게 귀한 걸? 공녀님, 정말 부러워요. 오늘 최고의 데뷔 무도회를 맞이하게 되실 거예요!"

하녀들은 유리의 치장을 돕는 내내 그녀를 추켜세우기 바빴다. 유리에게 침을 뱉고 욕을 하던 과거는 홀랑 잊은 듯했다. 평소라면 싹 무시하고 지나의 손만 빌렸겠지만, 무도회 치장엔 아무래도 능숙한 손길이 필요한지라 그들의 도움을 받아들였다.

마음이 콩밭, 아니 유리에게 총애받을 욕심에만 가 있어서 그런지 그들이 할 줄 아는 건 아부 떨기밖에 없었다. 유리의 상태가 최악이라는 건 전혀 눈치채지 못했다. 그런 인간들의 도움은 받지 않느니만 못하기에 유리는 혼자 통증을 삭혔다. 어제는 머리가 깨질 것처럼 아프더니 오늘은 물도 못 마실 정도로 속이 쓰렸다. 그 와중에 지나만이 중간중간 걱정스러운 얼굴로 유리의 상태를 물었다.

"공녀님, 약 좀 드세요. 안색이 너무 안 좋으세요."

눈코 뜰 사이 없이 바쁜 와중에 잠시 짬이 생겼다. 유리는 드레스를 입은 채로 의자에 기대어 쉬고 있었다. 속이 헤집어질 때마다 마른침을 삼키며 통증을 다스리는데, 지나가 어디에서 났는지 약 한 병을 내밀었다.

"기력이 회복되는 약이에요. 아는 의사분께 공녀님 증상을 말씀드렸거든요. 특별히 좋은 약으로 챙겨 주셨어요."

사실 유리에게 약이 없는 건 아니었다. 황궁의가 직접 조제한 효과 좋은 약들이 널려 있었다. 문제는 그 약이 바론이 보낸 것이라는 데 있었다. 유리는 그자가 주는 약으로 통증을 회복시키고 싶은 생각은 추호도 없었다. 귀중한 약들은 전부 쓰레기통으로 직행했다.

"고마워. 잘 마실게."

하지만 지나가 내미는 약은 그럴 필요가 없었다. 유리는 희미하게 웃으며 약을 받아들였다. 주인을 생각하는 소녀의 호의가 참 고마웠다. 약의 효과는 크게 기대하지 않았다. 효과가 좋은 약은 비싸기 마련이었고, 아직 어린 지나에게 그리 큰 돈이 있을 것 같진 않았다.

'어? 약효가 이렇게 빠를 수가 있나?'

한데 이상했다. 지나가 준 약은 유리의 예상보다 훨씬 약효가 좋았다. 달달한 약의 맛이 채 가시기도 전에 속이 편해졌다. 시간이 지날수록 유리의 놀라움은 더욱 커졌다. 지난 이틀간 그녀를 괴롭힌 두통까지 사라진 것이다. 한결 가뿐해진 몸 상태에 유리가 신기해하는 걸 보며 지나가 조심스레 물었다.

"효과가 좀 있으세요?"

"응, 대단한데. 정말 빨리 편해졌어."

"정말요? 아, 다행이에요."

좋아하는 지나에게 유리가 미안한 얼굴로 말했다.

"고맙긴 한데, 너무 무리한 거 아니니? 비싼 약인 것 같은데. 마음만 받을게, 지나야. 약값은 꼭 줄게."

지나가 준 약은 어릴 적 먹었던 약을 생각나게 했다.

열 살 때였나. 심한 열병에 걸려 생사를 넘나든 적이 있었다. 영지의 내로라하는 의사들조차 상태가 위중하다며 쩔쩔맸었다. 그때 유리를 구한 것이 바로 아살론 황실에서 조제한 약이었다. 친우의 딸이 아프다는 소식을 듣고 황제가 급히 약을 보낸 것이다. 대륙 최고의 의사들이 만든 약은 유리의 열병을 금세 가라앉혔다. 나중에서야 자신이 먹은 약이 한 스푼에 황금 몇 돈이 될 정도로 비싸다는 걸 알게 되었다.

"효과가 있어 다행이에요. 정말 좋은 약인 건 맞는데요, 돈 주고 산 건 아니에요. 의사를 소개해 주신 분이 저를 많이 아끼시거든요. 공녀님께서 제게 잘해 주신다고 하니 특별히 좋은 약으로 구해다 주셨어요."

생긋 웃는 지나의 모습에도 유리는 의심을 버리지 못했다. 지나는 약값을 꼭 주겠다는 공녀의 말을 연거푸 거절하며 웃었다.

정말 돈을 받을 이유가 없었다. 그 약은 카사르가 준 것이었으니까. 프리우스 공녀가 앓아누웠다는 보고를 하자마자 황실에서 약이 도착했다. 공녀가 단 걸 좋아한다며 맛을 특별히 달콤하게 바꾸기까지 했다고 했다. 바론의 약혼녀에 대한 카사르의 호의는 얼핏 의아한 구석이 있었으나, 지나는 일말의 의문도 품지 않았다.

지나는 비야였으니까. 자고로 비야란 카사르를 향한 절대적인 복종으로 움직이는 집단이었다. 죽으라는 명이 내려온다면 망설이지 않고 목숨을 끊고, 만일 주인께서 죽기를 바라신다면 가장 확실한 자진 방법을 찾아 바칠 것이다. 그 정도로 비야의 충성심은 맹목적이었다. 카사르의 비야로 수년간 살아온 지나에게도 카사르의 말은 곧 하늘이었다.

'그런데 왜 약이 달아야 하지? 프리우스 공녀가 단 걸 좋아했나?'

다만 궁금한 건 하나 있었다. 지난 몇 주간 공녀를 바로 곁에서 지켜보았음에도 그녀가 단 음식을 즐기는 걸 한 번도 본 적이 없었다. 오히려 커피나 홍차 같은 씁쓰레한 음식을 즐겼다.

'뭐, 다 이유가 있겠지.'

지나는 편하게 생각하기로 했다. 전하께서 하시는 일에 이유가 없을 리 없었다. 적이 될 것이 분명한 공녀의 데뷔를 신경 쓰시는 것에도 사정이 있을 터였다. 그것이 변덕이든, 함정이든, 지나에게는 신경 쓸 필요도, 자격도 없었다. 그저 충성하면 그만이었다.

*

연회가 열리는 베니아궁은 황궁에 있는 열한 개의 궁 중 가장 크기가 컸다. 황실 연회를 위해 건축된 건물이었기 때문이었다. 황실 연회는 대대로 황제가 주관했다. 자연스레 아살론의 그 어떤 연회보다도 규모가 컸다. 귀족 가문에서 주관하는 연회의 경우, 반대 계파의 귀족들은 참석하지 않았다. 귀족들은 어느 쪽 연회가 자신에게 이익일지 철저하게 계산하여 연회에 참석했다.

반면 황실 연회는 참석 여부에 계산기를 두드릴 필요가 없었다. 참석이 무조건 이익이었던 것이다. 아살론에서 귀족 지위를 가진 사람이라면 누구나 초대장을 받길 바랐다. 초청장을 받는 것도 쉬운 일은 아니어서, 작위가 낮은 귀족들은 회장에 발이라도 들이기 위해 온갖 인맥을 동원했다. 그들이 절실한 이유는 당연히, 단순히 친교를 나누기 위함이 아니었다. 인간에겐 어떻게든 지금보다 높은 자리에 올라가려는 본성이 있었다. 그 욕구를 충족시키기 위한 수단 중 하나가 바로 권력자들과 줄을 잇는 것이다. 지위가 낮든 높든 그 욕구엔 예외가 없어서 연회 곳곳에선 권력자들을 향한 소리 없는 싸움이 벌어졌다.

그런 의미에서 황실 연회는 차림새만 기품 있을 뿐 기실 야생 동물들이 날뛰는 정글과 다름없었다. 황실 구성원들조차 예외는 아니었다. 카사르는 명실공히 그 권력 구도의 정점에 서 있었다. 오랜 지병으로 인해 황제가 연회에 얼굴만 비추고 연회를 떠나기 시작한 후부터는 더욱 그랬다. 카사르를 제외하면, 다른 이들은 그의 권력을 탐내는 승냥이에 가까웠다.

"태자 전하가 오셨어."

"오늘은 우릴 좀 봐주실까?"

"춤이라도 좀 추셨으면 좋겠는데. 어쩜 저리 단호하신지."

아니나 다를까. 카사르는 오늘도 주변의 시선을 독점하고 있었다. 꽃처럼 치장한 귀족 영애들은 어떻게든 그의 시선이라도 받고자 주변을 맴돌았다. 그건 젊은 영식들도 예외는 아니어서, 차기 황제가 될 그에게 조금이라도 잘 보이기 위해 노력하였다. 정작 카사르는 그들의 관심이 마뜩잖았다. 영식들의 미래는 윗사람에게 얼마나 잘 보이느냐가 아니라 그들의 실력이 결정하는 것이다. 실력을 키우는 건 뒷전인 채 제 핏줄과 작위만 믿고 권위를 내세우는 치들을 그는 가장 혐오했다. 그러한 사고방식은 황족으로 태어났음에도 불구하고 생존을 위해 치열하게 싸워 온 그의 삶 때문인지도 몰랐다.

젊은 영애들의 호의 역시 별로 달갑지 않았다. 그 나이대 여인들이 혼기가 꽉 찬 황태자를 어떤 시선으로 볼지는 너무도 뻔했다. 연모의 정, 혹은 태자비 자리에 대한 야망이리라. 그들은 그가 사랑하는 여자가 따로 있다는 걸 알면서도 그 욕심을 버리지 못했다.

카사르는 연회의 중심에서 한 걸음 물러나 벽에 기댔다. 그는 평소에도 북적이는 걸 싫어하여 연회가 무르익을 무렵이면 늘 뒤로 빠지곤 했다. 그 모습을 두고 바론은 연회란 제국의 모든 걸 알아야 하는 황족에게 가장 필요한 자리라며, 저토록 기피하고 겁내는 게 황태자냐고 빈정댔다. 하지만 진짜 쓸모 있는 정보는 술 반, 음악 반인 연회에서 나오는 게 아니었다.

그의 생각을 뒷받침하기라도 하던 알짜배기 거물들은 삼삼오오 모여 그들만의 리그를 형성 중이었다. 멀찍이 자리를 잡은 카사르는 간간이 그들과 눈이 마주칠 때 잔을 들어 올리는 것으로 인사를 대신했다. 예전 같았으면 그들을 제 편으로 만들기 위해 적극적으로 대화에 임했을 것이다. 하지만 이제는 굳이 그럴 필요가 없다. 이미 백작 이상의 고위 귀족들 중, 칠 할이 넘는 자들이 카사르를 지지하고 있었다. 나머지는 설령 카사르가 목숨을 구명해도 바론에게 충성을 바칠 골수분자들이었다. 후계 싸움이 여태 팽팽해 보이는 것은 기존 드펜의 세력이 워낙 강했기에 그럴 뿐, 실제로 대세는 완벽하게 기울어져 있었다.

"멜로나 영애, 성년식은 잘 치렀어요?"

"네, 아버지께서 축하 선물을 주셨어요."

"와! 뭐예요? 보석? 드레스?"

"그게 말이죠, 실은요……."

시간이 갈수록 연회의 분위기는 무르익었다. 연회의 목적이 무엇이든, 춤과 음악은 사람의 마음을 들뜨게 하기 마련이었다. 근처에서 와인을 좀 마신 듯, 두 볼이 발갛게 상기된 영애들이 까르르 웃음을 터트렸다. 조약돌이 굴러가듯 발랄한 웃음소리에 카사르의 입가에 저도 모르게 쓴웃음이 맺혔다.

'성년식이라. 유리와 별 나이 차이가 안 나겠군.'

사실 그가 연회를 멀리하는 가장 큰 이유는 따로 있었다. 바로, 유리였다. 연회장엔 그녀를 떠올리게 만드는 여인들이 너무 많았다. 나이가 지긋한 귀부인들은 연회 초반에만 자리를 지키다가 살롱에서 모여 따로 대화를 나누었지만, 젊은 영애들은 달랐다. 짝을 찾는 공작새인 양 한껏 치장한 채 자신의 아름다움을 뽐내곤 했다. 온실 속의 화초로 곱게 자란 티가 나는 그들을 보다 보면 자연스레 그들 또래이면서도 정반대의 삶을 살았을 유리가 생각났다. 결코 쉽지 않은 상황에서 그를 사랑해 주었던 그 여자가 사무치게 그리웠다. 모든 것을 해 줄 수 있는 지금, 아무것도 해 줄 수 없다는 게 너무 아팠다. 하여 황궁 연회는 늘 그에게 견디기 힘든 자리였다.

카사르는 한숨처럼 짧게 웃으며 테이블 위 와인잔을 집어 들었다. 취기가 돌면 심란한 마음이 좀 가라앉을까 싶어서였다. 와인잔의 차가운 촉감과 함께 레드 와인의 씁쓰레한 맛이 식도를 타고 넘어갔다. 단번에 잔을 비운 그가 쓰게 웃으며 입가에 묻은 와인을 닦아냈다.

"역시나 한 잔으론 어림도 없군."

이럴 때 필요한 건 와인이 아니라 독한 보드카였다. 카사르는 새 와인을 입에 대는 대신 찬물을 들이켰다. 그리움에 짙어졌던 푸른 눈동자가 침착함을 되찾아갔다.

수많은 연회 중 그는 취한 적이 한 번도 없었다. 연회 때마다 술을 핑계로 행패를 부리는 황족은 바론으로 족했던 것이다. 바론은 카사르가 황실 연회를 이끈 후부터 연회 때마다 난장을 치고 다녔다. 천출이 황태자라니 말이 되느냐며 욕을 퍼붓곤, 술기운에 한 실수라며 시침을 뗐다. 이전 연회 땐 호위 기사들의 칼을 빼앗아 휘두르기까지 했다. 기사들은 감히 황족의 몸에 상처를 입힐까 제대로 된 반격을 못 했다. 기사 둘이 피를 본 뒤에야 소식을 듣고 달려온 카사르가 직접 나서 바론은 제압할 수 있었다.

'설마 오늘도 그따위 짓을 하진 않겠지.'

기실 카사르는 바론이 취하든 말든 신경 쓰고 싶지 않았다. 바론이 술을 먹고 뭐라 지껄이든 흘려들으면 그만이었다. 다만, 기사들의 안전은 염려가 되었다. 바론은 저보다 신분이 낮은 자들은 사람 취급 하지 않으며 함부로 손을 놀렸다. 그따위 인간 때문에 제국에 일생을 바친 젊은 청춘들이 또다시 피를 흘리는 건 절대로 사양이었다.

'약혼녀 데뷔 무도회이니 오늘은 잠잠하겠지.'

뭐, 오늘은 간만에 평화로운 연회가 될 것 같았다. 바론은 제 사람에게 둘러싸인 채 뭐가 즐거운지 연신 웃음을 터트렸다. 연회에서 바론이 저리 웃는 건 정말 오랜만이었다. 그가 기꺼운 건 모두 그 옆에 선 약혼녀 때문일 터였다.

"리디아 프리우스라."

낮게 가라앉은 푸른 눈동자가 바론의 곁에 선 흑발의 여인을 응시했다. 리디아 프리우스. 바론의 약혼녀였다. 리디아에 대해 들으며 그는 나름 그녀의 모습을 상상해 왔다. 바론을 속이고, 미하엘을 물 먹였으며, 저를 무시하던 하인들을 무릎 꿇렸다는 보고엔 계략가, 혹은 여장부 이미지를 떠올렸다. '그 바론'이 푹 빠져 매일같이 저택 문턱을 드나든다는 소식엔 눈짓 하나하나에 색기가 넘치는 요부를 상상했었다. 그런데 막상 마주한 리디아 프리우스는 그의 예상과는 전혀 달랐다.

그저, 꽃 같았다. 화려한 장미나 백합이 아니라 한 송이만 곱게 피었다가 고요히 꽃잎을 오므릴 들꽃, 그것이 공녀를 본 첫인상이었다.

'전하. 리디아는 바론 전하껜 너무 아까워요. 정말 잘 자랐더라고요. 어떻게든 파혼을 도와주시면 안 될까요?"

이틀 전, 리디아와의 재회 후 엘레나는 그에게 리디아에 대한 칭찬을 늘어놓았다. 태자 전하와의 만남을 주선해 볼 테니 파혼을 도와달라는 부탁까지 했다. 정치적 이유가 아닌, 아끼는 동생이 더 나은 짝을 만나길 바라는 순수한 호의 때문이었다.

학자 출신인 엘레나는 관찰력이 좋고 판단이 빠르면서도 통찰 능력이 뛰어났다. 자연스레 사람을 보는 안목도 있어 루한은 중요한 모임에 엘레나를 동반하곤 했다. 가끔은 카사르나 루한도 알아채지 못한 상대의 특성을 잡아내기도 했다. 그런 엘레나가 리디아에 대해 입에 침이 마르게 칭찬을 했다.

카사르의 물끄럼한 시선이 다시 한번 공녀에게로 맺혔다. 대체 그 짧은 만남에서 무엇을 본 걸까. 여자의 무엇이 엘레나의 마음을 움직인 건지 확인하고 싶었다.

'외모는 확실히 아름답긴 하군. 하긴, 바론이 탐을 냈으니 당연한 건가.'

사실 오늘의 치장은 그녀에겐 별로 어울리진 않았다. 깨끗한 인상의 여인에게 바론의 과시욕이 담긴 치렁치렁한 보석들은 과해 보였다. 그럼에도 여자가 아름다워 보이는 건, 그 맑은 눈동자 때문이었다. 말간 눈동자가 무척이나 선해 보였다.

'어쩌면 엘레나의 칭찬이 저 눈빛 때문일지도 모르겠군.'

공녀의 매력은 그뿐만이 아니었다. 곱게 틀어 올린 흑발 아래로 오밀조밀한 이목구비가 어여뻤다. 그 이목구비가 부드러운 미소를 만들어 낼 때면 주변의 탄성이 여기까지 들리는 것 같았다. 유려한 목선 아래로 드러난 어깨는 눈이 부실 정도로 희었다. 샹들리에의 빛이 여자에게로만 쏟아지는 것 같았다.

그리고 불편했다. 공녀를 응시하던 카사르가 얼마 가지 않아 시선을 돌렸다. 그냥, 불편했다. 왜인지 저 여자를 보고 있으면 가슴 한쪽이 싸하게 아팠다. 카사르가 무심한 얼굴로 주먹을 움켜쥐었다. 심장이 욱신거렸다. 유리가 제 곁에서 홀로 눈물지을 때마다 느끼던, 바로 그 아픔이었다.

'왜 하필 바론의 약혼녀 따위에게.'

카사르는 쓰게 웃으며 두 번째 와인잔을 집어 들었다. 그는 지금 어처구니없게도 바론의 약혼녀에게서 유리를 느끼고 있었다. 공녀의 미소가 너무도 슬퍼 보였기 때문이었다. 말도 안 되는 생각이었다. 데뷔 무도회를 맞아 가장 기뻐해야 할 여자가 왜 슬퍼한단 말인가. 머리로는 그리 생각하면서도 그에겐 그 여자가 울지 못해 웃는 것처럼 보였다. 그의 품에 안겨 울던 유리가 애써 괜찮다며 짓던 미소, 손끝으로 느끼며 상상만 하던 바로 그 미소가 자꾸만 떠올랐다.

"인생 참 알 수 없어. 바론 전하가 사생아에게 목을 맬 날이 오다니."

"어쩌면 프리우스도 저 여자 것이 될지 몰라."

"공녀는 팔자 핀 거지."

참 이상한 일이었다. 공녀의 슬픔을 눈치챈 건 그뿐인 것 같다. 회장의 누구도 여자가 슬퍼 보인단 말을 안 했다. 세상에서 가장 행복한 여인일 거라며 부러워했다. 심지어 바론조차 숨은 눈물을 보지 못하고 있는 것 같았다. 그는 답답한 마음에 소리라도 치고 싶었다. 저 여자가 울고 있는 게 보이지 않느냐고, 미친 짓이라는 걸 알면서도, 홀로 괴로워하던 유리가 떠올라 자꾸만 발이 들썩거렸다.

"정신 좀 차려야지. 안 되겠군."

결국 그는 세 번째 와인잔을 집어 들었다. 눈물은 무슨, 헛생각이 틀림없었다. 그는 제 생각을 망상 취급했다. 이럴 때일수록 술이 필요했다. 취할 걱정은 하지 않았다. 유리가 그리울 땐 아무리 마셔도 취하지 않았다.

"전하, 벌써 세 잔째 아니십니까?"

불쑥 옆에 나타난 루한의 말에 카사르가 피식 바람 빠지는 웃음 소리를 냈다. 보고 있는 사람이 없는 줄 알았더니, 역시나 녀석은 제 주량까지 체크하고 있었다.

"왔어?"

"뭐 마음 쓰이는 일이라도 있으십니까?"

공식적인 자리인 만큼 루한은 카사르에게 공대를 했다. 그래도 두 사람 사이에서 느껴지는 친밀감은 숨길 수 없었다. 어떻게든 카사르와 말이라도 섞어보려 했지만 눈치만 보다 실패했던 영식들의 눈에 부러움이 어렸다. 그들에겐 루한이 이 연회장에서 가장 성공한 인생을 살고 있는 것처럼 보였다.

"건배."

카사르는 대답 대신 싱긋 웃으며 잔을 내밀었다. 챙그랑, 맑은 소리와 함께 잔이 부딪쳤다. 물끄러미 카사르를 보던 루한이 낮은 목소리로 물었다.

"혹시 오늘 무도회가 불편하신 게 그분 때문입니까?"

"영애들을 보니, 또 생각이 나시는 겁니까?"

거듭 이어지는 물음에도 카사르는 말없이 픽 웃기만 했다. 아무말도 하고 싶지 않았다. 유리에 대한 그리움은 그 혼자 감당해야 할일이었다. 솔직히 말해 봐야 서로 감정만 상할 터였다.

"아니야. 컨디션이 별로 좋지 않아."

루한은 카사르가 유리 때문에 괴로워하는 걸 볼 때마다 아픈 사랑을 그만두라며, 제발 좋은 여인들에게 눈을 돌리라며 사정을 했다. 평소 같으면 저를 걱정해서 하는 말이려니 하고 넘기겠지만 오늘은 그럴 자신이 없었다. 오늘따라 그녀를 향한 그리움이 유독 짙어, 아주 작은 말도 예민하게 받아들일 것 같았다.

"전하께서 심란하신 것이 혹시 프리우스 공녀 때문입니까?"

그런 카사르의 마음을 뻔히 알면서도 루한은 계속 그의 속을 캤다. 더 부정해 봐야 소용없을 것 같아 카사르는 묵묵히 술잔만 기울였다. 얼핏 공녀가 예의 '그 미소'를 짓고 있는 것이 보였다. 명치가 욱신대는 느낌에 그가 미간을 구긴 채 시선을 내리깔았다.

"공녀의 데뷔가 예상보다 훨씬 성공적이라 신경이 쓰이십니까?"

프리우스 공녀의 성공적인 데뷔 때문이라. 절반은 맞고 절반은 틀린 말이었다. 그는 딱히 공녀의 데뷔가 실패하길 바란 적이 없었다. 오히려 한시라도 빨리 그녀가 어떤 사람인지 확인하고 싶었다. 오죽했으면 아프다는 공녀에게 약까지 보냈겠는가.

공녀를 실제로 보기 전까지만 하더라도, 그녀에 대한 이미지는 종잡을 수가 없었다. 자해를 해서 황자를 속이는 대범함, 여러 번 삶을 포기했던 과거, 죽은 어머니를 그리워하며 눈물을 쏟더란 보고, 엘레나의 극찬까지⋯⋯.

그는 여러 모습을 가진 여자를 제 눈으로 확인하고 싶었다. 게다가 만일 데뷔가 무산될 경우 그녀가 바론의 화풀이 대상이 될 거란 걱정도 되었다. 그래서 약을 보냈다. 비록 정적의 약혼녀지만 그는 공녀가 싫지 않았다. 싫어할 이유도 없었다. 그 여자에게는 죄가 없었으니까. 후계 싸움이 계속되다 보면 필연적으로 칼을 겨눠야 할 순간이 올 수밖엔 없겠지만, 아직은 아니었다.

'약을 괜히 보낸 건가.'

한데 막상 공녀를 보자 약을 보낸 게 후회가 되었다. 카사르는 쓰게 웃으며 공녀를 응시했다. 제 선택이 후회될 정도로 저 여잔 자꾸만 그의 마음을 뒤흔들었다. 그 모습을 유심히 지켜보던 루한이 불쑥 물었다.

"혹시 프리우스 공녀에게 관심이 있으십니까?"

"……뭐?"

"말 그대로입니다. 프리우스 공녀에게 이성적인 매력을 느끼십니까?"

이건 또 무슨 소린가. 황당해하는 카사르를 바라보는 루한은 마냥 침착했다. 상대의 의중을 탐색이라도 하듯 바라보던 카사르가 미간을 좁혔다.

"설마 지금 나보고 형제의 약혼녀에게 반했냐, 그걸 묻는 거야?"

"반하면 안 됩니까?"

"뭐?"

"형제의 약혼녀를 탐하면 안 됩니까?"

루한은 그게 대체 무슨 문제냐는 듯 여상히 되물었다. 말도 안 되는 소리를 서슴없이 지껄이는 그 모습에 카사르의 입매가 일그러졌다.

"무슨 헛소리야. 저 여자 바론과 약혼했어. 잊었어?"

"약혼을 했지만, 성혼을 하지는 않았습니다."

"뭐?"

"누구와 결혼하게 될지는 모른다는 거죠. 결혼 상대야 얼마든지 바뀔 수 있는 거 아닙니까?"

너무 기가 막혀 처음엔 대꾸할 말을 찾지 못했다. 루한은 얼떨떨한 카사르를 향해 빠르게 말을 쏟아 냈다.

"설령 혼인까지 가도 상관은 없습니다. 제국의 역사에서 형제의 반려를 취한 경우가 전혀 없는 건 아닙니다. 전하께서 원하시면 가지십시오. 후계 싸움에서 승리한 뒤 반려를 잃은 공녀를 거두시면 됩니다. 황후 자리를 주는 것은 좀 그렇고 적당한 궁을 하사하시고 후궁으로 삼으시면……."

"루한!"

루한의 헛소리는 카사르가 목소리를 높이고서야 끝났다. 사나운 고함에 고요한 왈츠 음악이 뚝 끊겼다. 주변의 시선이 우르르 두 사람에게 쏠렸다. 카사르가 씨근덕대며 목소리를 낮추었다.

　"지금 무슨 개소리를 지껄이는 거야."

　루한이 연회 때마다 여자 이야기로 속을 뒤집는 건 오늘이 처음은 아니었다. 카사르가 춤도 추지 않고 물러나 있을 때면, 영애들의 간절한 마음을 생각해서라도 한 번만 돌고 오라며 애원을 했다. 결국 적당히 춤을 추고 돌아오면 그중에 괜찮은 여인은 없었는지 물으며 은근슬쩍 수위를 높여갔다. 예비 황후 운운하는 말이 편치는 않았지만 친구의 걱정이려니, 넘기곤 했다. 그런데 이제는, 뭐?

　"바론의 약혼녀가 시체보다는 낫지 않겠습니까?"

　"하. 뭐라고?"

　"전하께서 그리워하시는 그 여자 말입니다. 죽었으니까 돌아오지 않는 거 아닙니까? 죽은 시체보다는 형제의 여인을 취하시는 게 훨씬 낫습니다."

　"루한, 닥쳐."

　카사르가 이를 악문 채로 말했다. 루한은 아랑곳하지 않고 말을 쏟아 냈다.

　"그 여자 죽었을 겁니다. 죽었으니까 전하께 돌아오지 않……!"

　콰직! 섬뜩한 소리와 함께 피 묻은 유리조각이 우수수 바닥에 떨어졌다. 사람들의 놀란 시선이 와락 두 사람 쪽으로 쏠렸다. 움켜쥔 손에서 뚝뚝 떨어지는 피를 본 루한의 낯이 희게 질렸다.

　"그만해. 이제."

　카사르가 픽 웃으며 말했다. 무심하게 손바닥에 박힌 유리 조각을 바라보다 두어 번 손을 털었다. 타다닥 소리와 함께 피 묻은 유리 조각들이 바닥으로 떨어져 내렸다.

"대체 누가 죽었다는 거야."

가벼운 목소리였다. 부드럽게 휜 눈동자가 마치 웃는 것처럼 보였다. 그러나 그 속에 활활 타오르는 분노의 불길까지는 숨길 수 없었다.

"내가 이렇게 살아 있는데, 살아서 피를 흘리는데, 죽기는 누가 죽어. 죽기는."

카사르가 한숨처럼 웃으며 손수건을 꺼냈다. 동여매려다 오른손이라 실패하고 대충 움켜쥐었다. 흰 손수건이 삽시간에 시뻘겋게 물들었다. 남아있는 파편들이 달군 쇠꼬챙이처럼 그의 손을 후벼팠다. 카사르는 아무것도 느끼지 않는다는 듯 무표정했다. 피를 보고 나니 머리끝까지 치솟았던 분노가 차갑게 가라앉는 것 같았다. 여상한 얼굴로 주먹을 움켜쥐는 카사르의 모습에 루한이 이를 악물었다.

"정원에서 바람 좀 쐬어야겠다. 루한. 적당히 즐기다 와라."

카사르가 루한의 어깨를 툭 치며 고개를 돌렸다. 벌써 소란이 퍼져나갔는지 연회장엔 묵직한 침묵이 내려앉았다. 악단들은 연주를 중단한 채 그의 눈치만 보았다. 수도 없이 쏟아지는 시선들을 담담히 받아내던 카사르의 눈에 잠시 그 여자가 담겼다.

제일 먼저 보인 건 치맛자락을 움켜쥔 주먹이었다. 천천히 시선을 들어올렸다. 질끈 깨문 입술, 창백하게 질린 뺨, 파르르 떨리는 녹색 눈동자가 차례로 보였다. 그 순간 내내 움켜쥐고 있던 주먹에서 그도 모르게 힘이 빠져나갔다. 많이 놀랐겠군. 카사르가 고요히 시선을 내리깔았다. 둘의 대화를 듣지는 못했겠지만 그가 흘린 피는 보았을 것이다. 여자의 데뷔 무도회를 망쳤다는 생각에 조금 미안해졌다. 회장 밖으로 걸음을 돌리는 그의 등 뒤로 낮게 가라앉은 루한의 목소리가 들렸다.

"……하도록 두진 않을 거야. 무슨 수라도 쓸 거야, 카사르."

*

"둘이 싸운 건 확실해?"

카사르가 떠나고 얼마 지나지 않아 연회는 슬슬 파장 분위기로 흘러갔다. 카사르 쪽 귀족들은 주인이 피를 보고 떠난 연회에서 웃고 떠들 생각이 없었던 것이다. 반 이상의 귀족이 회장을 떠나자 연회장은 텅 빈 것처럼 보였다. 연회 종료 시각은 한참 남았지만 분위기는 점점 가라앉아만 갔다. 간만에 주인공이 되어 희희낙락하던 바론은 자기를 엿 먹이는 방법도 가지가지라며 벅벅 이를 갈았다.

"확실합니다, 전하. 가까이에 있던 로벨이 두 사람이 하는 말을 다 들었다고 합니다. 다시는 눈앞에 나타나지 말라느니, 죽여 버리겠다느니 입에 담기도 힘든 험악한 말들이 오갔다고 했습니다."

화가 나면 주변 사람들에게 화풀이를 하는 바론의 성향을 아는 수하들은 얼른 주인의 화를 가라앉힐 소식을 들고 왔다. 카사르와 루한의 언쟁을 전한 것이다.

"분위기가 너무 살벌해서 주변 사람들은 숨도 못 쉬었다고 합니다. 심지어 전하께서 당장 백작을 죽여 버리겠다며 검까지 찾으셨답니다. 검이 없으니 주변의 유리잔을 깬 것인데, 갑자기 시선이 몰리니 그걸 휘두르기는 좀 부담이 되었나 봅니다."

"검 대신 유리 조각을 휘두른다고? 그게 말이 돼?"

"말이 안 되는 짓을 할 수밖에 없는 상황이었습니다. 태자 전하께서 당시 완전히 만취 상태였다고 하더군요."

바론의 수하들은 있지도 않은 일들을 부풀려 소설을 써댔다. 사실을 고해서 화풀이를 당하든, 멋대로 지껄이다 발각이 되든 끝은 비슷했다. 그럴 거면 일단 바론을 기분 좋게 하는 게 중요했다.

"큭, 그 새끼가 그 정도로 망가졌단 말이야?"

수하들이 바라는 대로 바론의 기분은 단번에 상승 곡선을 그렸다.

"저 혼자 잘난 듯 고고한 척은 다 하더니, 역시 천박한 핏줄은 숨길 수가 없는 거군."

카사르를 조롱하는 바론의 입매가 비릿한 미소를 그렸다. 지난 연회 때 취한 자신을 무력으로 제압하던 그 재수 없는 모습이 떠올랐다. 체통 좀 생각하라는 상대의 일갈에 속이 얼마나 꼬였는지 모른다. 그리 지껄였던 새끼가 술에 취해 피까지 본 게 무척이나 우스웠다.

"전하의 말씀이 맞습니다. 황실의 피가 흐르는 것이 맞나 싶을 정도로 천박합니다."

"술은 왜 그렇게 많이 처먹었대?"

"당연한 거 아니겠습니까? 전하의 약혼녀께서 너무도 빼어나 질투가 나 그런 거 아니겠습니까?"

바론을 모신 지 오랜 수하들은 주인이 듣고 싶어 하는 덴 도가 터 있었다. 살살 웃으며 약혼녀 칭찬을 하는 그들의 모습에 바론의 입가엔 만족스러운 미소가 맺혔다.

"오늘 얘가 꽤 괜찮긴 했어."

그는 실긋 웃으며 곁에 앉은 유리를 끌어안았다. 허리를 꼿꼿하게 세우고 있던 유리가 자연스레 그에게 어깨를 기대었다. 그녀의 안색이 유독 창백하게 느껴졌지만, 긴장 때문이라 생각한 바론은 여상히 넘겼다.

"역시 내 선택이 옳았어. 네가 이렇게나 빨리 그 새끼 속을 뒤집어 줄 줄이야."

바론이 진하게 웃으며 유리의 허리를 끌어안았다. 첫 등장만으로 카사르에게 타격을 준 이 여자가 오늘따라 더욱 예뻐 보였다. 유리가 배시시 웃으며 그의 어깨에 얼굴을 묻었다. 훌쩍 가까워진 살내음에 낭창한 허리를 지분대는 손길은 더욱 은밀해졌다. 부끄럽다며 수줍어하는 그녀의 주먹이 하얗게 질려 있다는 건, 아무도 몰랐다.

"그나저나 둘이 싸운 이유는 뭔데?"

"짐작하시는 그대롭니다. 여자 문제 말고 둘이 갈등할 이유가 또 있겠습니까?"

"푸핫, 그게 정말이야?"

바론은 큰 소리로 웃음을 터트렸다. 카사르와 루한. 친형제처럼 붙어 다니는 둘이 갈등할 이유야 뻔했다. 유리라는, 그 천한 계집 때문일 터였다. 오늘 연회가 즐거울 거라 예상은 했지만 이건 기대 이상의 성과였다.

"그 여자 진짜 끝내주네. 다시 만나면 손에 뭐라도 쥐어 줘야겠어. 푸하하!"

카사르와 루한이 서로 갈라진다는 상상만으로도 실실 웃음이 나왔다. 바론의 수하들은 주인이 웃는 정확한 이유도 모른 채 "예, 그러셔야죠. 그 여자도 전하의 높은 은혜에 감동할 겁니다."하고 지껄였다. 죽은 계집에게 은혜 운운하는 꼴이 웃겨 바론은 배를 잡고 웃었다.

"높은 은혜? 나한테? 푸하하!"

바론의 수하 중 그 계집이 죽었다는 것을 아는 사람은 전혀 없었다. 계집을 처리한 자객들도 입단속을 하기 위해 모두 죽였다. 마음 같아서는 온 천하에 그 여자가 죽었다는 걸 알리고 싶었지만 아직은 때가 아니었다. 카사르의 세력이 막강한 지금 섣불리 그 계집이 죽었다는 걸 밝혔다간 역풍만 맞고 말 것이다.

"그래, 나한테 은혜를 갚아야지. 내가 얼마나 많은 걸 알려주었는데."

바론은 연신 킬킬거리며 중얼거렸다. 아직은 때가 멀었다는 걸 알면서도, 땅속에 묻혀 있을 계집의 시체를 카사르 앞에 들이밀고 싶었다. 이 재미있는 걸 혼자만 알려니 영 아쉬운 게 아니었다.

'뭐, 조만간 다 터트릴 테니까. 얼마 남지 않았다고.'

앞으로도 카사르와 루한의 사이는 더욱 벌어질 것이다. 카사르는 죽은 여자를 포기하지 못하고, 루한은 그런 카사르를 포기하지 못할 게 분명했다. 리디아의 성공적인 데뷔에 둘 사이의 갈등의 골은 더욱 깊어질 터였다.

"리디아, 우리 빨리 국혼을 치러야겠어."

겨우 약혼으로도 이리 들썩이는데, 확 결혼해 버리면 어떨지 벌써부터 기대되었다.

"그래야 네가 내 아이를 갖게 될 테니까."

바론이 진하게 웃으며 유리의 목덜미에 얼굴을 묻었다. 유리가 희게 웃으며 그의 머리를 쓰다듬었다. 순식간에 농밀해지는 분위기에 눈치 빠른 수하가 얼른 방을 나갔다.

툭, 문이 닫히는 소리와 함께 유리의 얼굴에서 미소가 사라져 갔다.

"아들을 낳아. 그래서 그 아이를 내 후계자로 만들어. 그 새끼가 쥐고 있는 왕관을 빼앗아 올 수 있도록."

짙은 탐욕이 일렁이는 목소리에 녹색 눈동자가 텅 비어갔다. 홧홧해진 눈가에선 어느덧 눈물이 고였다. 뜨거운 입술이 여린 살을 세게 물고 빨아들였다. 유리가 살짝 진저리를 치며 떨었다. 바론은 유리의 긴장을 눈치채고는 킬킬 웃었다.

"걱정하지 마. 지금 널 안지는 않을 거니까. 약속했잖아? 혼인이 확정될 때까지 미루기로."

유리와 교제한 지 반년이 지났지만 바론은 아직 그녀와 밤을 보낸 적이 없었다. 제 자식이 저와 같은 사생아가 되는 게 두렵다며, 혼인 때까지 관계를 참아 달라는 그녀의 부탁이 있었기 때문이었다. 그 두려움에 딱히 공감하는 건 아니었지만, 바론은 그녀가 바라는 대로 해 주고 있었다. 그가 제 여자를 위해선 무엇이든 할 수 있는 로맨티스트여서는 절대 아니었다.

"정말이야. 어차피 이따가 회장으로 들어가야 하잖아? 불안해할 건 없어."

처음에는 그저 재미로 그랬다. 신기했던 것이다. 여태까지 만났던 여자 중, 그와의 관계를 거부한 건 이 여자가 처음이었다. 다른 계집들은 어떻게든 그의 핏줄을 잉태하기 위해 안달을 냈다. 황자의 연인이라는 제 위치를 공고히 만들기 위해서였다. 유리는 정반대였다. 그와 몸을 맞댈 때마다 겁이라도 집어 먹은 듯 파드득 떨었다. 그 순수함이 무척이나 특별하게 느껴졌다. 어찌 보면 유리는 그를 거부한 셈이었다. 그래도 밉지 않았다. 단언컨대 살면서 그가 여자를 이리 배려한 건 처음이었다.

"네가 내 마음에 쏙 들었나 봐. 하긴, 하는 짓이 예쁘니. 당연한 거겠지."

뭐, 딱히 여자가 급한 것도 아니었다. 꼭 유리가 아니더라도 그가 몸을 섞을 여자는 온 천지에 널려 있었다. 유리와 교제를 시작한 후에도 그는 종종 다른 여자들을 침실로 불러들였다.

"아, 그냥 확 안고 싶은데."

그래도 종종 참을 수 없을 때가 오곤 했다. 보드라운 입술을, 매끄러운 피부를 탐하다 보면 어느새 여자의 끝을 열망하게 되었다. 오늘도 역시 그랬다. 약속이고 뭐고 확 끝장을 내버릴까 고민하는데 살며시 그를 밀어내는 손길이 있었다.

"바론, 약속했잖아요."

부드러우면서도 단호한 목소리였다. 남색 눈동자에 가득했던 열기가 확 가라앉았다. 그는 제 손목을 잡은 유리를 향해 불만스럽게 인상을 찌푸렸다.

"그놈의 약속 꼭 지켜야 하는 거야? 안고 싶어. 안고 싶다고. 갖고 싶어 죽겠는데, 같잖은 이유로 멈추어야 해?"

유리는 물끄러미 불만을 터트리는 그를 바라보았다. 이런 일이 처음은 아니었기에 유리는 당황하지 않고 다음 행동을 했다.

"바론……."

애처로운 부름이었다. 일부러 몸을 떨며 그의 어깨에 얼굴을 묻었다. 파르르 떨리는 숨을 몰아쉬었다. 그가 자신의 무엇에 약한지, 유리는 아주 잘 알고 있었다.

"정말 기다려 주면 안 되는 거예요?"

"뭐?"

"흑, 말했잖아요. 내, 흑 아이가 사생아가 되는 건, 너무, 흑, 무섭다고. 흑, 내 유일한 부탁인데, 그게 안 되는 거예요. 네?"

흔들리는 목소리엔 어느새 흐느낌이 섞여 있었다. 유리의 눈물을 알아챈 바론의 얼굴에 낭패한 기색이 떠올랐다.

"뭐야. 우는 거야?"

속이 싸하게 식었다. 바라는 것이 아무것도 없는 여자가 눈물까지 쏟으며 애원하는 건 이때가 유일했다. 그래서인지 그는 이 여자의 눈물에 약했다. 계집 따위에게 이리저리 휘둘리는 건 사절이지만, 약혼녀가 유일하게 바라는 단 하나라는 게 마음에 걸렸다.

"아이씨, 이게 울기까지 할 일이야?"

"흑, 으흑, 미안해요. 난 정말, 윽, 어쩔 수가, 없어서……."

"알았어. 알았다고."

바론이 짜증을 꾹 참으며 말했다. 사실 그는 여자의 눈물을 혐오했다. 약하다는 핑계로 앙앙대며 울 때면 확 걷어차 버리고 싶었다. 하지만 이 여자의 눈물만큼은 예외였다. 대비할 틈도 없이 후두둑 쏟아지는 눈물을 마주하면 결국 여자가 바라는 대로 해 줄 수밖에 없었다. 바론의 얼굴엔 흥이 깨진 불만이 잔뜩 어려 있었다. 유리는 얼른 옷매무새를 가다듬으며 그에게서 떨어졌다. 이내 두 뺨을 감싼 채 속삭였다.

"고마워요. 그리고 미안해요."

맑게 젖은 눈동자가 안도한 듯 미소를 만들어 낸다. 바론의 시선이 힐끔 옆으로 움직였다. 여전히 긴장한 듯, 가냘픈 어깨가 잘게 떨리는 게 보였다. 그 모습이 마치 살짝만 힘줘도 꺾일 꽃대처럼 위태로워 보였다.

'흠, 가끔 이런 모습을 보는 것도 나쁘진 않지.'

바론이 씨익 웃었다. 쉽게 보기 힘든 여자의 모습에 기분이 풀린 것이다. 그는 약혼녀의 약한 모습을 본 적이 거의 없었다. 틈만 나면 무섭다며 남자의 품을 파고드는 다른 계집들과는 전혀 달랐다. 부드러운 외양 속에서도 쉬 꺾이지 않을 강한 내면이 느껴진달까. 그래서인지 드물게 보여 주는 눈물에 더 마음이 약해지는 것 같기도 했다.

"우리 이따가 회장에 돌아가야 하는 거지요?"

"당연하지. 연회가 끝나려면 멀었잖아."

"언제쯤 돌아가면 될까요?"

어느새 유리는 완벽한 드레스 차림으로 돌아가 있었다. 손수건으로 입술이 닿은 곳을 닦아 내고, 망가진 화장을 고치는 손길이 마냥 침착했다. 아까의 긴장이 거짓인 양 차분해진 그녀의 모습에 바론은 묘한 아쉬움을 느꼈다.

"이번에 들어가면 끝까지 버틸 각오 하는 게 좋을 거야. 첫 데뷔인데 최대한 길게 자리를 지켜야지."

"자정을 넘기게 될까요?"

"그럴 수도 있고, 아닐 수도 있고. 상황에 따라 다르겠지."

"그럼 잠깐 산책 좀 하고 와도 될까요? 들어가기 전에 긴장 좀 풀고 갈게요."

유리가 부드럽게 웃으며 그의 목을 끌어안았다. 그 애교가 또 한번 바론을 녹였다. 제게만 보여 줄 것이 분명한 이 모습에 그는 한결 너그러워졌다.

"잠깐만 머리 좀 식힐게요. 먼저 들어가 있을래요? 아니면 같이 갈래요?"

"지금 몇 신데?"

"여덟 시쯤 되었어요."

힐끗 시계를 살핀 바론이 고민에 빠졌다. 생각보다 시간이 일렀다. 연회가 자정이 넘어 끝날 걸 생각하면 한 시간 정도 후에 회장에 들어가도 될 것 같았다. 방 안을 훑던 눈이 구석에 놓인 침대를 보자 일순 빛났다.

'한 시간이면 충분하지 않나.'

비록 중간에 끊기긴 했지만, 그의 몸엔 아직도 열락의 기운이 남아 있었다. 연회가 끝난 후 적당한 계집을 들여 품으려 했는데 그때까지 기다릴 필요가 없었다. 한 시간이면 한 바탕 침대에서 뒹굴기 충분했다.

"천천히 놀다가 와."

달콤한 미소와 함께 바론이 약혼녀의 뺨에 입을 맞추었다. 그의 머릿속엔 그가 곧 안게 될 계집들의 흰 몸뚱이가 어른거렸다. 탐욕으로 일그러진 눈동자에 죄책감이라곤 전혀 찾아볼 수 없었다. 곧

다가올 쾌락의 시간을 생각하며 바론이 길게 입매를 늘였다.

"돌아올 필요는 없어. 회장으로 먼저 가 있어. 곧 따라갈 테니까."

*

대기실에서 나온 유리는 곧바로 건물 밖으로 향했다. 은은한 조명으로 장식한 아름다운 정원이 그녀를 맞이했다. 이번 연회를 대비해 황궁 정원사들이 심혈을 기울여 꾸민 것이었다. 색색의 꽃들이 만발한 모습이 무척이나 아름다웠다.

연회 중간이어서인지 정원엔 사람이 없었다. 유리는 물끄러미 하늘을 올려다보았다. 점점의 별들이 쏟아질 듯 반짝였다. 손을 뻗어 가만히 그 빛을 쥐어 보다가, 이내 내렸다. 저 빛이 그녀에게도 허락된다면 좋으련만. 그리고 손으로 툭툭, 몸 곳곳을 털었다. 아까 바론의 손이 닿았던 곳이었다. 바론과 몸을 맞대는 게 쉽지는 않았으나 아직까진 참을 수 있었다. 그녀를 짓밟던 인간이 아무것도 모른 채 그녀의 몸을 탐내는 모습을 보면 이보다 더한 것도 견딜 수 있을 것 같았다.

'그보다 더한 것이라. 내가 정말 할 수 있을까.'

붉은 입술 자국이 남아 있는 팔뚝을 내려다보며 유리가 힘없이 웃었다. 지금은 운 좋게 위기를 넘기곤 있지만 언젠가는 그와 몸을 섞어야 할 날이 올지도 모른다. 상상만으로 끔찍한 일이었지만 버틸 각오는 되어 있었다. 아니, 무조건 버텨야 했다. 죄 없이 스러진 아이를 생각하면, 어미인 그녀는 그 무엇이라도 해야만 했다.

'아가, 그냥 널 따라가면 안 되는 거니?'

어느새 차오르는 눈물에 유리가 느린 한숨을 내쉬며 눈을 감았다. 하루하루가 늘 낭떠러지 위를 걷는 것 같다. 불쑥, 절벽 아래로 몸을 던지고 싶기도 했다.

"카사르……."

유리는 습관처럼 그의 이름을 속삭이며 버텼다. 이내 파르르 떨리는 입술을 깨물었다.

'그 이름 부르지 마. 유리엘 발렌타인.'

그녀에겐 그의 이름을 부를 자격이 없다. 그의 손에서 후두둑 떨어지던 핏방울이 아직도 눈앞에 선명했다. 그가 그리 다친 이유가 저로 인한 것임을 알았다. 가슴 아픈 눈물이 소리도 없이 그녀의 뺨을 적셨다.

'대체 왜 아직도 날 기다리고 있는 거예요?'

오늘 그를 다시 보았을 때만 하더라도 유리는 그가 여전히 저를 기다릴 거라곤 상상도 못 했다. 삼 년 만의 조우에 가슴이 시렸지만, 한편으론 기쁘기도 했다. 그가 시력을 되찾은 모습을 직접 볼 수 있었기 때문이었다. 그의 회복을 알고는 있었지만 눈으로 보는 건 또 달랐다. 그의 외양은 유리가 기억하는 모습 그대로였다. 그러나 그 밖의 것은 완전히 달랐다.

연회장에서 그의 존재감은 압도적이었다. 그와 말이라도 한번 섞어보고자 애달아 있는 귀족들의 모습이 유리에게도 보였다. 여유롭게 그들을 응대하는 카사르를 보다 보면, 그를 향한 바론의 뿌리 깊은 열등감을 이해할 수 있을 것 같았다. 그는 완벽하게 회복이 된 것처럼 보였다. 자신이 준 상처는 잊고, 아살론의 황태자로서 탄탄대로를 걷는 것 같았다. 덕분에 유리는 그와 한 공간에 있으면서도 웃을 수 있었다. 그가 저 없이도 괜찮은 모습을 보자 바론의 곁을 지키는 게 하나도 힘들지 않았다. 오히려 감사했다. 지난 삼 년간 아팠던 게 그녀 혼자뿐이라는 게 무척이나 기뻤다.

'어째서 날 기다려요? 왜요? 무엇 때문에요?'

그런데 그 모든 게 전부 착각이었단다. 그는 여전히 그녀를 찾고 있었다. 그녀를 버리라는 친우의 조언에 피를 볼 정도로 단호하다고도 했다. 그가 그녀를 잊지 않았다는 게 기쁘기는커녕 암담했다. 그와 그녀는 절대로 이어질 수도, 이어져서도 안 되는 관계였다. 황제는 그녀의 모든 것을 앗았고, 그녀는 그의 아이를 잃었다. 그 끔찍한 악연에 그를 끌어들이는 상상만으로도 숨이 조였다.

'나 혼자 짊어지고 끝내게 해 줘요. 제발, 그렇게 해 줘요.'

그가 그녀를 찾는 이유가 무엇일까. 원망일까, 아니면 사랑일까. 후자일 가능성은 떠올리는 것조차 괴로웠다. 그가 사랑하는 여자가 수렁으로 들어가게 둘 리 없었다. 그가 저를 구하려 손을 뻗는 즉시, 그녀의 심장을 할퀸 진실이 그의 목덜미를 찌를 것이다. 그 상상만으로도 다리에 힘이 풀린 유리가 휘청, 하며 나무를 짚었다.

"괜찮소?"

그때, 비틀거리는 그녀를 붙잡는 단단한 팔이 있었다. 어지러운 시야 속에서도 유리는 가까스로 고개를 숙여 감사를 표했다. 오늘은 그녀의 데뷔 무도회이니 무슨 상황에서도 품위를 지켜야 했다. 단단히 두 다리에 힘을 주고 바로 서려던 유리가 묘한 예감에 멈칫했다. 내리간 시선에 보이는 구두와 바지가 익숙했다. 유리가 천천히 긴장한 시선을 들어올렸다. 이내 상대의 얼굴을 확인하곤, 소리 없는 경악을 삼켰다.

'카사르!'

*

'내가 귀신에 홀리기라도 했나? 이게 어찌 된 일이지?'

카사르는 당혹스러움을 삼키며 유리를 내려다보았다. 그녀의 팔을 부축한 제 팔이 설핏 떨리는 것이 느껴졌다. 왜인지, 알 수가 없었다. 저를 향한 녹색의 눈동자가 흔들리는 걸 본 순간, 그의 심장이 쿵 하고 내려앉았다.

'이게, 뭐지? 나 대체 왜 이러는 거야?

회장 밖에서 프리우스 공녀를 만난 건 순전히 우연이었다. 상처를 치료하고 회장으로 돌아가려던 길이었다. 치료는 끝났지만 그 안으로 돌아가고 싶진 않았다. 자꾸만 유리를 떠올리게 만드는 리디아 프리우스, 그 여자 때문이었다. 모르겠다. 그 여자를 볼 때마다 가슴 한쪽이 뻐근했다. 어머니 유품을 붙잡고 홀로 울었단 이야길 들어서일까? 그럴지도 모르겠다.

그날 공녀는 바론에게 어마어마한 선물을 받았다고 했다. 행복에 취해 활짝 웃어야 할 여자가, 행복하기에 눈물을 쏟았다 했다. 그 말이 자꾸만 유리를 생각나게 했다.

—행복해서 우는 거예요. 정말이에요. 당신을 만난 게 좋아서…….

함께 있을 때 유리는 종종 홀로 눈물을 삼키곤 했다. 그를 만난 것이 기쁘다 말하면서도 말끝은 젖어 있었다. 조심스레 얼굴을 감싸면 그녀의 뺨이 젖어 있는 게 느껴졌다.

그럴 때 유리는 행복해서 우는 거라며 흐린 미소를 지었다. 그게 참 마음이 아팠다. 지난 삶이 얼마나 외로웠기에 그럴까. 그는 유리를 끌어안고 몇 번이나 속삭였다. 이젠 참지 않아도 된다고. 마음껏 울어도 된다고. 네가 홀로 참는 걸 보는 게 더 힘이 든다고.

그렇게 상념에 젖어 있던 와중에 그는 정원에 서 있는 프리우스 공녀를 보았다. 처음에 마냥 불편하기만 한 그녀를 피해 가려 했다. 한데, 그녀의 얼굴을 본 순간 생각이 바뀌었다. 하늘을 바라보는 그녀의 눈이 젖어 있었기 때문이었다.

'대체 왜? 왜 저리 우는 거지?

등 뒤가 싸했다. 오늘 가장 행복해야 할 여자가 왜 저리 서글피 우는지 알 수가 없었다. 회장에서 보았던 그녀의 처연한 미소가 떠올랐다. 착각인 줄 알았는데 착각이 아니었던 모양이다. 그리 생각한 순간 심장에 둔중한 충격이 느껴졌다.

3장

"프리우스 공녀, 괜찮소?"

까만 속눈썹이 파르르 떨렸다. 녹색 눈동자에 또 한 번 눈물이 차올랐다. 심장이 철렁 내려앉았다. 그는 저도 모르게 그녀를 붙잡고 물었다.

"왜?"

대체 왜? 왜 우는 걸까? 이 눈물도, 행복해서 흘리는 걸까? 아니야, 그건 아니다. 그는 저도 모르게 답을 깨닫곤 마른침을 삼켰다. 초조함이 밀려왔다. 행복해서 흘리는 눈물이 이리 슬플 순 없었다. 아니, 그보다는, 익숙했다. 오래 전, 이 눈을 본 적이 있는 것 같았다.

"혹시 나를 만난 적 있소?"

대체 언제, 어디에서 만났을까. 아무리 기억을 뒤져봐도 떠오르지 않았다. 낯설면서도 익숙한 이 느낌을 설명할 방법이 없었다. 그는 집요하게 그녀의 얼굴을 눈에 담았다. 그녀의 눈을 마주한 순간 이 기묘한 느낌이 이 여자의 눈빛 때문인가 싶었다. 흔들리는 녹안엔 분명히 그가 알지 못하는 뭔가가 숨어 있었다.

"혹시 나를 알고 있소? 우리가 전에 만난 적이 있는 거요?"

다급한 물음에 유리가 질끈 눈을 감으며 고개를 저었다. 떨리는 팔로 그를 밀어냈다. 그녀가 멀어지자 그는 충격에 잠시 아무 말도 못 했다. 품 안으로 밀려든 찬 공기가 너무 아팠다.

"프리우스 공녀!"

미치겠다. 왜 이러는지 모르겠다. 그는 저도 모르게 목소리를 높였다. 초조함에 호흡이 거칠어졌다. 내가 이 여자를 모를 리가 없었다. 이렇게나, 익숙한데. 이렇게나, 가까운데.

"전 전하를 뵌 적이……."

붉은 입술이 떨리는 목소리를 만들어냈다. 그 순간 그는 얼음처럼 굳어 버렸다. 지이잉. 이명이 울렸다. 다른 모든 소리가 사라지고 오직 상대의 소리만이 크게 울렸다. 그녀의 목소리가, 호흡 소리가 묘할 정도로 거슬렸다. 아니, 익숙했다. 그가 속삭였다.

"유리야."

유리다. 유리였다. 그는 그렇게 그녀의 이름을 불렀다. 시간이 얼어붙은 듯 그도, 여자도 굳어 버렸다. 그 순간만큼은 이 여자가 바론의 약혼녀라는 것도 잊었다.

"유리야."

그는 다시 한번 속삭였다. 여자의 안색이 하얗게 질려가는 것이 보였다. 설마. 그의 머리도 텅 비어갔다. 제 심장 박동 소리만이 천둥처럼 울렸다.

"전하, 이곳에 계셨군요."

그때, 등 뒤에서 나직한 목소리가 들렸다.

카사르는 찬물이라도 뒤집어 쓴 듯 정신을 차렸다. 여전히 얼어붙은 채 저를 보고 있는 여자가 보였다. 파르르 떨리는 입술에 그의 눈동자가 크게 흔들렸다.

쏴아아, 바람이 불며 정원의 나뭇잎들이 파도 소리를 내며 물결 쳤다.

"전하. 드릴 말씀이 있습니다."

거듭된 부름에 카사르는 가까스로 정신을 차리고 몸을 돌렸다.

온 신경은 여전히 등 뒤의 여인에게 쏠려 있는 상태였다. 머리로는 프리우스 공녀가 유리일 리 없다고 생각하면서도, 설마 하는 생각에 자꾸만 미칠 것 같았다.

"프리우스 공녀님이시군요. 바론 전하의 약혼녀이신."

차갑게 가라앉은 루한의 시선이 잠시 유리를 향했다. 다갈색 눈동자에 담긴 선명한 적의에 유리가 흠칫 몸을 떨었다. 그걸 눈치챈 카사르가 얼른 유리의 앞을 막아섰다. 시야를 가득 채운 그의 뒷모습에 유리가 입술을 깨물었다.

"무슨 일이야?"

카사르는 평소답지 않게 무척이나 조급해 보였다. 유리의 앞을 가로막은 카사르의 모습에 루한의 눈빛이 일렁였다. 제 친구가 바론의 약혼녀 따위를 지키려는 데 속이 뒤집혔다. 그 이유가 살았는지도 죽었는지도 모를 여자 때문이라는 게 더 화가 났다.

"전하께서 꼭 만나셔야 할 분이 있습니다."

"뭐?"

"레이디. 이쪽입니다."

그 여자 때문에 고통받는 것도 오늘이 마지막이다. 루한은 카사르의 질문에 대답하는 대신 한 걸음 옆으로 물러났다. 그의 등 뒤에서 자그마한 체구의 여인이 모습을 드러냈다. 갈색 머리, 고동색 눈동자를 가진 여자는 빗자루처럼 여위어 있었다. 마치 중병을 앓기라도 하는 듯 얼굴엔 혈색이 하나도 없었다.

"오랜만이에요, 카사르."

여자가 어색하게 웃으며 말했다. 낯선 여인이 건네는 친숙한 인사에 카사르가 움찔했다. 그리고 여자가 말했다.

"나예요. 유리예요. 우리 정말 오랜만이죠? 많이 보고 싶었어요."

카사르는 순간적으로 그 말을 이해하지 못했다. 유리? 누가. 이 여자가? 대체 이게 무슨 말인가 싶어 루한을 바라보는데, 나직한 답이 들렸다.

"전하, 이분이 전하께서 찾던 유리 님이십니다."

그와 동시에 소리 없는 경악이 퍼져나갔다. 놀란 건 카사르만이 아니었다. 여자의 얼굴을 확인한 유리가 입을 틀어막았다. 처음 보는 얼굴이 아니었다. 그 여자였다. 엘레나의 집에서 보았던, 베티의 엄마. 고개를 돌린 여자가 유리와 눈이 마주쳤다. 잠시 후 그녀의 얼굴에도 경악이 어렸다. 유리는 비명을 참기 위해 이를 악물었다. 상대도, 그녀를 알아본 게 분명했다.

*

"이 여자가 유리라고?"

처음엔 루한이 말하는 여자가 프리우스 공녀인 줄 알았다. 그럼 공녀가 정말 유리였단 말인가. 벼락을 맞은 듯 정신이 없는 와중에 루한이 갈색 머리 여자 쪽을 향해 다시 한번 손을 내밀었다.

"이분이 바로 전하께서 찾으시던 유리 님이십니다. 며칠 전에 연락을 받았으나, 유리 님께서 몸이 좋지 않으셔서 두 분을 연결해 드리지 못했습니다."

"뭐?"

이건 또 무슨 말인가. 카사르의 혼란스러운 눈동자가 낯선 여자에게로 향했다. 이내 고개를 갸웃했다.

'저 여자는 가짜잖아.'

그는 단번에 여자가 가짜라는 걸 알아보았다. 체형이 유리와는 완전히 달랐다. 일단 키부터도 유리보다 훨씬 작았다. 얼핏 본 이목구비 역시 그가 상상했던 것과는 거리가 멀었다.

"루한, 네가 뭔가 착각한 것 같은데……."

이해할 수 없는 일이었다. 루한은 카사르만큼이나 유리의 체형에 대해서 잘 알고 있었다. 그가 아직 시력을 회복하지 못했을 때, 그를 대신해 아살론을 뒤지고 다닌 것이 바로 루한이었던 것이다. 가끔 정말 당치도 않은 여자들이 가짜라고 들이댈 때면 루한 선에서 끊어낸 적도 있었다. 그랬던 루한이 체형이라는 기본 정보를 착각하다니, 이상했다.

"아니요. 이분은 전하께서 찾으시던 그분이 맞습니다."

한데, 루한의 목소리는 그 어느 때보다 확고했다.

"좀 많이 여위셨지요. 병 때문입니다. 전하와 헤어진 직후 폐병을 앓으셨다 합니다. 병세가 너무 심해져 연락을 하지 못하셨다더군요. 그러다 결국 용기를 내셨다고 합니다. 이 이상 늦어졌다간 돌이킬 수 없는 사태가 벌어질 것 같아 걱정이 되셨기에……."

카사르는 루한의 말이 대체 무슨 뜻인지 하나도 이해할 수가 없었다. 화살처럼 쏘아 대는 그의 말을 멍하니 듣고 있던 카사르가 가까스로 그의 말을 잘랐다.

"잠깐만. 이게 대체 다 무슨 소리야."

카사르가 똑바로 루한을 바라보았다.

"돌이킬 수 없는 사태라고? 그게 뭔데?"

"아까도 말씀드렸다시피 유리 님께서는 병을 앓고 계십니다. 완치가 불가능하죠."

공기가 쩡 하니 얼어붙었다. 카사르는 아주 느리게 루한의 말을 이해했다. 완치가 불가능하다는 건 반드시 죽는다는 뜻이었다. 카사르는 할 말을 잃고 루한이 데려온 가짜를 바라보았다. 누가 보아도 가짜인 여자를, 그것도 곧 죽을 여자를 데려오다니. 설마, 결코 인정하고 싶지 않은 진실이 수면 위로 떠올랐다. 루한은 가짜를 향해 정중히 물었다.

"유리 님, 몇 가지 확인할 게 남아 있습니다. 아까도 말씀드렸다시피 그동안 많은 가짜들이 유리 님을 사칭했습니다. 유리 님을 향한 전하의 연모를 이용하려 했던 것이죠. 아, 걱정하지 마십시오. 가짜들은 모두 응분의 대가를 받았으니까요. 일단 확실히 하기 위해 유리 님께서 아시는 이야기를 해 주시기 바랍니다. 전하와 있었던 두 달에 대해서 설명해 주실 수 있겠습니까?"

"저, 그게……."

여자는 쭈뼛거리며 도통 앞으로 나오질 못했다. 잔뜩 긴장한 시선이 루한과 카사르를 지나 유리쪽으로 향했다. 그러더니 화들짝 놀란 듯 고개를 돌려 버렸다. 루한은 다정히 웃으며 여자를 달래었다.

"걱정하지 마십시오. 아까 제게 했던 그대로 설명하시면 됩니다."

카사르는 얼어붙은 눈으로 두 남녀를 바라보았다. 방금 전까진 유리가 죽었다고 주장하던 그가, '유리'에게 다정한 미소를 짓는다. 이 괴리가 무엇을 뜻하는지 슬슬 깨닫기 시작했다.

"전하를 처음 만난 건 탐브란에 있었을 때였어요. 약초를 캐고 돌아오던 봄날이었죠. 앞을 보지 못하는 전하께 같이, 음, 살자고 말씀드렸죠. 그, 그러니까, 어, 음."

여자는 카사르와 눈도 마주치지 못하고 웅얼웅얼 말을 이었다. 여자를 보는 카사르의 눈이 차게 식었다.

"같이 살기 시작한 다음 날 전하께서 손을 다치셨어요. 오른손이었는데, 기억하시지요? 제가 치료를 해 드렸죠. 우리 아이 이름은 제 어머니 이름을 따서 짓기로 했어요. 아르딘, 아르디네. 전 아들이 좋다고 했는데 전하께선 첫 아이는 딸이 좋을 것 같다고 했고. 청혼할 땐, 제게 반지도 주셨어요. 비록 잃어버리긴 했지만……."

더듬더듬 이어지는 말은 카사르가 루한에게 알려준 정보와 정확히 일치했다. 그 여자가 그리워 미칠 지경이 되었을 때, 친우를 붙잡고 죽을 것 같은 심정으로 쏟아놓았던 바로 그 추억이었다.

"하, 하하."

카사르가 마치 신음과 같은 웃음을 토해 내었다. 웃는 그의 모습에 여자가 우뚝 굳어 말을 멈추었다.

"큭큭, 큭."

계속 웃음이 나왔다. 이쯤 되면 이 빌어먹을 상황이 무엇인지 모르는 게 더 이상했다. 그가 가장 신뢰하는 친구가 일부러 가짜 유리를 데려온 것이다. 그것도, 곧 죽을 여자를 골라서.

―……하도록 두진 않을 거야. 무슨 수라도 쓸 거야. 카사르.

이제야 회장에서 들었던 말이 무엇이었는지 완벽하게 이해갔다. 유리를 포기시키기 위해서 무슨 수라도 쓰겠단 뜻이리라. 그를 위해선 배신도 서슴지 않겠다던 시퍼런 예고이기도 했다.

지난 삼 년간 참 힘들었다. 얼굴도 모르는 여자를 찾아 헤매는 일이다. 쉬울 리가 없었다. 모두들 그 여자를 포기해야 한다고 말했다. 거센 풍랑을 버티는 바위가 되어 홀로 그 반대에 맞섰다. 하루하루 한계를 느꼈다. 아무리 단단한 바위라도 끝없이 밀려드는 파도엔 깎이기 마련이었다. 루한은 바로 곁에서 제 모든 괴로움을 지켜봤었다. 가장 신뢰하는 친구의 배신이 얼마나 치명적일지, 모를 리도 없었다.

"그만, 알겠어. 그러니까 결론은 저 여자가 유리라는 거잖아. 날떠난 건 아팠기 때문이고, 내 앞에 나타나지 않은 것도 아팠기 때문이라는 거지. 병, 때문이라고."

"네. 그렇습니다. 안타깝게도 초기에 발견했다면 치료가 쉬웠겠
지만 방치한 탓에 증세가 심해졌습니다. 황실에서 투입할 수 있는
모든 의료 자원을 활용할 계획입니다만, 아무래도…….

"그러니까 한마디로, 치료가 안 된다."

"그렇습니다."

"그럼 병의 진행은 막을 수 있나?"

"아뢰옵기 송구하오나 그렇지 않습니다. 길어야 반년입니다."

기계적으로 이어지는 대답에 카사르가 결국 웃음을 터트렸다.
웃는 와중에도 그의 심장은 배신의 상처로 피가 철철 흘렀다.

"유리가 곧 죽는단 소리구나. 하하. 루한, 네 소원대로 되었네. 유
리가 죽는 거."

루한이 유리가 죽는 게 낫다 말할 때마다 상처를 받을지언정 이
해는 했다. 저를 절대적으로 지지해 주었으면 하는 친구가, 그녀의
죽음을 입에 담는 게 속은 쓰렸지만 그래도, 충심의 발로려니 최선
을 다해 이해하려 했다. 한데, 이런 짓까지 저지를 줄이야.

"그랬구나, 유리야, 고마워, 돌아와 줘서."

루한은 대체 무얼 바라고 이런 짓을 했을까. 자신이 어찌 반응하
길 바랐던 걸까. 화를 내고 분노하고 그를 벌하겠다 날뛰길 원했을
까. 거짓을 고한 죄를 물어 죽이겠다 하면 무엇이라 했을까. 카사르
는 묻지 않아도 그 답을 알 것 같았다.

―얼마든지 저를 죽이셔도 상관없습니다. 거짓으로 전하를 농락
한 죄, 달게 받겠습니다. 제가 죽어 전하의 마음을 바꿀 수만 있다
면 얼마든지 죽을 수 있습니다.

허상뿐인 옛 여자와 평생을 같이한 친우 중에 선택을 하란 뜻이
리라. 카사르의 눈매가 붉게 물들어갔다. 꼭 싸구려 연극을 보는 것

같았다. 주인공은 여자에 미친 황태자, 충성심에 눈이 먼 백작, 그리고 곧 죽을 여자 정도면 될까. 이제 자신은 어떤 연기를 해야 하나. 분노에 미쳐 친구의 목이라도 베어야 하나. 카사르는 자조했다.

"아파서 내게 돌아오지 못했던 거였구나. 그것도 모르고 난 널 원망했네. 이제라도 다시 만나 정말 다행이다. 보고 싶었어, 유리야."

카사르는 루한의 기대와는 정반대로 행동했다. 곧 죽을 여자를 끌어안고, 다시 만나 기쁘다는 말을 했다. 예상 밖의 반응에 루한의 눈빛에 당혹이 어렸다. 카사르는 친우의 혼란을 눈치채곤 차갑게 웃었다.

"궁으로 가자, 유리야, 우리 그동안 못다 한 이야기를 해야지."

*

베티의 엄마, 리사는 불치병을 앓고 있었다. 어머니에게서 물려받은 폐병으로 치료 시기를 놓친 탓에 완치는 불가능했다. 좋은 의사에게 치료를 받으면 수명 연장은 가능했지만 돈이 없어서 포기했었다. 짧은 삶이지만, 운명에 순응하고 허락된 만큼만 누리고자 했다.

―딸아이가 엄마랑 똑같은 병을 앓고 있어요. 빨리 치료해야 합니다. 그렇지 않으면 목숨이 위험해요.

그런데 도저히 운명을 받아들일 수 없는 상황이 생겼다. 베티가 그녀의 병을 물려받은 것이다. 딸의 치료비는 리사가 상상하지 못할 거금이었다. 출산한 지 얼마 되지 않은 몸을 이끌고 백방으로 다른 병원을 찾았다. 그러나 만나는 의사들마다 같은 이야기를 했다.

―폐에 종양이 있어요. 길어야 두 돌을 넘기지 못할 겁니다.

그렇게 운명이 그녀를 버리는가 싶었다. 리사는 도저히 포기할 수 없었다. 아이를 안고 귀족들이 다니는 의원 근처를 맴돌았다. 그들은 돈이 많으니까, 여유가 있으니까 혹시라도 아픈 아이를 보면 자비를 베풀지 않을까, 하는 마음에서였다.

그게 말도 안 되는 기대라는 걸 알면서도 리사가 매달릴 건 꿈같은 기적뿐이었다.

—당신과 거래를 하고 싶습니다.

그런데 놀랍게도 기적이 눈앞에 펼쳐졌다.

—당신을 돕겠습니다. 아이는 최고의 의사에게 치료를 받게 될 겁니다. 단, 당신의 목숨을 내게 맡기십시오.

사내의 이름은 루한 아델바오르. 아델바오르 가문의 주인이라고 했다. 그는 리사는 감히 꿈도 꾸지 못할 거금을 내밀었다. 베티를 모두 치료하고, 평생 남부럽지 않게 키울 수 있는 금액이었다.

—조건은 하나입니다. 당신이 대신해야 할 여자가 있습니다. 제대로만 하면 당신의 목숨만큼은 보장하겠습니다.

거절할 이유가 없었다. 죽어야 하는 일이라 해도 딸을 살리기 위해서라면 몸을 던졌을 텐데, 목숨까지 살려준다니 더 망설일 이유가 없었다.

—그 여자의 이름은 유리, 태자 전하께서 찾고 계시는 여인입니다. 그 여자가 되어 전하를 만나면 됩니다.

역시나 기적은 결코 만만하지 않았다. 리사도 황태자가 간절히 찾는 여자에 대해서 잘 알고 있었다. 그동안 유리를 사칭한 여자들이 어찌 되었는지도 모두 알았다.

—저기, 너무 위험할 것 같은데요. 정말 우리 딸이 안전할 수 있을까요? 자칫 제가 가짜라는 게 탄로 나기라도 하면…….

거래가 망설여졌다. 목숨이 아까워서가 아니라, 황태자를 속여야 한다는 게 두려웠다. 나중에라도 비밀이 밝혀져 딸에게 화가 미칠까 겁이 났다.

　―걱정하지 마십시오. 정체가 들켜도 상관없습니다. 당신은 그 냥 그 여자가 되기만 하면 됩니다. 당신의 딸은 내 가문을 걸고서라 도 지켜 주겠습니다.

　리사는 결국 루한을 믿기로 했다. 두렵긴 했지만 별다른 방법이 없었다. 루한은 거래가 성사된 다음날 그녀를 저택으로 불러들였 다. 영양가 높은 음식을 제공하고, 최고의 의사를 보내 베티를 치료 하게 하였다. 점점 호전되어 가는 딸의 모습에 리사의 불안도 사그 라졌다.

　―며칠 후면 바론의 약혼녀가 데뷔합니다. 그날 전하께 당신을 보여드릴 겁니다. 제가 알려드리는 정보를 정확하게 암기해서 전 하께 말씀드리십시오. 당신이 해야 할 일은 그게 다입니다.

　리사는 최선을 다해 루한이 내민 정보를 암기했다. 긴장이 되긴 했지만 딸을 살릴 수 있다는 마음에 힘이 났다. 그 와중에 그 여자 를 만났다.

　―아르딘, 아르디네……. 아가, 엄마는 네가 너무 보고 싶어. 미 안해, 엄마가 미안해.

　처음엔 그저 그 여자가 안타까웠다. 베티를 보며 여자는 몹시도 아프게 울었다. 어미가 아이를 그리워할 이유는 많지 않았다. 혹시 아이를 잃었던 걸까. 그 생각을 하자 괜히 리사의 코끝도 찡해졌다.

　여자가 흘린 펜던트를 열어볼 생각도 안 했다. 귀한 옷을 입은 걸 보면 백작 부인과 친분이 있는 귀족 같았다. 나중에 백작을 통해 돌 려주어야겠다는 생각을 하며 잘 품고 있었다. 그런데, 백작이 준 '유 리'의 정보에서 익숙한 이름이 보였다.

　아르딘, 아르디네. 황태자가 사랑한 여인과 함께 지었던 아이 의 이름이었다. 아이가 정말 있었던 것은 아니고, 나중에라도 생기면 그때 붙이려 했던 이름이라고 했다. 리사는 설마, 하는 심정으로 여자가 흘리고 갔던 펜던트를 열어보았다. 그리고 그 안에 들어 있는 편지를 확인했다. 엄청난 충격에 리사는 머리가 멍했다. 그 여자가 바로, 진짜 유리였던 것이다.

이 편지를 돌려주어야 하나, 진실을 밝혀야 하나, 정신이 하나도 없었다. 그렇다고 쉽게 결정을 내릴 수도 없었다. '가짜 유리'가 되는 건 그녀가 베티를 살릴 유일한 방법이었다. 결국 혼란은 연회 당일까지 이어졌다. 리사는 그 어떤 결정도 내리지 못하고 펜던트만 품은 채 황궁으로 왔다. 그 편지로 '진짜 유리'가 될 생각을 한 건 아니었다. 편지 한 장으로 가짜가 진짜가 될 수는 없다는 걸 리사도 잘 알았다. 다만 연회에서 유리를 만날지도 모른다는 생각을 했다. 그렇다면 편지만큼은 돌려주고 싶었다.

사랑하는 남자가, 죽은 아이의 아비가 준 물건이었다. 그녀의 자리를 빼앗은 것도 미안한데 소중한 추억까지 빼앗고 싶지는 않았다. 그런데 그 유리가 바로 프리우스 공녀였다. 유리를 다시 만났을 때 리사는 또 기절하는 줄 알았다. 유리가 카사르와 함께 있었던 것이다. 카사르가 이미 유리를 찾은 건가, 그렇다면 베티와 나는 어떻게 되는 건가, 정신이 하나도 없는 와중에 루한이 폭탄을 터트렸다.

프리우스 공녀, 바론의 약혼녀. 루한은 유리를 분명 그렇게 불렀다. 프리우스 공녀, 그러니까 진짜 유리를 본 순간 리사는 공황 상태에 빠져 버렸다. 루한의 채근에 겨우 암기했던 정보를 늘어놓긴 했지만 정신이 하나도 없었다. 편지를 돌려주어야 하는 건가, 이왕 이렇게 된 거 카사르에게 솔직히 말을 해야 하나, 그럼 루한과의 계약은 파기되는 거 아닌가. 말 못할 고민에 홀로 끙끙거리다 보니 어느새 태자궁이었다.

"유리야, 아픈 곳이 있다고 했지? 정확히 어디가, 언제부터 아픈 거야?"

리사는 카사르를 만나자마자 정체가 발각될 거라 생각했다. 한데 상황은 갈수록 미궁에 빠져들었다.

기다렸던 불벼락 대신 '유리'라고 불리며 귀한 대접을 받았다. 카사르의 호통에 태자궁을 지키던 궁인들이 줄줄이 달려와 그녀의 수발을 들었다. 손 하나 까딱할 필요 없게 계속되는 호의가 좋기는커녕 무섭기까지 했다.

"어, 어머니를 닮아서 폐가 좀 안 좋았어요. 기침이 심해요. 특히 겨울엔 더 심해지고요."

"그래, 그때 네가 기침이 잦았던 기억이 나. 어머니를 닮아서 그랬던 거였구나."

리사의 말에 카사르가 고개를 끄덕였다. 이내 다정히 리사의 손을 잡으며 말했다.

"이젠 걱정하지 마. 최고의 의사들이 널 치료하게 될 테니까. 넌 반드시 나을 거야. 제대로 된 결혼식도 올려야지. 그렇지?"

"네, 네."

그의 입술이 리사의 손등을 지그시 눌렀다. 정신없이 고개를 끄덕이던 리사의 귀에 이상한 말이 들렸다.

"그리고 언젠간 나랑 널 닮을 아이를 낳을 날이 오겠지. 그렇지?"

"히끅. 아, 뭐요?"

"우리 아이 말이야. 네 소원이랬잖아."

놀란 리사가 카사르를 바라보았다. 아이라니, 그 아이는 죽은 것이 아니었다. 카사르의 말에 리사가 저도 모르게 입을 열었다.

"아, 아이는……."

"응?"

푸른 눈동자가 아무것도 모른 채 리사를 응시했다. 그 순간 정신을 차린 리사가 얼른 입을 다물었다. 실수로 혀를 깨물곤 신음을 뱉었다.

"윽."

"유리야, 어디 아파?"

"아, 괜찮아요."

리사가 손사래를 쳤다. 눈물이 찔끔 날 정도로 혀가 아팠다.

'미쳤어! 아이 이야길 꺼내면 어떻게 해! 아무것도 모르면서!'

카사르가 의아하게 고개를 갸웃했다.

"그런데 아이는 왜?"

"아, 아, 아니에요. 아, 아, 아이는 저도 좋다고요."

리사는 달달 떨리는 손을 꾹 움켜쥐었다. 카사르와 눈을 마주칠 수가 없었다. 다른 사람 흉내를 내는 게 이렇게 힘든 일인지 예전엔 미처 몰랐다. 카사르가 무슨 말을 할 때마다 심장이 덜그럭 덜그럭 내려앉았다.

카사르는 리사가 말을 돌리자 별다른 의심 없이 이것저것 묻기 시작했다. 대부분 지난 삼 년에 대한 것들이었지만, 혹시라도 모르는 이야기가 나올까 봐 무서워 죽을 지경이 되었다. 루한을 보는 리사의 눈빛이 점점 더 간절해졌다.

'백작님! 제가 대체 어떻게 해야 하는 거예요!'

루한은 분명 리사가 금방 정체를 들킬 거라고 했다. 얌전히 정보를 읊조리고 감옥에 간 뒤, 목숨은 부지한 채 궁을 나오게 될 거라고도 했다. 지금과 같은 상황에 대해선 전혀 들어본 바 없었다. 대체 어떻게 해야 하는지 묻고 싶은데 카사르는 둘만 남을 기회도 안 주었다. 초조해하는 리사의 모습에 카사르의 안색이 어두워졌다.

"유리야, 그런데 궁금한 게 있어."

이런 리사의 불안은 아는지 모르는지, 카사르가 물었다.

"예전에 나한테 좋은 소식이 있을 거라고 했잖아. 혹시 그게 뭔지 기억나?"

그런 걸 알 리가 없다. 리사는 반쯤 넋이 나간 채로 고개를 저었다.

"어, 글쎄요. 저도 기억이 흐릿해서요. 어, 언제 말씀하시는 거예요?"

"아, 기억이 안 나는구나."

카사르가 피식 웃었다. 중요한 질문인가. 리사가 움찔하여 입을 열었다.

"기억 못 해서 죄, 죄송, 아니, 미안해요. 결국 말 안 한 거 보면 별거 아니지 않았을까요?"

"하긴. 뭐 그렇지. 별거 아니겠지."

카사르가 싱긋 웃으며 그녀의 머리를 귀 뒤로 넘겨 주었다.

"난 또 네가 우리 아이라도 가진 줄 알고 설레었거든. 역시 아무것도 아니었네. 괜히 들떴었잖아."

이럴 수가. 마침내 드러난 모든 비밀에 리사가 소리 없는 비명을 삼켰다. 프리우스 공녀가 유리고, 그녀는 카사르의 아이를 가졌고, 그 아이는 이미 이 세상 사람이 아니었다. 한데 카사르는 그중 아무것도 몰랐다.

'그래서 그렇게 아프게 울었구나.'

이제야 유리의 눈물이 이해가 갔다. 아이의 죽음을 홀로 견뎠을 어미의 심정이 얼마나 참담할지 상상만으로 서러웠다. 베티 때문에 마음고생이 심했기에 리사도 그 고통을 이해할 수 있었다.

'아무래도 물건들을 꼭 돌려주어야겠어.'

그날 유리의 모습을 떠올린 리사의 눈매가 시큰하게 달아올랐다. 펜던트와 편지를 꼭 돌려주어야겠다는 다짐을 할 때였다.

"유리야, 이제 연회장으로 가자."

카사르가 씨익 웃으며 리사에게 손을 내밀었다.

"연회장, 이라니요?"

"마침 지금 황실 연회가 열리는 중이거든. 아살론의 모든 귀족들이 연회장에 모여 있지."

리사는 얼떨결에 그의 손을 잡고 일어났다. 그제야 카사르의 옷차림이 눈에 들어왔다. 머리부터 발끝까지 말끔하게 성장을 한 채였다. 태자 전하는 다 그리 사는 줄 알았더니 특별한 날이어서 그랬나 보다.

"어서 가자. 지금 당장 모두에게 널 소개해 주고 싶어."

*

유리가 되기 위해 공부를 하면서 리사는 카사르에 대해서도 많이 배웠다. 그의 취향, 그의 성격, 그의 불면증까지 공부했다. 그리고 카사르를 만나자마자, 리사는 그의 또 다른 면을 알게 되었다.

그는 정말로 엄청나게 빠른 행동력의 소유자였다.

"유리, 최대한 빨리 준비시켜. 바로 연회에 참석할 거야."

그의 명령이 떨어지기가 무섭게 태자궁의 궁인들이 그녀에게 달라붙었다. 그들은 엄청나게 빠른 손길로 리사를 치장시켰다. 너무 말라 맞는 드레스가 없자 순식간에 수선까지 끝내 버렸다.

"정말 예쁘다. 오늘 사람들이 널 보면 다들 엄청 놀랄 거야. 그렇지?"

리사를 바라보는 카사르의 눈엔 애정이 가득했다. 거울을 본 리사는 그저 어색하게 웃을 뿐이었다. 거울에 비친 제 모습은 평소보다 낫긴 했지만 아주 예쁘지는 않았다. 처음 입어 본 드레스는 남의 옷을 훔쳐 입은 양 이상했다. 애당초 어울리기를 바란 적도 없었다. 그녀가 원한 건 딸의 미래지 이런 화려한 옷이 아니었다.

"그나저나 그 펜던트는 뭐야?"

마지막으로 리사의 치장을 점검하던 카사르가 고갯짓을 했다. 뭔가 싶어 시선을 따라간 리사가 화들짝 놀랐다. 옷을 갈아입으면서 품속에 걸어 두었던 펜던트가 밖으로 나와 있었다.

"예전에도 그런 물건이 있었어?"

그걸 그녀가 대체 어떻게 안단 말인가. 집요할 정도로 느껴지는 시선에 리사의 등 뒤로 식은땀이 맺혔다. 그나마 화제를 전환해 줄 수 있는 루한도 지금은 이 방에 없었다. 아까 리사가 연회 준비를 할 때, 방해가 된다며 카사르가 축객령을 내린 것이다.

이러지도 저러지도 못하던 리사는 결국 아무 말이나 했다.

"어, 저, 부모님 유품이에요."

카사르도 모르는 걸 보면 그가 준 선물은 아닐 것이다. 카사르의 편지를 유리가 아무 곳에나 넣어 놓을 것 같지도 않았다. 부모님의 유품 정도라면 제법 편지와 가치가 맞지 싶었다.

'유품이면 삼 년 전에도 가지고 있었을 거잖아. 설마 기억하고 있으면 어떻게 해!'

한데, 막상 말을 꺼내 놓고 보니 아차 싶었다. 루한의 말로 카사르는 손 감각이 굉장히 좋다고 했다. 한 번도 보지 않은 유리의 물건을 기억해서 다시 만들 정도였다. 가끔 가짜 유리를 판단하는 방법 중 하나가 여자의 얼굴을 확인하는 거라고 했으니, 더 말할 것도 없었다.

"M, 그리고 V라. 부모님 이니셜인가?"

어느새 훌쩍 다가온 카사르가 리사의 목에 걸린 펜던트를 만졌다. 그 와중에 리사는 숨도 쉬지 못했다. 손끝으로 뚜껑을 만지던 카사르의 미간이 설핏 굳는 것이 보였다. 가늠이라도 하듯 눈을 가늘게 뜬 그의 손이 걸쇠 쪽으로 향했다.

'안 돼! 편지까지 들키면 끝장이야!'

편지를 들키면 펜던트를 어디서 주웠는지 말해야 한다. 그럼 유리의 정체를 숨겨 줄 방법이 없었다. 처음 얼굴을 본 지 겨우 이틀밖에 되지 않았지만, 그녀는 유리를 도와주고 싶었다.

"저기요!"

달깍, 소리가 들렸을 때, 리사가 와락 소리를 질렀다. 깜짝 놀란 카사르가 그녀를 바라보았다. 리사는 허겁지겁 그의 손에 들린 펜던트를 빼앗아 옷 속으로 집어넣었다.

"저 언제 가요? 연회, 빨리 가야 하는 거 아니에요?"

긴장으로 심장이 터질 것 같았다. 찔리는 것이 있어서인지, 명치께에 걸친 카사르의 시선이 그 아래 있을 펜던트를 꿰뚫어 보고 있는 것 같았다. 그의 대답을 기다리는 시간이 영겁처럼 길게 느껴질 무렵, 그가 싱긋 웃으며 말했다.

"가야지. 지금 가자. 다들 널 기다리고 있을 거야."

*

어느덧 연회의 마지막 날이 찾아왔다.

오 일에 걸쳐 진행되는 연회는 완연한 절정이었다. 보석으로, 드레스로 한껏 치장한 귀족들은 마지막으로 제 가치를 뽐내기 위해 열을 올렸다. 늘 그렇듯, 연회의 흥분 아래로 견제와 시기, 질투가 검은 물처럼 흘렀다.

이번 연회는 그동안의 연회와는 전혀 분위기가 달랐다. 황궁 연회에서 데뷔한 두 명의 레이디 때문이었다. 약 이십 년 전 죽은 황후의 등장 이후로 이렇게 충격적인 데뷔는 없었다.

두 명의 레이디는 각각 황태자와 황자의 손을 잡고 등장했다. 둘의 신분은 달랐다. 그러나 불과 한 달 전만 하더라도 감히 황족의 곁에 그러한 신분의 여인이 설 거라 예상한 이는 아무도 없었다는 점에서 공통점이 있었다. 충격의 서막을 올린 것은 프리우스의 공녀인 리디아 프리우스였다. 그녀는 반쪽짜리 귀족 신분에도 불구하고 당당하게 황자의 옆자리를 꿰찼다. 알음알음 퍼지는 소문에 의하면 바론이 그녀에게 푹 빠졌다고 했다. 소문이 얼마나 부풀려졌는지 심지어 바론이 제 약혼녀를 위해 검까지 휘둘렀다는 이야기도 있었다.

사람들은 대체 얼마나 대단한 여자이기에 '그 바론'을 완벽하게 홀렸는지 궁금해했다. 내내 베일에 싸여 있던 공녀가 회장에 등장했을 때, 많은 사람이 그녀가 황자의 약혼녀가 된 이유를 납득했다. 공녀는 황자의 손이 닿았을 것이 분명한 치장을 그야말로 완벽하게 소화해냈다. 비단 외적인 부분만이 아니라 사려 깊은 눈빛, 기품 있는 행동, 차분한 말투는 그녀와 대화하는 사람들마다 편견을 잊게 할 만큼 매력적이었다.

사람들은 드디어 바론이 카사르를 이긴 것 아니겠냐며 수군거렸다. 여자 한 명 때문에 아살론의 후계자가 바뀔 수 있을 것 같다는 말도 했다. 혼인이 성사되고, 그녀가 후계자만 낳는다면 후계 싸움의 전세가 역전될 수도 있을 것 같았다.

—황태자인 제가 여러분께 소개할 여인이 있습니다.

한데 놀랍게도 채 두 시간도 지나지 않아 연회의 주인공이 바뀌었다. 아델바오르 백작과 언성 끝에 피까지 보고 연회장을 빠져나간 황태자가 몇 시간 후 한 여인을 데려온 것이었다.

—제가 정말 오랫동안 찾아 헤매던 여인입니다. 바로 오늘, 유리가 제게 돌아왔습니다.

황태자는 그녀가 유리라고 했다. 사람들은 충격에 빠졌다.

유리가 누구인가? 지난 삼 년간 그 이름만으로 아살론 전체를 들썩이게 했던 여인이 아닌가?

─여러분도 아시다시피, 우리는 신 앞에 영원한 사랑을 맹세했습니다. 유리는 제 유일한 반려입니다. 조만간 정식으로 국혼을 치를 예정입니다.

카사르는 아무렇지도 얼굴로 연회장에 대형 폭탄을 터트렸다. 계파를 초월하여 그 자리에 있는 모든 귀족들은 완전히 넋이 빠졌다. 카사르는 지금 곁의 여자를 황태자비로 삼겠단 말을 하고 있었다. 황태자비란, 차후 황후가 될 사람이었다. 황태자만큼이나 중요한 자리란 소리였다. 그 자리를 이렇게 날치기로 채울 순 없었다. 한데 폭탄은 거기서 끝이 아니었다.

─유리가 많이 아픕니다. 완치가 불가능하다고 하니 오래 살지 못할 겁니다. 후계자를 낳긴 어렵겠지요. 그래도 상관없습니다. 유리는 제 유일한 반려입니다. 설령 유리가 제 곁을 떠난다 하더라도 다른 비는 맞이하지 않을 겁니다.

─그, 그럼 저분께서 돌아가신 후에도 황후 자리를 비워 놓으시겠다는 뜻입니까? 후계자가 없어도요?

이 엄청난 상황에 누군가 무례도 잊고 카사르의 말을 잘랐다. 그러나 회장에 있는 누구도 그의 실수를 탓하지 않았다. 그만큼 카사르의 선언은 충격적이었다.

─그렇습니다. 유리 외의 다른 여자와는 혼인하지 않을 겁니다.

자식을 낳을 수 없는 여자를 반려로 맞이하겠다는 건, 후계싸움을 포기하겠단 뜻과 같았다. 사람들 눈엔 황태자가 반쯤 미친것처럼 보였다. 그 옆에서 달달 떨고 있는 '유리'가 되레 정상인 양 보일 정도였다. 단 몇 문장으로 수많은 귀족들의 말문을 틀어막은 카사르는 '유리'를 의사에게 보여야 한다며 유유히 회장을 떠났다.

두 사람이 사라진 자리를 넋을 놓고 바라보던 루한이 신음처럼 중얼거렸다.

—미친 소리······.

바론과 프리우스 공녀 역시 몹시 놀란 얼굴이었다. 바론은 '유리'가 소개되는 내내 대체 저게 무슨 헛소리냐고 중얼거리더니 골똘히 생각에 잠겼다. 이내 수하들에게 이 쇼의 의도가 무엇이겠냐고 물었다.

프리우스 공녀는 원래도 하얀 얼굴에 핏기가 하나도 없었다. 태자비 선언이 이루어질 땐 다리에 힘이 풀린 듯 비틀거리기까지 했다. 제삼자인 그녀의 경악은 좀 의아스러운 구석이 있었으나, 카사르가 사라진 후에는 평정을 찾은 듯 해 관심에서 멀어졌다. 그렇게 연회의 첫날이 저물었다. 전무후무한 데뷔를 마친 두 여인은 약속이나 한 듯 둘째 날부터는 연회에 참석하지 않았다.

'유리'의 경우 집중 치료를 받느라 연회 참석이 어렵다고 알려졌다. 황태자가 유리의 지병을 치료하기 위해 황궁의들을 전부 불러 모았다는 소문도 들렸다. 그 노력 덕분인지, 연회 마지막 즈음엔 제대로 얼굴을 보여 줄 수 있을 거라 하였다.

프리우스 공녀의 불참에 대해선 알려진 바가 없었다. 사람들은 나름의 추측을 통해 이유를 생각해냈다. 처음엔 자신의 데뷔 무도회에서 다른 여자가 주목을 받는 데 충격을 받은 것이 아닌가 하는 추측이 돌았다. '유리'가 등장했을 때 그녀가 보여 주었던 과도한 반응이 그 추측에 확신을 더했다. 그러다 얼마 지나지 않아 바론 쪽 귀족들에 의해 진실이 밝혀졌다. 공녀의 데뷔가 성공적이었다고 판단한 바론이 연회에 매일 나갈 필요가 없다며 참석을 만류한 것이다.

—연회에 출근도장 찍어봐야 싸구려 이미지밖에 더 돼? 리디아는 귀한 몸이야. 앞으로 더 귀해질 거고. 첫날하고 마지막 날 정도

만 참석해도 충분해.

두 여인의 부재는 오히려 엄청난 관심을 불러 일으켰다. 비슷한 조건의 남자와 약혼하여 같은 날 데뷔를 했다는 것이 둘의 비교를 부채질했다. 사람들은 은근슬쩍 프리우스 공녀 쪽이 낫지 않냐는 말을 했다. 일단 외모부터가 지병 때문에 너무 여윈 '유리'보다 훨씬 아름다웠다. 외적인 부분뿐 아니라 그 외의 것도 프리우스 공녀 쪽이 더 나아 보였다.

카사르의 '유리'는 이상할 정도로 위축되어 있었다. 마치 죄라도 지은 듯 불안해하던 얼굴은 사람들이 상상하던 '유리'와는 거리가 멀었다. 다친 황태자를 구하기커녕 피는 제대로 보겠나 싶을 정도로 약해 보였다. 사람들은 대체 왜 황태자가 저런 여자에게 빠진 것인지 모르겠다며 연신 수군거렸다. 그렇게 온갖 말들이 오가는 와중에 드디어 연회의 마지막 날이 다가왔다.

오늘따라 회장 전체엔 기묘한 흥분을 넘어서 비장함까지 맴돌고 있었다. 수많은 사람들이 자신들의 입장도 잊고 두 여인의 등장을 기다렸다. 연회의 마지막 날이니만큼 회장 곳곳엔 쉴 자리가 많이 마련되어 있었다. 바론은 그중 한 자리를 차지한 채 리사를 향해 비웃음을 터트렸다.

"완전히 비루먹은 암말이 따로 없네. 저게 드레스야, 포대 자루야?"

연회 초장부터 부어라, 마셔라 한 덕에 그는 완전히 만취 상태였다. 그의 수하들은 늘 그렇듯 주인의 비위를 맞추기 위해 꼬리를 살랑거렸다.

"겨우 저런 게 태자비? 큭, 지나가는 개가 웃겠어!"

"그렇습니다. 말도 안 되는 일이지요. 제국 역사상 이렇게 황당한 태자비 책봉은 이번이 처음일 겁니다."

"역시 바론 전하의 선택이 옳으셨습니다. 저 여자는 프리우스 공녀님과 도저히 비교도 되지 않습니다. 공녀님을 보십시오. 불과 며칠 전에 데뷔하셨는데 완벽한 레이디의 표본이 따로 없습니다."

"큭, 내가 리디아를 잘 고르긴 했지."

수하들은 바론뿐 아니라 유리에게도 연신 찬사를 던졌다. 마음에서 우러나는 것이 아닌, 권력에 복종하는 것에 불과했다.

"리디아, 내가 재미있는 거 하나 알려 줄까."

바론은 한층 들뜬 얼굴로 유리의 허리를 끌어안았다. 키득거리며 귓가에 입술을 대었다. 숨을 쉴 때마다 훅 짙은 알코올 냄새가 났다.

"저 여자는 가짜야. 가짜라고······. 시체가, 큭, 되었는데, 어떻게 태자비가 되나······."

술에 취한 바론은 자신이 무슨 말을 하는지 자각도 없었다. 혀가 꼬여 알지도 못할 소리를 중얼거리던 그의 고개가 푹 꺾였다. 유리는 물끄러미 잠든 바론을 바라보았다. 어깨 위를 짓누르는 무게가 순간 제 삶의 짐인가 하여 눈가에 희미한 눈물이 맺혔다.

"바론, 취했어요?"

"으······."

"바론?"

바론은 불러도 대답이 없었다. 유리는 한 팔로 바론의 어깨를 안았다. 방금의 눈물이 거짓인 양 환히 웃으며 말했다.

"여러분. 전하께서 많이 취하신 것 같아요. 잠시 대기실에 모셔다 드리는 게 어떨까요?"

복사꽃처럼 아름다운 미소였다. 수하 몇이 홀린 듯 고개를 끄덕였다.

"아, 예, 그렇게 하겠습니다, 공녀님."

수하들에게 바론을 맡긴 유리가 얼른 자리에서 일어났다. 어깨를 털고 싶은 걸 꾹 참았다. 사내 중 몇몇 바론을 일으켜 어깨에 부축을 했다. 유리는 마지막까지 미소를 잃지 않으며 그 뒷모습을 배웅했다. 부디 바론이 오늘 밤새 깨어나지 않기를 바라며 회장을 빠져나왔다.

'연회 때마다 괴롭네. 나는 연회에 어울리는 인간이 아닌가 봐.'

한적한 복도를 걷는 유리의 입가에 쓴웃음이 맺혔다.

'어렸을 땐 황궁 연회에 참석할 날만 기다리고 있었는데……'

한때는 참 열렬히 황궁 연회 참석을 바란 적이 있었다. 부모님께서 처음 만나신 것이 바로 그때였기 때문이었다. 어릴 적부터 두 분의 첫 만남을 들어온 유리는 자연스레 황궁에서 열리는 연회를 동경하게 되었다. 유리의 어머니, 마르디네는 수도에서도 손꼽히는 미녀였다. 발렌타인 백작인 첫눈에 반하며 사랑이 시작되었다. 처음부터 두 사람의 사랑이 쉬웠던 건 아니었다. 유리의 외할아버지가 두 사람을 반대했기 때문이었다.

그는 무척이나 야심이 커서, 제 딸이 정계 요직을 차지한 귀족과 결혼하길 바랐다. 그때까지만 해도 지방 군소 영지 정도였던 발렌타인의 주인이 그의 눈에 찰 리 없었다. 그런 백작을 도운 것이 바로 당시 황태자였던 지금의 황제였다. 황제는 백작은 현재가 아니라 미래를 보아야 할 사람이라며 유리의 외할아버지를 설득했다. 긴 노력 끝에 결국 두 사람은 양 가문의 축복 속에 결혼할 수 있었다. 참 아이러니한 일이었다. 부모님의 사랑을 도운 것도, 그 사랑을 처참하게 파괴한 것도 황제였다.

대체 왜 황제가 그런 짓을 저질렀을까. 유리는 수도 없이 반문했다. 아버지의 충심은 누구보다 깊었다. 가족보다 황제를 먼저 생각할 정도였다. 심지어 주군을 위해서라면 제 손에 피를 묻히는 것도 상관없겠다며 공언하곤 했다.

이유야 어찌 되었든 황제는 발렌타인을 불태웠다. 황제는 상상도 하지 못할 것이다. 자신이 한 짓이 유리뿐 아니라 제 아들의 목까지 조르고 있음을. 유리의 눈이 시큰하게 달아올랐다. 우두커니 선 채 후두둑 눈물을 쏟았다. 지난 며칠은 억지로 눈물을 참지 않았다. 참는 게 불가능할 정도로 괴로웠던 것이다. 최대한 혼자 있는 시간을 많이 만들어 아픔을 쏟아내고 있었다.

카사르가 아직도 그녀를 찾고 있었다. 여전히 그녀를 그리워하고 있었다. 유리는 지난 삼 년간 그가 자신을 미워하고 있을 거라 생각했다. 찾을 리 없으며, 설령 찾는다 하더라도 원망 때문일 거라 여겼다. 그녀가 자신을 용서할 수 없는 것처럼, 그 역시 그녀를 증오하고 있을 거라 확신했다.

그런데 아니었다. 그는 여전히 그녀를 사랑하고 있었다.

'진실을 알면 어떻게 하려고, 왜 아직도 날 사랑해. 대체 왜!'

유리가 소리 없는 비명을 삼켰다. 그의 사랑이 기쁘기는커녕 두려웠다. 두 사람은 절대 이어져서는 안 된다. 발렌타인의 비극뿐 아니라, 아이 때문에라도 그랬다.

만일 카사르가 죽은 아이에 대해서 알게 된다면? 상상만으로도 심장이 조여들었다. 저를 버린 여자를 삼 년이나 찾아 헤맨 사람이다. 그 정도로 정이 깊었다. 존재도 몰랐던 자식이 세상을 떠났다는 걸 알게 된다면 말도 못 하게 고통스러울 것이다.

움켜쥔 두 손이 달달 떨렸다. 숨이 턱 막히는 듯했다. 자신이 겪었던 그 끔찍한 고통을 그가 겪을지도 모른다니. 차라리 죽는 게 나았다. 유리는 어차피 그에게 돌아갈 수 없다. 모든 아픔을 혼자 끌어안고 끝내는 게 옳았다. 유리가 그에게 해 줄 수 있는, 유일한 일이었다.

'태자비라니. 대체 왜 그런 선택을!'

지난 오 일간, 유리는 그의 선택이 얼마나 잘못되었는지 듣고 또 들었다. 바론은 이번 일이 카사르의 지위를 위협할 수 있을 거라며 좋아했다. 좋아 죽는 그의 모습을 보는데 미치도록 하늘의 원망스러웠다. 유리는 그동안 너무 많이 아팠다. 그럼, 그 사람만큼은 행복해야 하는 것 아닌가.

"윽, 우윽."

괴로움 때문인지 구역질이 치밀어 올랐다. 화장실에 갈 여유도 없이 벽을 잡고 헛구역질을 했다. 근래 먹은 것이 거의 없어 신물만 나왔다. 손등으로 입을 틀어막은 채 화장실 쪽으로 향했다. 덜덜 떨리는 손으로 물을 받아 몇 번이고 입안을 헹구었다. 안색이 하얗게 질려갔다.

"하, 하아."

유리가 습관적으로 목 언저리를 매만졌다. 카사르의 편지, 그거라도 있어야 숨을 쉴 수 있을 것 같았다. 다급하게 드레스 앞섶을 쥐던 유리가 멍하니 거울을 바라보았다. 펜던트가 없었다.

절로 헛웃음이 나왔다. 세상에, 얼마나 정신이 없었는지 펜던트를 잃어버린 것도 잊고 있었다. 유리가 펜던트가 없어졌다는 걸 알게 된 건 이틀 전이었다. 그동안은 잃어버린 줄도 몰랐다. 연회 전엔 연회를 준비하느라 바빴고, 데뷔를 마친 후엔 리사를 본 충격에 반쯤 넋이 나가 있었다. 펜던트가 없어졌다는 걸 알았을 땐 이미 연회 중반이었다.

'역시 그 여자가 가지고 있는 걸까.'

펜던트를 마지막으로 본 건 아델바오르 저택에서였다. 아이를 보며 울다 얼핏 펜던트를 풀었었다. 그걸 깨달은 순간 눈앞이 깜깜해졌다. 그 여자에게 펜던트가 있다면 빼도 박도 못 하고 정체가 밝혀질 것이다.

그런데 가만 생각해보니 걱정할 일이 아니었다. 오히려 다행이지 싶었다. 그 여자는 '유리'가 되려고 하고 있다. 진짜 유리의 정체가 밝혀질 만한 물건을 내놓을 리 없었다. 유리는 자신의 자리를 꿰찬 리사가 전혀 원망스럽지 않았다. 오히려 고맙기까지 했다. 누군가는 그 사람의 곁을 지켜 주어야 한다. 유리가 앞으로 나설 수 없는 지금, 가짜라도 그의 안식처가 되어 준다면 감사할 뿐이었다.

리사가 아프다는 게 마음에 걸리긴 했지만 카사르라면 고칠 방법을 찾을 수 있을 것 같았다. 설령 그의 시도가 실패하고 리사가 죽는다 하여도 걱정할 건 없었다.

'내가 죽으면 날 완전히 포기할 수 있을 테니까.'

연회 첫날, 유리는 자신이 그에 대해서 아주 큰 착각을 하고 있었다는 걸 깨달았다. 그는 절대로 그녀를 포기하지 못한다. 그를 포기시킬 수 있는 방법은 단 하나뿐이었다. 눈앞에서 '유리'가 죽으면 된다. 그는 유리 외에 다른 반려는 맞이하지 않겠다고 선언했다. 그런 건 얼마든지 뒤집힐 수 있다. '유리'가 죽으면 이 모진 인연도 반드시 끝이 난다. 시간이 지나면 결국 그도 모두 잊고 다른 여인과 혼인하게 될 것이다.

"나도 참 모질고 나쁘구나."

거울에 비친 제 모습을 보며 유리가 서글피 중얼거렸다. 자신의 바람을 위해 타인의 죽음을 괜찮다고 여기는 자신이 미웠다.

"아니야. 살아야지. 아이도 있는데……."

아이의 이름이, 베티라고 했다. 베티를 보물이라도 다루듯 소중하게 안고 있던 여자의 모습이 아직도 눈앞에 선했다. 자신에겐 허락되지 않던 일이었다.

"기적이 일어날 수 있을 거야."

유리는 진심으로 그 여자의 병이 낫기를 바랐다. 자신과는 달리 아이와 행복하게 살기를 소망했다. 진실이 영원히 묻힌 채 그녀가 제 이름으로 살아도 상관없었다. 덕분에 좋은 치료를 받으면 오히려 다행이지 싶었다.

유리는 회장과 먼 쪽으로 천천히 걸어갔다. 그와 한 공간에 있는 게 너무 아팠다. 아이를 잃은 뒤 더 이상 아플 수는 없을 거라고 생각했다. 카사르를 다시 만난 뒤에야 그것이 완전히 착각이라는 걸 깨달았다. 지난 삼 년이 저뿐 아니라 그에게도 고통이었다는 게 너무 절망스러웠다.

복도에는 드문드문 사람이 있었다. 유리는 고개를 숙인 채 걸었다. 그들 중 누구도 그녀를 알아보지 않기를 바랐다. 지금은 가면을 쓴 채 연극까지 할 여유도 없었다. 그러다가 결국 힘이 빠진 유리는 더 걷질 못했다. 벽에 기대어 선 채 가쁜 숨만 내쉴 때였다.

"저, 프리우스 공녀, 맞으시죠?"

이럴 수가. 바로 곁에서 들리는 목소리에 유리가 헛웃음을 쳤다. 조금이라도 쉬고 싶었건만. 제게는 그 잠깐의 휴식도 허락되지 않았다.

"네, 맞아요."

유리는 애써 웃었다. 어쨌든 지금은 황자의 양순한 약혼녀를 연기해야 할 때이다. 피곤하다고 대화를 거부하는 건 안 될 말이다.

이젠 정말 한계인데, 내가 과연 언제까지 버틸 수 있을까.

"전, 리사라고 해요."

상대의 얼굴을 확인한 유리가 얼굴에서 미소가 사라졌다. 유리는 멍하니 눈을 깜빡였다. 바로 그 여자였다.

며칠 전부터 유리의 자리를 대신하고 있는, 베티의 엄마.

'이 여자가 왜 여기에 있지?'

상황이 이해가 안 되었다. 유리가 혼란스럽게 상대를 보는데, 조심스러운 태도로 주변을 경계하던 리사가 손에 있는 무언가를 내밀었다.

"편지 여기 있어요."

"네?"

"너무 늦게 돌려줘서 미안해요. 빨리 주고 싶었는데 기회가 없었어요. 펜던트는 전하께서 가지고 가셨어요. 초상화를 넣어 주신다니 나중에 함께 프리우스로 보내 줄게요. 지금 프리우스 가문에 머물고 있는 거 맞죠?"

대체 무슨 말인 걸까. 하나도 이해가 안 되었다. 말 중간부터 머리가 텅 빈 듯 아무 생각도 들지 않았다. 멍하니 리사의 입술만 응시하는데 손에 낯선 감촉이 느껴졌다. 부지불식간에 제 손을 내려다 본 유리가 신음처럼 중얼거렸다.

"이게, 대체, 뭐……."

잃어버렸다 여긴 편지가 다시 제 손 안에 있었다. 아무 말도, 그저 아무 말도 할 수 없었다. 완전히 굳은 채 편지만 보고 있었다. 리사는 유리의 반응을 살피다 조심스레 편지를 펴 주었다.

"확인해 봐요. 잃어버린 편지 맞죠? 전하께서 당신에게 주신 거요. 여기 써 있어요. 사랑하는 유리에게, 카사……."

"아."

아그작 소리와 함께 편지가 구겨졌다. 저도 모르게 움켜쥔 주먹이 달달 떨렸다. 손뿐 아니라 온 몸이 떨렸다. 유리가 얼어붙은 시선을 들어 올렸다. 리사가 놀라 자신을 쳐다보는 것이 보였다. 온몸의 피가 아래로 쑥 빠지는 듯했다. 이 여자, 내가 누구인지 알고 있어.

멀리서부터 두런거리는 말소리가 가까워졌다. 공포가 목을 조이는 듯했다. 유리가 하얗게 질린 채로 어둑한 복도 끝을 바라보았다.

만일 이 여자가 저들에게 무슨 말이라도 한다면.

"아니에요. 아, 사람, 잘못 봤어요."

"네?"

"저 그런 사람 아니에요. 이거 제 거 아니에요. 이 편지, 제 거 아니에요."

유리는 졸도할 것 같은 심정으로 고개를 저었다. 그 와중에도 그의 흔적이 구겨지는 게 눈물이 났다. 억지로 편지를 돌려주려는데 리사가 당황한 얼굴로 되물었다.

"무슨 소리예요. 당신 이름, 유리잖아요. 전하께서 찾던 여자분이 맞잖아요."

"아니에요! 사람 잘못 봤어요!"

"하지만 편지에는 분명히 카사르 전하께서……."

실랑이가 이어지는 와중에 리사의 목소리가 점점 커지기 시작했다. 피가 마르는 듯했다. 모퉁이 너머로 길게 그림자가 지는 게 보였다. 이 대화가 다른 사람에게 알려지면 끝장이야!

유리가 리사의 손목을 움켜쥐었다.

"제발, 이쪽, 에서 이야기해요."

"네?"

유리는 리사의 손목을 잡은 채 뛰듯이 걸음을 옮겼다. 멀지 않은 곳에 테라스 유리문이 보였다. 밀어 넣다 시피 하여 리사를 안쪽으로 들여보낸 후 문을 닫았다. 문에 기댄 채 리사를 보았다. 심장은 미친 듯 뛰고 있었다.

"유리 님?"

일단 생각을, 생각을 하자. 정신만 똑바로 차리면 된다. 이 여자는 제 정체를 알고 있다. 펜던트를 잃어버린 게 베티의 방이 맞았단 소리다.

"이거 제 거 아니에요."

"네?"

"전 유리가 아니에요. 펜던트가 무슨 말인지도 모르겠고, 편지도, 이 편지도 처음 보는 거예요."

절대 당황할 필요가 없다. 당황해서도 안 된다. 설령 여자가 펜던트를 그 방에서 주웠다 하더라도, 자신이 떨어트린 걸 보지는 못했다. 아델바오르 저택을 출입하는 사람들은 하루에도 수십이 넘었다. 자신은 그중 하나일 뿐이었다. 잡아떼면 그만이었다. 그리 생각하니 터질 것 같던 심장도 조금 진정이 되었다.

"제 이름은 리디아 프리우스예요. 바론 전하 약혼녀죠. 제가 유리라니요? 저한테 대체 무슨 말씀을 하시는 건지 잘 모르겠어요."

유리는 온 힘을 다해 매끄럽게 웃었다. 그동안 바론과 함께하며 지었던 기계적인 미소가 도움이 되었다.

"아무래도 사람을 착각하신 것 같네요."

유리는 리사의 손에 억지로 편지를 쥐여 주었다. 리사는 그 모습을 알 수 없는 눈빛으로 바라보았다. 유리는 제 손에서 편지가 떠난 뒤에야 안도의 한숨을 내쉬었다. 가만히 손에 들린 편지를 내려다보던 리사가 중얼거렸다.

"……디네라고 말씀하셨잖아요."

"그게 뭐든 잘못 들으셨어요. 전 그런 말을 한 적이……."

"아이 이름을 불렀잖아요. 아르디네, 아르딘이라고."

리사가 물끄러미 유리를 보며 말했다.

"어머니 이름을 따서 전하랑 같이 지은 이름이요. 그 아이를 불렀잖아요. 아니에요?"

담담한 목소리였다. 유리가 가만히 눈을 깜빡였다. 아까와는 다른 의미로 속이 덜컹 내려앉았다. 시간이, 공기가 완전히 멈춘 것 같았다. 유리는 느리게 숨을 내쉬고, 다시 들이마셨다. 숨이 목에서 턱 막힌 것 같았다.

"아니요, 그것도 잘못 들으셨어요. 전 그 아이 몰라요. 아르딘, 아르디네, 전부 처음 듣는 이름……."

변명을 시작하기는 했다. 하지만 언제 멈추었는지는 모르겠다. 리사의 안쓰러운 시선이 느껴졌다. 바람이 불었고, 두 뺨에 찬 기운이 느껴졌을 때 유리는 자신이 울고 있다는 걸 깨달았다. 그 아이를 모른다니, 어떻게 그런 말을 할 수 있나. 그 불쌍한 아이를. 어미의 죄로 빛도 보지 못한 그 가여운 아이를 어찌 부정하나.

삽시간에 눈앞이 뿌옇게 젖어들어 갔다. 소리 없이 눈물을 쏟던 유리가 스르르 주저앉았다. 엄마가, 미안해. 유리는 저도 모르게 그렇게 울고 있었다. 저 살자고 그 아이를 모른 척하다니. 또 한 번 그 아이에게 죄를 지었다. 절대 해서는 안 될 짓이었다. 이대로 세상이 끝난다 하여도, 설령 진실이 밝혀진다 하여도 다시는 그래선 안 되었다.

"이걸 어떻게 해."

어쩔 줄 몰라 하던 리사가 와락 유리를 끌어안았다. 어느새 리사의 눈에도 눈물이 맺혀 있었다. 어깨를 감싸는 체온에 유리가 질끈 눈을 감았다. 아슬아슬하게 막고 있던 둑이 와르르 무너져 내렸다. 울음이 명치에 턱 걸려 나오지 않았다. 유리는 막힌 가슴을 치며 소리없는 오열을 삼켰다. 이렇게 울어 네가 돌아올 수만 있다면. 내가 죽어 너를 살릴 수만 있다면. 수천 번을 빌고 빌었던 소원은 서러움이 되어 그녀를 집어삼켰다.

*

"좀 괜찮아요? 아픈 데는 없어요?"

얼마나 울었는지 손 하나 까딱할 힘도 없었다. 시간도 꽤 지난 것 같았다. 연회장으로 돌아가야 한다는 생각을 하면서도 유리는 일어나지 못했다. 벽에 기댄 채 힘없이 웃기만 했다.

리사는 웃는 유리의 모습에 반색하며 그녀의 이마를 짚었다.

"좀 괜찮아진 거예요?"

"네, 괜찮아요."

"너무 많이 울어서 걱정했어요. 목이 아프고 그렇지는 않아요? 어디가 욱신거리거나, 그런 건 없어요?"

"아니에요. 정말 괜찮아요."

아이를 키우는 어머니답게 리사는 살뜰하게 유리를 챙겼다. 유리와 동갑이라 들었는데 마치 언니나 어머니처럼 느껴졌다. 그 따뜻한 배려가 오늘의 유리를 위로했다. 유리는 또 한 번 눈가가 시큰해지는 걸 느끼며 희미하게 웃었다.

"고마워요. 그리고 정말 미안해요."

"고맙긴요. 제가 한 게 뭐가 있나요."

리사는 안쓰러운 눈으로 유리를 바라보며 말했다.

"오히려 너무 마음 아프게 한 것 같아 미안하네요."

"아니에요. 정말 괜찮아요."

"편지는 잘 챙겼죠? 소중한 거잖아요. 버리면 안 되는 거예요."

리사는 씩씩하게 웃으며 편지를 쥔 유리의 손을 모아주었다. 유리는 물끄러미 리사를 바라보았다. 유약해 보이는 외양에도 불구하고 지금의 리사는 참 강해 보였다.

유리를 위로하며 리사는 자신의 이야기를 해 주었다. 갓 태어난 아이가 자신이 앓던 병을 물려받았고, 치료비를 구하기 위해 위험을 자처했다고 했다. 자신도 주저앉고 싶었지만 아이가 있어 버틸 수 있었다며, 아이를 잃은 유리를 진심으로 안타까워했다.

　유리는 정말 힘든 상황일 텐데도 자신을 위로해 주는 리사가 참 대단하게 느껴졌다.

　"치료는 효과가 있는 것 같아요?"

　"아직 처음이라 잘 모르겠어요. 그래도 기침은 많이 멎었어요. 좋은 약을 쓴다더니 확실히 동네 의원하고는 차원이 다르네요."

　"다행이에요."

　"정말 운이 좋았죠. 사실 전 이곳에 오자마자 쫓겨날 거라고 생각했거든요. 얼마 못 가겠지만, 지금 받는 치료도 감사해요."

　웃으며 끝을 말하는 리사에게 유리가 안타까운 얼굴로 말했다.

　"치료, 계속 받으면 되잖아요."

　"제가 어떻게 이 자리를 계속 지킬 수 있겠어요. 얼른 궁 밖에 나가서 딸을 보고 싶어요. 백작님이 우리 딸 호강시켜 준다고 했는데, 얼마나 잘해 주고 있는지 궁금해요."

　리사가 장난스럽게 웃으며 눈을 찡긋했다. 황궁에서 제대로 된 치료를 받으면 남들만큼 살 수 있다는 걸 알면서, 제 몫이 아니라며 웃는 모습에 유리는 가슴이 아팠다. 삶이란, 어찌 이리 잔인한 걸까. 유리는 코끝이 찡해지는 걸 느끼며 리사의 손을 잡았다.

　"치료, 계속 받아요. 이곳에 있을 수 있도록 내가 도와줄게요."

　리사가 '진짜 유리'의 위치를 유지할 수 있다면 계속해서 황궁의 의 치료를 받을 수 있다. 카사르와의 추억을 가지고 있는 유리라면, 치료가 끝날 때까지만 하더라도 리사를 도울 수 있었다. 리사는 난처하게 유리를 바라보았다. 그녀의 도움이 엄청난 호의라는 건 잘 알았다. 그러나 하나는 알고 둘은 모르는 소리였다.

　리사가 어색하게 웃으며 고개를 저었다.

　"저는 연기력이 별로 좋지 않아요."

카사르와 함께한 며칠 동안 리사는 자신의 연기력이 최악이라는 걸 깨달았다. 대체 카사르가 왜 자신의 정체를 눈치채지 못하는지 이해하지 못할 정도였다. 아무리 유리가 도와주어도 결국엔 발각되고 말 것이다. 게다가 사랑하지도 않는 사람과 평생 살 자신도 없었다. 상대가 아살론의 황태자라 하여도 달라질 건 없었다. '유리'로 사는 동안은 딸을 만날 수 없다는 것도 싫었다.

"편지도 있잖아요. 이게 있으면 그 사람도 믿을 거예요."

"아니에요."

"그럼 치료가 끝날 때까지만이라도 가지고 있어요. 일 년이면 된다면서요. 그때까지만 나 대신 살아요. 난 정말 괜찮으니까."

유리가 부드럽게 웃으며 그녀의 손에 편지를 쥐어 주었다. 리사는 여전히 난감한 얼굴이었다.

"나중에라도 제가 가짜라는 게 밝혀지면 어떻게 해요. 전하께선 분명 편지를 어디서 났냐고 물으실 거예요. 그때 할 말이 없잖아요."

"그때도 어떻게든 내가 도울 방법이……."

"그 이야기는 나중에 해요. 회장으로 돌아가야 하잖아요."

"리사."

"저기, 몸이 너무 차요. 일단 테라스를 나가야겠어요. 바람이 제법 춥네요."

리사는 유리가 더 고집을 피우기 전에 재빨리 일어나 손을 내밀었다. 유리는 더 대화를 잇고 싶었지만, 당장은 설득이 어려울 것 같아 리사의 손을 잡았다.

"윽."

부축을 받고 일어나던 유리가 휘청거리며 벽을 짚었다. 다리에 힘이 들어가지 않았다. 후들거리는 다리는 어쩌지 못하고 제자리에 주저앉았다. 다시 몸을 일으키려 했지만 아까보다 일어나기가 더 힘이 들었다. 유리가 난감한 얼굴로 리사를 보며 말했다.

"다리에 힘이 안 들어가네요."

"정말요?"

리사는 얼른 유리의 상태를 살폈다. 이내 유리의 어깨가 가느다랗게 떨리는 걸 보고 깜짝 놀라 말했다.

"이를 어째. 몸을 아직도 떠네요. 많이 안 좋은 거 아니에요?"

"아니에요. 조금 지쳐서 그래요. 여기 앉아서 잠시 쉴게요. 먼저 회장으로 돌아가도 돼요."

근 며칠간 거의 잠을 자지 못했다. 마음고생도 엄청났다. 몸과 마음이 지친 와중에 정체까지 들켰으니 쓰러지지 않은 게 다행이었다. 그리 두려워하던 순간이 왔는데, 막상 마음은 편했다. 유리는 제 정체를 알아챈 것이 리사라는 게 너무도 감사했다.

"그럼 담요라도 가져올게요. 너무 춥잖아요."

"괜찮아요. 정말. 힘들게 그럴 필요 없어요."

"부담 갖지 마요. 이건 아무것도 아니에요, 정말. 내가 덕분에 얼마나 좋은 치료를 받고 있는지 잊었어요?"

리사의 너스레에 유리가 어쩔 수 없다는 듯 웃었다. 처음 봤을 때보다 훨씬 편한 얼굴이었다. 다행이라는 생각을 하며 리사는 테라스 밖으로 나왔다. 연회가 열리는 중이라 그런지 복도에는 사람이 거의 없었다. 리사는 조심스레 휴게실 쪽으로 향했다. 혹시라도 자신을 알아보는 사람이 있을까 봐 고개는 푹 숙인 채였다.

가까운 곳에 빛이 새어 나오는 방이 있었다. 조심히 귀를 대어보니 인기척은 들리지 않았다. 조용히 문을 열자, 역시나 휴게실은 텅 비어 있었다. 리사는 유리가 덮을 만한 담요를 집어 들었다. 가슴에 품은 채로 테라스로 돌아가는데 벽쪽에 누군가 기대어 있는 것이 보였다. 그림자 때문에 얼굴은 보이지 않았다. 리사는 그 사람이 자신을 알아볼까 봐 얼른 고개를 숙였다.

그때, 나직한 목소리가 들려왔다.

"유리야, 어디 가?"

처음에는 제게 하는 말인 줄 몰랐다. 방금 있었던 일로 자신이 누구 역할을 하고 있는지 잠시 잊었던 것이다. 얼른 유리에게 돌아가야겠다 여기며 바삐 지나가는데 쿡 하는 웃음소리와 함께 어깨가 잡혔다. 동시에 리사의 마른 몸이 휙 돌려세워졌다.

"어……!"

"뭐가 그렇게 바빠서. 부르는 줄도 몰라."

무척이나 낮고 차가운 목소리였다. 목소리만 들었을 땐 상대가 누구인지 몰랐다. 한 걸음, 그가 빛으로 걸어나온 후에야 리사는 눈앞의 사내가 카사르라는 걸 깨달았다.

"저, 전하?"

놀란 리사가 당황하여 카사르를 보았다. 담요를 쥔 손에 꾹 힘이 들어갔다. 긴장한 리사가 입술을 달싹였다. 몇 걸음만 가면 유리가 있는 테라스였다. 카사르는 아무것도 모른다는 걸 알면서, 막상 두 사람의 조우가 두려웠다.

"전하라. 우리 유리가 날 계속 전하라고 부르는구나."

낮은 웃음소리에 리사의 얼굴에 당혹이 어렸다. 루한은 리사에게 호칭에 대해선 딱히 정해 준 바가 없었다. 어차피 발각될 것이니 마음대로 부르라고 했다. 결국 리사는 처음부터 카사르를 전하라고 불렀다. 황태자의 이름을 입에 담는 게 너무도 부담스러웠기 때문이었다. 카사르도 별 말을 않기에 괜찮은 줄 알았다. 한데 이제 와서 왜 호칭을 걸고 넘어지는 걸까?

"카, 카사르."

역시 연인이니 이름으로 불렀어야 하는 걸까. 리사는 뒤늦게 자신의 실책을 깨닫고 기어들어가는 목소리로 말했다. 어색해 죽을 것 같았다. 카사르는 물끄러미 그녀의 품에 안긴 담요를 바라보았다. 리사는 입이 바싹바싹 마르는 걸 느끼며 입을 열었다.

"카사르. 잠시 바람을 쐬려는데 날이 추워서요. 담요라도 덮으면 좀 좋을까 하고……."

"처음 알았어."

"네?"

"내 이름이 이렇게 답답하게 들릴 줄이야."

카사르가 한 걸음 그녀 쪽으로 다가왔다. 리사는 자연스럽게 뒤로 밀렸다. 그는 여전히 또 한 걸음 다가왔다. 리사는 본능적으로 그와의 거리를 유지했다. 그렇게 밀려나던 중 차가운 공기가 옆 얼굴을 스치고 갔다. 그것이 테라스 문 틈 사이에서 새어나오는 바람이라는 걸 깨닫자마자, 카사르가 와락 리사의 손목을 움켜쥐었다.

"당연하겠지."

"네?"

"당신, 가짜니까."

벌컥, 테라스의 문이 열렸다. 찬바람이 순식간에 그녀를 덮쳤다. 놀랄 겨를도 없이 안쪽으로 끌려 들어갔다. 카사르는 집어던지듯 잡은 손을 놓았다.

"윽!"

리사는 가까스로 유리의 반대편 쪽으로 몸을 틀었다. 카사르의 시선이 집요하게 리사를 따랐다. 그의 등 뒤로 경악한 유리가 자리에서 일어나는 것이 보였다.

"당신, 가짜 맞잖아."

리사가 소리 없는 비명을 삼켰다. 덜덜 떨며 입을 틀어막았다. 유리에게 줄 담요가 바닥으로 떨어졌다. 카사르는 아직 유리를 눈치채지 못했다. 리사에겐, 더 이상 중요한 문제가 아니었다. 언젠간 들킬 거라고 생각은 했었다. 마음의 준비도 끝냈다 여겼다. 한데 어느 순간부터 묘한 기대가 생기기 시작했다. 발각 후에도 괜찮을지도 모른단 생각이 들기 시작한 것이다. 카사르를 직접 만난 다음부터 그랬다. 리사가 본 카사르는 무척이나 상냥하고 다정한 사람이었다. 리사의 행동 하나하나에 깊은 주의를 기울이며, 그녀가 조금이라도 불편함을 느낄 때엔 지체 없이 나섰다.

그 지고지순한 사랑에 유리를 사칭한 귀족들은 신분 고하를 막론하고 죄다 옥에 가두었다는 냉정함은 찾아볼 수 없었다. 리사는 아무래도 소문이 너무 과장된 것 같다는 결론을 내렸다. 이렇게 따뜻한 사람이 그리 잔혹할 것 같진 않았다. 점점 용기가 생겼다. 마음이 넓은 분이니 설령 그녀가 정체를 들킨다 하더라도 큰 벌을 내릴 것 같지는 않다. 아이 때문에 어쩔 수 없이 일을 벌였다는 걸 알면 자비를 베푸실지도 모른다. 어쩌면, 아이를 치료하게 도와줄지도 모른다. 그렇게 저 혼자 부푼 꿈을 키워갔었다.

전부 다 착각이었다. 그가 상냥하고 따뜻한 사람일 수 있었다. 하지만 그건 사랑하는 여자에게만 해당되는 말이었다. 자신을 속인 여자에겐 잘 벼린 칼처럼 냉정할 뿐이었다.

"처음부터 알고 있었어. 당신이 가짜라는 거."

심장이 멎는 듯했다. 리사는 멍하니 카사르를 보았다. 모든 진실을 알고 있으면서 그는 완벽하게 가면을 뒤집어썼다.

"루한이지? 당신에게 이 같잖은 연극을 하게 만든 게."

그의 미소는 여전히 신사적이었다. 그러나 이젠 그 뒤에 숨어있는 살의가 보였다. 리사는 몸을 달달 떨며 난간에 기대었다. 두려움에 넋이 나갈 지경이었다.

"아, 아니에요."

리사는 정신없이 고개를 저었다. 루한은 발각 시 대처 방안에 대해 알려 주긴 했다. 무조건 잡아떼면 뒤는 자신이 맡는다고 했다. 정말 그게 가능할진 모르겠지만, 리사는 일단 루한의 말을 따랐다. 그것 말고는 별 방법도 없었다.

리사의 부정에 카사르의 기세가 사나워졌다.

"아니라고?"

"아니에요. 전하, 아니 카사르. 저는 그분, 백작님하고 전 상관이 없어요. 전 유리가, 맞아요. 전하. 어, 전하."

"기가 막히네, 정말."

제대로 알아듣지 못할 정도로 떨리는 목소리에 카사르가 헛웃음을 쳤다.

"증거를 내밀어야 이 같잖은 연극을 멈출 텐가?"

"연극이라니, 그게 무슨……."

"그만."

카사르가 뚝 말을 잘랐다. 그의 눈빛은 무척이나 냉혹했다.

"당신 딸을 살리고 싶으면 이쯤에서 멈추는 게 좋을 거야. 혹시 루한이 당신 딸을 고쳐주겠다고 했나? 그래서 이따위 일을 벌였나?"

이럴 수가. 단번에 꿰뚫린 진실에 리사는 멍해졌다. 너무 놀라 부정조차 할 수 없었다. 카사르가 피식 입매를 비틀었다.

"의사들이 그러더군. 당신이 해산을 한 지 얼마 안 되었다고 말이야. 길어야 삼 개월. 아이를 낳고 얼마 되지도 않은 여자가 사지로 걸어 들어올 이유가 대체 무엇일까. 당신 병을 생각해보니 바로 답이 나오더군."

의사들은 리사의 병이 여아에게 유전되는 것이라 하였다. 그 말을 듣는 순간 일의 전모를 파악했다. 이 어리석은 어미는 제 딸을 구하기 위해 루한의 손을 잡은 것이다. 그걸 깨달은 순간 루한을 향한 배신감은 더욱 깊어졌다. 어디 할 짓이 없어, 눈 먼 모성애를 이용해 저를 겁박한단 말인가. 리사를 볼 때마다 천불이 끓었지만, 이 여자는 피해자라는 걸 알았다. 탐욕에 눈이 먼 가짜들과는 다르니 기회를 줄 수도 있었다.

"그래. 자식이 죽어가니 앞뒤 분간이 안 되었겠지. 이해할 수 있어. 하지만, 아무리 그래도 더 이상의 기만은 참기 어려워."

카사르가 한걸음 리사 쪽으로 다가서며 냉정한 얼굴로 말했다.

"진심으로 당신 아이를 구하고 싶나? 그렇다면 지금 당장 루한에게 전해. 앞으로 한 번만 더."

"그 아인, 전하의 아이예요!"

그때 리사가 외마디 비명을 내질렀다.

"뭐?"

"그, 그 아이, 전하, 아니 당신 아이라고요."

숨이 턱 막히는 듯했다. 그의 표정이 허물어졌다. 그의 아이라니, 소름이 끼칠 정도로 강렬한 말이었다. 그는 얼어붙은 눈으로 리사를 바라보았다.

이 여자가 내 아이를 낳았다고? 그게 대체 무슨 소리야? 지금 대체 뭐라고 지껄이는 거야?

"그 아이는, 내 딸은 해치면 안 돼요. 당신 아이, 아니 전하 아이니까. 아니야, 전하! 제가 다 잘못했어요. 죄송해요. 살려주세요. 우, 우리 딸만은 제발, 해치지 마세요. 전하!"

리사는 완전히 패닉상태에 빠져 횡설수설이었다. 카사르가 아이의 안위를 언급한 순간 끔찍한 두려움이 그녀의 이성을 마비시킨 것이다. 카사르는 얼어붙은 눈으로 정신 나간 사람처럼 제게 매달리는 여자를 바라보았다. 뜨겁게 달구어졌던 속이 삽시간에 확 식었다. 그리고 다시 끓고, 종래는, 찢기는 듯했다.

"지금 뭐랬어, 당신 아이가, 내 아이라고!"

카사르가 버럭 고함을 지르며 그녀의 어깨를 움켜쥐었다. 그 기세에 압도된 리사가 숨을 헐떡였다. 그는 휘청이는 몸을 아득 붙잡은 채 사납게 이를 드러냈다.

"어떻게 내게 그따위 말을 지껄여!"

머리가 아찔해질 정도로 화가 치밀어 올랐다. 심장이 버들버들 떨렸다. 참혹하게 좌절되었던 꿈이 그를 후려쳤다.

"내 아이? 내 아이라고? 내가 그 여자아이를 얼마나 기다렸는데, 당신, 감히 살고자 그따위 말을 입에 올려!"

그는 쿵쾅대는 제 맥박 소리를 들으며 이를 갈 듯 말했다.

"그렇게도 그 여자가 되고 싶어? 그럼 들어봐. 내가 너 때문에, 얼마나 힘들었는지! 네가 날 얼마나 미치게 만들었는지!"

지난 삼 년을 어찌 한마디로 표현할 수 있을까. 하루하루가 고통이었다. 그 여자가 저 없는 곳에서 피 한 방울이라도 흘렸을까 봐 두려워 견딜 수가 없었다. 세상의 모든 신에게 기도를 했다. 제발 그 여자를 지켜달라고. 다치지 않게 해 달라고.

"지난 삼 년간 살아도 사는 게 아니었어. 네가 날, 지옥으로 밀어 넣었으니까!"

그녀를 찾기 위해 사람을 보내놓고 그들이 돌아오지 않길 바란 적도 있었다. 혹시라도 안 좋은 소식이 돌아올까 봐, 제가 그 여잘 지키지 못했다는 걸 알게 될까 두려웠다.

"다들 널 잊으라고 했지. 이젠 그만 포기하라고! 돌아올 생각이 있으면 진즉에 돌아왔다고! 그 새끼들이 심지어 뭐라고 했는지 알아? 네가, 죽었다고 했어! 그 말을 들었을 때 내가 어떤 심정이었을지 네가 알기나 해!"

전하, 부디 다른 여인을 맞이하시는 게 좋겠습니다. 그분은 부디 놓아 주시고…….

빌어먹을! 그들은 그를 위한답시고 아무렇지도 않게 그의 심장에 칼을 꽂았다. 이젠 가장 가까운 친우마저 그를 배신했다. 그 모든 괴로움을, 그 여잘 다시 만날 날을 상상하며 버텼다.

"내가 그 여자 아이를 얼마나 기다렸는지 당신은 상상도 못 해."

그는 마치 웃기라도 하듯 입매를 일그러트렸다. 눈매는 붉게 달아올라 있었다. 웃는 것도 우는 것도 아닌 기묘한 표정이었다.

좋은 소식. 그 말이 얼마나 그를 괴롭혔는지 모른다. 그럴 리 없다고 생각하면서도 그는 과거 속에서 끊임없이 임신의 증거를 찾았다. 대수롭지 않은 말과 행동에 수도 없이 천국과 지옥을 오갔다. 결국 그는 임신 아닐 거라 결론을 내렸다. 유리가 아이를 가졌다면 저를 떠났을 리 없다. 설령 떠났다 하더라도 다시 돌아왔을 것이다. 아비와 자식을 갈라놓을 정도로 모진 여자가 아니었다. 아니, 유리가 혼자 아이를 낳아 기르는 상황이면 차라리 나았다. 그의 아이를 품은 여자가 돌아오지 않는 것이 아니라, 돌아올 수 없는 것이라면.

숨을 쉴 수가 없었다.

그는 즉시 제 상상력을 저주했다. 불길한 생각이 혹여 그녀에게 안 좋은 영향을 주었을까 전전긍긍했다. 그 뒤로는 좋은 소식이 무엇이었는지 되도록 떠올리지도 않으려 했다. 특별한 의미가 있는 말이 아니었을 것이다. 날씨가 좋을 것 같단 말일 수도 있고, 맛있는 음식을 만들어주겠다는 예고였을 수도 있다. 그렇게 그는 온 힘을 다해 그때 자신이 느꼈던 희망을 짓밟았다.

"지금 당장 루한에게 똑똑히 전해."

카사르가 리사의 팔을 움켜쥔 채 문 쪽으로 나가갔다. 리사는 넋이 나가 실 끊어진 인형처럼 끌려갔다. 그 모습을 보는 눈동자에 새파란 불길이 일었다. 자신을 기만한 여자의 팔을 부러트리고, 루한을 죽여 버리고 싶었다. 그 대신 그는 손톱이 손바닥을 파고들도록 주먹을 움켜쥐었다.

"또 한 번 이따위 짓을 하면 황태자비 자리에 손댈 게 아니라 내 손목을 잘라 버리겠다고. 병신이 된 황태자가 폐위되는 꼴을 보고 싶지 않거든 다시는 그 여잘 건들지 말라고."

*

얼마나 시간이 지났는지 모르겠다. 문이 닫히는 소리 이후론 시간이 영영 멈춘 듯했다. 싸늘한 바람이 옷 속을 파고들었다. 살이 베이는 듯한 추위였다. 유리는 멍하니 난간 너머를 바라보았다. 메마른 뺨엔 더 이상 눈물도 흐르지 않았다.

처음부터 그의 말을 엿들으려던 건 아니었다. 혼자 나갔던 리사가 카사르와 함께 들어온 모습을 보았을 땐, 너무 놀라 숨기에 바빴다. 그 짧은 순간 리사가 카사르를 데려온 것인가 하는 충격까지 받았다. 가까스로 구석에 숨은 채 나가야 하나 갈팡질팡일 때 나직한 목소리가 들렸다.

―당신, 가짜 맞잖아.

그때 테라스를 나갔어야 했다. 먼저 쉬고 있던 척 양해를 구하고 그 자리를 피했어야 했다. 정체를 증명할 편지는 다시 유리의 손에 있었다. 설령 리사가 진실을 밝힌다 해도 발뺌하면 그만이었다. 그러나 유리는 아무것도 하지 못한 채 그저 굳어 있었다. 등 뒤로 들리는 목소리가 그의 몸을 꽁꽁 묶어 놨다.

―언제 들켰는지 궁금해? 처음부터 알고 있었어. 당신이 가짜라는 거.

낮고 차분한 목소리였다. 그럼에도 그 뒤에 숨겨져 있는 고통이 선명히 보였다. 본능적으로 귀를 막았던 것 같다. 그의 말을 더 들다 보면 겨우 붙잡고 있던 것들이 완전히 무너질 것 같았다.

　―유리가 되고 싶다고 했지? 그럼 똑똑히 들어! 너 때문에 내가 얼마나 힘들었는지! 내가 너 때문에 얼마나 미칠 뻔했는지!

　그의 말을 외면하려는 노력이 무색하게 어느 순간 그의 전언이 귓가로 파고들었다. 삼 년 전, 그의 존재가 시나브로 마음에 스몄던 것처럼 그의 목소리가 들렸다.

　―삼 년간 살아도 사는 게 아니었어. 네가 날 지옥으로 밀어넣었으니까!

　귀를 막은 손에서 스르르 힘이 빠져나갔다. 꼼짝도 못한 채 그의 절규를 들었다. 그가 드러내는 날 것 그대로의 상처에 그저 멍할 뿐이었다. 이별을 극복하는 게 쉽진 않았을 거라고 생각하긴 했다. 그는 그녀를 진심으로 사랑했으니까. 그래도 저보다는 나을 거라고 여겼다. 시력을 되찾고 황태자 자리에 올랐으니 아픈 과거 따윈 잊고 앞으로 나아갈 수 있을 거라 기대했다. 전부 착각이었다.

　―다들 널 잊으라고 했어. 이젠 그만 포기하라고 했어! 네가 날 버렸다고. 돌아올 생각이 있으면 진작 돌아왔다고!

　이젠 여전한 그의 사랑이 원망스럽기까지 했다. 그렇게 힘들었다면 진작 그만두었어야 하는 것 아닌가. 주변의 조언대로 그녀를 포기하는 게 옳았다. 질끈 감은 눈꺼풀 아래로 뜨거운 눈물이 흘렀다. 유리에겐 그의 집념을 원망할 자격이 없었다. 그가 그런 사람이기에 사랑했던 거다. 그 한결같음에, 단단한 의지에 반했던 거다. 늘 저를 구원해 주는 그라면, 상처투성이인 자신도 기댈 수 있지 않을까 믿었던 거다.

　―내가 그 여자아이를 얼마나 기다렸는지, 당신은 상상도 못 해.

　그 말을 듣는 순간 깨달았다. 송곳 같은 깨달음이었다.

　그녀뿐 아니라 죽은 아이 역시 그에겐 독이었다.

만일 그녀가 돌아간다면, 잠깐은 기쁠지도 모른다. 그러나 모든 진실을 안대도 그러할까? 제 아비가 사랑하는 여자의 모든 것을 앗았고, 그 여자가 제 아이를 죽였다는 걸 알아도 여전히 그녀의 귀환이 기꺼울 수 있을까?

"하."

유리가 허탈하게 웃으며 고개를 저었다. 불가능한 일이라는 걸 유리가 가장 잘 알았다. 받아들이기엔 너무도 참혹한 진실이었다. 저 역시 이겨내지 못하고 몇 번이나 삶을 포기하지 않았나. 맨 몸으로 가시덤불에 들어가는 것과 다를 바 없다.

그가 철철 흘릴 피를 생각했다. 차라리 그녀가 죽었다 여기는 게 나았다. 딱 한 번, 딱 한 번만 슬퍼하면 될 것이다. 그럼 영영 그녀를 그의 인생에서 지울 수 있다. 곁에서 버티지도 못할 여자와 함께 괴로워하느니 그 편이 훨씬 더 나았다.

'죽은 가족들을 버릴까?

순간적으로 충동이 치밀어 올랐다. 지난 삼 년간 수도 없이 했던 생각이었다.

'가족들을 버리고, 그들의 죽음을 잊고, 그에게 돌아갈까?

유리가 오들오들 떨리는 몸을 끌어안았다. 기다렸다는 듯 아버지의 절규가, 어머니의 마지막 미소가, 황제의 목소리가 차례로 떠올랐다.

그럼 그에게 아살론을 버리라고 애원해 볼까? 보위를 포기하고 아버지와의 연을 끊으면, 나도 가족을 버릴 수 있다고 해볼까? 아무도 모르는 곳으로 떠나 서로만 보고 살자고 매달려볼까?

—잘 들어. 아이가 죽은 건 네 탓이야.

폭발할 것 같던 생각에 사로잡혀 있던 유리의 몸에서 일순 힘이 빠져나갔다. 허공을 응시하던 유리가 고요히 시선을 떨구었다.

"그래. 이미 늦었어."

진실을 밝힐 거였으면 진작 말했어야 했다. 초상화를 본 날 모든 것을 고백했어야 했다. 아이가 죽은 지금은 아무것도 돌이킬 수 없다. 그녀는 그의 아이를 숨겼고, 그의 아이를 죽게 했고, 명복을 빌 권리조차 빼앗았다. 지난 삼 년을 고통 속에서 살게 했다.

그래놓고 이제 와 그에게 모든 것을 버리자 애원하자고?

참 염치도 없지. 유리는 힘없이 웃으며 움켜쥔 주먹을 폈다. 구겨진 편지가 밤바람에 흔들리는 게 보였다.

'내가 무슨 자격으로 이 편지를 가지고 있었을까.'

그따위 짓을 해놓고 어떻게 그의 편지에서 위로를 받은 걸까. 밀려오는 자기혐오에 유리가 몸서리를 쳤다. 꽁꽁 언 손가락이 편지를 움켜쥐었다. 이제라도 그에게 죄를 짓지 말아야 했다.

"미안해요, 카사르."

결코 닿지 못할 사과와 함께 편지가 지익 소리를 내며 갈라졌다. 유리의 손길엔 거침이 없었다. 빛바랜 편지가 잘게 찢길수록 유리의 마음도 갈기갈기 찢겼다. 유리가 달달 떨리는 손을 난간 밖으로 내밀었다.

"윽."

희게 질린 주먹을 바라보던 유리가 결국 울음을 터트렸다. 주먹이, 펴지지 않았다. 펼 수가 없었다. 제발 이것이라도 남기고 싶은 미련과, 그 미련을 향한 혐오감이 그녀의 가슴을 할퀴었다.

"카사르, 제발요."

견디기 힘든 순간이 오자 또 한 번 그의 이름에 매달렸다. 눈물 젖은 부름과 함께 작은 종이 조각들이 허공으로 흩어졌다. 밤하늘은 순식간에 그의 흔적을 집어 삼켰다. 지난 삼 년간 기대왔던 편지가 그렇게 허무하게 그녀를 떠났다.

"아⋯⋯."

신음이 흘러 나왔다. 여지껏 겪어보지 못한 상실감이 해일처럼 밀어닥쳤다. 이젠 아파도 기댈 곳이 없었다. 고통이 그녀를 집어 삼키는 동안 무력하게 서있기만 했다. 허공을 바라보는 눈동자는 텅 비어갔다. 아픔 외에 그 어떤 감각도 느껴지지 않았다. 손끝 하나 까딱할 수 없었다. 어쩌면, 이대로 영영 움직이지 못한 채 굳어 버릴지도 모른다는 생각이 들었다. 그래도 상관없지 싶기도 했다. 어쩌면⋯⋯.

그때, 그녀의 팔을 지그시 잡는 손이 있었다. 모든 감각이 마비된 와중에 그 손이 닿은 부분만 생생했다. 언 살이 얼얼할 정도로 뜨거운 체온이었다. 유리는 멍하니 그 손이 이끄는 대로 돌아섰다. 그 손이 누구 것인지도 궁금하지 않았다. 이젠, 아무 생각도 하고 싶지 않았다. 봄이지만 밤바람은 제법 차가웠다. 오랫동안 찬바람을 맞은 탓에 유리는 정신이 없었다. 방금의 충격 때문에 자극을 처리하는 속도도 더뎠다.

"카사르?"

참 이상한 일이었다. 눈앞에 그 사람이 보였다. 유리가 고개를 갸웃했다.

"꿈인가?"

꿈일 수도, 환상일 수도 있다. 어쩌면 둘 다일 수도 있다고 생각했다. 어쨌든 그가 너무 그리워 헛것을 보는 것이리라. 유리는 고개를 갸웃하다 손을 들어올렸다.

"왜 우는 거지?"

천진하게까지 들리는 물음이었다. 그의 입매가 일그러졌다. 유리가 안타까운 얼굴로 그의 눈물을 닦아냈다. 꿈에서라도 그가 우는 게 마음이 아팠다. 손끝에 닿는 뺨이 차가웠다. 현실이 아니니까 그런 거라고 납득했다. 이렇게라도 그를 보는 건 좋았지만, 한편으론 아쉽기도 했다.

"이왕이면 웃는 얼굴이 좋은데……."

그에 그 사람이 질끈 눈을 감았다. 유리는 잠자코 환영이 다시 눈을 뜰 때까지 기다렸다. 다시 한번 그의 눈을 보고 싶었다. 유리가, 너무나도 사랑했던 그 푸른 눈동자를 마주하고 싶었다. 잠시 후 잔뜩 억눌린 목소리와 함께 그가 와락 유리를 끌어안았다.

"이럴 수가."

환영이 말을 하자 놀란 유리의 눈이 조금 커졌다. 눈을 접으며 곱게 웃었다. 꿈이 참 생생했다. 심지어 안긴 품은 따뜻하기까지 했다. 거친 호흡 소리를 들으며 유리는 그의 가슴에 얼굴을 기댔다. 그의 팔이 제 어깨를 강하게 조이는 것을 느끼며 눈을 감았다.

"살아 있었구나. 유리야."

그리고 그 순간, 유리가 감았던 눈을 떴다. 섬뜩한 예감이 등골을 타고 흘렀다.

"내가, 널, 얼마나 애타게……."

이건 꿈이 아니었다.

"애타게 찾았는데."

떨리는 목소리와 함께 그가 안은 팔을 풀어냈다. 유리는 충격으로 굳은 채 그를 올려다보았다. 카사르가 벅차오르는 감동에 숨을 몰아쉬다 그녀의 얼굴을 감쌌다. 손끝으로 그녀의 이목구비를 확인할수록, 그의 눈매가 붉게 물들어갔다. 그동안 유리는 숨조차 쉬지 못했다. 확인을 끝낸 그가 와락 유리를 끌어안으며 말했다.

"프리우스 공녀가 너였구나. 역시, 역시 그랬구나."

*

리사와 대화를 마친 후 카사르는 리사를 끌고 즉시 연회장으로 가려고 했다. 리사에게 잔뜩 겁을 준 지금이 친구에게 경고를 할 적기라고 판단했던 것이다. 한데, 테라스를 나가기 직전 누군가 테라스 안쪽에 있던 걸 발견했다. 얼핏 보이는 뒷모습이 익숙했다.

'프리우스 공녀?'

그와 동시에 움켜쥔 리사의 팔이 뻣뻣하게 굳었다. 기묘한 예감에 그는 미간을 좁혔다. 그는 힐끔 리사를 본 뒤 그녀를 밖으로 내보냈다. 쾅 소리가 날 정도로 문을 닫은 뒤 공녀를 응시했다. 그 자신도 이해하지 못할 만큼 충동적인 선택이었다.

리사는 완전히 넋이 나간 채 그를 보고 있었다. 그는 테라스 걸쇠를 잠그며 입을 열었다. 지금 당장 루한에게 가서, 이 정신 나간 연극을 그만두라는 경고를 전하기 위해서였다. 한데 막상 입 밖으로 나온 말은 전혀 다른 것이다.

'조용히.'

리사는 반쯤 넋이 나가 고개를 끄덕였다. 그는 마치 홀리기라도 한 듯 공녀의 뒷모습에 집중했다. 머릿속엔 저 여자와의 시간을 방해받고 싶지 않다는 욕심만이 가득했다.

'프리우스 공녀가 왜 여기 있는 거지?'

이 테라스엔 분명 리사가 있었다. 연회 도중에 사라진 리사를 찾아다니다가, 그녀가 이 테라스에서 나오는 걸 보고 뒤를 따른 것이다. 휴게실 쪽으로 향하기에 그곳에서 루한과 비밀스레 만나기라도 하는 줄 알았다. 아예 현장을 잡아야겠다 싶어 루한이 오길 기다리는데, 리사가 방 안에서 담요를 안고 나온 것이다.

'두 사람이 만난 건가?'

카사르의 눈빛이 당혹스럽게 변했다. 바론의 약혼녀인 프리우스 공녀와 가짜 유리인 리사는 전혀 접점이 없었다. 그의 눈이 잠시 바닥에 떨어진 담요에 머물렀다. 혹시 저걸 공녀에게 주려 했던 건가? 그의 혼란은 더 심해져 갔다.

공녀는 한참이나 우두커니 서 있기만 했다. 뒤에 그가 있다는 것도 모른 채였다. 그 뒷모습을 보고 있던 카사르는 어느새 인상을 쓰고 있었다. 그의 손이 명치 언저리를 문질렀다. 왜인지, 저 여자를 보고 있으니 자꾸만 가슴이 욱신거렸던 것이다. 연회 첫날 공녀가 눈에 밟혔던 때와 똑같았다.

'저 여자가 대체 유리와 뭐가 닮았다고.'

결국 이유는 그거다. 프리우스 공녀를 보면 자꾸 유리가 떠올랐다. 심지어 공녀가 유리는 아닐까 의심까지 하게 만들 정도였다. 잠깐 나눈 대화에서 유리가 느껴졌다는 게 그 이유였는데, 지금 돌아보면 완전히 미친 생각이었다.

'유리가 바론의 약혼녀가 되었다는 게 말이 돼?'

단 이틀뿐이었지만 카사르는 공녀가 바론에게 얼마나 극진했는지 모두 보았다. 그가 목이 마르면 물을 가져다주고, 더운 듯싶으면 손부채질을 해 주었다. 잔뜩 취해 열 오른 얼굴을 찬수건으로 정성스레 닦아주기까지 했다. 입 속의 혀가 따로 없었다. 공녀의 그러한 태도는 많은 사람들의 관심을 끌었다. 바론의 입장에서야 당연한 일이겠지만, 일반적인 귀족 영애의 행동과는 거리가 멀었던 것이다. 귀한 가문에서 태어난 아가씨일수록 남을 보살피는 데 익숙하지 않았다. 평생을 상전으로 살아왔기 때문이었다. 자신이 아니어도 수발 들 사람은 널렸기에, 공녀처럼 직접 약혼자를 챙기는 경우는 없다시피했다.

'유리도……. 제기랄.'

공녀의 헌신적인 태도는 자연스레 유리와 함께했던 시절을 떠올리게 했다. 카사르는 욕을 삼켰다. 자꾸만 바론의 약혼녀랑 유리를 엮는 자신이 마음에 들지 않았다. 말도 안 되는 예감 때문에 할 일을 미루는 자신도 마뜩치 않았다. 결국, 카사르는 몸을 돌려 문 쪽으로 갔다. 떨어져 있던 담요가 발치에 걸렸다. 조금 망설이다 담요를 집어 들었다. 이 추운 날 찬바람을 맞고 있는 공녀가 슬슬 걱정되었던 것이다.

―미안해요. 카사르.

그리고 그때 벼락이 내리쳤다. 그의 손에 들린 담요가 툭 떨어졌다. 그는 멍하니 눈을 깜빡였다. 세상의 모든 소리가 사라지고, 오직 그녀의 목소리만 들렸다. 도저히 지금 상황을 이해할 수 없었다. 대체 왜, 공녀가 유리의 목소리로 말하는 걸까?

―카사르, 제발.

카사르. 그 이름이 저를 후려치는 듯했다. 그는 비틀거리다 반걸음 뒤로 물러났다. 공녀가 부르는 그의 이름은, 자신이 미치도록 그리워했던 기억 속 그 부름이었다. 충격으로 굳어 있던 그는 가까스로 유리에게 다가갔다. 여자를 돌려 세우려다가, 몇 번이나 허공을 움켜쥐었다. 괜히 손을 대었다가 전부 사라져 버릴까 두려웠다. 그러다 가까스로 용기를 내 유리를 돌려세웠다. 그렇게 그는 사랑하는 여자의 얼굴을 처음으로 확인하게 되었다.

"유리야, 우리 드디어 다시 만났구나."

그는 환히 웃으며 유리의 뺨을 감쌌다. 유리는 여전히 눈 하나 깜짝하지 못한 채 굳어 있었다. 그 모습이 미치도록 사랑스러웠다. 그가 웃음을 터트리며 흰 이마에 입을 맞추었다.

"역시 상상대로야. 정말 눈이 부시게 아름답다. 정말로."

처음 본 유리의 얼굴은 그가 생각했던 대로, 아니 생각했던 것보다 훨씬 아름다웠다. 환희에 찬 시선이 짙은 눈썹, 맑은 눈동자, 오똑한 콧날, 자그마한 입술을 따라 흘렀다. 아무리 봐도 어여쁘지 않은 구석이 없었다.

"네가 이런 얼굴이었구나."

그는 꼼꼼히 제 연인을 눈에 담았다. 맹인이 처음 빛을 본 듯 가슴이 벅차올랐다. 그 감격이 너무 커서 그는 당연히 유리 역시 자신과 같은 감정일 거라고 생각했다.

"아니야."

"응?"

"아니야, 아니에요. 아니야."

겁에 질린 유리가 주춤거리며 뒤로 물러났다. 이내 등 뒤에 부딪히는 난간에 윽 신음을 냈다. 놀란 카사르가 얼른 그녀를 부축하려 손을 내밀었다. 그때, 도저히 이해할 수 없는 일이 생겼다.

"손 대지 마요!"

찰싹! 날카로운 소리와 함께 그의 손이 떨쳐졌다. 손등이 얼얼한 통증에 그가 멍하니 유리를 바라보았다.

"유리야."

이게 무슨 상황인지 알 수가 없었다. 유리가 대체 왜, 제 손을 떨친단 말인가?

당황한 그가 유리 쪽으로 한걸음 다가갔다. 좁혀지는 거리에 유리가 바짝 난간으로 붙었다. 헐떡이는 호흡 소리가 들려왔다. 마치 치한이라도 만난 듯한 반응에 그는 말문을 잃었다.

"유리야, 대체 왜 그래."

설마 그를 알아보지 못하는 걸까? 아니 그럴 리가 없었다. 분명 그의 이름을 부르면서, 왜 우냐고 묻기까지 하지 않았나?

답답한 마음에 다시 그녀 쪽으로 손을 뻗는데, 그녀가 떨리는 목소리로 말했다.

"사람 잘못 보셨습니다."

"뭐?"

"착각하셨어요. 저는 전하께서 찾으시는 분이 아닙니다."

"착각이라고?"

카사르의 눈빛이 혼란스럽게 변했다. 유리는 이를 악문 채 그의 시선을 받아냈다. 차가운 난간을 쥔 손에 힘이 들어갔다. 등 뒤로는 그저 허공이었다. 차라리 뛰어내리는 게 낫겠단 생각이 들었다. 크게 다치겠지만, 적어도 그의 추궁을 피할 순 있을 것이다.

"저는 리디아 프리우스라고 합니다."

이럴 수는 없었다. 지난 삼 년간 그에게 돌아오지 않기 위해 얼마나 애를 썼는데. 그 마음고생을 했는데. 이렇게 허무하게 모든 것이 밝혀질 순 없었다. 미치도록 시간을 되돌리고 싶었다. 카사르를 본 순간 테라스를 나가야 했다. 아니, 아이를 부정하는 한이 있더라도 리사에게 제 정체를 인정하지 말았어야 했다.

"사람 잘못 보셨습니다. 그러니까 그런 이름으로 부르지 마세요."

이제라도 무조건 잡아떼야 한다. 그나마 편지를 찢어버려 다행이었다. 그녀는 온 힘을 다해 자신을 다잡았다. 난 리디아 프리우스야. 바론의 약혼녀야. 이 사람이 아무리 우겨도 유리로 돌아갈 수는 없어.

"……내가 사람을 잘못 봤다고?"

"예."

"네가 유리가 아니라고?"

"네! 그러니까 이만 비켜 주세요!"

유리가 반쯤 악을 쓰며 그를 밀쳤다. 짧은 접촉에도 와락 눈물이 나올 듯했다. 입술을 세게 깨물어 눈물을 참았다. 그를 빗겨 지나가려는데, 한 걸음도 채 옮기지 못한 채 그에게 팔이 잡혔다.

"이 손 놓으세요!"

"하."

유리의 반항에 그의 입에서 기가 찬 웃음이 흘러나왔다. 이제야 이 빌어먹을 상황이 뭔지 알 것 같았다. 그의 눈빛에 새파란 불길이 일렁이기 시작했다.

"너 지금 뭐 하는 거야."

두 손으로 팔목을 꽉 움켜쥔 채 이를 갈았다.

"설마, 너 지금 또 나를 떠나려는 거야? 그래서 날 피하는 거야?"

사람을 착각하다니. 그런 말도 안 되는 소리는 신경 쓸 가치도 없다. 유리의 목소리를 들으면 들을수록 그는 확신했다. 눈앞의 여자는 유리가 맞았다. 목소리뿐만일까. 손끝에 닿는 이목구비, 그의 품에 폭 안기는 몸은 수천 번 그리고 그렸던 그 여자가 확실했다.

"너 어떻게 나한테 또 이럴 수가 있어? 내가 어찌 살았는지 다 들었으면서, 어떻게 또 이래!"

유리도 분명 제 말을 들었을 것이다. 어쩌면 그가 있는 줄도 모르고 멍하니 서있던 것도, 너무 놀라 그랬던 것일지도 모른다. 당시 그는 리사에 대한 분노 때문에 반쯤 제정신이 아니었다. 악에 받쳐 원망처럼 들리는 말을 쏟아냈었다.

"혹시 그 말 듣고 이러는 거야? 아까 내가 너무 심한 말을 해서 나한테 이래?"

그는 씨근덕거리는 숨을 삼키며 가까스로 마음을 가다듬었다. 정말 그런 것이라면 유리의 반응엔 자신의 책임도 있었다. 화를 내기보다는 제대로 설명하는 게 먼저였다.

"미안해. 유리야, 아깐 내가 감정이 격해져서 그런 거야. 아까 그 말은 정말 네가 미워서가 아니라, 그동안 네가 너무 걱정되어……"

"들었어요. 그 여자 때문에 힘드셨다고요. 지옥 같았다고! 그런데 그게 뭘 어쨌다는 말씀이시죠? 저랑 무슨 상관인데요! 전 사랑하는 사람이 따로 있습니다. 전하께서 아프시든 말든 신경 쓰고 싶지 않다고요!"

날카로운 선언과 함께 콱 말문이 막혔다. 그녀가 하는 말 하나하나가 가시가 되어 그를 찔렀다. 그가 그토록 간절히 기다렸던 여자가 지금, 그에게 말하고 있었다. 사랑하는 사람이 따로 있다고. 그의 아픔엔 신경조차 쓰고 싶지 않다고.

"너, 대체."

그의 안색이 하얗게 질려갔다. 이건 그가 상상했던 재회가 아니었다. 서로 끌어안고, 다시 만난 기쁨에 눈물 흘리고, 입을 맞추고, 사랑을 속삭이고. 그 정도로 이상적이지는 못해도 최소한 지금처럼 악에 받친 말이 오갈 거라고는 생각도 못 했다.

"아까 내 이름을 불렀잖아. 나한테 미안하다고 했잖아! 그래놓고 사랑하는 사람이라니 그게 대체 무슨 말이야!"

설마 바론을 말하는 건가? 그의 얼굴이 엉망으로 일그러졌다. 잠시 잊고 있었던 사실이 그의 속을 뒤집었다. 이유는 모르겠지만 리디아 프리우스가 바로 유리였다. 유리가 반년이나 바론과 교제했단 소리였다. 둘 사이에 있었을지도 모를 일을 상상하자 머리가 핑 돌 정도로 화가 났다.

"너 지금 바론, 그 자식 때문에 그러는 거야?"

"제발 좀 놓으세요. 제발!"

유리의 몸부림이 더욱 거세져갔다. 카사르의 눈빛이 형형히 타올랐다. 그가 움켜쥔 손에 힘을 주었다. 가느다란 팔목엔 금세 붉은 손자국이 생겼다.

"놔! 당장, 윽, 놓으라고요!"

그가 손을 놔주지 않자 유리는 그의 가슴을 때리기 시작했다. 그가 이를 갈며 여린 몸을 끌어안아 버렸다. 훌쩍 가까워진 온기에 유리가 질끈 눈을 감았다. 미칠 것같이 두렵고, 죽을 것같이 아팠다. 온 몸이 부서질 것만 같았다.

"제발 좀, 놔요. 윽."

아픔의 크기만큼 반항도 격렬해져갔다. 그에 아랑곳하지 않고 그는 더 단단히 그녀를 결박했다. 결국 유리가 거의 탈진 상태가 되고 나서야 실랑이가 멎었다. 힘없이 그에게 기댄 채 가쁜 숨만 내쉬었다.

"하아. 하아."

헐떡이는 숨소리를 들으며 그가 허공을 노려보았다. 유리의 반항이 멎은 것이 그녀의 마음이 바뀌었단 뜻이 아니라는 걸 알았다. 송곳인 양 명확한 깨달음이었다. 그가 사랑하는 여자는 그에게 돌아올 마음이 없다. 조금이라도 경계를 풀면, 도망갈 생각뿐이었다.

그의 눈매가 짧게 경련했다. 이 여자를 어떻게 찾아냈는데. 도망가다니 말도 안 되었다. 그리움이 사라진 자리를 격렬한 소유욕이 대신했다. 절대로 이 여자를 놓지 않을 것이다. 다른 사내에게 빼앗기는 것 역시 불가했다.

"지금 당장 연회장으로 갈 거야."

그러기 위해선 도망갈 곳을 전부 없애야 한다. 지금 당장 온 세상에 고할 것이다. 이 여자가 누구 것인지 똑똑히 밝힐 것이다. 바론 따위는 이 여자의 그림자조차 밟지 못하리라.

카사르가 거칠게 유리의 손목을 잡아끌었다. 유리는 버티지 못하고 끈 매달린 인형처럼 끌려갔다. 테라스 밖으로 나오기가 무섭게 다리에 힘이 풀렸다. 앞으로 풀썩 쓰러지려는 몸을 그가 반사적으로 받아냈다. 그의 입매가 일그러졌다. 서로의 몸이 닿은 곳이 너무 아팠다. 그녀의 불안정한 호흡 소리에 손이, 팔이, 가슴이 다 지끈거렸다.

"유리야, 내가 너를 대체 어떻게 해야……."

이 여자를 대체 어쩌면 좋을까. 아무리 상황이 바뀌어도 단 하나 변하지 않는 것이 있었다. 유리는 그의 가장 큰 약점이었다. 여자가 눈물을 흘리면 그의 가슴에선 피눈물이 흘렀다. 미친 말처럼 날뛰는 소유욕도 그녀를 향한 걱정을 앞서질 못했다.

"천천히 숨을 내쉬어봐. 깊게. 들이마시고."

카사르가 천천히 유리의 등을 쓸어 내렸다. 유리가 기침을 하며 밭은 숨을 토해 냈다. 덜덜 떨리는 몸이 얼음장처럼 차가웠다. 그는 서둘러 자켓을 벗어 유리의 어깨를 감쌌다. 유리를 제게 기대게 한 뒤 뺨을 맞대었다. 축 늘어진 팔을 주물러 온기를 주었다. 주변에 누가 있는지는 보이지도 않았다. 지금 중요한 건, 오직 이 여자뿐이었다.

"추운 곳에 너무 오래 있어서 그래. 의사에게 가자."

그는 조심스레 유리를 안아 올렸다. 아니, 안아 올리려고 했다. 물기 어린 목소리가 들리지 않았다면 그랬을 것이다.

"차라리 죽는 게 나아."

"……뭐?"

"당신 따라가느니, 그냥 죽는 게 나아."

그리 말하며 유리는 픽 웃었다. 그는 눈도 깜빡하지 못한 채 그 미소를 보았다. 둔기로 뒤통수를 맞은 듯 멍했다. 유리가 작은 주먹으로 그의 어깨를 치며 떨리는 목소리로 말했다.

"사랑하는 사람이 따로 있다고 했잖아. 그 사람을 사랑한다고! 당신이 뭔데, 네가 뭔데 나를 데려가. 나는 당신 몰라. 모른다고. 아까 당신이 들은 건 그냥 환청이라……."

"리디아!"

찬물이라도 뒤집어쓴 듯 정신이 번쩍 들었다. 그는 반사적으로 유리의 어깨를 끌어안은 채 소리가 나는 쪽을 보았다. 멀리서 바론이 씩씩거리며 다가오는 것이 보였다.

"카사르! 뭐하는 짓이야!"

카사르의 눈에 순식간에 불길이 치솟았다. 겨우 저런 자 때문에 유리가 그의 앞에서 죽겠다는 말을 했다. 지난 삼 년간 유리의 안전을 걱정하며 전전긍긍했던 밤이 주마등처럼 스쳐 지나갔다. 속이 싸하게 식었다.

"죽고 싶을 정도로 내게서 벗어나고 싶다고?"

새까만 속삭임과 함께 재빨리 유리를 안아 들었다. 유리는 그를 밀어내지도 못한 채 바르작거리기만 했다. 눈앞에 반쯤 문이 열린 휴게실이 있었다. 그는 망설이지 않고 그 안으로 들어갔다. 유리를 바닥에 내려놓은 뒤, 얼른 문을 잠갔다.

"카사르!"

사나운 고함과 함께 쾅! 문이 부서질 듯 흔들렸다. 그는 아무 소리도 들리지 않는다는 듯 유리를 보았다.

"네가 내게 안겨도 그런 말을 할 수 있을까?"

사나운 으르렁거림에 지쳐 있던 녹색 눈동자가 크게 팽창했다. 안 돼. 유리가 다급히 잠긴 문 쪽으로 손을 뻗었다. 그는 재빨리 가느다란 손목을 움켜쥐었다. 멍이 든 곳을 잡은지라 통증이 심했다. 유리가 아픔에 짧은 신음을 토해 냈다.

"아윽!"

"더 이상 도망은 안 돼."

그는 유리를 안아 올린 채 성큼 침대 쪽으로 향했다. 시트 위에 그녀를 눕히는 손길을 사납고도 부드러웠다. 유리가 재빨리 몸을 일으키려 했다. 그는 그대로 유리의 어깨를 찍어 눌렀다. 어느새 그녀의 위에 올라탄 채 두 팔 안에 그녀를 가두었다. 헐떡이는 유리의 눈에 두려움이 어렸다.

"카사르!"

"이젠 널 못 놔. 죽어도 놓지 않을 거야."

"제발, 이러지 마요, 제발요!"

반쯤 미쳐 있는 그와는 달리 유리에겐 이성이 남아 있었다. 문 밖에선 악에 받친 바론의 고함 소리가 들려왔다. 피가 바짝바짝 말라갔다. 바론이 지금 이 모습을 본다면? 정말 돌이킬 수 없는 일이 벌어질 것이다. 필시 카사르를 겁간자 취급하며 공격할 것이다.

"이러면 정말 큰일이 날, 읍!"

유리는 채 말을 끝내지 못했다. 그의 입술이 그녀의 입술을 집어삼킨 것이다. 유리가 고개를 꺾으며 그를 피하려 했다. 그는 그녀의 턱을 움켜쥔 채 그녀의 입술을 물었다. 난폭하고도 거친 입맞춤이었다. 고통 어린 신음 소리와 함께 유리의 고개가 뒤로 꺾였다. 입맞춤이 길어질수록 숨이 가빠왔다.

"하아. 하아."

유리의 호흡이 완전히 넘어가기 직전 그가 입술을 떼어냈다. 심장은 큰 북이 되어 쿵쿵거렸다. 지친 유리가 늘어져 있는 사이 그가 재빨리 그녀의 드레스 끈을 풀었다. 삽시간에 흰 어깨가 드러나며 유리가 파르르 몸을 떨었다. 그는 유리와 손을 마주 잡은 채 목덜미에 입술을 묻었다. 얇은 피부 아래로 작은새처럼 팔딱대는 맥이 느껴졌다. 그곳을 담뿍 깨물고 거침없이 빨아들였다. 폭력적인 충동이 끓어 올랐다. 순백의 피부에 이를 박고, 절대 지워지지 않을 흉터를 남기고 싶었다. 이 여자가 사라져도 무조건 찾아낼 수 있는 흔적을 새기고 싶었다.

"윽!"

통각에 가까운 화끈거림에 유리가 진저리를 치며 목을 비틀었다. 어느새 그녀의 목덜미엔 붉은 물로 얼룩덜룩이었다. 그는 거친 숨을 쏟아내며 쇄골을 깨물었다. 오랜만에 맛보는 그녀의 살이 미치도록 달았다. 원망으로 시작되었던 애무는 어느덧 그의 본능을 일깨우고 있었다.

"으흑."

그때였다. 억눌린 흐느낌이 그의 귓가를 파고들었다. 유리의 어깨에 입술을 묻은 채 그가 눈을 깜빡였다. 설마 하는 생각에 고개를 든 그는 유리의 얼굴을 보곤 얼음처럼 굳었다.

유리가 울고 있었다. 입을 틀어막은 손등 위로 하염없이 쏟아지는 눈물이 보였다. 그는 멍하니 그 눈물을 보았다. 열기로 가득찼던 머리가 차갑게 식어갔다.

"하. 유리야."

이성이 돌아오자 분노 대신 괴로움이 그 자리를 채웠다. 유리를 괴롭게 만든 게 저라는 게 미칠 것 같았다. 그는 그녀의 눈물을 닦아 주려다가, 차마 닿지 못하고 거두었다. 떨리는 손으로 그녀의 드레스 자락을 여미며 말했다.

"미안하다. 정말 미안해."

아무리 화가 났어도 하지 말아야 할 행동이 있다. 방금 그가 한 짓은 짐승이나 다를 바 없었다. 그를 거부하는 여자를 억지로 안고, 상처까지 입혔다. 손대기도 아쉬운 피부가 잔뜩 성이 난 것을 보며 그는 어쩔 줄을 몰라 했다. 망설이던 그가 고개를 숙였다. 핏줄이 터진 곳에 부드럽게 입을 맞추며 속삭였다.

"미안해. 정말, 미안해."

아까의 폭풍이 거짓인 양 무척이나 다정한 목소리였다. 상처를 치료하기라도 하듯 상냥히 피부를 머금는 입술에 유리가 결국 울음을 터트렸다.

"윽, 으흑."

그의 사과를 듣고 있기가 힘들었다. 이 사람이 대체 무슨 잘못을 했다고 제게 죄를 비나. 사과를 해야 할 사람은 그가 아니라 그녀다. 아득함이 밀려왔다. 그녀가 그에게 독이 아닐 수 있는 날은 언제일까. 대체 언제쯤이면 이 지독한 악연이 끝이 날까.

"유리야."

한숨 같은 부름이었다. 그가 품에서 손수건을 꺼내 그녀의 눈물을 닦아냈다. 유리가 젖은 눈꺼풀을 들어올렸다. 잔뜩 지쳐 있는 그의 얼굴이 보였다.

"나, 미치겠다."

정말 미칠 것 같았다. 진심으로 살고 싶었다. 방금 자신이 저지른 짓만 아니었다면 이 여자를 붙잡고 애원이라도 하고 싶었다. 내가 너무 아프다고. 숨을 쉴 수 없으니 날 좀 살려달라고.

지난 삼 년간 참 고되었다. 그래도 유리를 찾으면 다 해결될 거란 생각에 버텼다. 한데 눈앞에 닥친 현실은 너무 잔인했다. 그는 애써 자신의 마음을 진정시켰다. 비록 유리가 다른 사내와 약혼하긴 했어도 최악은 아니었다. 그동안 얼마나 간절히 바랐던가. 유리가 살아만 있게 해달라고, 그녀가 다치지만 않을 수 있다면 제 목숨이라도 내어 놓겠노라…….

―세 번의 자진을 했고…….

―흉터가 매우 짙은 것으로 보아 자진 의도가 확고했던 것으로 사료되며…….

퍼뜩 눈을 떴다. 뒷덜미가 선뜩했다.

―대단한 여자야. 죽을 생각을 하고.

그는 다급히 몸을 일으켰다. 떨리는 눈동자가 유리의 손목을 찾왔다. 설마, 도저히 인정할 수 없는 말들이 머릿속을 집어삼켰다.

그럴 리가 없다. 믿지 않을 것이다. 내 눈으로 확인을 하지 않는 한……. 그녀의 손목을 내려다보는 그의 눈빛이 아연하게 변했다. 푸르스름한 멍 한가운데 긴 흉터 자국이 있었다. 허겁지겁 상처를 만지던 그의 행동이 우뚝 굳었다.

"이게 뭐야."

흉터는 푹 패여 있었다. 이런 게 삼 년 전에 있었다면 몰랐을 리 없다. 그는 다급하게 반대쪽 손도 확인했다. 이내 저도 모르게 억눌린 신음을 내뱉었다.

"대체 왜."

도저히 받아들일 수 없는 현실에, 그의 손이 덜덜 떨리기 시작했다.

"이런 게 왜, 너한테 있어?"

"이게, 내게 생각하는 게 맞아?"

눈을 감은 채 숨을 몰아쉬던 유리가 힘없이 눈을 떴다. 오늘 하루 동안 겪었던 일 때문에 그녀는 완전히 탈진 상태였다. 얼마나 진이 빠졌는지 눈앞의 일이 꼭 남의 일처럼 느껴졌다. 그가 도저히 믿을 수 없다는 듯 그녀의 손목을 내려다보는 게 보였다.

"무슨 일이 있었어. 대체 뭐야! 누가 널 이렇게 만들었어!"

아. 결국엔 다 알아버렸구나. 유리가 허탈한 웃음을 흘렸다. 이 젠 놀랍지도 않았다. 그녀가 숨길 수 있는 게 대체 뭐가 남았을까. 죽은 아이? 그녀의 가문? 정말 그걸 끝까지 숨길 수 있긴 할까?

"나 좀 봐 제발! 나 미쳐버리는 거 보고 싶어? 너 왜 이래. 대체 뭐야! 너 혼자 대체, 무슨 일이 있었던 거야!"

어느덧 그의 눈매가 붉게 물들었다. 상흔엔 차마 손도 못 대고 유리의 얼굴만 감쌌다. 유리가 픽 웃으며 그의 손에 얼굴을 기댔다. 그의 눈에선 굵은 뚝뚝 눈물이 떨어졌다.

"말 좀 해 봐. 유리야, 이게 대체 뭐야. 제발."

숨이 넘어갈 것 같다는 게 이런 걸까. 그가 웅크렸다. 흐느끼며 그녀의 머리를 끌어안았다. 배 속에선 비명이 날뛰어댔다. 이 작은 여자한테 대체 무슨 일이 있었던 걸까.

"아, 제발, 유리야."

많은 것을 바라지 않았다고 생각했다. 그저 이 여자가 아프지 않기만을 바랐다. 물론 처음엔 그보다는 욕심이 컸다. 사랑하는 여자의 얼굴 정도는 알고 싶었으니까. 한 번은 보고 싶었으니까. 하지만 전부 다 포기했다. 모든 욕심을 버리고, 평생 그림자만 그리워해도 좋으니 그 여자만은 웃게 해달라고 했다. 그런데, 왜.

"미하엘 오라버니 때문에……."

유리가 서글피 웃으며 입을 열었다. 이 지경이 되어서도 거짓을 고해야 하는 처지가 참 슬펐다. 아니, 이렇게 되었으니 더욱 필사적으로 숨겨야 했다. 겨우 흉터 따위에도 그가 이리 괴로워하는데, 지난 삼 년을 알면 필시 견디지 못할 것이다.

"어머니께서 돌아가셨어요. 그래서 잠깐 잘못된 선택을 했어요."

언젠가 리디아와 흉터에 대해 의논한 적 있었다. 바론이 자진 이유를 물을 경우 대답할 말을 정하기 위해서였다. 돌아가신 어머니 때문이라 말하기로 결론을 내렸다. 쓸데없는 일이었다. 바론은 반년이 넘게 그녀의 손목에 흉터가 있는지도 몰랐다.

"갑자기 미하엘 이름이 왜 나와? 미하엘하고 원래부터 알고 있었어? 그자가 너를 해쳤다는 거야? 그자가 너를 이렇게 만든 거야?"

유리의 말을 이해하지 못한 카사르가 연신 되물었다.

유리는 물끄러미 그의 젖은 뺨을 올려다보았다. 그의 눈물을 닦아주고 싶은 마음을 꾹 누른 채 주먹을 움켜쥐었다. 리디아 프리우스에게는, 허락되지 않은 일일 테니까.

"흉터, 조금 오래되었어요. 어머니 돌아가시고 삼 년쯤 후니까, 십 년 정도 되었나."

"뭐?"

"혼자 사는 게 너무 힘들고 우울해서 손목을 그었어요. 동네 산파 어르신께서 절 살려줬는데 겁도 없이 또 그런 짓을 했어요. 그땐 여유가 없어서 치료를 제대로 못 했어요. 흉터가 깊은 건 그 때문이에요."

차분한 목소리와 함께 유리가 몸을 일으켰다.

"정 이상하다 싶으면 제 고향으로 사람을 보내보세요. 산파 어르신, 아직도 그곳에 살고 계시거든요."

카사르는 혼란스럽게 그녀의 미소를 응시했다. 유리의 것이라고 확신했던 상처가 다른 사람의 것이라는 게 믿겨지지가 않았다.

"유리야."

"전하, 죄송하지만 저는 그분이 아니에요. 정말 착각하신 거예요. 너무 속상해 마세요. 오히려 좋은 일이잖아요. 그분은 이런 상처 없이 잘 살고 있을 거예요."

유리의 입가에 부드러운 미소가 맺혔다.

"아무 상관도 없는 저 때문에 슬퍼하지 마세요. 힘내서 그분을 기다리셔야 하잖아요."

"하지만……."

반박하려는 말이 턱 막혔다. 유리의 목소리는 거짓이라기엔 지나치게 담담했다.

그의 떨리는 시선이 손목의 흉터를 응시했다. 흉터를 처음 본 순간 느꼈던 극심한 고통이 그를 뒤흔들었다. 마음이 갈팡질팡이었다. 눈앞의 여자가 유리이기를 바라는 마음과, 유리가 이 여자와는 달리 행복하게 살고 있기를 바라는 이기심이 치열하게 싸웠다.

"아까는 분명 내게 미안하다고……."

"저 정말 그런 말 안 했어요. 잘못 들으신 거 아니에요?"

유리가 고개를 갸웃하며 물었다. 무척이나 여상한 태도였다. 그는 반사적으로 고개를 저었다. 잘못 들었냐니. 그럴 리가 없다. 유리는 그런 그의 마음을 다 알겠다는 듯 손을 감쌌다. 무척이나 다정한 목소리로 말을 이었다.

"전하. 이해해요. 그리움이 너무 크면 그럴 수 있어요. 저도 가끔 돌아가신 어머니 목소리를 듣곤 하니까요. 전하께서 그분을 참 많이 사랑하셨나 봐요. 그럼 그럴 수 있어요. 아까는 많이 흥분하셨으니까, 착각을 하셨을 수도 있고요."

"하지만, 네 목소리는 분명……."

"목소리가 비슷한 사람은 어디에나 있어요. 전하."

유리가 어쩔 수 없다는 듯 웃으며 고개를 저었다. 그 미소를 보는 그의 눈동자가 혼란으로 물들어갔다. 보드라운 속삭임은 어느새 그의 약해진 마음을 파고들고 있었다. 카사르가 입술을 달싹였다. 갑자기 눈앞의 여자가 낯설게 느껴졌다. 확실하다고 생각했던 증거들은 점차 힘을 잃어갔다.

'그럼 내가 정말 착각이라도 했단 말이야?'

사실 유리의 목소리를 들은 건 이번이 처음이 아니었다. 그리움 때문이었다. 심할 땐 일상생활을 하다가도 곁에서 들려오는 환청에 흠칫 놀라기도 했다. 그렇다면 아까 들었던 목소리도 이해가 된다. 프리우스 공녀를 보면 유리가 생각나곤 했으니까, 또 환청을 들은 것일 수도 있다.

'아니야. 아까 손끝에 닿았던 윤곽은 분명 유리의 것이었어.'

그래도 여전히 설명이 되지 않는 게 있었다. 그는 마른침을 삼키며 손을 들어올렸다. 제 정신으로 다시 유리의 윤곽을 확인해야 했다.

조심스레 뺨을 감싸자 유리가 고개를 갸웃했다. 이내 엄지손가락으로 살며시 눈썹을 눌렀다. 간지러운 듯 유리가 코를 찡긋하는 게 보였다. 손끝에 닿는 보드라운 감촉을 느끼며 그가 눈을 감았다.

"미친 새끼."

그리고 그때, 억센 손이 그의 손목을 움켜쥐었다. 뼈를 부러트릴 듯 거센 악력이었다. 그가 손을 비틀며 번쩍 눈을 떴다. 제일 먼저 보인 것은 바론의 얼굴이었다. 그 얼굴이 반쯤 어둠에 잠겨 있는 것을 본 카사르의 눈이 커졌다.

"네놈은 진짜 오늘 나한테 죽었어."

그 말과 함께 바론이 카사르의 멱살을 움켜쥐었다. 카사르는 중상 때문에 제대로 대응을 못 하고 그대로 딸려 올라갔다.

'제기랄, 왜 하필 이럴 때!'

어둠은 빠르게 그의 시야를 집어삼켰다. 카사르의 얼굴이 낭패감에 일그러졌다. 중상을 치료할 방법은 특정한 약뿐이다. 지금은 그 약을 투여할 궁의도, 궁의를 데려올 루한도 없었다. 시야가 완전히 어둠에 잠기기 전 그는 가까스로 바론의 손을 떨쳤다. 그러다 침대에서 내려오는 즉시 바닥에 쓰러지고 말았다. 이젠 보이는 게 아무것도 없었다. 바론이 그의 위에 올라탄 채 멱살을 움켜쥐었다.

"크윽!"

"미친 새끼, 너 내가 그렇게 만만하냐?"

험악한 으르렁거림이 이어졌다.

"이 개새끼야. 이젠 할 짓이 없어서 내 약혼녀를 건드려? 태자 자리 오르니까 눈에 뵈는 게 없어? 이미 네가 보위에라도 오른 줄 알아?"

그 말을 끝으로 사나운 주먹이 날아왔다. 앞이 보이지 않으니 반격도 불가능했다. 그는 두 팔로 얼굴을 감싼 채 그 주먹을 고스란히 막았다. 골이 얼얼할 정도로 충격이 컸다. 이를 악물고 신음을 참아

냈다. 그러다 입 안쪽이 찢어졌는지 입 안 가득 비릿한 맛이 느껴졌다. 끝이 없을 것 같던 주먹질이 외마디 비명과 함께 멈추었다.

"그만해요!"

"리디아! 이 손 놔!"

"제발 그만 좀 해요! 그러다가 죽겠어요!"

칠흑 같은 어둠 속에서 그가 거친 숨을 몰아쉬었다. 앞이 보이지 않자 여자의 목소리는 완벽히 유리의 것으로 들렸다. 저 여자가 유리인지 아닌지는 아직 확실히 몰랐다. 다만, 저 여자의 목소리가 그의 심장을 뒤흔들고 있다는 건 명백했다.

"그래! 이 미친 새끼, 내가 죽여 버릴 거야!"

"그만 좀 해요, 제발!"

"리디아. 너 제정신이야? 저 새끼, 방금 널 건드렸다고! 그새 잊었어?"

"당신이 생각하는 일 전혀 없었어요! 아무 일도 없다고요!"

울먹이는 목소리에 그의 잇새에 힘이 들어갔다. 아무 일도 없지 않았다. 아주 많은 일들이 있었다. 강제로 입을 맞추고 억지로 안으려고 했다. 저 여자의 드레스를 조금만 내려도 그가 저지른 짓의 증거가 고스란히 남아 있을 것이다.

카사르가 거칠게 눈을 비볐다. 미치도록 앞을 보고 싶었다. 저 여자가 어떤 얼굴로 자신을 변호하는지 알아야 했다.

"제발 멈추라고요!"

그때 절박한 애원과 함께 와락 그를 끌어안는 온기가 있었다. 제 몸을 감싼 보드라운 몸에 그가 숨을 멈추었다. 마치 자맥질이라도 한 듯 쿵쾅대는 여자의 심장 소리가 들려왔다. 귓가에 파르르 떨리는 숨결이 닿았다. 곧이어 들리는 목소리에 카사르가 눈을 치떴다.

'미안해요.'

찰나와도 같은 속삭임이었다. 바론은 듣지 못했을, 아주 작은 속삭임이기도 했다.

무엇에 대한 사과냐 묻기도 전에 그를 안은 팔이 풀렸다. 멀어지는 온기에 가슴이 뻥 뚫린 듯 충격을 받았다. 그다음으로 이어진 충격에 비하면 아무것도 아니었다.

"사랑해요. 바론."

─사랑해요. 카사르.

푸른 눈동자에 경악이 어렸다. 머릿속에 벼락이 내리치는 듯했다. 갈팡질팡하던 마음은 단번에 결론을 내렸다. 이 여자는 무조건 유리다. 이 목소리가 유리가 아니라면 세상에 유리는 없는 것과 같았다.

"리디아, 갑자기 왜 그래?"

"사랑해요. 바론. 윽. 사랑한다고요."

"뭐야, 왜 이런 일로 울어. 설마 놀란 거야?"

바론의 목소리는 한결 누그러져 있었다. 대체 무슨 일이 벌어지고 있는 걸까. 카사르는 모든 감각을 곤두세운 채 유리에게 일어나는 일을 이해하려 애썼다. 당장 일어나 그녀를 끌어안지 않는 건 그나마 이성이 남아 있기 때문이었다.

"당신이 다치는 거 너무 싫어. 그러니까 그만해요. 제발."

"다치긴. 저 새끼 완전 멍 때리고 있는 거 안 보여?"

"당신, 윽 손에 상처가 났잖아요. 제발 그만해요, 제발."

유리의 흐느낌과 함께 바론이 픽 웃었다.

"뭐? 아…… 나 참. 마냥 강한 줄 알았더니. 이렇게 여린 구석도 있었네."

카사르의 잇새에 힘이 들어갔다. 바론이 유리를 향해 웃는단 사실 만으로 끔찍한 살의가 피어올랐다. 애꿎은 양탄자만 움켜쥐었다. 그렇게 하지 않으면 눈 먼 장님 상태로 날붙이를 들고 덤빌 것 같았다.

"잠깐만 기다려. 리디아. 마무리는 하고 가야지."

뚜벅 뚜벅, 발걸음 소리가 가까워져 왔다. 카사르는 마치 통증 때문인 듯 한손에 얼굴을 묻었다. 바짝 곤두세운 신경은 죄 유리에게 쏠려 있었다. 그녀의 숨소리마저 간절했다. 그녀의 목소리를 딱 한 번만 더 들으면 될 것 같은데. 속이 다 타들어갈 때까지 기다려도 그녀는 한마디도 하지 않았다. 대신 비웃음 어린 경고가 그의 위로 떨어졌다.

"넌 끝났어. 카사르. 오늘 네가 한 짓이 어떤 결과를 가져올지, 얌전히 기다리라고."

*

"잠깐만, 윽, 비켜주시오!"

대기실 앞 복도는 사람들로 발 디딜 틈이 없었다. 루한은 제 앞을 막아서는 사람들을 향해 이를 갈았다. 귀족씩이나 되어서 체통도 생각 않고 싸움 구경에나 매달리다니!

울컥 치밀어 오르는 짜증을 참지 못하고 그가 버럭버럭 고함을 질렀다.

"비키라고, 좀!"

넋을 놓고 문 안쪽을 보기 바빴던 귀족들이 그제야 그를 돌아보았다. 루한을 확인하고는 흠칫 놀라며 길을 비켜주었다. 루한은 귀족이고 뭐고 그들을 세게 밀치며 방 안으로 들어갔다.

"카사르!"

대기실 풍경을 확인한 루한이 경악성을 내질렀다. 너무 놀라 등 뒤에 다른 사람이 있다는 것도 잊었다.

방 안은 전쟁이라도 난 것처럼 엉망이었다. 장식장은 한쪽으로 쓰러져 있고, 그 안에 있는 물건은 전부 바닥에 나뒹굴고 있었다. 벽에 걸린 액자 중 하나는 심지어 완전히 박살이 나 있었다.

"제기랄! 카사르. 괜찮아?"

그중에서 제일 엉망인 건 카사르였다. 입술 한쪽은 찢어져 피딱지가 앉아 있었고 관자놀이는 붉게 물들어 있었다. 루한은 얼른 문을 닫고 벽에 기대어 앉은 카사르에게로 향했다.

"바론, 그 새끼가 정말 완전히 돌아버렸네."

루한은 기가 막혔다. 아무리 막 나가는 인간일지라도 지켜야 할 선이 있었다. 뒤에서 신나게 자객을 보내는 거야 그렇다 쳐도, 공개적인 장소에서 주먹을 휘두르는 건 말이 안 되었다. 황궁 연회에서 황태자를 폭행하는 황자라니 그게 가당키나 하단 말인가.

"바론이 대체 왜 이따위 짓을 한 거야?"

루한이 답답한 얼굴로 물었다. 카사르는 아무 말 없이 눈을 감았다. 친구의 침묵에 루한이 설마 하는 심정으로 입을 열었다.

"아까 그놈이 완전히 말도 안 되는 소리를 하던데. 네가, 프리우스 공녀를 건드렸다고. 대체 그게 무슨 말이야?"

루한이 처음 이 사달을 들은 건 리사에게서였다. 그녀는 완전히 겁에 질린 채 거짓, 아이, 손목 어쩌고 하는 말을 정신없이 늘어놨다. 루한은 그 즉시 큰 일이 벌어졌음을 직감하고 이쪽으로 달려온 중 바론을 만났다. 재수 없는 면상을 본 게 짜증이 나서 비켜 지나가려는데 그가 비열하게 웃으며 앞을 막아섰다.

─방금 네 주인을 완전히 뭉개고 오는 길이야. 얘가 아니었으면 그 새끼 오늘 내 손에 죽었을 거야. 그렇지, 리디아?

바론은 마치 제 업적을 자랑하기라도 하듯 방금 있었던 일을 늘어놓았다. 제 형제가 약혼녀를 겁간하려 하기에 주먹을 휘둘렀다는 게 결론이었다. 루한은 그중 무엇도 믿지 않았다. 바론은 머리부터 발끝까지 전부 거짓투성이인 인간이었다. 저딴 인간의 말을 믿는 건 귀에 독을 붓는 것과 같았다.

—같잖은 소리 마십시오. 태자 전하께서는 며칠 전 유리 님을 찾았습니다. 그분이 대체 왜 형제의 약혼녀에게 탐을 낸단 말입니까?

차라리 형제의 약혼녀라도 탐내면 좋겠다. 그게 루한의 솔직한 심정이었다.

리사의 일로 그는 카사르가 유리를 절대로 포기하지 않을 거란 걸 알게 되었다. 리사를 데리고 올 때만 하더라도 그는 제 친우가 이리 극단적으로 굴 줄 상상도 못 했다. 가짜 따위가 태자비라니. 말도 안 되는 일이었다. 제 발로 벼랑 끝에 서는 것과 진배없었다. 좋아 죽는 바론 쪽 귀족들을 보며 연회 내내 피가 말랐다.

그는 그저, 그 여자가 독이라는 것을 알려주고 싶었다. 제 배신에 충격을 받는 한이 있더라도 그 여자에 대해서 다시 생각해 주길 바랐다. 그리고 카사르는 끝내 그 독을 포기하지 않았다. 카사르가 리사 외에 다른 비는 맞이하지 않겠다 선언하던 순간의 충격을 기억한다. 루한의 눈엔 그 모습이 독을 마시고 불로 뛰어드는 것처럼 보였다.

—역시 카사르의 충견이야. 주인의 결백을 믿으려는 충심이 눈물이 나네. 나중에 진실을 알고 충격 받지나 말라고. 가서 반병신이된 네 주인이나 보살펴. 그 새끼, 정말로 돌아버리기라도 한 건지. 병신처럼 맞고만 있더라니까.

바론이 한 말 중에 쓸모 있는 게 하나 있긴 했다. 바론보다 검술이 뛰어난 카사르가 일방적으로 맞을 이유는 딱 하나뿐이었다. 중상이 시작된 거다. 루한은 그 즉시 바론을 무시하고 대기실 쪽으로 달려왔다. 지나가는 사람에게 궁의 테온을 불러달라는 부탁과 함께였다. 테온은 지금 황궁 의원에 있었다. 귀족이 아니기에 연회에는 참석하지 않았던 것이다.

"바론 말을 신경 쓸 것 없어. 테온만 불러 줘."

"테온은 이미 불렀어. 정말 말 안 할 거야? 프리우스 공녀랑 무슨 일이 있었는지?"

카사르의 침묵에 루한이 답답한 얼굴로 연신 물었다. 바론은 분명 이번 일을 그냥 넘어가지 않을 것이다. 내일쯤이면 수도 전체에 황태자가 둘도 없는 무뢰한이라는 퍼질 터였다. 사람들이 바론의 말을 쉽게 믿지 않겠지만, 만에 하나라는 게 있었다. 사실을 알아야 제대로 된 대책을 세울 수 있었다.

"혹시 프리우스 공녀가 너한테 무슨 실수를 했어? 그래서, 뭔가 오해가 생긴 거야?"

"빌어먹을! 증상만 없었다면."

카사르는 루한의 질문엔 대답도 하지 않고 거칠게 욕을 내뱉었다. 당황한 루한은 할 말을 잃고 그 모습을 바라보았다.

"앞만 보였어도 확인할 수 있었는데!"

카사르가 미간을 일그러뜨린 채 꾹 눈을 감았다 떴다. 여전히 앞은 보이지 않았다. 밀려오는 답답함에 그가 이를 사리물었다. 그동안 그는 자신의 증상을 나쁘게 생각한 적이 한 번도 없었다. 숨기는 게 번거롭긴 했지만 치료가 가능하니 대수롭지 않게 생각했다.

루한은 숨어서 치료하는 걸 진저리치게 싫어했지만 그렇게 거슬리지도 않았다. 가끔 시력을 잃을 때면 유리와 함께했던 시절이 생각나 마음이 아련해지기도 했다. 반면 오늘은 제 증상이 너무도 원망스러웠다. 앞을 볼 수 있었다면 유리의 표정을 확인할 수 있었을 것이다. 다른 사내와 떠나도록 두지도 않았을 것이다.

사랑해요, 그리 말했을 때 유리는 대체 어떤 표정을 지었을까. 물

론 유리가 사랑한다고 했던 건 그가 아니라 바론이었다. 상관없었
다. 그 말이 어쨌든 그를 구했으니까. 바론은 카사르를 대련으로 이
긴 적이 한 번도 없었다. 하여 카사르를 향한 열등감이 매우 깊었
다. 오늘처럼 일방적으로 몰아붙일 기회를 그냥 흘려보낼 리 없었
다. 유리가 바론을 말리지 않았다면 그는 분명 크게 다쳤을 것이다.
어쩌면 뼈가 부러졌을지도 모른다. 얼굴 몇 대 얻어맞는 걸로 이번
일이 끝난 건 전적으로 유리 덕분이었다.

'유리는 왜 나를 감쌌던 걸까. 정말 바론을 사랑해서, 그 자식 손
이 다치는 게 겁이 나서 그랬던 걸까?'

카사르는 피가 마르는 심정으로 테온을 기다렸다. 앞을 보는 즉
시 유리에게 달려가 그때의 일을 묻고 싶었다.

'진정하자. 지금 흥분해 봐야 변하는 건 없어.'

카사르는 조급해지려는 마음을 애써 가다듬었다. 그의 노력이
무색하게 손목의 흉터를 떠올릴 때마다 속이 뒤집혔다.

'그 흉터는 대체 뭐야. 유리가 정말 죽으려고 했단 거야?'

미친 말처럼 날뛰는 마음에 아주 돌 지경이었다. 앞이 보이든 말
든 달려가 유리에게 묻고 싶었다. 너를 그렇게 만든 인간이 누구인
지. 대체 왜 그런 짓을 했는지. 그의 눈빛에 새까만 살의가 번뜩였
다. 그게 누구든 그자의 운명은 전해졌다. 무조건, 세상 끝까지라도
쫓아가 죽일 것이다.

'만일 자진 시도가 성공했다면……'

상상만으로 숨이 턱 막혔다. 기억 속 유리는 햇살 같은 여자였
다. 어둠에 지쳐 있는 그를 웃게 하고 절망에 빠진 그에게 힘을 주
었다. 그 여자가 아니었다면 그는 결코 그 어둠을 견디지 못했을 것
이다.

그리 밝았던 여자가 왜 제 손으로 목숨을 끊으려 했을까. 어째서

가장 절망스러운 이들이나 할 법한 선택을 했던 걸까.

'유리야, 제발.'

너무 애가 타니 이제는 눈물이 나올 것 같았다. 그가 붉어진 눈매를 질끈 감았다. 어떻게든 잠시라도 유리를 잊기 위해서 애썼다. 불쑥 떠오르는 흉터 때문에 쉽진 않았지만 어쨌든 테온이 올 때까지는 버틸 수 있었다.

"어이쿠, 전하. 대체 이게 무슨 일이랍니까?"

머리가 희끗한 궁의는 처음 본 카사르의 모습에 몹시 놀랐다. 사람들에게 대충 이야기를 전해 듣긴 했지만 이 정도일 줄은 몰랐다. 루한에게 눈짓으로 물었지만 루한도 난감하게 고개를 저을 뿐이었다.

"일단 치료를 시작하겠습니다."

테온은 오랜 연륜으로 얼른 당황스러움을 지우고 치료를 시작했다. 멍을 가라앉히는 약과 찢어진 상처가 흉터 없이 아물 수 있는 연고를 꺼냈다. 가위를 이용하여 상처를 덮을 붕대를 자르려는데, 카사르가 팔뚝을 내밀며 말했다.

"상처 치료는 필요 없소. 일단 약부터 주사해 주시오. 지금 당장 가야 할 곳이 있으니까."

"카사, 아니 전하. 이 늦은 밤에 어디를 가신다는 겁니까?"

카사르의 부탁에 루한이 놀라 물었다. 시계 바늘은 벌써 열 시를 가리키고 있었다. 시력이 회복되는 데 걸리는 시간을 고려하면 자정이 훌쩍 넘겨서야 움직일 수 있을 것이다.

"아델바오르 저택."

"네? 아니, 우리 집은, 아니 신의 저택엔 무슨 일로……."

아닌 밤중에 홍두깨도 아니고. 뜬금없는 저택 방문 선언에 루한은 몹시 당황했다. 대체 무슨 일일까. 짐작 가는 게 아무것도 없었다. 리사 일을 따질 거였으면 굳이 저택에 갈 것도 없었다. 이리저리 머리를 굴리며 상황을 가늠하는데, 카사르가 불쑥 말했다.

"유리를 찾았어."

"뭐?"

"유리를 찾았다고."

루한은 처음엔 할 말을 잃었고, 그 다음엔 경악했고, 마지막으론 분노했다. 한마디로 카사르의 말을 전혀 믿지 않았다.

"너 미쳤어? 그 여자는 바론 약혼녀야!"

루한은 이제 테온이 있든 말든 고함을 질러댔다. 카사르의 증상을 치료하면 안 된다며 난리도 쳐댔다.

"치료는 무슨! 테온 경. 지금은 안 됩니다. 전하께서 앞을 보시면 이 밤중에 당장 공녀를 찾아가실 거라고요! 그랬다간 정말 난리가 날 겁니다!"

테온은 싹 무시하고 카사르의 부탁이 있는 즉시 약을 투여했다. 카사르는 묵묵히 눈을 감은 채 약효가 돌기를 기다렸다. 그 와중에도 루한의 난리는 이어졌다. 수시로 카사르의 상태를 체크하던 테온은 결국 버티지 못하고 호통을 쳤다.

"백작님! 제발 진정 좀 하십시오. 전하께서 회복하시는 데 큰 방해가 되지 않습니까!"

"지금 제가 진정할 수 있겠습니까? 테온 경께서는 전하의 사정을 다 아시면서 그런 말씀을 하십니까?"

테온은 본디 죽은 황후의 주치의였다. 갑작스러운 황후의 승하를 자책하며 궁을 나갔다가, 몇 년 후 그 일을 알게 된 카사르가 그를 찾아갔다. 점점 잦아지는 암살 시도에 대비하기 위해 바론과 관련 없는 의사가 필요했던 것이다. 당시 테온은 역병으로 가족을 잃고 매우 상심한 상태였다. 훌쩍 자라 자신을 찾아온 황태자의 모습에서 죽은 아들의 얼굴을 보았다. 자연스레 자신을 도와달라는 카사르의 요청을 수락했다.

황제가 직접 사랑하는 여자의 주치의로 발탁했을 정도로 의술이 뛰어났던 테온은, 카사르에게 큰 도움이 되었다. 긴 세월을 함께하면서 테온에게 카사르는 무척 특별한 존재가 되었다. 카사르의 주치의가 되면서 테온은 자연스럽게 드펜 황후의 타깃이 되었다. 궁에 들어오기 전부터 예상하던 일이기에 아무렇지도 않았다.

카사르는 일개 주치의에게 황족에 준하는 호의를 붙이는 등 그의 안전에 최선을 다했다. 역병으로 죽은 가족들에게 좋은 묘자리를 만들어주고, 아들이 죽은 뒤 혼자 손자를 키우는 며느리에게 넉넉한 생활비를 보내 주기도 했다. 테온은 책임감이 강하고 신의가 깊은 사람이었다. 카사르의 호의에 맞는 보답을 해야 한다고 생각했다. 주치의 자리에서 묵묵히 카사르의 건강 유지를 위해 온 힘을 다했다.

"전하께서 그리 말씀하시는 데는 다 이유가 있을 겁니다. 백작님께서도 다 아시면서 그러십니까."

치료를 하다 보면 우연히 카사르의 비밀을 알게 될 때가 있었다. 매우 당연하게도, 그 비밀은 테온의 입 밖을 빠져나간 적이 한 번도 없었다. 이번 일도 예외는 아니었다.

"카사르. 너 지금 설마 나 때문에 이러는 거야? 내가 한 짓을 용서 못하겠으니까, 나 엿 먹으라고 이러는 거냐고!"

테온의 반응이 마땅치 않자 루한은 더욱 화가 났다. 그는 다시 타깃을 바꿔 카사르를 공격하기 시작했다. 리사의 일로 느꼈던 죄책감은 싹 잊을 정도로 흥분해 있었다.

"알겠어. 내가 다 잘못했어. 무조건 내 잘못이니까 차라리 날 볶아. 어?"

루한은 카사르의 행동이 자신을 벌하기 위한 것이라 여겼다. 바론의 약혼녀를 건드는 건 카사르가 자폭하는 가장 효과적인 방법이었다. 루한이 흠칫하며 카사르를 바라보았다. 설마, 아까 바론에게 들었던 겁간 어쩌고 하는 말이 정말 사실인 걸까?

"뭐야. 카사르, 설마 정말 바론의 약혼녀를 건든 거야? 나 때문에?"

"너랑 아무 상관없는 일이야."

카사르는 그쯤에서 루한의 망상에 제동을 걸었다. 리사의 일로 그가 배신감을 느꼈던 건 맞지만 이젠 별로 중요하지 않았다. 오히려 감사하게 생각했다. 우연에 우연이 겹치긴 했지만 덕분에 유리를 찾을 수 있었으니까.

"루한. 네가 어떤 마음으로 그렇게 했는지 알아. 처음엔 화가 났던 건 맞지만, 이젠 신경 안 써. 아무렇지도 않아."

"그, 그럼 정말 프리우스 공녀를 그 여자라고 생각한단 말이야?"

"그래."

맙소사. 루한은 소리 없는 비명을 질렀다. 이쪽이나 저쪽이나 최악인 건 마찬가지였다.

"으, 다 나 때문이야. 빌어먹을!"

루한은 고통스럽게 머리를 쥐어뜯었다. 며칠 전이었어도 제발 정신 차리라고 화를 냈을 텐데 저지른 짓이 있으니 그러지도 못했다. 아무래도 카사르가 리사의 일로 판단력은 잃은 것 같아 발만 동동 굴렀다. 카사르는 루한의 자학은 무시한 채 테온에게로 고개를 돌렸다.

"테온. 조만간 자리를 마련하겠소. 유리를 살펴줄 수 있겠소?"

"혹 마음이 쓰이는 부분이 있으십니까?"

"안색이 많이 창백하더군. 전보다 꽤 마른 듯도 했고. 그리고……"

카사르가 살짝 인상을 찌푸렸다.

"꼭 봐 주어야 할 흉터가 있소."

말이 턱 막힌 듯했다. 그가 확인하고 싶은 게 자진 흉터라는 건 혀에 딱 붙어 나오지 않았다. 또 속이 끓어 올랐다. 빌어먹을, 자신을 제어하기 위해 그는 속으로 수도 없이 욕을 삼켰다.

"알겠습니다. 전하."

테온은 다행히 더 묻지 않고 고개를 끄덕였다. 카사르는 마른침을 삼키며 벽에 머리를 기대었다. 약효가 돌며 어둠이 점차 사라지고 있었다. 점점 밝아진 방 안 풍경에 푸른 눈동자가 차갑게 가라앉았다.

'유리야, 조금만 기다려.'

*

카사르는 치료를 마치자마자 아델바오르 저택으로 향했다. 루한은 온갖 근거를 들어가며 카사르의 생각을 바꾸기 위해 애썼다.

"카사르. 상식적으로 생각해. 너를 버린 여자가 네 형제의 약혼녀가 되어 돌아온다고? 그게 말이 된다고 생각해? 너도 다 봤잖아. 연회장에서 공녀가 바론에게 얼마나 잘했는지! 둘이 얼마나 가깝게 달라붙어 있었는지! 한 몸이나 다를 바 없었다고. 사람들이 보든 말든 물고 빨고 난리를 쳤어! 프리우스 공녀가 정말 그 여자라면, 네 앞에서 아무렇지도 않은 얼굴로 그러는 게 가능하겠어? 안 그래?"

카사르는 루한이 뭐라 지껄이든 귓등으로도 듣지 않았다. 결국 루한은 설득을 포기할 수밖에 없었다. 도살장 끌려가는 소가 되어 친구를 제 저택으로 안내했다. 자정이 훌쩍 넘은 시간이었지만 저택에는 불이 환하게 켜져 있었다. 연회에서 먼저 돌아온 엘레나는 옷도 갈아입지 않은 채 남편을 기다리고 있었다.

"전하! 대체 어떻게 된 일이에요!"

기다리던 남편뿐 아니라 카사르까지 찾아왔단 소식에 엘라나가 버선발로 뛰어나갔다. 이내 카사르의 얼굴을 보고 깜짝 놀라 물었다.

"얼굴에 이 상처는 또 뭐예요!"

카사르의 상태는 루한이 처음 봤을 때보단 많이 나아졌다. 상처를 치료한 약이 워낙 좋았기 때문이었다. 멍이나 붓기는 거의 가라앉았고, 찢어진 상처도 거의 도드라지지 않았다. 그래도 충격적이기는 마찬가지였다. 입술 옆에 붙은 거즈를 보며 엘레나가 입만 벙긋했다.

'설마 전하께서 정말 바론 전하와 몸싸움이라도 하셨단 거야?'

목격자가 워낙 많은 탓에 바론과 카사르 사이에 있었던 일은 순식간에 회장에 퍼졌다. 사달의 이유에 대해선 소문만 무성했다. 사정을 설명해 줄 당사자들이 회장에 없었던 것이다. 바론은 유리를 데리고 회장을 떠나 버렸고, 카사르는 문을 닫은 채 치료를 받았다.

질문에 답해 줄 사람이 없으니 시간이 지날수록 소문은 괴랄할 정도로 커지기 시작했다. 심지어 카사르가 공녀를 강제로 추행하다가 바론에게 들켰다는 말도 나돌았다. 바론 쪽 귀족들이 한 말이기에 신뢰도는 그닥이었다. 그들은 평소에 카사르가 손만 들어올려도 뺨을 치려 한다며 드러누운 전력이 있었다. 그들의 거짓을 여러 번 겪은 사람들은 그쪽 말은 일단 의심하고 봤다.

게다가 프리우스 공녀는 분명 아무 일도 없었다고 했다. 카사르를 때리려는 바론을 결사적으로 말리기까지 했다. 목격자가 워낙 많았기에 신빙성이 있었다. 카사르와 프리우스 공녀 사이에는 아무 일도 없었던 것으로 결론이 났다.

다만, 둘이 왜 한 방에 있었는지는 여전히 의문으로 남아 있었다. 엘레나는 겁간 어쩌고 하는 말은 애당초 믿지도 않았다. 그래도 둘 사이에 무슨 일이 있었던 것은 확실했다. 연회가 열리기 전 카사르가 리디아를 보고 싶어했던 게 마음에 걸렸다. 엘레나는 조심스레 카사르를 살폈다. 이 밤에 그가 찾아온 연유가 리디아 때문인 것 같기도 했다.

"전하, 혹시 리디아와 무슨 일이 있으셨어요? 그 아이 때문에 절 찾아오신 건가요?"

"……그래."

생각하고 또 생각했다. 유리가 왜 돌아온 걸까. 돌아와 놓고 왜 그를 부정하는 걸까. 왜 하필 바론과 약혼한 걸까. 묻고 싶은 건 차고 넘쳤지만 유리의 태도를 떠올려보면 솔직히 답해 줄 리 없었다. 답해 주지 않는다면, 직접 찾아내면 된다. 카사르는 그 모든 질문의 답을 유리의 과거에서 찾기로 했다.

"엘레나. 리디아 프리우스와 친하다고 했지? 많이 가까운 사이야?"

카사르의 물음에 엘레나는 선선히 고개를 끄덕였다.

"네, 꽤 친해요. 아마 수도 귀족 중에선 제가 가장 그 아이랑 가까울 거예요."

"언제부터 그녀를 알게 된 거지?"

"안 지는 십이 년 정도 되었어요. 그동안 연락도 죽 했고요. 꾸준히 편지를 주고 받았죠."

드디어 찾았다. 카사르가 주먹을 움켜쥐었다. 십이 년 간 교류를 했다면 유리의 지난 삶에 대해서 확실히 알 수 있을 것이다.

"혹시 지난 삼 년 동안에도 편지를 주고 받았어?"

"그럼요. 매년 봄이랑 가을쯤에는 거의 편지를 주고 받았어요."

의외의 수확에 그가 마른침을 삼켰다. 삼년 전 봄이라면, 필경 그와 함께 있었을 때다. 어쩌면 편지에 그에 대해 썼을지도 모른다. 내내 궁금했던 이별의 이유가 담겨 있을 수도 있다.

"엘레나, 그 여자에 대해서 당신이 알고 있는 모든 것을 알려줘."

엘레나는 카사르의 요구에 조금 당황했지만 얼른 고개를 끄덕이고 자리에서 일어났다.

"리디아에게 받은 편지를 모아 놨어요. 그걸 가지고 올게요."

잠시 후 엘레나는 작은 나무 상자를 하나 가지고 왔다. 낡았지만 고급스럽게 장식된 상자 뚜껑을 열자 잘 정리된 편지 묶음이 보였다. 누렇게 색이 바랜 종이부터 비교적 최근에 보낸 듯싶은 흰 편지까지. 세월의 흐름이 고스란히 느껴지는 편지들을 보자 유리를 다시 만난 양 가슴이 뛰었다. 이 속에 유리의 성장 과정이 모두 들어 있을 터였다.

카사르는 조심스럽게 가장 낡은 편지를 집어 들었다. 어린아이 특유의 둥그스름한 글씨체에 목이 멨다. 삼 년 전에도 듣지 못했던 유리의 어린 시절을 처음으로 마주한 셈이었다.

"잘 읽을게. 고마워."

밤은 길었고 시간은 많았다. 당장 프리우스로 달려가고 싶었지만 그는 꾹 참았다. 그녀의 과거를 제대로 확인해서 유리를 되찾기 위해서였다. 그의 다급한 눈길이 편지를 읽어 내려갔다. 이 밤만 참으면 앞으로 다가올 미래는 그녀와 함께할 수 있을 것이다. 이젠, 유리를 되찾을 수 있을 것이다. 그 확신이 깨지는 데에는 채 한 시간도 걸리지 않았다.

어느덧 동이 터오고 있었다. 푸르스름한 여명이 검은 어둠을 몰아냈다. 훌쩍 다가온 새벽이 무색하게 카사르의 속은 점점 새까맣게 타들어갔다.

"이 편지가 전부야?"

이미 여러 번 물은 말이었다. 엘레나는 난처한 얼굴로 고개를 끄덕였다.

"네. 리디아가 보낸 건 그게 전부예요. 제가 리디아에 대해서 말씀드릴 수 있는 건 다 여기 있다고 보시면 되어요."

카사르는 할 말을 잃은 채 테이블 위에 펼쳐져 있는 편지들을 내려다보았다. 그는 오늘 이 편지를 세 번이나 읽었다. 자신이 본 것을 믿지 못하고 몇 번이나 거듭해서 읽었다. 그의 눈빛이 혼란스럽게 물들어갔다. 리디아가 보낸 편지 속엔 그가 아는 유리의 모습이 거의 없었다.

유리는 책을 좋아했고 꽃을 키우는 취미가 있었다. 자신의 이야기를 하는 것보다는 듣는 걸 좋아했고, 결정적으로 사람이 많은 곳은 좋아하지 않았다. 인적이 드문 곳에서 혼자 살고 있었다는 게 그 증거였다.

반면 편지를 쓴 여자는 술과 축제를 즐겼고 여행을 좋아했다. 사람들과 제법 많은 교류도 한 것 같았다. 심지어 사춘기 때부터 교제를 한 애인들에 대한 이야기도 적혀 있었다. 어린 시절 잠시 사귀었던 남자들을 질투하는 건 전혀 아니었다. 다만, 믿을 수가 없었다. 유리는 그와의 입맞춤도 처음인 양 파르르 떨었었다. 교제를 시작한 뒤에도 한참이나 그의 손이 닿을 때마다 긴장을 했었다. 그랬던 여자에게 옛 애인이 여럿 있었다는 게 믿기지 않았다.

편지를 믿을 수 없는 이유는 또 있었다. 편지 속 여자는 감정 표현에 적극적이었다. 속내를 잘 드러내지 않던 유리와는 정 반대였다. 유리는 아픔을 표현하는 데 익숙한 사람이 아니었다. 상처가 나도 괜찮다며 웃기만 했다. 가끔 그 몰래 홀로 눈물짓는 걸 발견한 적도 여러 번이었다. 우는 소리는 나지 않는데 느낌이 이상해 얼굴을 만져보면 뺨이 젖어 있었다. 유리는 별일이 아니라며 둘러대었지만, 그렇지 않다는 걸 잘 알았다.

"그 여자 어머니 이름이 뭐지?"

어느새 카사르에게 리디아는 '그 여자'가 되어 있었다. 아무리 생각해도 편지 속 '리디아'를 유리라고 생각할 순 없었다. 삼 년 전 봄과 가을에 보낸 편지를 읽은 후엔 더 그랬다. 그 속엔 결혼까지 맹세했던 사내에 대한 이야긴 한마디도 없었다.

"라벨타요. 그건 왜요?"

"라벨타라고?"

되묻는 목소리가 높아졌다. 유리는 분명 돌아가신 어머니의 이름을 따서 아이 이름을 짓겠다고 했다. 아르딘, 아르디네. 라벨타와는 글자 하나도 같지 않았다. 카사르가 다급하게 물었다.

"혹시 그 어머니 성이 뭐였는지 기억 나? 아르딘, 아르디네, 뭐 그런 거 아니었어?"

"아니요. 전혀 달라요. 정확히 기억은 안 나는데 보하임이었나, 보히츠, 뭐 그런 거였어요."

카사르는 잠시 말문이 막혔다. 충격에 입술을 달싹이던 그가 가까스로 물었다.

"그 어머니가 돌아가셨다던데 이유가 뭐였지?"

"미하엘 프리우스 때문이였죠. 그 인간이 리디아의 어머니에게 누명을 씌웠거든요. 훔쳐간 패물을 찾는답시고 남자 하인들 앞에서 옷을 벗겼다고 하더군요. 공작은 묵인했죠. 그 일로 충격을 받아서 자진한 걸로 알고 있어요."

안타까운 목소리에도 카사르는 아무 감흥도 느끼지 못했다. 사랑하는 여자가 겪었을 아픈 과거가 마치 남의 일인 양 낯설었다.

이게 대체 어떻게 된 일일까? 정말 리디아 프리우스는 유리가 아니란 말인가? 그렇다면 이 모든 게 착각인 걸까? '유리'의 말대로 환청이라도 들었던 걸까? 유리를 찾고 싶은 마음이 너무 커서, 기억까지 왜곡해 버린 걸까?

'설마 내가 유리를 잘못 기억하고 있다는 거야?'

그는 저도 모르게 고개를 저었다. 그럴 리가 없다. 절대 있어서는 안 될 일이기도 했다. 유리를 찾을 수 있는 단서는 그의 기억뿐이다. 기억이 잘못되었다는 건, 영영 그 여자를 찾을 수 없단 소리였다. 그런 건 생각조차 해서도 안 된다.

카사르는 편지를 뚫어져라 내려다보았다. 제 기억과 편지 중 무엇을 믿어야 할지 알 수가 없었다. 어쨌든 둘 중 하나는 거짓이었다. 그렇게라도 결론을 내리지 않으면 이 혼란이 끝나지 않을 것 같았다.

"엘레나. 묻고 싶은 것이 하나 있어."

"네, 말씀하세요. 전하."

"편지에는 나와 있지 않은 내용이야."

편지는 읽는 내내 마음에 걸리던 것이 있었다. 세 번이나 자진 시도를 했다면 굉장히 괴로웠을 텐데, 아무리 뒤져도 그런 절망적인 기색은 없었다. 원수보다 무조건 잘 살겠다며 이를 갈던 여자에게 거듭된 자진 시도라니, 어울리지 않았다.

"그 여자가 목숨을 끊으려 했던 적이 있던데. 언제였는지 알아?"

"리디아가 자진을요? 그럴 리가요. 잘못 아신 것 아니에요?"

엘레나는 말도 안 된다는 듯 손사래를 쳤다. 카사르가 호흡을 멈추었다. 싸한 예감이 등골을 흐르고 지나갔다.

"왜 그렇게 생각해?"

"아까 말씀 드렸잖아요. 리디아의 어머니가 스스로 목숨을 끊었다고요. 그 일로 상심이 굉장히 컸어요. 저를 두고 혼자 간 어머니를 몹시 원망했죠. 혼자 죽느니 차라리 복수를 하지, 왜 그런 어리석은 선택을 했냐며 화를 냈어요. 그랬던 리디아가 자진이라뇨. 전혀 어울리지 않아요. 게다가……"

"자진을, 할 리, 없다고."

뿌득, 이 갈리는 소리에 엘레나가 흠칫 놀라 말을 멈추었다. 그의 눈빛이 맹수처럼 활활 타오르고 있었다.

─어머니가 돌아가셔서 충격을 받고 극단적인 선택을 했었죠.

─그만해요, 바론. 그러다 죽겠어요. 아무 일도 없었다고요!

─사랑해요.

오늘 들었던 유리의 목소리가 폭풍처럼 몰아치기 시작했다. 어긋나 있던 퍼즐들이 순식간에 제 자리를 찾았다.

"엘레나. 내 부탁 하나만 들어줘. 그럼 다시는 그 여자 이야길 꺼내지 않겠어."

*

연회가 끝나고 프리우스로 돌아오는 내내 바론은 오늘 있었던 일을 매우 기꺼워했다. 마차 안에선 수도 없이 유리에게 입을 맞추었다. 그의 기분이 매우 좋을 때 하는 행동이었다.

"강제 추행이야. 그 자식이 아무리 잘났어도 결코 빠져나갈 구석이 없을 거야. 잘만 하면 이번 일로 카사르를 완전히 거꾸러트릴 수 있겠어. 리디아. 전부 네 덕이야. 아무래도 내가 여자 하나는 아주 잘 골랐어."

그 말을 듣는 순간 유리는 복수고 뭐고 단검으로 바론의 심장을 찌르고 싶었다. 가족과 아이를 잃은 유리에게 카사르는 단 하나 남은 소중한 사람이었다. 제 목숨보다 중요한 사람을 해칠 수 있게 해주어 고맙다는 말에 증오가 치밀어 올랐다. 차라리 진실을 모두 밝히는 게 나을 것 같단 생각까지 들었다. 그토록 기꺼워하는 약혼녀가 실은 형제의 여자고, 지난 반년의 사랑은 모두 기만이었음을 폭로하는 것이다. 직접 바론을 찌를 수 없다면 그건 유리가 할 수 있는 최선의 복수가 될 것이다. 바론은 지난 반년간 유리를 완전히 소유하고 있다 착각하고 있었다. 완벽한 복종이 실은 복수를 위한 치밀한 계획이라는 걸 알게 되면 그의 자존심이 견디지 못할 것이다.

유리가 온 힘을 다해 그 말을 참은 건 카사르 때문이었다. 바론은 진실을 알게 되면 가장 잔인한 방법으로 유리를 죽일 것이다. 자신이 죽는 건 전혀 두렵지 않았으나, 바론이 제 죽음으로 카사르를 공격할 건 두려웠다.

─유리야, 과거는 그냥 과거일 뿐이야. 어둠도 눈만 감으면 아무것도 아니야. 두려워할 필요 없어. 내가 네 옆에 있을 거야.

그의 곁에서 발작을 처음 겪었던 날을 기억한다. 유리의 발작은 주로 갑자기 빛이 사라지는 순간 발생했다. 발작이 일어나면 호흡이 막혀 괴로워하다가 정신을 잃었다. 혼자 살 땐 발작이 일어나는 게 제일 두려웠다. 늘 방 안에 불을 몇 개씩 켜 놓고 잠들었다. 그래도 운이 나쁘면 종종 그 불이 모두 꺼질 때가 있었다.

그를 만나고 며칠 되지 않아서도 그런 일이 있었다. 새로운 사람과 적응하는 데 정신이 팔려 양초 기름 가는 걸 잊은 것이다. 하필이면 들창으로 들어온 바람에 예비로 켜 놓은 초도 꺼졌다. 잠에서 깼는데 눈앞에 아무것도 보이지 않았다. 꿈인지, 현실인지 분간할 수 없는 경계 속에서 유리는 벽장 안에 갇혔던 열두 살 유리엘 발렌타인이 되었다. 두려움에 숨이 막히고 슬픔에 눈물이 줄줄 흘렀다. 가슴을 붙잡고 어머니를 찾으며 삐끔거렸다. 지금 당장 도망가야 한다고, 혹은 제발 나 혼자 두지 말라고. 늘 그렇듯 목소리는 나오지 않았다.

─유리야! 제기랄, 정신 좀 차려 봐!

정신을 잃기 직접 다급한 목소리가 들려왔다. 단단한 팔이 축 늘어지는 몸을 끌어안았다. 고개가 뒤로 젖혀지며 한결 호흡이 편해졌다. 몽롱한 와중에도 부드러운 입술이 맞닿는 게 느껴졌다. 뜨거운 숨이 폐에 새로운 공기를 채웠다. 숨이 트이자 비로소 그의 속삭임이 들려왔다.

—내가 옆에 있을 거야. 괜찮아. 진정해.

평소대로라면 발작에서 깨어나기 위해선 몇 시간이 걸렸을 것이다. 그날은 그렇지 않았다. 발작은 아지랑이처럼 순식간에 사그라들었다. 그가 그녀 곁을 지켰기 때문이었다.

그의 품에 안겨 정신을 차린 뒤 안도감과 서러움에 얼마나 울었는지 모른다. 그날, 그가 말했다. 과거는 과거일 뿐이니 두려워하지 말라고. 어둠은 눈을 감는 것과 똑같다고.

저보다 더한 어둠 속을 살며 어둠을 두려워하지 말라는 그를 보며 유리는 어찌할 바를 몰랐다. 확실한 것은 단 하나뿐이었다. 그의 품은 눈물이 나도록 따스했고, 낮은 목소리는 가슴이 저릴 정도로 아름다웠다. 그게 사랑의 시작이었다는 건 나중에야 깨달았다.

"그 자식도 이젠 끝이야. 이번엔 기필코 그 재수 없는 새끼를 날려 버릴 거야."

그 소중한 사람이 지금 위험에 처했다.

"최대한 빠른 시일 내에 귀족 회의를 소집해서 이번 일의 처리를 논할 거야."

"귀족 회의라뇨?"

"귀족 이상의 신분이 죄를 지을 경우 귀족 회의에서 재판이 열리지. 아무리 황족이라도 귀족원들을 결정을 무시할 순 없어."

바론이 만족스레 웃으며 유리를 끌어안았다.

"너는 그때 가서 있었던 일 그대로만 말하면 돼. 그 새끼가 널 덮치려 했다는 걸 똑똑히 전하라고."

그런 게 가능할 리 없다. 차라리 혀를 깨무는 게 나을 것이다. 유리를 온 힘을 다해 아무 일도 없다며 고개를 저었다.

"사실이 아닌데 어떻게 그런 말을 해요. 거짓 증언은 안 되잖아요."

바론은 그런 유리를 이해하지 못한다는 듯 되물었다.

"사실이 뭐가 중요해? 사실은 만들면 돼. 가서 눈물 좀 흘리면서 무서웠다고 떨면 된다고."

"사람들이 그 말을 믿겠어요? 난 거짓말 못 해요. 아무 일도 없었어요. 내가 괜찮다는데, 그냥 넘어가면 안 되는 거예요?"

"지금 농담하는 거지? 다 너 좋자고 하는 일이야. 몇 마디만 하면 넌 황자비가 아니라 태자비가 될 수도 있어. 태자비 다음은 황후야. 알겠어?"

한참이나 실랑이가 벌어졌다. 결국 유리는 어쩔 수 없이 고개를 끄덕였다. 바론은 그 모습에 매우 만족하며 저택을 떠났다. 홀로 남은 저택에서 유리는 필사적으로 이번 일의 해결 방법을 찾았다. 덜덜 떨리는 두 손을 꾹 움켜쥐었다.

'어떻게든 그를 구할 방법을 찾아야 해. 할 수 있어. 진정해, 유리 엘 발렌타인.'

방 안엔 몇 안 되는 촛불이 위태롭게 일렁였다. 두려움에 목이 조이는 듯했다. 너무 무서우니 차라리 불을 끄고 발작에 저를 밀어 넣고 싶었다. 그래도 정신을 차려야 했다. 그 사람을 구할 방법을, 어떻게든 생각해 내야만 했다.

'일단 회의에서는 아무 말도 하지 않을 거야. 절대, 절대 말하지 않겠어.'

태자 자리가 다 넘어왔다고 생각하는 바론이라면, 제 뒤통수를 때린 유리를 가만두지 않겠지만 상관없었다. 유리가 초조함에 입술을 짓씹었다.

'정말 그걸로 충분 할까? 침묵으로 그 사람을 구할 수 있을까?'

아니, 그렇지 않을 것이다. 유리의 얼굴에 절망이 어렸다. 보위를 향한 바론의 집착은 끝이 없었다. 유리가 증언을 하지 않는다면, 사실을 조작하기라도 할 것이다.

'카사르, 나 대체 어떻게 해야 해요.'

결국 참았던 눈물이 쏟아져 내렸다. 밀려오는 무력감에 유리가 몸서리를 쳤다. 열두 살 유리엘 발렌타인과 스무 살 유리는 아무것도 변한 것 없었다. 벽장 안에서 가족들이 죽는 걸 기다리고 있을 때나 지금이나, 여전히 그녀는 소중한 사람의 위기 앞에서 아무것도 할 수 없었다.

*

유리는 밤새 끙끙 앓다 잠시 선잠이 들었다. 그 찰나에 평소보다 훨씬 끔찍한 악몽을 꾸었다. 꿈속에서 카사르는 가슴에 칼을 꽂은 채 피를 흘리고 있었다. 유리가 그 칼의 손잡이를 쥔 채였다. 제가 한 짓을 깨닫고 넋이 나간 그녀를 끌어안고, 그는 웃었다.

─괜찮아. 유리야, 네가 살았으니까 그걸 충분해.

창백하게 웃던 그의 입에서 울컥 피가 쏟아졌다. 가슴의 상처에선 끊임없이 피가 흘렀다. 맨손으로 그 피를 막으려 했으나 소용이 없었다. 점점 식어가는 몸을 끌어안고 제발 이 사람만 살려달라고 애원하는데, 바론이 눈앞에 나타났다.

─고마워. 리디아. 저 자식 애새끼에 이어서 저 자식까지 처리하게 해 주다니. 역시 넌 내 은인이야.

잠에서 깨자마자 화장실로 달려갔다. 빈속을 모두 게워내고 신물을 몇 번이나 토해 냈다. 정말 발작을 일으키는 게 낫겠다 싶을 정도였다. 그 절망적인 상황 속에서 유리는 결국 극단적인 선택지까지 고려하게 되었다. 그자가 카사르에게 손을 대기 전에 자신이 먼저 끝낼 것이다. 그자와 몸을 섞는 한이 있더라도, 완벽한 방심을 이끌어 내리라. 독을 쓰든, 칼을 쓰든 없앨 것이다. 그리 굳은 결심을 하고 아침을 맞이했다.

아침부터 바론의 전언이 와 있었다. 그 속엔 자신의 명령이 있기 전까진 절대로 움직이지 말라는 말이 담겨 있었다. 주변엔 그녀가 이번 일로 충격을 받고 쓰러진 것으로 말해 놓았으니, 다른 사람 눈에 띄지 말라고도 했다. 유리는 그 문구를 읽는 순간 지금 당장 온 세상 사람들에게 제가 얼마나 멀쩡한지 보여야겠단 생각을 했다. 당장 그 충동을 참은 건 아직까지는 바론의 신뢰가 필요하기 때문이었다.

바론의 전언을 갈기갈기 찢어 불태웠다. 그자가 카사르에게 향한 칼날을 떠올릴 때마다 속이 뒤집혔다. 그렇게 속을 끓이는 와중에 뜻밖의 손님이 찾아왔다. 엘레나였다. 처음엔 엘레나를 돌려보내려고 했다. 손님을 대접할 마음의 여유가 없었던 것이다. 아침 일찍, 약속도 없이 찾아온 손님이기에 돌려보내는 건 결례도 아니었다. 그녀가 상대의 말을 듣기로 결심한 건, 엘레나가 카사르에 대해 이야기를 했기 때문이었다.

"리디아. 정말 어렵겠지만 날 봐서라도 카사르 전하를 용서해 주면 안 될까?"

응접실에서 유리를 보자마자 엘레나는 유리의 손을 붙잡고 덥석 말했다. 무척이나 간절한 얼굴이었다. 그에 밤새 벼랑 끝에 서 있던 유리는 처음으로 희망을 보았다. 심장이 두근거렸다. 카사르를 도와주려는 사람이 있다는 게 너무 감사했다. 결국 유리는 엘레나와 마주 앉았다. 엘레나는 반색하며 곧바로 그에 대한 변명을 쏟아냈다.

"어제 연회 때 있었던 일을 들었어. 전하께서 너를 억지로 끌고 가셨다면서. 그 행동을 변명하려는 건 아니야. 절대 해서는 안 될 일이었지. 하지만 이유가 있었어. 사실은 내 남편이 큰 실수를 했거든."

루한이 어떤 일을 했는지는 이미 알고 있었다. 가짜 유리를 만들어 카사르를 기만한 것. 그 일이 얼마나 충격적이었는지는 카사르에게 직접 들었다. 그따위 짓을 또 한 번 저질렀다간 제 손목을 끊어내겠다고 했다. 그때의 절규를 떠올리는 유리의 눈빛이 흐려졌다.

"전하께서 배신감이 정말 크셨을 거야. 안 그래도 요근래 많이 힘들어하셨거든. 우리 남편이 힘이 되어 드렸어야 했는데, 오히려 상처를 드렸지. 그 때문에 잠시 판단력이 흐려지셨던 것 같아. 그래서 해서는 안 될 행동을 하셨던 거야."

엘레나의 목소리는 무척 간절했다.

"물론 전하 행동을 옹호하려는 건 아니야. 네 의지에 반해 아주 작은 거라도 강요하신 건 정말 큰 잘못이지. 용서하기 힘들 거라는 것도 알아. 그런데⋯⋯."

엘레나는 난처한 듯 유리의 시선을 피했다.

"⋯⋯귀족 회의가 소집된다는 말을 들었어. 그때 네가 증인으로 나설 것 같다는 얘기도⋯⋯. 사실 내가 이곳에 온 건 그 때문이야."

귀족 회의. 그 말에 유리의 속이 싸하게 식었다. 치맛자락을 움켜쥔 손에 힘이 들어갔다. 불과 하룻밤 사이에 엘레나도 알 정도로 일이 진행되었다는 게 당혹스러웠다.

"회의에서 증언을 하는 건 네 당연한 권리야. 전하께서 널 추행하셨다면 의도야 어찌 되었든 대가를 치르는 게 맞지. 다만, 어제 네가 바론 전하께 했던 말을 전해 들었어. 아무 일도 없었다고, 그리 말씀드렸다면서. 리디아, 나는 네가 다만 그날 있었던 일을 사실대로만 이야기 해 주면 좋겠어. 물론 쉽지는 않겠지만⋯⋯."

어느새 엘레나의 목소리엔 옅은 울음기가 어려 있었다. 그녀 역시 마음고생이 심했다는 걸 알 수 있었다. 어쩌면 이번 일에 대한 죄책감을 느끼는 것일지도 모른다. 루한의 실책이, 카사르의 오판으로 이어졌다 여기는 것이리라.

유리는 느리게 숨을 내쉬었다. 엘레나의 이야기를 들을수록 상황이 명확해졌다. 카사르를 찌를 칼날은 시시각각 그의 심장을 향하고 있었다. 더 이상의 고민은 필요하지 않았다. 결심을 마친 유리가 엘레나를 바라보았다. 이내 달래듯 그녀의 손을 잡고 말했다.

"언니, 걱정 말아요. 언니가 걱정하는 일 없을 거예요. 내가 거짓 증언을 할 일도 없을 거고요."

이번 일을 겪으며 확실히 깨달았다. 그에게 돌아갈 수는 없다. 그러나, 더 이상 죄를 지어서도 안 된다. 하여 유리는 정말로 자신의 끝을 각오하고 있었다. 복수를 위해 살아왔지만 사실 복수가 그리 절박한 건 아니었다. 반쯤은 실패해도 상관없다는 마음을 품고 살았다. 복수심이란 건 맹렬히 타오르는 증오가 있어야만 가능한 것이다. 그리고 유리에겐 그리 강렬한 감정이 남아 있지 않았다. 그런 감정을 품고 살 여유가 없었다. 유리는 종종 제 속이 얼마나 망가졌는지 실감했다. 그녀가 감정을 느끼는 대상은 카사르나, 죽은 아이 정도였다. 심지어 죽은 가족조차도 그 둘을 앞서진 못했다. 유리는 제 자신에게 다짐하듯 속삭였다.

"회의 때 전하께서 무고한 피해를 입지 않으시도록 최대한 노력할게요. 그러니 걱정하지 마세요."

물론 여전히 두렵기는 했다. 그래도 애써 자신을 다잡았다. 잘될 것이다. 잘되어야만 했다. 제가 바스라지는 한이 있더라도 그 사람만은, 절대 아이처럼 만들지 않겠노라……

엘레나는 카사르를 돕겠다는 유리의 모습을 혼란스러운 듯 바라보았다. 부탁을 하러 와놓고도 막상 유리의 답이 긍정적이자 놀란 듯싶었다.

"정말, 전하를 도울 거야?"

"네. 큰 일 없을 거예요."

"하지만 바론 전하께서 가만있지 않으실 텐데……."

엘레나는 무척이나 걱정스러운 얼굴이었다. 그럴 만도 했다. 바론은 제 계획을 방해받는 걸 절대 참지 못하는 인간이었다. 삼 년 전 제 일을 어그르트렸단 이유로 유리에게 한 짓을 떠올려 봐도 그랬다. 이번 일을 망치면 결코 가만있지 않을 것이다.

"괜찮아요. 너무 걱정하지 마세요."

유리는 희미하게 웃으며 말했다. 머릿속으론 계속 적절한 선을 찾고 있었다. 카사르와의 관계는 의심받지 않으면서 바론의 화는 제게만 쏠릴 수 있는, 그런 방법을 찾는 중이었다.

"태자 전하께서는 안전하실 거예요."

자신이 반드시 그렇게 만들 것이다. 그래야만 했다. 뒤에서라도 그를 지키는 게 유리가 할 수 있는 최선이었다.

"태자 전하께서 마음고생이 얼마나 힘드셨는지 잘 알고 있어요. 저에게 하셨던 행동도 모두 이해해요. 신경 쓰지 않아요."

연신 카사르를 옹호하는 유리의 모습에 엘레나는 입을 다물었다. 유리는 엘레나가 제 말을 믿지 않는 것인가 싶어 말을 더했다. 대화가 이어질수록 엘레나의 눈빛이 묘해졌다.

"그럼 정말 전하의 행동을 다 이해한다는 말이니?"

"네. 그럼요."

옅게 웃는 유리를 엘레나가 물끄러미 응시했다.

"사실 전하께서 그때 일을, 솔직히 말씀해 주셨어."

엘레나의 목소리가 살짝 낮아졌다.

"전하께서 네게 억지로 입을 맞추셨다고. 추행이나 다를 바 없는

행동을 하셨다고. 그리 들었어. 그런데도 이해를 한다는 말이야? 모든 행동을?'

"아."

당황한 유리가 눈을 깜빡였다. 엘레나가 그 일을 알고 있을 거란 생각은 못 했다. 전부 다 알았다면 그를 옹호하는 게 이상하게 보일 법도 했다.

"그냥, 그럴 수도 있는 거라고 생각해요."

유리는 저도 모르게 엘레나의 시선을 피했다. 그때 일을 생각하자 울컥 감정이 올라올 것 같았다.

"많이, 힘드셨을 테니까요."

가까스로 목소리를 내었다. 어제 그가 했던 말들이 떠올랐다. 하루하루가 지옥이라고 했다. 유리는 그 말이 그의 진심이었을 거라 확신했다. 그래놓고, 너무 심한 말을 했다며 사과를 했다. 잘못한 것도 없으면서 먼저 미안하다는 말을 했다. 결국 그는 그녀 생각뿐인 것이다. 그런 사람이 지금 너무 힘들다. 눈앞이 뿌옇게 젖어들어 갔다. 유리는 얼른 고개를 숙여 눈물을 감추었다. 치맛자락을 움켜쥔 손엔 희게 질릴 정도로 힘이 들어갔다.

그 모습을 보는 엘레나의 얼굴이 딱딱하게 굳었다. 머릿속엔 몇 시간 전 들었던 카사르의 목소리가 울렸다.

―그 여자가 바로 유리야.

'아니야. 그럴 리가 없어.'

엘레나는 저도 모르게 고개를 저었다. 그럴 리가 없었다. 눈앞의 여자가 리디아가 아닌 전하의 여인이라니. 정말 말도 안 되는 소리였다. 그런데 기분이 너무 이상했다. 리디아는 이상할 정도로 카사르를 옹호하고 있었다. 엘레나는 이유 모를 한기를 느끼며 몸을 파르르 떨었다.

"리디아. 나 부탁이 하나 있어."

의문이 든다면 확인을 하면 된다. 결국 엘레나는 결정을 내렸다.

"나랑 지금 꼭 가 줘야 할 곳이 있어."

"지금 당장요?"

"응. 꼭 가야 해. 그래 줄 수 있지?"

그리 말하는 엘레나의 태도는 막무가내에 가까웠다. 유리는 갑작스러운 제안에 당황하여 입을 열었다.

"어디를요?"

"공연장. 네게 꼭 보여 주고 싶은 공연이 있거든."

단호한 목소리에 유리는 할 말을 잃고 엘레나를 보았다. 이 와중에 무슨 공연 타령인지 이해가 되지 않았다. 유리는 애써 표정을 갈무리하며 고개를 저었다.

"죄송해요, 언니. 바론 전하께서 오늘은 꼭 저택을 지키라고……."

유리가 우뚝 말을 멈추었다. 빠르게 눈을 깜빡였다. 오늘 바론이 보내 서신의 문구가 떠올랐다.

─오늘은 저택에 꼼짝도 하지 마. 외부엔 네가 카사르 그 자식 때문에 쓰러졌다고 말해 놨으니까. 침대에 제대로 붙어 있으라고. 온 수도에 똑똑히 알려야지. 그 새끼가 한 더러운 짓의 결과를.

유리의 마음속 깊이 다른 목소리가 들렸다. 그자의 뜻대로 하고 싶지 않아.

"잠깐이면 돼. 리디아. 딱 한 번만 내 말대로 해 줘. 응?"

유리가 천천히 고개를 들었다. 엘레나가 긴장한 채 저를 보고 있는 게 보였다. 느리게 고개를 끄덕이며 말했다.

"그래요. 그럼 그렇게 할게요."

*

유리 스스로의 선택이긴 했지만, 외출은 결코 쉽지 않았다. 어제 있었던 일로 유리는 몸도 마음도 모두 지쳐 있었다. 아니, 어제뿐 아니라 근 일주일간 편한 날이 하나도 없었다. 내내 무리를 한 탓에 몸도 마음도 만신창이였다. 저택에 나오자마자 유리는 외출 선택을 후회했다. 몸 곳곳이 힘든 걸 넘어서 아프기까지 했다. 순간순간 떠오르는 그의 얼굴엔 심장이 조여들었다.

"리디아, 오늘 날씨가 참 좋다. 그렇지?"

그런 유리의 괴로움을 아는지 모르는지, 엘레나는 약간 흥분 상태였다. 유리를 볼 때면 호들갑에 가까울 정도로 목소리를 높였다. 전에 보았던 것과는 다른 태도가 조금 낯설긴 했지만, 유리는 깊게 생각하지 못했다. 뭔가를 깊게 생각할 정도로 여유가 있지도 않았다. 제 상태를 추스르기도 버거웠다.

"이곳이 베아트리체 홀이야. 오늘 공연이 열릴 곳이지."

엘레나의 설명에 유리가 눈앞에 놓인 건물을 응시했다. 수도에서 가장 큰 공연장이라는 베아트리체 홀은 건물 외벽 전체가 회색의 대리석으로 이루어져 있었다. 햇빛을 받을 때마다 반짝거리는 돌 벽과 지붕에 얹힌 푸른색 돔은 마치 소설 속에 나오는 성전 같았다.

"자리가 마음에 들지 모르겠다."

엘레나가 유리의 손을 이끈 곳은 대극장의 이층 테라스였다. 반원 모양의 공간엔 몇 개의 의자와 테이블이 놓여 있었고 그 위에는 다과도 준비되어 있었다. 유리는 단박에 이 공간이 고위 귀족들을 위한 자리임을 알아챘다. 훤히 뚫린 공간 아래로 넓적한 무대가 아주 잘 보였다.

"어떤 공연이에요?"

엘레나는 유리의 데뷔 선물로 이 공연 티켓을 준비했다고 했다.

바론의 뜻을 거스르고 싶단 충동에 따라 나오긴 했는데, 공연에 대한 설명을 전혀 듣지 못했다.

"그냥, 뭐 흔한 사랑 이야기야."

엘레나는 더 설명을 않고 얼버무렸다. 묘하게 긴장한 기색이 역력했다. 왜 그러는 걸까. 의아하게 그 모습을 보던 유리가 살짝 인상을 썼다.

'아까부터 왜 이렇게 답답하지.'

유리가 깊은 숨을 내쉬며 욱신거리는 가슴을 꾹 눌렀다. 저택을 출발할 때부터 몸이 이상했다. 편하게 마차를 타고 공연장에 온 게 전부인데, 마치 달리기라도 한 것처럼 심장이 뛰었다. 극장에 들어오고 나서는 상태가 더 나빠졌다. 가슴이 너무 두근거리는 게 꼭 큰일이 날 것만 같았다.

"후우."

유리는 숨을 고르며 의자 손잡이를 움켜쥐었다. 숨은 자꾸만 더 가빠졌다. 호흡을 고르려 했지만 소용이 없었다. 오도독 등에 소름이 돋았다. 제 상태에 당황한 유리가 엘레나를 부르려 할 때였다.

"언니, 저 몸이……."

그때, 공연 시작을 알리는 음악 소리가 들려왔다. 연달아 터지는 박수 갈채에 말이 묻히고야 말았다. 엘레나는 유리 쪽은 쳐다도 보지 않았다. 유리는 결국 다시 제자리에 앉았다.

'몸이 많이 안 좋기는 한가 보구나.'

아무래도 저택에 돌아가면 의사에게 보여야겠다, 그리 결론을 내린 뒤 의자에 몸을 묻었다. 눈을 감은 채 깊게 숨을 내쉬었다. 호흡을 진정시키기 위해서였다. 박수 소리가 사그라진 후 천천히 눈을 떴다. 그런데, 빛이 없었다. 유리가 멍하니 눈을 깜빡였다. 몇 번 더 반복했지만 빛이, 전혀 없었다. 온 극장 안을 부드럽게 메우고 있던 불빛이 순식간에 사라진 것이다. 치마를 움켜쥔 손에 점점 힘이 풀렸다. 호흡이 제 것이 아닌 양 날뛰기 시작했다.

발작이었다. 가까스로 몸을 일으킨 유리가 비틀거리며 앞섶을 움켜쥐었다. 여전히 아무것도 보이지 않았다. 들리는 것은 길게 끄는 듯한 흐느낌뿐. 유리가 덜컥 숨을 토해 내며 헛구역질을 했다. 막이 열리기 전 긴장을 고조시키기 위한 현악기 소리였지만, 지금 유리에겐 마치 죽은 가족들의 울부짖음처럼 들렸다.

숨을, 쉴 수가 없었다. 빛이 있는 곳으로 나가야 했다. 머릿속이 텅 비어 바로 옆에 엘레나가 있다는 것도 잊었다. 이곳에 더 있으면 죽겠다는 생각밖에 들지 않았다. 더듬거리며 걸음을 옮기던 유리가 크게 휘청거렸다. 그리고 기다렸다는 듯 무너지는 몸을 부드럽게 받아내는 손이 있었다. 유리는 갈대가 꺾이듯 힘없이 그의 품이 안겼다. 그는 바르작거리는 유리의 등을 잠시 쓸어주었다가 아주 조심스레 바닥에 눕혔다.

"……윽."

유리가 고통스러운 신음과 함께 몸을 비틀었다. 어둠이 찾아올 것을 준비하고 있었던 그는 물끄러미 그 모습을 바라만 보았다. 이내 가슴을 긁는 손을 살며시 움켜쥔 뒤, 천천히 몸을 숙이며 조심스레 뺨을 맞대었다.

"유리야."

웅성대는 소리와 함께 희미한 빛이 사위를 채우기 시작했다. 새 막이 열리기 시작하는 것이다. 관객들의 시선이 점차 밝아지는 조명 쪽으로 쏠렸다. 이마를 쓸던 손이 자연스럽게 유리의 눈꺼풀을 덮었다. 그리하여 그녀는 여전히 어둠 속에 갇힌 채, 가쁜 숨을 내쉬어야 했다.

"어둠을 두려워하지 마. 내가 네 곁에 있을 테니까."

카사르가 희미하게 웃으며 유리의 어깨를 끌어안았다. 제 손을 적시는 눈물은 몇 배의 아픔이 되어 그를 할퀴었다. 그는 기꺼운 마음으로 그 감미로운 고통을 받아들였다. 드디어 찾았구나, 내 사랑.

아마도 한계인 듯, 유리가 파르르 떨다 신음을 뱉었다. 바르작거리는 유리를 가슴에 품는 그의 눈에 기쁨의 눈물이 차올랐다. 황홀했다. 유리가 암흑 속에 갇혀 괴로워하는 모습이 너무도 아름다워, 가슴이 저렸다. 오랜 방황 끝에 제 꽃을 되찾은 맹수가, 웃었다.

＊

유리의 발작은 계속되었다. 감은 눈에선 쉼 없이 눈물이 흐르고 호흡은 불안정하게 흔들렸다. 카사르는 조심스럽게 유리의 어깨를 끌어안으며 젖은 뺨에 입을 맞추었다.

"유리야, 숨 쉬어."

나직한 속삭임과 함께 그의 손이 살짝 유리의 명치 언저리를 문질렀다. 부드러운 손길이 이어지자 발작이 조금 잦아들었다. 그는 조심스럽게 유리의 목을 받친 뒤 입술을 맞대고 숨을 불어넣었다. 그 일련의 과정이 너무도 자연스러워 엘레나는 감히 말 한마디 하지 못했다.

"윽⋯⋯."

두어 번 숨을 불어넣던 와중, 유리의 몸이 축 늘어졌다. 발작을 견디지 못하고 의식을 잃은 것이었다. 카사르는 안쓰럽게 그런 유리를 바라보다 꾹 끌어안았다. 어느새 그의 눈은 붉게 물들어 있었다.

그녀를 되찾은 기쁨에도 불구하고 가슴이 미어져왔다. 그녀의 괴로움이 아픔이 되어 그에게 스민 것이다.

"미안하다."

그는 젖은 뺨에 입술을 댄 채 진심으로 사과했다. 어쩔 수 없는 선택이었지만, 유리가 아픈 만큼 그도 아팠다. 그의 사랑은 그런 사랑이었다. 아픔과 감동으로 터져버릴 것 같은 감정을 가다듬던 그가 희미하게 웃었다.

아픔이라. 유리에게 더 이상의 아픔은 없을 것이다. 그녀가 깨어나기만 한다면, 앞으로 있을 모든 어둠은 자신이 죄 몰아내 줄 테니까.

"눈을 뜨면 너는 또 나를 모른다 하겠지."

담담히 가라앉은 눈빛이 어느새 가느다란 손목 위를 맴돌았다. 맥이 뛰는 곳을 가로지르는 흉은 보는 것만으로 지끈거렸다. 그 끔찍한 상처를 지워 버리기라도 할 것처럼 그는 몇 번이고 그녀의 손목을 쓸었다.

"그래도 괜찮아. 네가 살아 있으니까."

그동안 이 여자가 잘못되기라도 했을까 봐 얼마나 많은 불면의 밤을 보냈던가. 지난 과거를 생각하면 이 여자가 살아 숨쉰다는 것만으로 그저 감동적이었다. 카사르가 조심스레 유리를 안아들곤 자리에서 일어났다.

엘레나는 얼어붙은 채 두 사람을 보고만 있었다. 정말로 리디아가 가짜였다는 걸 믿을 수가 없었다. 얼마나 놀랐는지 두 사람이 빠져나가는 것도 말리지 못했다.

카사르는 그렇게, 마치 꿈인 양 연인과 함께 걸었다. 아스라이 멀리서 배우의 노랫소리가 들려왔다. 카사르의 입가에 스르르 미소가 맺혔다. 단둘만의 시간은 너무도 달콤했다. 꿈이 너무도 달콤했기 때문에, 그는 몰랐다. 그 뒤를 조용히 쫓는 그림자가 있었다는 것을.

'뭐야? 왜 두 사람이 저러고 있는 거야?'

두 사람의 모습을 보며 미하엘은 연신 눈을 비볐다. 자신이 보고 있는 것을 도저히 믿을 수가 없었다. 미하엘은 멀어지는 두 사람의 뒷모습을 보며 발을 동동 굴렀다. 자세히 보고 싶은데, 들킬까 봐 더 다가가지도 못했다. 초췌한 얼굴이 한층 일그러졌다.

'왜 저 계집이 황태자에게 안겨 있는 거야? 이게 대체 어떻게 된 거야? 둘이 대체 무슨 사이이기에!'

*

미하엘이 유리를 미행하기로 결정한 것은 오늘 엘레나의 방문 소식을 듣고 나서였다. 어제 연회에 참석했기에 카사르와 유리, 바론 사이에 있었던 일을 그 역시 들어 알고 있었다. 처음엔 누이가 곤경에 처한 줄 알고 신이 나 춤을 출 정도로 기뻐했더랬다. 그런데 잘 들어보니 그게 아니었다. 카사르는 그가 당한 일과 똑같은 일을 겪은 것이다. 바론이 제 여자를 건든 인간을 응징한 것이다. 누이를 향한 바론의 총애가 여전하단 뜻이었다.

바론이 처음 프리우스에 등장한 날의 치욕을 어찌 잊을 수 있을까. 그날 이후로 미하엘은 모든 것을 잃었다. 제 기침 소리에도 굽신거리던 아랫것들은 누이의 눈치를 보느라 저는 본체만체했다. 이럴 때 아비라도 멀쩡했으면 중재를 해 주었을 텐데, 작위를 움켜쥔 채 숨만 몰아쉬는 반 시체 상태였다. 아직 승계를 받지 못한 미하엘은 그저 공작 가문의 소공자일 뿐이었다. 바론의 패악에 항의할 방법이 없었다.

항의 방법이 있다 하더라도 사용하진 않았을 거다. 바론은 하나를 받으면 열로 되갚아 주는 인간이니까. 징계 앞에 고개를 주억거린 뒤 뒤론 미하엘의 뒤통수에 칼을 꽂을 것이다. 바론은 미하엘과 완벽한 동류였다. 그렇기에 더, 상대의 대응을 예측할 수 있었다.

이런 상황에서 미하엘이 지옥에서 벗어나는 방법은 딱 하나였다. 누이에게서, 바론의 총애를 거두어들이는 것. 그러기 위해서는 반드시 누이의 흠을 찾아야 했다. 몸을 숙인 채 기회만 노리고 있던 와중에 누이가 '그 엘레나'와 외출을 한다 들었다.

엘레나가 누구인가? 바론만 보면 개처럼 짖어대는 루한의 부인 아닌가? 미하엘은 그 즉시 두 여자의 뒤를 따르기로 했다. 그런데 전혀 의외의 인물이 누이를 찾아왔다.

'설마, 엘레나를 만난 건 황태자와의 만남을 위한 연막이었나?'

두 남녀를 보며 미하엘은 순식간에 그러한 결론까지 이끌어냈다. 거리가 너무 먼 탓에 유리가 정신을 잃은 것은 보이지 않았던 것이다. 뒷모습만 보면 영락없이 유리가 카사르에게 얌전히 안겨 있는 것이다.

'어제 추행을 당했다면서 다음 날 저리 붙어 있는 게 말이 돼?'

미하엘의 눈이 번뜩였다. 그의 날카로운 본능이 소리치고 있었다. 이건 분명히 뭔가 있다. 추행이 아니었을지도 모른다. 그렇다면 어쩌면…….

앞서가던 두 사람이 모퉁이 안쪽으로 들어갔다. 미하엘은 다급히 그 뒤를 따랐다. 아슬아슬하게 카사르의 뒷모습이 문 안쪽으로 들어가는 게 보였다. 쾅! 문이 닫히기가 무섭게 미하엘이 그 앞에 도착했다.

"빌어먹을!"

초조하게 문에 귀를 댄 미하엘이 욕을 짓씹었다. 문짝이 얼마나 두꺼운지 그 어떤 소리도 들리지 않았다. 뭘 알아야 바론에게 고하기라도 할 텐데, 그러기도 불가능했다. 한참 그렇게 문 앞에 붙어 있던 미하엘은 결국 포기하고 뒤로 물러났다. 손톱을 질겅질겅 깨물기 시작했다.

'어떻게 하지? 이걸 어떻게 알리지?'

바론에게 그대로 말을 할까? 네가 그리 싸고돌던 계집이 카사르와 단둘이 만났다고?

바론은 분명 길길이 날뛰기야 할 것이다. 제 여자가 하필이면 그 카사르와 만난 거니까. 말 몇 마디 속살거리면 최악의 상상까지 이끌어낼 수 있을 것이다. 그런데 바론이 과연 제 말을 믿을까?

미하엘의 얼굴이 일그러졌다. 분명 믿지 않을 것이다. 일전에도 누이의 상처가 제 탓이 아니라 목이 터져라 말했지만 소용없었다. 개소리 지껄이지 말라며 얻어맞기만 했다. 그때 생긴 멍이 아직도 등짝에 남아 있었다. 방법은 딱 하나였다. 바론이 믿을 수 있는 자가 두 사람의 모습을 보아야 한다. 절대 부정하지 못하게 둘이 딱 달라붙어 있어야 했다.

'……저거다!'

필사적으로 방법을 생각하던 미하엘의 시선이 우뚝 벽에 걸린 횃불에 멎었다. 그의 눈빛이 광기로 번들거렸다. 거친 손길이 횃불을 잡아챘다. 그의 입가에 승리의 미소가 맺혔다.

이번만큼은 절대로, 하늘이 준 기회를 놓칠 수 없었다.

*

"큭, 무슨 먼지가 이렇게 많아."

바론이 기침을 하며 손사래를 쳤다. 오랫동안 창고에 처박혀 있던 가방은 손만 대도 먼지가 풀풀 날렸다. 그는 인상을 쓴 채 한 걸음 뒤로 물러나 먼지가 가라앉길 기다렸다. 그의 곁에 있던 종들이 조심스레 입을 열었다.

"전하, 제가 하는 것이……."

"아니야. 내가 직접 해야지."

바론이 씨익 웃었다.

"고 계집이 죽기 전에 남긴 건데. 내가 해 주어야지."

바론은 룰루랄라 콧노래를 부르며 가방을 열었다. 가방 안쪽에 손때가 묻은 여러 물건이 들어 있었다. 바론은 피식 웃으며 낡은 물건들은 옆에 두었다. 딱 봐도 질이 별로인 것이 귀족 근처에도 못 가 본 평민의 것일 게 분명했다.

"이걸 들고 도망가려 했단 말이지."

탈출하려 했다는 여자의 짐이 참 부실하기도 하다. 바론은 킬킬 웃었다. 역시 그 여자는 참 멍청했다. 제 계집이 죽은 줄도 모르고 여태 찾고 있는 제 짝과 아주 잘 어울렸다. 바론은 그 멍청한 계집이 진심으로 고마웠다. 그 여자의 죽음 덕에 그가 얻은 게 엄청나게 많았던 것이다. 그 여자와의 이별 이후 카사르는 삼 개월 가까이 정신을 차리지 못했다. 완전히 기울어가던 후계 구도에 반등 기회가 생긴 건 순전히 그 여자 덕분이었다. 카사르가 생각보다 금방 정신을 차리고 제법 버티고 있긴 하지만 끝이 멀지 않았다.

"찾았다."

그리고 이젠, 마지막 일격을 가하려 한다.

"이 예쁜 게 아직도 날 기다리고 있었구나."

자그마한 상자를 꺼내며 바론이 키들 웃었다. 그 안에 든 물건을 본 바론이 길게 입매를 늘리며 웃었다.

"이걸 드디어 돌려줄 수 있겠네."

그동안 내내 기다려왔다. 이 물건을 돌려줄 최적의 시기를. 그리고 드디어 때가 왔다. 카사르가 추문과 싸워야 하는 지금이야말로 이 물건이 주인을 찾아갈 적기였다. 제 형제는 곧바로 알아챌 것이다. 이것이 누구의 물건인지, 여기에 말라붙은 피가 누구의 것인지. 그래서 계집의 죽음에 대해서 알게 된다면 절대로 일어나지 못할 것이다. 영원히.

4장

'발작이 일어난 걸까.'

정신이 들었을 때 처음 든 생각이 그거였다. 유리는 허리부터 퍼
지는 묵직한 근육통을 느끼며 힘겹게 눈을 떴다. 발작에서 깨고 나
면 늘 지금처럼 극심한 근육통에 시달려야 했다. 한참 동안이나 온
몸에 긴장을 하다 정신을 잃기 때문이었다.

'생각보단 괜찮네.'

일반적인 발작 때보다는 상태가 훨씬 양호했다. 발작이 가볍게
끝났단 뜻이었다. 누군가 조치를 취해 주었다는 말이기도 했다.

'엘레나 언니가 도와줬구나.'

정신을 잃기 전, 공연장에서의 마지막 기억이 떠올랐다. 대비할
틈도 없이 찾아온 암전, 물밀 듯이 밀려오는 환청, 그리고 그녀의
몸을 받아낸 따스한 체온까지.

'카사르……'

천장을 바라보는 유리의 눈에 어느새 눈물이 고였다. 그녀를 도
운 건 분명 엘레나일 것이다. 그걸 알면서도 마음은 자꾸 그의 이름

을 떠올렸다. 그가 처음으로 자신을 발작에서 구해 주었던 날이 생각난 것이다.

'나 이제 어떻게 해요.'

눈꼬리에 고인 눈물이 관자놀이를 타고 떨어졌다. 유리는 파르르 입술을 떨다 눈을 감았다. 발작에서 깨어난 후에도 그의 곁에 도사리고 있을 위험은 여전했다.

'이렇게 울고 있을 때가 아니야. 이제 생각을 해야해. 그를 구할 방법을.'

유리는 꾹 눈을 감아 눈물을 떨구었다. 온 힘을 다해 이번 일을 처리할 방법을 궁리했다. 아까 공연장에 가기 전까지 열심히 생각했던 것이다. 일단 잃어버린 독을 먼저 구해야 했다. 그 다음엔 바론에게 몸을 허락하고……. 아니, 그 전에 먼저 밤을 보내는 게 나을 수도 있다. 바론에게 그자를 위해서는 무엇이든 할 수 있다는 걸 다 보여 주자. 완벽한 방심을 이끌어 낸 다음, 그 다음에…….

'정말 그걸로 그 사람을 구할 수 있기는 할까.'

온몸에 힘이 쑥 빠졌다. 허무감이 밀려왔다. 발작 특유의 탈력감 때문일지도 모른다. 유리는 멀거니 회색빛 천장을 올려다보았다. 머릿속엔 질문이 꼬리를 물었다.

만일 바론이 저를 거부하면 어쩌지, 몸을 허락한 뒤에도 그를 방심시키지 못한다면. 아니, 그 전에 회의가 소집되어 버리면, 사람들이 바론의 말을 믿으면, 그래서 결국 그가 다친다면…….

"윽."

유리가 질끈 눈을 감으며 옆으로 몸을 웅크렸다. 두려워서 미칠 것 같았다. 그 사람이 다치면 어쩌지. 아이까지 잃었는데, 그 사람까지 잃게 되면 어쩌지. 그게 또 내 탓이 되어 버린다면…….

'안 돼!'

유리가 비명을 삼키며 고개를 저었다. 창백한 뺨은 어느새 눈물로 젖어있었다. 몸이 오들오들 떨렸다. 버텨 보려 했지만, 쉽지 않았다. 곧이어 어젯밤 꿈의 잔상까지 그녀를 괴롭히기 시작했다. 유리가 고통스러운 신음을 토해 냈다. 발작이 그녀의 마지막 의지까지 꺾어 버린 것 같았다.

"유리야."

그때 부드러운 손이 그녀의 어깨를 쥐었다. 유리는 여전히 정신이 없었다. 그동안 너무 많은 일을 겪은 탓에 너무 지쳐 있었다. 그 손이 유리의 어깨를 눌러 바로 눕혔다. 유리의 목이 힘없이 꺾였다. 가쁜 숨을 내쉬며 흐린 눈으로 상대를 응시했다. 괴롭게 일그러진 카사르의 얼굴이 보였다.

"너 대체 왜 이렇게 눈물을……."

유리가 빠르게 눈을 깜빡였다. 어제랑 매우 비슷한 상황이었다. 이곳에 있어서는 안 될 사람의 모습에 순간 꿈인 줄 알았다. 그의 손이 그녀의 눈물을 닦아냈다. 뜨거운 체온에 유리의 속눈썹이 파르르 떨렸다. 유리는 곧바로 깨달았다. 이건 꿈이 아니야. 현실이야.

"왜, 왜."

유리는 제대로 말도 잇지 못한 채 자리에서 일어났다. 얼마나 놀랐는지 눈물이 쏙 들어가 버렸다. 그는 유리의 눈물을 닦으려다가, 유리가 흠칫 놀라 몸을 물리자 그 자세 그대로 굳었다. 이내 픽 웃으며 손을 거두어들였다. 그가 상처받았다는 걸 알았지만 그걸 고려할 정신이 없었다.

"왜, 전하가, 여기에."

유리가 허겁지겁 방 안을 살폈다. 엘레나는 어디에도 없었다. 유리의 눈빛이 망연해졌다. 방 안에 내내 이 사람과 둘만 있었단 뜻이다.

대체 언제부터 그랬던 걸까? 혹시, 발작도 본 걸까? 순간 비명이 튀어나올 뻔했다. 유리는 벽에 바짝 몸을 붙인 채 무릎을 모았다. 카사르는 그런 그녀를 표정 없이 보기만 했다. 유리는 심장이 터질 것만 같았다. 겁이 나서 미칠 지경이었다. 정말, 이 사람이 내게 발작이 일어난 걸 안 걸까? 그런 걸까?

"저, 저는."

유리는 가까스로 목소리를 내었다.

"저는 그 여자 아니에요. 어제 말씀드렸잖아요."

눈물을 흘려서는 안 된다. 목소리를 떨어서도, 흐느낌이 새어 나와도 안 된다. 아무렇지 않은 얼굴로, 허리를 꼿꼿하게 세운 채 모든 것이 그의 착각이었다 선언해야 한다.

"전부 전하의 착각이라고……."

그러나 그중 쉬운 것이 하나도 없었다. 결국 어느 순간부턴 눈물을 참을 수 없었다. 눈을 질끈 감고 소리 없는 눈물을 흘렸다. 굳은 얼굴로 그 모습을 보던 그가 제 손을 내려다보았다. 유리가 저를 거부했을 때의 아픔이 여전히 남아있는 듯했다.

'나와 함께하느니, 차라리 죽는 게 낫다고 했었나.'

그가 쓰게 웃으며 주먹을 말아 쥐었다.

'허면 저 눈물도 혹시 나 때문인 걸까. 나와 함께하는 게 그리 괴로운 걸까.'

그는 고요히 시선을 내리깔았다. 유리의 발치에서 올라오는 어둠을 응시하여 입을 열었다.

"유리야."

유리는 아무 대답도 하지 않았다. 혹시라도 그가 또 한 번 다가올까, 유리는 잔뜩 몸을 웅크렸다. 눈을 마주치는 것도 겁이 나 고개마저 돌려 버렸다.

그의 손길이, 그의 체온이, 그의 눈빛이 너무 두려웠다. 이렇게 자꾸 그와 닿았다간 이성을 잃고 그의 옆자리를 탐낼 것 같았다.

"방금 발작이 일어났어."

다행히 그는 거리를 더 좁히지 않았다. 짙은 한숨을 내쉬며 제 눈두덩이를 꾹 누를 뿐이었다. 그녀의 발치를 내려다보는 그의 눈빛이 불안하게 흔들렸지만 그녀는 눈치채지 못했다. 그의 입에서 나온 '발작'이라는 단어가 청천벽력처럼 느껴졌기 때문이었다.

"바, 발작이 아니."

"사실 네가 이곳에 온 건 내가 엘레나에게 부탁을 했기 때문이었어. 네 발작을 확인하려고 일부러 공연장에 데려온 거야. 너를 아프게 해서 미안하다. 그런데 내게 방법이 이것밖에 없었어."

담담한 고백에 유리는 그대로 굳어 버렸다. 갑작스레 몰아치는 상황에 숨이 막혔다. 유리는 오들오들 떨었다. 그는 시선을 내리깐채 말이 없었다. 그가 고개를 들어 저를 볼까 겁이 났다. 다시금 눈이 마주친다면 그녀가 숨기고 있는 마지막까지 모두 탄로 날 것 같았다. 그리고 그때.

"불이야!"

문밖에서 다급한 고함이 들려왔다.

*

그리고 잠시 아무 소리도 들리지 않았다. 숨 막히는 정적이었다. 유리가 느리게 눈을 깜빡였다. 일 초가 수 분으로 늘어난 것 같았다. 저도 모르게 그를 향해 고개를 돌렸다. 경악한 듯 문 쪽을 바라보는 그의 옆모습이 보였다.

"불이야! 불이 났어요!"

찢어지는 고함과 함께 카사르가 반쯤 몸을 일으켰다.

"모두 대피하세요! 불이 났습니다!"

밖에선 누군가 사람들을 대피시키고 있었다. 곧이어 와락 탄 내음이 느껴졌다. 놀란 유리가 등을 곧추세웠다. 벌떡 일어난 카사르가 한 걸음 문 쪽으로 걸으려다, 이내 제자리에 멈추어 섰다. 그러고는 질끈 눈을 감고 욕을 뇌까렸다.

"빌어먹을."

화재 사실에 놀라 멍하니 그의 모습을 보던 유리가 얼른 정신을 차렸다. 떨리는 손으로 침대를 짚는데, 거듭 놀라서인지 다리엔 힘이 들어가지 않았다. 힘들다고 주저앉을 때가 아니었다. 유리를 이를 악물고 제대로 섰다. 일단은 이곳을 나가야했다.

"어서, 나가요. 어서요."

유리는 다급히 그의 팔을 붙잡고 말했다. 지금만큼은 정체를 들켰단 사실도 잊었다. 언제라도 시뻘건 화마가 둘을 집어삼킬 수 있는 위급한 상황이었다. 그런데 이상했다. 그는 제 곁에 선 유리에겐 시선도 주지 않은 채 문만 바라보았다. 그의 얼굴이 낭패한 듯 일그러진 게 보였다. 뭔가 잘못된 것일까? 와락 치밀어 오르는 불안에 유리의 눈빛이 아연해졌다.

"왜, 하필 이럴 때."

그는 이를 갈 듯 말하더니 눈두덩이를 꾹 눌렀다. 천천히 눈을 뜨고, 이를 사리물더니, 다시 눈을 감고는, 숨을 내쉬고, 다시 떴다. 영문도 모른 채 그 모습을 보던 유리의 눈이 커졌다. 이런 모습을 예전에 분명 본 적이 있었다.

"이를 어쩌지."

그가 난처하게 웃으며 그녀가 있는 쪽을 바라보았다. 그는 그녀를 똑바로 보지 않았다.

"유리야, 너 먼저 나가야겠다."

어긋난 시선을 마주한 순간, 화재 따위와는 비교도 할 수 없는 충격이 그녀를 후려쳤다. 유리는 단번에 상황을 깨달았다. 그는 지금 앞을 보지 못했다.

"아, 앞이."

"그러게. 앞이 안 보이네."

그는 난처하게 웃으며 고개를 끄덕였다. 유리가 입을 틀어막곤 경악성을 삼켰다. 그는 조심스레 유리가 있을 법한 방향으로 손을 뻗었다. 얼어붙은 녹안이 허공으로 향하는 손을 응시했다. 그는 자신이 방향을 잘못 잡은 것을 알곤 움찔했다. 아무렇지 않은 듯 웃으며 손을 거두었다.

"미안. 너 먼저 나가야겠다."

그 말에 유리의 몸이 사시나무처럼 떨리기 시작했다.

"어, 어떻게 된 거예요? 왜 전하가 앞을 못 봐요! 다 치료가 된 거 아니었어요?"

유리는 그를 거부하던 상황도 잊고 그를 붙잡았다. 정신이 하나도 없었다. 분명 치료가 끝났다고 들었다. 다시 앞을 볼 수 있다고 들었다. 그런데 이 사람이, 왜 다시 앞을 보지 못한단 말인가!

"후유증이야. 가끔 이러는데, 약만 쓰면 제대로 돌아와. 사람들에겐 비밀로 하는 거라 여기 있어야 해. 들키면 안 되거든. 대피가 좀 끝나고 나면 움직이도록 할게. 그러니까 걱정하지 말고 너는 빨리 나가야⋯⋯."

"불이 났다고요!"

유리는 목이 졸리는 듯한 기분으로 그를 붙잡았다.

"그런데 지금, 당신 혼자 여기 있겠다고요?"

"영영 있겠다는 게 아니야. 인적이 좀 드물어지면, 그때 사람들 눈에 띄지 않게⋯⋯."

"그러다 죽어요!"

유리가 외마디 비명과 함께 그의 가슴에 매달렸다. 덜덜 떨리는 몸을 느낀 그가 흠칫했다. 당황한 그가 어둠 속에서 눈을 깜빡였다. 마치 지금 유리가 저를 걱정하는 것처럼 느껴졌다. 이상했다. 저를 밀어내고 싶던 거 아니었나?

"괜찮아. 불이 번지려면 시간이 걸릴 거고……."

"너무 위험하다고요!"

유리가 와락 울음을 터트리며 그를 끌어안았다. 안 돼요. 그럴 수 없어요. 제발. 절박한 애원이 이어졌다. 멍하니 그 소리를 듣던 그가 질끈 눈을 감았다. 가느다란 몸을 끌어안으며 뺨을 맞대었다. 젖어 있는 뺨에 가슴이 저렸다. 그가 속삭였다.

"지금 나를 걱정하는 거야?"

"안 돼. 제발. 흑."

"내가 걱정 돼? 그래서 이러는 거야?"

"같이 나가요. 제발요."

유리는 어린아이처럼 울며 애원했다. 화마가 그를 집어삼킬지도 모른단 상상이 그녀의 이성을 마비시켰다. 유리의 두려움을 느낀 그의 눈매가 차츰 젖어들어 갔다.

"네가 나를 걱정해 주는 거구나."

마냥 밀어낼 줄만 알았는데, 그게 아니었다. 이 순간 그는 지난 삼 년을 모두 보상받은 것 같았다. 환히 웃으며 유리에게 속삭였다.

"그래. 그렇게 하자."

*

결국, 두 사람은 함께 방을 탈출했다. 유리는 그를 부축하고 그는 유리에게 기댄 채였다. 복도엔 어느덧 앞을 확인할 수 없을 정도로 연기가 자욱했다. 몹시 위험했지만, 한 편으론 다행스럽기도 했다. 짙은 연기 때문에 주위의 시선에서 자신들을 숨길 수 있었기 때문이었다.

"복도 끝으로 가면 작은 문이 있어. 그쪽으로 가면 사람이 많지 않을 거야."

출구로 가는 동안 아스라이 불길이 잡히지 않는다는 고함이 들려왔다. 유리는 홀로 공연장에 남으려던 그의 계획이 얼마나 무모한지 또 한 번 실감했다. 그 끝을 상상하는 것만으로 심장이 조여들었다.

그의 허리를 안은 유리의 손엔 자연스레 힘이 들어갔다. 이대로 그의 손을 놓아 버리는 게 맞는 것일지도 모른다. 그가 어떤 위험에 처했든, 모른 척 두고 가야 했던 것일 수도 있다. 그와의 인연은 어차피 끝났고, 그는 제 가족을 죽인 원수의 아들이었다.

'제발, 이번 한 번만.'

이번만큼은 그의 손을 잡고 싶었다. 그를 또 한 번 홀로 어둠 속에 버려둘 순 없었다.

"어떻습니까, 하르트 공. 제 말이 맞지 않습니까?"

그리고 그러한 두 사람의 모습을 지켜보는 은밀한 시선이 있었다.

"둘이 같은 공간에서 나오는 걸 분명 보셨을 겁니다. 저리 딱 붙어 있는 것이 연인이 아니면 대체 뭐란 말입니까?"

"허, 이게 대체 무슨 일이야! 황자 전하의 약혼녀가 배신이라니!"

"평범한 배신이 아닙니다. 아주 치밀하게 계획된 음모입니다. 카사르 전하가 저 계집을 겁간하려 했다고요? 천만에! 계집은 이미 전하와 보통 사이가 아니었던 겁니다. 어쩌면 태자 전하의 명을 받고 황자 전하께 접근했을 수도 있겠죠. 약혼 자체가 사기였단 뜻입니다!"

미하엘의 열변이 계속될수록 바론의 가장 충실한 심복 중 하나, 하르트 백작의 충격은 깊어만 갔다. 반 시간 전까지만 해도 누이가 부정을 저지르고 있다는 미하엘의 고발을 정신 나간 헛소리로 치부했건만. 눈앞의 현실은 미하엘의 고발이 진실임을 알려주고 있었다.

"지금 당장 전하께 고하겠소!"

하르트 백작이 분기를 삼키며 돌아섰다.

"경은 저 두 사람의 뒤를 따르도록 하시오! 어서!"

*

카사르의 말대로 동쪽 출구에는 사람이 거의 없었다. 몇 없는 사람마저도 건물 위로 부글부글 끓어오르는 연기에 정신이 팔려 두 사람은 신경도 쓰지 않았다. 유리는 혹시라도 두 사람을 보는 시선이 있나 확인하며 걸음을 옮겼다.

"도착했어요. 전하."

다행스럽게도 병원은 공연장과 매우 가까운 곳에 있었다. 건물 안으로 들어서 소독약 냄새를 맡는데, 긴장이 혹 풀리며 다리에 힘이 빠졌다. 휘청이는 그녀를 그대로 끌어안고 그가 말했다.

"고마워, 유리야."

그 따뜻한 속삭임에 유리의 눈에 눈물이 고였다. 눈물이 그렁그렁한 얼굴과는 다르게 그녀의 목소리는 매몰찼다.

"……전하여서 도운 게 아니에요. 누구라도 저처럼 행동했을 거예요."

"그래. 알겠어. 고마워."

유리의 차가운 반응에도 그는 웃음을 잃지 않았다. 제발 함께 나가자던 유리의 말을 들은 이후 그는 한결 여유를 되찾았다. 유리가 제 불행을 결코 두고 보지 않으리란 확신이 생겼기 때문이었다.

"간헐적인 시력 상실이라. 자주 일어나는 일이오?"

의사의 질문을 들으면서도 머릿속엔 그녀 생각뿐이었다. 새삼 그녀의 얼굴을 보지 못하는 것이 아쉬웠다. 간절히 저를 걱정하는 유리의 얼굴을 볼 수만 있다면 삼 년의 상처가 모두 사라질 것 같았다.

"자주는 아닙니다. 사고 후 생긴 후유증인데, 주치의는 완치가 멀지 않다고 했습니다. 길어도 두 달 뒤면 증상이 소실될 것이라 하였습니다."

"클레이트를 사용하면 되겠군."

"그렇습니다."

"완치가 멀지 않았다면 용량을 많이 할 필요도 없겠소. 잠시 치료실에서 기다리시오."

카사르는 침착하게 자신의 증상과 치료법을 설명했다. 혹시나 심각한 것은 아닐까, 잔뜩 긴장하여 그 모습을 보던 유리는 의사의 대수롭지 않은 반응에 그제야 안도의 한숨을 내쉬었다.

'이 사람, 종종 앞을 못 보는 게 사실이었구나.'

안도감은 잠시였다. 능숙하게 주사 자리를 지혈하고 한 움큼의 약을 털어 넣는 모습에 또 안타까움이 밀려왔다.

'그동안 얼마나 힘들었을까.'

멀쩡하다 갑자기 앞을 못 보는 게 얼마나 답답할까. 처음 후유증이 나타났을 때 얼마나 두려웠을까. 그런 줄도 모르고 저는 그가 시력을 되찾을 거라며 마음 놓고 살았다. 지난 세월이 미안해 유리는 조용히 눈물을 떨구었다.

"처치는 모두 끝났소. 이제 쉬시구려. 한숨 푹 자고 일어나면 멀쩡해질 거요."

치료를 끝낸 의사가 짐을 정리하며 자리에서 일어났다. 유리 역시 그를 따라 몸을 일으켰다. 더 이상 이곳을 지킬 필요가 없었던 것이다. 형제의 약혼녀는 할 필요도, 해서도 안 되는 일이었다. 또 한 번 그를 떠날 수밖에 없는 자신이 야속하면서도, 오늘만큼은 그를 도운 것이 한 줄기 위안이 되었다.

"선생님께서는 제 옆에 계셔 주시는 겁니까?"

유리가 몸을 돌려 문 쪽으로 다가가려 했을 때였다. 침대에 누워 있던 카사르가 불쑥 물었다.

"그게 무슨 소리요?"

"제가 시력을 되찾을 때까지는 옆에 계셔야 하는 거 아닙니까?"

"약을 썼으니 이젠 기다리는 게 답이오. 잘 알지 않소?"

"혹시 부작용이라도 일어나면 어쩝니까? 클레이트를 잘못 썼다간 경련, 발작, 호흡 곤란은 물론이고 운이 나쁘면 죽을 수도 있습니다. 혹시라도 나쁜 일이 벌어졌을 때 제 옆에 아무도 없으면 대체 어떻게 해야 합니까?"

그가 읊는 무시무시한 부작용에 유리가 놀라 눈을 크게 떴다. 와락 겁을 먹은 유리와는 달리 의사의 반응은 그저 그랬다.

"부작용 걱정 말고 그냥 쉬시오."

클레이트를 사용하면 정말 그런 일이 벌어질 수 있기는 했다. 단, 처음 약을 쓰는 사람에게나 생기는 부작용이었다.

"걱정이 됩니다. 만일 제게 위급한 상황이 벌어지면 어떻게 해야 하는 겁니까?"

카사르는 집요했다. 의사는 이미 다 알고 있을 인간이 왜 저리 까탈스럽게 구나 싶어 버럭 짜증을 냈다.

"동네 병원에서 뭘 바라는 거요? 그냥 쉬면 된다니까!"

"그러니까 부작용은 어쩌냔 말입니다. 곁에 누가 있어야 하는 거 아닙니까? 제가 거품을 물고 쓰러지다 결국 죽기라도 하면 책임지실 겁니까? 의사가 환자를 버리고 가는 게 말이 됩니까?"

아무렇지 않게 제 죽음 운운까지 하는 카사르의 모습은 뻔뻔 그 자체였다. 루한이나 테온이 보면 평소엔 관심도 없던 부작용에 예민하게 구는 모습에 어이없어 했을 것이다. 그러거나 말거나, 카사르의 기세는 자못 심각했다. 유리를 붙잡을 수만 있다면 까짓 칠십 먹은 노인네보다도 더 꼬장꼬장하게 굴 수 있었다.

"나 참. 젊은 사람이 따박따박 말꼬리를 붙잡아. 난 모르니 마음대로 하시오!"

의사는 결국 화를 내며 짐을 챙겼다. 사정을 모르는 유리만이 화들짝 놀라 의사를 말려야 하나 말아야 하나 갈팡질팡이었다. 의사는 그녀의 팔을 잡아끌더니 카사르 옆에 주저앉혔다.

"어딜 가시오. 어서 앉으시오."

"네?"

"애인 말 못 들었소? 거품 물고 죽을까 봐 무섭다잖소. 옆에 붙어 있다가 뭔 일 있으면 얼른 튀어 나와야 할 것 아니오?"

"아, 아니요. 전, 애인이 아니라."

의사의 퉁명스러운 말에 유리가 화들짝 놀라 고개를 저었다. 앞이 보이지 않는데도 유리가 당황하는 모습이 보이는 것 같아 카사르가 쿡 새어 나오는 웃음을 애써 참았다. 새삼 그녀의 얼굴을 알게 된 것이 가슴이 벅차오르도록 기뻤다. 예전 같았으면 유리의 표정을 떠올릴 때마다 연기처럼 희미한 그림자만 어른거렸을 것이다. 하지만 이젠 마음껏 상상할 수 있었다.

"애인이고 마누라고 다 필요 없으니 자, 빨리 손이라도 잡아 주시오."

"잠시만요!"

의사는 유리의 다급한 목소리는 들은 체도 않고 방을 나가 버렸다. 유리는 당황하여 닫힌 문만 바라보았다.

"유리야."

그때, 제 손목을 붙잡는 온기에 유리가 흠칫 놀라 옆으로 몸을 돌렸다. 장난스럽게 휜 푸른 눈동자가 별처럼 아름다워, 먹먹함이 밀려들었다.

"잘 들었지? 네가 내 옆에 있어야 한대."

*

유리가 처음 환청을 듣기 시작한 것은 아이를 잃고 두 달 뒤였다. 연달아 세 번의 자진 시도가 실패로 돌아간 후, 유리는 넋을 놓은 채 리디아가 입에 밀어 넣는 곡기만 받아먹었다.

점점 버거워져가는 생과 사의 갈림길에서 유리는 결국 그의 이름에 기대게 되었다. 카사르. 낮이고 밤이고 상관없이 앓듯이 그의 이름을 불렀다.

카사르, 제발. 카사르, 나 좀 살려줘요. 카사르, 보고 싶어요.

그를 그리워하고 그를 떠올리는 동안은 괴로움을 잊을 수 있었다. 그와의 달콤했던 추억을 되새기며 아픔에서 도망쳤다. 순간의 도피는 긴 후유증으로 돌아왔다. 마음속으로 그를 찾는 때가 잦아질수록 죽은 가족들을 향한 죄책감은 커져만 갔다. 그와의 꿈속에선 잠시 행복하다가, 꿈에서 깨면 여전히 원수의 핏줄을 사랑하는 자신이 혐오스러웠다. 악순환의 시작이었다. 괴로움이 커질수록 그에게 기대게 되고, 그럼 죄책감은 커졌다. 또다시 괴로워졌다. 그 굴레 속에서 헤어 나오지 못한 유리는 결국 선택을 했다. 그에게 돌아가기로.

검은 비가 세차게 쏟아지던 어느 밤이었다. 세상을 집어삼킬 듯 몰아치는 빗줄기에 절로 그와의 마지막 밤이 떠올랐다. 자신을 구하기 위해 목숨을 걸고 비 내리는 산을 뒤졌던 그 사람. 그런 사랑이라면 이 지독한 악연에서 그녀를 구해 줄 수 있지 않을까. 그녀를, 용서해 줄 수 있지 않을까. 참으로 뻔뻔하기 짝이 없는 욕심이었다. 그러나 한번 불길이 인 마음은 주체할 수 없을 만큼 커져갔다. 제대로 서지도 못할 정도로 야윈 몸으로 짐을 챙겼다. 옷을 입고, 우비를 걸치고, 신을 신었다. 그에게 돌아가야 했다. 사랑한다고, 살고 싶다고 고백해야 했다.

그때 처음으로 환청을 들었다. 황제의 목소리였다. 발렌타인의 마지막 밤, 그녀를 찾아 내 반드시 없애야 한다던 바로 그 목소리였다. 그 뒤론 너만은 살아남아야 한다던 어머니의 애원이, 어머니의 이름을 부르던 아버지의 절규가 울려 퍼졌다.

더는 움직이지 못한 채 한참을 그 비를 맞으며 어둠 속만 바라보았다. 애써 싼 짐은 비에 젖어 모두 망가져버렸다. 얼음장처럼 차가운 빗줄기가 현실을 일깨웠다. 설령 돌아가도 변하는 건 없었다. 그의 곁에는 황제가 있을 거고 그녀는 그의 곁에 있는 황제를 견디지 못할 것이다. 결국, 돌고 돌아 제자리였다. 유리는 결국 자신이 늪에서 절대 벗어날 수 없다는 것을 받아들였다. 그렇다면 그녀가 할 수 있는 건 단 하나뿐이었다.

그만은, 카사르만은 절대로 이 늪으로 들이지 말자. 그만은 이 악연에서 자유로울 수 있게 하자…….

"유리야."

유리가 가물거리는 눈꺼풀을 들어올렸다. 젖은 시야로 익숙한 얼굴이 보였다. 그날 그녀가 놓기로 결심했던 바로 그 사람이었다.

"대체 또 왜 이러는 거야."

괴롭게 일그러진 그의 얼굴이 보였다. 아까와는 달리 정확히 그녀를 응시하고 있었다. 유리가 느리게 눈을 깜빡였다. 그제야 제 눈물을 닦아내는 온기가 느껴졌다. 그는 한숨처럼 말했다.

"유리야, 지금 당장 돌아와달라곤 안 할게. 무슨 일이 있었는지, 그것만이라도 말해 주면 안 되는 거야?"

유리는 그 절박함을 외면하며 말없이 눈을 감았다. 진실이라. 그는 절대로 진실을 알 수 없을 것이다. 그녀는 절대로 제 상처를 드러내지 않을 거니까. 상처를 나누면 반이 된다는 말, 유리는 믿지 않았다. 나눌수록 독이 되는 고통도 분명 있었다. 유리는 차분하게 입을 열었다.

"말씀드렸잖아요. 어렸을 때 잘못된 선택을 했다고."

"유리야, 제발."

"제가 더 드릴 말씀은 없어요. 이제 그만하세요."

나직한 선언에 숨이 막힌 듯 그의 얼굴이 확 일그러졌다. 짙푸른 눈동자에 선연한 괴로움에 유리는 확신했다. 지난 삼 년간, 그는 전혀 변하지 않았다. 그 모진 악연에도 불구하고 그녀를 향한 사랑은 놀라울 정도로 굳건했다.

"저는 그 여자가 아니에요. 전하가 생각하는 만큼 좋은 여자도 아니고요."

유리는 서글피 웃으며 고개를 저었다. 그의 사랑은 제게 어울리지 않았다. 변하는 것도 없었다. 그가 여전히 저를 사랑한대도, 발렌타인의 비극이 사라지거나 그의 아이가 살아 돌아오진 않았다.

─미안해. 유리야, 내가 너무 늦었지. 미안하다.

그와의 마지막 밤이 생각났다. 비에 젖은 그녀의 몸을 닦아내며 그는 연신 사과를 했다. 잘못한 것도 없으면서, 자그마한 상처에도 애가 타 그리 말했다. 그때는 도저히 이해할 수가 없었다. 왜 이 사람이 제게 미안하다 하는지. 아무것도 모르면서 사과는 왜 하는지.

"하, 미안하다."

그 밤처럼 그는 또다시 사과를 했다. 그녀를 지켜 주지 못한 것이 미안하다 말했다. 그의 자책을 들으며 유리의 눈이 말갛게 젖어들어 갔다.

이제는 알 수 있었다. 그 밤, 그가 왜 제게 미안하다 했는지. 사랑하기에 지켜 주고 싶었던 것이다. 설령 저는 다칠지라도, 상대만은 지키고 싶은 그런 사랑인거다. 참 지독한 사랑이다. 유리 역시 그런 사랑을 하고 있었다. 그를 사랑하기에 홀로 모든 아픔을 품기로 결심한 것이다. 어쩌면 이 모든 것은 그를 아프게 한 벌일지도 모른다. 그런 벌이라면, 달게 받으련다. 유리가 서글피 웃으며 눈을 감았다.

*

카사르는 결국 흉터에 대해서 아무것도 알아내지 못했다. 몇 번을 물어도 유리는 앵무새처럼 같은 답만 반복했다. 어렸을 때 어머니께서 돌아가셔서 낸 상처예요. 저는 그 여자가 아니에요. 돌아가야 하니 이제 그만 놔 주세요.

결국 그는 더 묻기를 포기했다. 지난 삼 년이 미치도록 궁금했지만 과거를 물을 때마다 더 괴로워지는 유리의 모습에 도저히 물을 수가 없었다. 그렇다고 영영 포기하는 건 아니었다. 유리의 흉터를 본 이상 영혼을 팔아서라도 진실을 알아내야 했다.

'리디아 프리우스. 최대한 빨리 그 여자를 찾아내야 한다.'

프리우스 공녀. 유리는 그 여자가 되어 수도에 나타났다. 진짜 리디아가 아니라면 알 수 없는 내밀한 이야기도 알고 있었다. 리디아 프리우스가 유리를 돕고 있을지도 모른다는 결론은 매우 자연스러운 것이었다. 그렇다면 리디아는 대체 왜 유리에게 신분을 빌려

준 것일까. 두 사람의 만남이 지난 이별과도 관련이 있을까. 리디아가, 정말 유리의 삼 년을 알고 있는 걸까.

"밤이 늦었어. 저택까지 데려다 줄게."

고민하면 고민할수록 질문은 늘어만 갔다. 혹시라도 단서를 얻을 수 있진 않을까 싶어 카사르는 유리의 곁을 떠날 수가 없었다. 그럴수록 그를 대하는 유리의 태도는 점점 더 차가워져만 갔다

"아니요. 그러실 필요 없어요."

"혼자 돌아가긴 위험해."

"전하께서 상관하실 일이 아니에요."

유리의 냉대에도 아랑곳하지 않고 카사르는 그녀의 앞을 막아섰다. 이 정도에 주저앉을 것이라면 그녀를 기다리지도 않았다. 유리의 외면은 그녀가 눈을 뜬 순간부터 예상하고 있던 바였다.

"내가 널 기다린 게 자그마치 삼 년이야."

"전하!"

"정말 우리 관계를 끝내고 싶어? 그럼 제대로 말을 해. 이렇게 피하지 말고! 더는 날 사랑하지 않는다고. 그만하자고 똑바로 말을 하라고!"

물론 그녀가 이별을 선언한다고 쉽게 포기할 수 있을 것 같진 않았다. 아니, 포기할 수 없었다.

유리를 다시 만난 순간부터 지난 삼 년간 눌러두었던 욕심은 무섭게 자라기 시작했다. 처음엔 유리가 살아만 있기를 바랐으나, 그녀 곁에 다른 사내가 있다는 걸 알자마자 그 사내를 죽이고 싶었다.

"이렇게는 절대로 안 끝내. 아니 못 끝내."

그 깊은 마음을 어찌 이리 끝낼 수 있단 말인가. 카사르는 유리를 붙잡은 손에 힘을 주며 단호히 말했다.

"나는 네게 청혼했고 너는 그 청혼을 받아들였어. 증인이 없고,

예식이 없었다뿐이지 우린 부부야. 부부 사이가 이렇게 끝나는 게 말이 돼? 차라리 설명을 해 줘. 나는 안 되는데, 바론은 되는 이유는 무엇인지. 그렇지 않고 무조건 받아들이라는 게 말이 돼?'

청혼의 날과 달리 그녀의 손가락은 텅 비어 있었다. 반지의 부재가 가슴 아팠지만 그녀를 찾았으니 견딜 수 있었다. 그는 유리의 손목을 잡고 마차 쪽으로 향했다. 실랑이가 이어졌지만 그는 막무가내였다. 결국 유리는 더 이상의 반항은 소용없다는 걸 깨닫고 그의 뒤를 따랐다. 마차를 타고 저택으로 돌아오는 내내 유리는 한마디도 하지 않았다. 그 침묵에서 카사르는 유리의 굳은 의지를 읽었다. 당분간 그녀의 고집을 꺾을 수 없으리라 예감한 그가 이를 사리물었다.

밤이 깊었건만 저택 곳곳은 대낮처럼 불이 밝았다. 마차가 멈추어 서자 카사르는 먼저 내려 에스코트를 위해 손을 뻗었다. 역시나, 유리는 그 손이 보이지 않는다는 듯 쌩하니 내렸다. 예상했던 일에 카사르는 허탈한 웃음을 지으며 손을 거두어들였다. 카사르는 더 이상 유리를 붙잡지 않고 유리가 저택 안으로 들어가는 걸 바라보았다. 저택 쪽으로 향하는 그녀의 뒷모습이 유달리 꼿꼿해 보였다.

한 번쯤은 돌아봐 주지 않을까하는 기대는 역시나 헛된 기대로 끝났다. 저택 문이 닫히는 걸 보며 카사르가 지친 한숨을 내쉬었다. 연회 내내 쌓였던 피로가 와락 밀려온 것 같았다.

'괜찮아. 유리를 찾았으니까.'

그래도 그의 입가엔 다시금 열은 미소가 맺혔다. 재회의 기쁨은 그에게 끊임없이 힘을 불어넣어 주고 있었다.

"전하. 차티르입니다. 드릴 말씀이 있습니다."

황궁으로 이동하는데, 어둠 속에 숨어 있던 그림자가 스르르 모습을 드러냈다. 그의 존재를 이미 알고 있던 카사르는 여상히 물었다.

"무슨 일이지?"

차티르. 그는 카사르를 늘 호위하는 비야 중 한 명이었다. 카사르의 곁에는 늘 그들이 머물러 있었다. 그가 불이 난 연회장에서 당황하지 않았다는 것도 그들이 곁에 있음을 알았기 때문이었다.

"그것이, 저……."

차티르는 말을 잇지 못하고 끝을 얼버무렸다. 그림자 속 그들이 모습을 드러내는 것도 드문 일인데, 답지 않게 망설이는 모습에 카사르의 눈이 가늘어졌다.

"무슨 일이지?"

카사르의 물음에도 차티르는 쉽게 입을 열지 못했다. 비야가 된 지 어언 십 년, 산전수전 다 겪은 그조차 쉽게 전하지 못할 소식이었다. 하루 종일 카사르와 유리 사이의 일을 보았기에 더욱 그러했다. 그는 고요한 시선의 압박을 견디지 못하고 고개를 떨구었다.

"미첼론에서 한 시간 전 연락이 왔습니다. 유리 님과 함께 살고 있다 주장하는 자가 있습니다."

"뭐?"

황당함에 저절로 말끝이 높아졌다. 그동안 그는 비야의 정보력을 의심한 적이 없었다. 단 한 번도 그를 실망시킨 적이 없기 때문이었다. 그러나 오늘만큼은 비야가 틀렸단 생각을 하지 않을 수가 없었다. 아니, 잘못된 것이 분명했다.

유리는 내내 그와 함께 있다가 방금 프리우스 저택으로 돌아갔다. 한데 대체 누가 유리와 함께 살고 있단 말인가?

"출발 준비는 끝났습니다. 한 시간 정도만 달려가시면 도착하실 수 있을 겁니다."

"아니, 필요 없어. 그 정보 가짜니까."

과거라면 유리의 소식을 듣자마자 그가 먼저 출발 지시를 내렸을 것이다. 이번엔 단칼에 차티르의 말을 잘랐다. 프리우스 공작가의 사생아, 리디아 프리우스가 유리였다. 발작뿐 아니라, 그 이후 그녀의 반응으로 일말의 의심까지 사라졌다.

"그따위 가짜에 힘쓸 필요 없다. 그대들은 해야 할 일이 있어. 뒷조사를 해야 할 자들이 있다."

유리의 위치를 알게 된 이상, 그에게 필요한 건 '이유'였다. 유리가 대체 왜, 그를 떠났는지, 리디아 프리우스가 되어 돌아온 이유는 무엇인지, 그리고 그 눈물의 원인은 무엇인지 모두 다 알아야 했다. 그러기 위해서는 일단 진짜 리디아 프리우스부터 찾아야 했다. 어디서부터 무슨 명을 내려야 하나 고심하는데 차티르가 그의 눈치를 보다 입을 열었다.

"전하. 그것이 실은 그 노인이 하는 말이……."

"차티르."

"유리 님께서 돌아가셨다고 합니다."

*

저택에 들어온 뒤에도 유리는 쉽게 방에 들어가지 못했다. 우두커니 선 채로 그녀의 뒤에 남겨진 사람만 생각했다. 혹시 그가 아직도 저를 기다리고 있는 건 아닐까 걱정이 되었다. 돌아보고 싶은 마음을 겨우 억눌렀다. 삼 년 전 그를 버린 그날처럼, 죄책감에 속이 조여들었다. 한참을 그리 있다 힘없이 방으로 들어왔다. 그녀의 방엔 불이 환히 켜져 있었다. 발작을 막기 위해 초저녁엔 늘 불을 여럿 켜 두었던 것이다. 발작이 떠오르자 생각은 자연스레 그에게로 향했다. 이제 어떻게 해야 하나.

밀려오는 막막함에 흰 손이 습관처럼 목 언저리로 향했다. 펜던트를 열고 그의 편지를 읽고 싶었다. 뒤늦게 그 편지를 제 손으로 찢었다는 걸 깨닫곤 멍해졌다. 텅 빈 주먹만 내려다보는데 등 뒤에서 낮게 가라앉은 목소리가 들렸다.

"무슨 생각을 그리해?"

바론이었다.

"사람이 있는 줄도 모르고."

언제부터 이곳에 있었던 걸까. 유리는 놀란 기색을 감추며 그를 돌아보았다. 바론은 표정 없는 얼굴로 그녀를 응시하다 그녀의 허리를 끌어안았다. 유리는 순간 구역질이 날 것 같은 걸 겨우 참았다. 카사르와 헤어지자마자 그의 흔적이 지워지는 게 무척이나 힘겨웠다.

"언제 왔어요? 왔으면 말을 하지 그랬어요."

"많이 바빠 보였거든. 내가 있는 줄도 몰랐잖아."

"피곤해서 그랬어요. 오래 기다렸어요?"

"그냥 좀. 하루종일 뭐 했어?"

바론을 만난 후 좋은 점이 하나 있긴 했다. 시간이 지날수록 유리는 타인의 기색을 살피고, 제 표정을 숨기는 데 능숙해졌다. 저를 내려다보는 바론의 시선이 유달리 싸늘한 걸 알았다. 유리는 모른 척 태연하게 그의 품속으로 파고들었다.

"오늘은 엘레나 언니를 만났어요."

바론의 심기가 불편한 이유가 무엇일까. 제일 먼저 떠오르는 이름은 카사르였다. 유리는 얼른 그 이름을 털어 버렸다. 그따위 불길한 생각은 해서도 안 된다. 발각되면 상황을 모면하고 말 것도 없이 자진하는 게 나았다.

"날 위해 공연을 보여 주겠다고 했어요. 어제 일이 마음 아팠다고요. 그런데 사정이 생겨서 좀 늦어졌어요. 많이 기다렸죠? 당신이 올 줄 몰랐어요. 언니를 그냥 돌려보낼 걸 그랬네요."

아마도 바론을 기다리게 하는 게 원인이리라. 이 자는 세상 만물이 다 자기를 위해 돌아간다 생각했다. 남을 기다린다는 건 상상도 할 수 없는 일이었다. 그 상대가 입 속의 혀처럼 굴던 계집이라면 더 불쾌할 것이다. 게다가 바론은 오늘 분명 유리에게 제 자리를 지키라고 했었다. 충동적으로 그 명령을 어겼으니 이젠 뒷수습을 해야 할 때였다.

"맞아. 돌려보냈어야지."

"미안해요. 생각이 짧았어요."

"하지만 가만히 있을 수 없었겠지?"

"네?"

"카사르를 만나야 했으니까 말이야!"

사나운 으르렁거림과 함께 세상이 뒤집혔다. 정신뿐 아니라 몸 또한 그러했다. 유리는 헐떡이며 겨우 천장을 바라보았다. 갑작스레 침대에 처박힌 충격에 숨이 막혔다. 바론은 유리의 어깨를 찍어 누른 채 그녀의 목덜미를 움켜쥐었다.

"그 자식에게 내 계획을 알려줘야 했으니까. 맞지? 그래서 그를 만났어. 맞지?"

유리는 가까스로 비명을 삼켰다. 두려움에 심장이 터질 것 같았다. 그녀의 목을 누르는 힘은 더욱 세졌다. 그녀를 내려다보는 남색의 눈동자에 살기가 일렁였다.

"이 깜찍한 것. 감히 나를 속여? 오늘 그 새끼랑 뭐 했어? 내 계획을 말해 주고, 날 비웃었어? 그 새끼랑 몸이라도 섞었어?"

아이러니하게도 유리가 공포에 무너지지 않는 것 역시 카사르 때문이었다. 이럴수록 정신을 바짝 차려야 했다. 지난 반년간 정체가 탄로 날 상황을 늘 염두에 두고 있었다. 그때의 대응책 역시 수도 없이 머릿속에 새겼었다.

"그게 대체 무슨 말이에요! 내가 왜 그 사람하고 몸을 섞어요!"

바론이 어떻게 그와 그녀에 대해 알게 되었을까. 리디아? 아니, 그럴 리 없다. 리디아는 그동안 잘 숨어 있었다. 이제 와 갑자기 일이 터질 가능성은 적었다.

"둘러댈 생각은 마. 오늘 너희 둘을 본 목격자가 있어!"

"바론!"

"어제 그 새끼가 너에게 무슨 짓을 하려는지 잊었어? 그랬던 자와 한 몸이 되어 붙어 나와? 아니면, 겁간이 아니었던 건가? 다 계획된 거였어? 이미 알던 사이였어? 처음부터 날 속인 거야? 똑바로 말하지 못해! 오늘 그 새끼랑 뭘 했어!"

"병원에 갔어요!"

유리가 가슴을 들썩이며 소리쳤다. 이내 울 듯한 목소리로 애원했다.

"설명할게요. 들어줘요, 제발. 내 말을 듣고도 날 믿지 못하겠다면, 당신 마음대로 해요. 응?"

유리는 일부러 몸에 힘을 축 뺐다. 푸른 눈동자는 순식간에 맑은 눈물로 젖어 들어갔다. 갑작스레 쏟아지는 눈물에 바론이 잠시 멈칫했다. 유리는 그 틈을 타 얼른 바론의 몸을 끌어안았다.

"사실 어제, 아무 일도 없었던 게 아니었어요."

바론은 갑자기 안기는 체온에 멈칫하다 사납게 으르렁거렸다.

"이거 놔! 헛수작 부리지 마!"

"전하께서 날 다른 여자랑 착각하셨어요. 유리라고, 절 자꾸 그 여자라고 부르셨어요."

유리의 말에 바론이 잠시 멈칫했다. 유리를 밀어내려던 힘도 잠시 멎었다. 유리는 그 틈을 타 더욱 몸을 떨며 흐느꼈다.

"아니라고 했지만, 믿지 않으셨어요. 결국, 오늘 절 찾아오셨더 군요. 엘레나 언니가 저를, 속인 거예요. 실랑이가 좀 있었는데, 흑. 제가 쓰러졌어요. 피로가, 흑. 쌓였던 건지. 그때 전하께서 절 도우 셨어요. 깨어났을 땐 홀에 불이 난 상태였고⋯⋯."

처음엔 바론을 속이기 위해 억지로 눈물을 흘렸다. 그런데 말을 이을수록 진짜 눈물이 쏟아졌다. 늘 이런 식이었다. 그는 잘못이 없 는데, 저는 제 죄를 덮고자 그를 죄인으로 만든다.

"그래도 전하께서, 절, 도와주셨어요. 전하 덕분에, 흑, 전 연기를 마시지 않았지만. 전하는 아니셨어요. 흑. 절 구한 분을 홀로 두고, 갈 수는 없었어요. 그래서 함께 병원에 갔어요. 으흑. 그래서 늦었 어요. 그게 다예요."

도저히 눈물을 참을 수가 없었다. 미끄러지듯 웅크린 그녀가 덜 덜 떨며 눈물을 쏟았다. 온몸이 녹아 없어질 것 같았다. 유리는 그 저 빌었다. 제발 버티게만 해 달라고. 이 순간을 견디게만 해 달라고.

"바론, 나는 아무도 없어요. 남은 게 없어요. 흑. 당신이 날 믿어 주지 않으면. 살 수가⋯⋯."

"그게 사실이야?"

덜덜 떠는 몸을 내려다보며 그가 당혹스럽게 물었다. 방금 전까 지만 하더라도 배신감에 타오르던 눈빛엔 혼란스러움이 가득 차 있 었다. 이 여자의 눈물은 도저히 거짓 같아 보이지 않았다.

─전하. 드릴 말씀이 있습니다. 전하의 약혼녀가 감히 전하를 배 신했습니다. 카사르 전하와 함께 있는 모습을 제 눈으로 똑똑히 봤 습니다. 미하엘 프리우스에 따르면 두 사람이 은밀히 만남을 가졌 다고 합니다. 리디아 프리우스를 이대로 두어서는 안 됩니다. 전하!

하르트가 찾아온 건 바론이 미첼론에 연통을 넣은 직후였다. 그 는 오늘, 유리의 죽음을 카사르에게 알려줄 예정이었다. 카사르가 대형 사고를 친 지금이 진실을 알려줄 적기라 판단했던 것이다. 하여 그는 무너질 상대를 상상하며 기분이 한껏 들떠 있었다. 이번 일의 불씨를 당긴 약혼녀가 새삼 어여쁘기도 했다. 그런 상황이었으니 약혼녀가 부정하다는 고발이 귀에 들어올 리 없었다. 안 그래도 그의 주변엔 유리의 신분을 고까워 왈왈 짓는 인간들이 있었다. 이번에도 별것도 아닌 트집으로 그 어여쁜 애한테 흠집을 내는 거려니 여긴 채 룰루랄라 프리우스에 찾아왔다. 그런데, 유리가 없었다.

바론은 무척이나 당황했다. 유리가 그의 말을 어긴 건 이번이 처음이었다. 왜 하필 지금, 이라는 의문이 들 무렵 상대가 엘레나라는 보고를 받았다.

─엘레나 아델바오르? 루한 아델바오르 부인 말이야?

어처구니가 없었다. 왜 하필 이 시기에 루한의 부인과 접촉한단 말인가. 굳건했던 믿음이 무색하게 의심의 씨앗은 순식간에 싹을 틔웠다. 바론이 흔들리는 걸 눈치챈 하르트가 연실 속살거렸다.

─그것 참 이상한 일입니다. 제가 보았을 때, 백작 부인은 어디에도 없었습니다. 혹시 백작 부인이 두 사람의 밀회를 도운 건 아닐까요? 두 사람의 만남을 주선하고 사라진 것이지요. 그렇다면, 태자 전하와 프리우스 공녀가 본디 깊은 사이였단 뜻은 아닐까요?

바론이 조금만 이성적이었더라도 말도 안 되는 소리라는 걸 알았을 것이다. 그의 약혼녀는 그와 교제한 이후 이틀 이상 그와 떨어진 적이 없었다. 카사르는 불과 어제까지만 하더라도 죽은 여자에 미쳐 있었다. 두 사람이 내밀한 관계가 되는 건 불가능한 일이었다.

그러나 바론은 하르트의 말을 마냥 무시할 수 없었다. 미하엘이라면 모를까 하르트는 보지도 않은 걸 거짓으로 고할 위인은 아니었다. 결국, 그는 확인 차 아델바오르와 태자궁에 사람을 보냈다.

─백작 부인은 지금 저택에 있습니다. 오찬 전, 외출에서 돌아왔

다고 합니다. 태자 전하께서는 오전부터 궁을 비우셨다고 합니다. 행선지는 확실치 않으나 베아트리체 홀이 있는 델론 구역에서 전하를 보았다는 목격자가 있습니다.

그렇게 자그맣던 의심의 싹은 순식간에 거대하게 자라났다. 유리를 향한 그의 믿음은 그토록 얄팍했다. 처음엔 그저 얼떨떨했다. 간 쓸개라도 빼어줄 듯 굴던 여자가 그의 뒤통수를 친 게 믿겨지지 않았다. 유리가 돌아오지 않는 시간이 길어질수록, 충격은 배신감이 되고, 배신감은 분노로 변했다. 그가 계집을 버리면 버렸지, 버림받는 상황은 겪어본 적도 없었다. 텅 빈 방에서 노을 지는 것을 바라보려니 웃음만 나왔다.

감히 계집 주제에, 나를 물 먹여? 내 뒤통수를 쳐?

"그럼 뭐야. 정말 어제 카사르가 널 그 여자로 착각한 거야?"

집 나갔던 이성은 유리의 눈물을 보고 나서야 돌아왔다. 그녀의 말은 이 지랄 맞은 상황을 완벽하게 설명할 수 있었다. 뒤늦게 제 의심이 얼마나 헛되었는지 깨달은 바론이 낭패감에 입술을 짓씹었다.

"그럼 어제 말을 했었어야지! 넌 왜 가만히 있었어! 어제 그 자식 헛소릴 말하기만 했어도 내가 널 의심할 일은 없었을 거 아니야!"

그도 이젠 이 상황이 제 경솔함 때문임을 알았다. 그러나 인정하고 싶진 않았다. 울컥 짜증을 삼키며 유리를 일으켜 세우는데, 유리가 잘 버티지 못하고 쓰러졌다. 심장이 덜컹 내려앉았다. 놀란 바론이 얼른 유리의 어깨를 잡으며 부축했다.

"리디아!"

유리의 두 뺨은 눈물로 온통 젖어 있었다. 창백하다 못해 파리하게 질린 안색에 생전 느껴보지 못한 불안감이 밀려왔다. 그가 어쩔 줄을 몰라 하는데, 유리가 엉엉 울며 그의 가슴에 얼굴을 묻었다.

"으흑. 미안해요. 잘못, 흑. 했어요 당신이 날 못 믿으면, 난 죽어요. 나는 살 이유가……."

"알았어. 알았다고. 그만 좀 울어!"

죄책감을 이기지 못한 바론이 버럭 소리를 질렀다. 유리가 움찔하더니 울음소리를 멈추었다. 대신 가느다란 어깨가 파도처럼 들썩이는 것이 보였다. 그 모습이 무척이나 가련하고 위태로웠다. 바론은 결국 이를 벅벅 갈다 유리를 달래기 시작했다. 애써 목소리를 부드럽게 바꾸었다.

"그만 좀 울어. 응? 내가 잘못했어."

"바론, 으흑. 미안해요. 미안, 으흑."

그녀가 소리 내어 울자 그나마 마음이 놓였다. 겨우 계집 따위에게 죄책감을 느끼다니. 이전 같으면 상상도 할 수 없는 일이었으나 그는 자각하지 못했다.

"미하엘, 그 새끼, 이번엔 진짜 요절을 내 버릴 거야."

바론이 이를 벅벅 갈았다. 따지자면 이건 전부 미하엘 탓이었다. '다정하게 끌어안고 있는 꼴이 연인인 줄 알았다, 한 방에서 밀회를 즐기는 걸 똑똑히 보았다'는 헛소리에 하르트도 속아 넘어간 것이다. 애당초 입만 열면 거짓인 자식 말을 듣는 게 아니었다.

"미친 놈. 어디 너를 죽은 계집 따위에 들이대? 미쳐도 곱게 미쳐야지. 내가 그 새끼 언제고 한 번은 사고칠 줄 알았어."

분노의 화살은 어느새 카사르에게도 향했다. 온갖 저주를 퍼붓던 바론이 유리를 달랜답시고 다정하게 말했다.

"괜찮아. 다시는 이런 일 없을 거야. 걱정하지 마."

지금쯤이면 카사르는 미첼론에 도착했을 것이다. 제 여자가 죽었다는 것도 알게 될 것이다. 일이 좀 꼬이긴 했으나 어찌 보면 잘된 일이었다. 제 여자가 죽은 줄도 모르고 다른 여잘 그 여자로 착각했다는 걸 알면 더 난리가 날 테니까. 그 새끼의 지난 삼 년을 떠올려 보건데, 죄책감에 확 돌아버릴지도 모른다.

유리의 등을 달래듯 토닥이며 바론이 아쉬움에 입맛을 다셨다.

"애새끼에 대해서도 알려줄 수 있음 좋았을 텐데."

제 아이를 품은 여자가 비참히 죽었다는 걸 알게 되면 제 형제는 정말 미칠지도 모른다. 무척이나 탐나는 패였지만 사용하긴 좀 위험했다. 계집과 달린 아이는 아살론의 핏줄이었다. 자칫 잘못하단 황손을 건드린 죄로 그가 역풍을 맞을 수도 있었다.

"그러고 보니 하혈이 거짓이라는 것도 말을 못 했네. 그 여자한테 알려줬어야 하는데."

죽은 아이를 생각하면 아쉬운 게 또 있었다. 그 여자가 너무 일찍 죽어 버려 전하지 못한 진실이었다.

"뭐, 어쩔 수 없지. 무덤에서 시체를 꺼낼 수도 없으니까. 어? 리디아. 이젠 좀 괜찮아졌어?"

이 생각 저 생각에 빠져 홀로 중얼거리는데, 어느 순간부터 흐느낌이 멎어 있었다. 바론이 반색을 하며 유리를 일으켜 세웠다. 정말로 그녀의 눈엔 눈물이 멎어 있었다.

"눈물 그쳤네. 잘 생각했어. 이런 일로 힘 빼지 마. 내가 네 결백을 믿잖아."

바론은 히죽 웃으며 그녀를 침대에 눕혔다. 그 옆에 나란히 눕고는 그녀의 등을 끌어안는데, 유리가 그의 품을 밀어내며 몸을 일으켰다.

"거짓말이라니 그게 무슨 말이에요?"

"응?"

유리의 뺨은 하얗게 질려 있었다. 바론은 눈치채지 못했다. 유리가 워낙 어여삐 웃으며 그의 뺨을 감쌌기 때문이었다.

"재미있는 이야기 같은데, 말해 주면 안 되어요?"

"흠. 아니야, 그런 거."

"하혈이 거짓이라니요? 그게 뭐예요? 누가 유산이라도 했어요?"

유리의 물음에 바론은 망설이며 유리를 바라보았다. 약혼녀를 믿지 못하는 건 아니었으나, 워낙 민감한 일이기에 쉽게 말하기도 어려웠다.

"별거 아니야."

"말해 줘요. 궁금하잖아요. 응?"

대충 둘러대려는데, 오늘따라 그의 약혼녀는 집요할 정도로 말꼬리를 붙잡았다. 바론은 대수롭지 않게 생각했다. 누구라도 이야기가 뚝 끊기면 궁금해 할 것이다. 오늘 의심한 것이 미안하기도 했겠다, 중요한 것은 숨기고 적당히 알려주기로 했다.

"어떤 여자가 있었지. 죄를 좀 지어서 잡아왔는데, 그 여자가 임신 중이더라고."

"큰 죄였어요?"

"응?"

"아이를 가진 여자가 벌을 받아야 할 정도면, 아주 큰 잘못을 했나 봐요."

바론이 피식 웃으며 그녀의 반응에 긍정했다.

"그럼, 아주 큰 죄였지. 내 일을 망쳤으니까."

"어떤 벌을 줬어요?"

"응?"

"당신을 속상하게 했으면, 아주 큰 벌을 줬겠죠?"

"큭. 그래야 하는 건가?"

이 여자는 어쩌면 이렇게 마음에 드는 말만 골라서 하는 걸까. 바론이 만족스럽게 웃으며 유리의 여린 몸을 끌어안았다.

"그랬지. 그 여자에겐 꽤 큰 벌이었겠지. 제 아이를 죽였거든."

"세상에, 진짜요?"

그리 말하는 유리의 눈빛은 텅 비어 있었다. 유리는 죽어가는 동물처럼 느리게 숨을 내쉬며 그의 말을 긍정했다.

네 말이 맞아. 내가 아이를 죽였지. 내가 나빠 그를 떠났잖아. 내가 어리석어 당신에게 잡혔잖아.

"죽이겠다고 하니까 아이만은 살려달라고 하더군. 너무 멍청하잖아. 어미가 죽는데 어떻게 아이가 살아. 안 그래?"

"그러네요."

"멍청한 건 그게 끝이 아니야. 하혈을 했다고 거짓말을 했어. 그랬더니 먹지도 마시지도 않고 늘어져 있더군. 배 속의 애가 버티겠어? 진짜 하혈은 그 뒤였지. 정신 나간 어미가 제 아이를 죽인 거야."

유리는 멍하니 허공을 응시했다. 키득거리는 웃음소리가 귓가에서 부서졌다. 수면 위로 떨어진 잉크가 퍼지듯 충격은 느리게 그녀의 전신을 뒤덮었다.

─죽었다는 얘기야.

그 끔찍한 선언이 내려지던 순간을 생생하게 기억한다. 길게 올라간 입꼬리, 어둠 속에서 번뜩이던 남색의 눈동자, 축하한다는 말 끝에 묻어나던 킬킬거리던 웃음소리.

가까스로 붙잡고 있던 생의 의지가 완전히 바스라지던 순간이었다. 먼저 떠나보낸 아이에게 너무 미안해서 유리는 그저 죽기만을 바랐다. 그런데, 그때까지만 해도 아이가 살아 있었다고?

"사실 좀 아까워. 그 여자한테 그 사실을 꼭 알려주고 싶었거든. 그런데 실패했지. 내가 돌아오기 전에 여자가 죽어 버렸으니까. 뭐, 이젠 상관없어. 그 여자 덕에 얻은 게 좀 많아야…… 어라, 리디아 왜 그래?"

바론이 말을 잇다 말고 유리를 내려다보았다. 유리의 표정은 그야말로 완전히 넋이 나가 있었다. 꺼멓게 죽어가는 눈동자에서 눈물은 맺힐 겨를도 없이 흘러내렸다. 주르륵 흐르는 눈물을 본 바론이 놀라 몸을 일으켰다.

"뭐야. 놀랐어? 그래서 그래? 리디아?"

바론은 반응이 없는 유리의 모습에 당황하여 되물었다. 이내 여인이 듣기에는 조금 험한 내용이었다는 데 생각이 미쳤다. 바론은 뒤늦게 자신이 실수를 자각하고 얼른 유리의 눈물을 닦아냈다.

"리디아. 별일도 아닌데 왜 이래. 너랑 상관도 없잖아. 나 참, 그러게 왜 이런 걸 물어봐서는."

그의 손이 닿는 뺨이 꼭 제 몸이 아닌 것처럼 아득했다. 유리는 가까스로 파르르 떨리는 호흡을 내뱉었다. 그렇게 하지 않으면 영원히 숨이 멎어 버릴 것 같았다. 많이 놀랐냐며 진정 좀 하라는 말이 아스라이 들려왔다. 그 다정한 목소리가 목덜미를 움켜쥐는 것처럼 끔찍했다. 유리는 헐떡이며 겨우 목소리를 냈다.

"괜찮……."

괜찮지 않아. 죽을 것 같아.

"좀 쉴래? 아니면 내가 옆에 있을까?"

그 말에 유리는 겨우 고개를 저었다. 이자 옆에 있으면, 죽을지도 몰라. 유리는 가까스로 호흡을 유지했다. 낮은 웃음소리와 함께 질척이는 뭔가가 마른 입술을 슬쩍 핥았다.

"그래. 그럼 좀 쉬어. 자고 일어나면 괜찮아질 테니까."

바론의 그림자가 그녀에게서 멀어졌다. 감은 눈에서 눈물이 흐르며 유리는 정신을 잃었다.

*

미첼론은 수도에서 말을 타고 두 시간 정도에 있는 작은 마을이었다. 두 시간 동안 전속력으로 달려 마을 어귀에 도착했다. 쉬지 못한 말들이 푸르릉 콧김을 내뿜었다. 마을 입구에서 기다리고 있던 비야가 재빨리 다가왔다.

"그 노인은?"

"이쪽입니다."

처음엔 이곳까지 올 생각이 전혀 없었다. 유리를 찾은 지금 그녀의 죽음을 확인할 이유가 없었다. 그럼에도 이곳까지 달려온 건 미첼론이 바론의 땅이었기 때문이었다. 카사르는 바론이 제 약혼녀가 유리인지 모를 거라 생각했다. 한데 돌아가는 상황을 보니 그게 아니었다. 바론은 카사르가 유리를 알아보자마자 주먹을 휘둘렀다. 오늘 유리의 정체를 확신한 직후엔 그녀가 죽었다는 소식을 흘렸다. 바론은 이미 모든 걸 알고 있고, 유리의 정체를 숨기기 위해 수작을 꾸민다는 의심이 들 수밖에 없었다.

"이쪽으로 오십시오, 전하."

비야는 카사르를 마을 안쪽의 낡고 허름한 집으로 안내했다. 잔뜩 삭은 나무판으로 얼기설기 지어진 집은 금방이라도 무너질 듯 위태로웠다. 사람이 사는 곳이라기엔 지나치게 낡아 있었다.

"저 맹인입니다."

이곳이 정녕 사람이 사는 곳이란 말인가. 의심스러운 눈으로 훑어보는데 지팡이를 짚은 노인이 엉거주춤 자리에서 일어났다. 그는 카사르가 있는 쪽으로 고개를 숙이며 말을 했다.

"거, 미안하오. 아까도 말했지만 내가 앞을 못 봐서."

노인은 앞을 보지 못했다. 미리 상황을 전해들은 카사르는 놀라지 않고 다음 말을 기다렸다. 비야가 한 걸음 앞으로 나서며 말했다.

"태자 전하께서 직접 오셨소. 그 여인에 대해서 아는 것이 있다면 전부 고하도록 하시오."

"어이쿠, 아, 안녕하십니까, 전하."

"빨리 고하시오."

카사르의 등장에 노인은 잔뜩 긴장하여 말을 높였다.

"그, 한 일 년 전인가. 우리 집에 여인 찾아왔습니다. 나이는 스물하나인가, 스물둘인가. 이름은 유리라고 부르면 된다고 했습지요. 가족 중 맹인이 있었다며 나를 돕고 싶다고 했습니다. 나야 가족들한테 버림받고 돼지우리에서 겨우 살고 있으니 그 도움을 마다할 이유가 없었지요."

카사르의 매서운 시선이 마루 근처를 훑었다. 마당엔 잡초가 무성했고, 부엌에 나뒹구는 집기들은 시꺼멓게 때가 타 있었다. 문설주는 손만 대도 바스라질 듯 삭아 있었다. 길게 늘어진 거미줄을 보건대 몇 달이 아니라 몇 년은 방치된 것 같았다.

"덕분에 한 몇 개월 편했습니다. 한데 그 처자가 병에 걸렸지요. 나는 몰랐는데, 갑자기 상태가 나빠졌습니다. 마음이 워낙 고우니 내색도 안 하다 병을 키운 거지요. 결국, 하루아침에 세상을 떠났습니다."

노인의 연기는 제법이었다. 아쉬운 탄식과 함께 이어지는 회상이 꽤 그럴듯했다. 하지만 카사르는 노인의 말 중 단 한마디도 믿지 않았다. 노인의 말에 따르면 유리는 몇 달 전 세상을 떠났다. 그게 사실이면 유리가 집을 이 꼴로 둘 리 없었다. 노인의 집은 폐허, 아니 흉가에 가까웠다. 보면 볼수록 유리의 손이 닿았다곤 믿기 힘들었다.

"그래서 그 무덤은 마당 뒤쪽에 만들었는데……."

"그만."

카사르는 노인의 말을 자르며 성큼 안쪽으로 들어갔다. 더 들을 것도 없다. 어차피 전부 헛소리다. 카사르가 찾아야 할 것은 유리의 무덤 따위가 아니라 바론이 이 일에 개입했다는 증거였다. 카사르가 제일 먼저 확인한 것은 유리의 '무덤'이었다. 듬성듬성 잡초가 자라 있는 마른 땅 한쪽에 둥그런 흙더미가 있었다.

"여기에 유리가 묻혀 있다고?"

무덤을 내려다보는 카사르의 입에서 실소가 터졌다. 버석 마른 봉분에 다 쓰러져가는 나무 비석이 꽂혀 있었다. 정말 유리가 묻혀 있다면 원통해 잠을 이루지 못할 정도였다.

"그 자식이 사람 속을 뒤집는 데는 천부적인 재능이 있어."

카사르는 픽 웃으며 낡은 비석을 툭 걷어찼다. 무덤을 확인한 뒤에도 그는 여유만만이었다. 이 안에 유리가 있을 리 없으니까. 그는 분명히 유리를 찾았으니까.

"무덤을 파라."

"예. 전하."

무덤 속에는 증거가 있을지도 모른다. 단호한 명령과 함께 그가 한 걸음 물러났다. 그의 수하들이 빠르게 도구를 들고 다가왔다. 소란을 들은 노인이 혼비백산을 하여 그를 말렸다.

"아니, 이게 무슨 짓이오! 망자를 모욕하는 거요. 혼인을 약조했던 여인이라고 하지 않았소!"

"망자를 모욕해? 내가?"

카사르가 노인을 노려보며 차갑게 웃었다.

"이 안에 들어있는 게 시체라면 그렇겠지."

지난 삼 년간 그는 수도 없이 유리의 죽음과 마주했다. 전부 바론의 짓이었다. 극도의 두려움과 싸우며 무덤을 파보면 유리와 전혀 상관없는 시체가 들어 있거나 텅 비어 있었다. 심지어 잡동사니가 담겨 있었던 적도 있었다. 바론은 제 형제가 어리석은 기다림을 하는 게 안타까워 그랬노라 같잖은 소리를 지껄였다. 그 입을 찢어 버리고 싶은 걸 겨우 참았다. 그런데, 이번에 또 속으라고?

"시체가 없다니요. 그게 무슨 말이오. 내가 직접 묻었소! 삽을 들고 내가 직접 흙을 뿌렸단 말이오!"

카사르는 노인의 말은 무시한 채 무덤 쪽으로 고개를 돌렸다. 기사 몇 사람이 달라붙은 덕분인지 허술한 봉분엔 금세 깊은 구멍이 생겼다.

"전하! 무덤 속에 관이 있긴 합니다."

"관을 꺼내도록."

"예. 전하."

카사르의 명령에 무덤을 파던 손놀림이 배는 빨라졌다. 땅을 파는 곡괭이가 낡은 관에 박힐 때마다 빠직, 하고 나무 갈라지는 소리가 났다. 노인은 안절부절못하고 무덤이 헤집어지는 소리를 듣다가 사색이 되어 카사르에게 매달렸다.

"대체 무슨 짓이오. 그만 좀 하시오!"

"이 일을 사주한 자가 누구지?"

"사주라니! 아까부터 대체 뜻 모를 말만 하고 있는데, 난 정말 모르오!"

"바론이 이번엔 연기자를 아주 잘 골랐군."

카사르는 노인의 항의에 피식 웃었다. 노인은 얼핏 정말 절박하게 그를 말리는 것 같았다. 그러나 바론의 이름을 말할 때마다 흔들리는 눈빛은 숨기지 못했다.

"호, 혹시 증거가 필요한 거요?"

"증거?"

"잠시만 기다리시오! 그 여인이 나를 도왔다는 증거가 있으니!"

노인은 카사르의 대답도 듣지 않고 허겁지겁 집 안으로 들어갔다. 그가 급하게 지팡이를 휘두를 때마다 집 안에서 무너지는 소리가 들렸다. 카사르는 실소했다. 앞을 못 보는 건 맞는가? 저건 연기가 아닐까?

"여, 여기 있소."

어차피 이자의 최후는 정해져 있다. 그는 유리의 죽음을 꾸민 자들의 죄를 가벼이 넘긴 적이 없었다. 자신들의 탐욕을 위해 타인의 간절함을 짓밟는 자들이었다. 결코 용서해서는 안 되었다.

"유리, 그 아가씨가 남긴 유품이오."

노인이 내민 주머니를 볼 때까지만 해도 카사르는 그저 웃음만 나왔다. 이자가 죄를 벗기 위해 같잖은 발악을 하는구나 싶었다. 이제라도 솔직히 말하고 죄를 빌 것이지. 여전히 현실 파악이 안 되나 싶기도 했다.

"가족들이 오면 꼭 돌려주라고 했소. 제발, 한 번만 봐주시오."

"시타. 자네가 확인해."

카사르가 별 반응이 없자 노인은 떨리는 목소리로 다시 말했다. 카사르가 벽에 기대어 선 채 고갯짓을 했다. 젊은 기사 중 한 명이 얼른 주머니를 받아들었다. 이내 그 안에 들어 있는 물건을 확인하고는 고개를 갸웃했다.

"이건, 반지 같은데……."

"……이리 내놔!"

카사르는 황급히 기사의 손에 들린 물건을 빼앗았다. 그의 눈빛이 경악으로 물들어갔다. 그것은 반지였다. 피 묻은, 반지이기도 했다. 떨리는 눈으로 몇 번이나 반지에 음각된 문양을 확인했다. 아살론의 징표가 분명했다. 똑같은 물건이 그의 손가락에 끼워져 있었다. 그의 호흡이 거칠어졌다. 아득 반지를 움켜쥐었다.

청혼의 밤, 그가 유리에게 주었던 반지가 이렇게 그에게 돌아왔다. 유리와 함께한 모든 순간이 소중했지만, 그중 가장 빛나는 기억을 꼽으라면 단연 청혼의 밤이었다.

유리와 함께하고 얼마 되지 않아 그는 유리가 제 인생 마지막 여자가 될 것임을 직감했다. 처음 경험하는 강렬한 사랑이 버거우면서도, 하루하루 흘러넘치는 마음에 중독되어 갔다. 그녀를 향한 욕심을 자각한 즉시 그녀를 영원히 제 것으로 만들고 싶었다. 그러나 애써 참았다. 유리의 마음이 제 것과 같은지 확신할 수 없었기 때문이었다.

그러던 어느 날 유리가 그에게 아이를 갖고 싶다 말했다. 어릴 적 가족들과 헤어졌다며, 저는 행복한 가정을 꾸리고 싶다고도 했다. 그 수줍은 고백 속에 그의 이름은 들어있지 않았으나, 카사르는 확신할 수 있었다. 이젠 용기를 내도 될 순간임을.

―결혼하자, 유리야, 평생 널 지키면서 살게.

그렇게 그날 그는 어머니의 유품을 꺼냈다. 이십여 년 전 그의 아버지가 그러했듯, 그 역시 그녀에게 영원한 사랑의 맹세를 했다.

―사랑한다, 유리야.

품속에서 반지를 꺼내던 손이 얼마나 떨렸는지 모른다. 그의 청혼을 듣고도 유리는 한참 동안 아무 말도 못 했다. 제 손에 잡힌 유리의 손이 파르르 떨리는 게 느껴졌다. 그는 그 손이 보석이라도 된 양 마디 마디에 입을 맞춘 뒤 반지를 끼워 주었다.

―그럴게요…….

그 순간의 모든 것을 기억했다. 입술에 닿던 단단한 손 마디, 승낙의 말과 함께 터지던 울음소리, 젖은 뺨에 입을 맞출 때의 그 짭쪼름한 눈물 맛까지. 마치 영원인 양 그의 영혼에 새겨져, 가장 빛나는 기억이 되었다.

그때까지만 해도 그는 이 행복이 영원할 거라 믿었다. 지금은 비록 힘없는 맹인이어도, 기필코 황궁으로 돌아가 치료를 할 것이다. 제 맹세에 감격하여 눈물짓는 이 착한 여자를 반드시 지킬 수 있을 거라 확신했다. 그 찬란했던 꿈이 깨지는 덴 얼마 걸리지 않았다. 마을에 다녀온 다음날 유리가 사라졌기 때문이었다.

"죽어도 반지를 어디서 났는지 말을 못 하겠다, 이거군."

"몇 번을 말씀드렸잖습니까! 그 반지는 그 여인이 죽기 전에 제가 남겨준 겁니다!"

"저 시체를 보고도 내가 네놈의 헛소리를 믿으란 소린가?"

결국 카사르는 무덤을 전부 파냈다. 흰 천에 감싸인 시체는 반미라 상태였다. 노인의 거짓을 증명하는 또 하나의 증거였다. 말라빠진 시체는 병사가 아닌, 불에 타기라도 한 듯 까맣게 그을려 있었다.

"시, 시체가 뭘 어쨌다는 말씀입니까?"

시체를 눈으로 본 적이 없었기 때문인지 노인은 끝까지 헛소리를 지껄였다. 카사르는 그나마 남아 있던 이성도 뚝 부러지는 걸 느끼며 차갑게 명령했다.

"끝까지 유리가 죽었다 이거군. 어디 언제까지 버티나 볼까. 이 쓰레기를 땅에 묻어. 당장."

마음 같아서는 상대의 혀를 잘라 버리고 싶었다. 어디 감히 그녀의 죽음을 입에 담는단 말인가. 카사르가 인내한 건 노인이 유리의 반지를 지니고 있었기 때문이었다. 노인과 유리 사이에 모종의 접점이 있었을 수도 있단 소리였다. 현 상황에선 그 접점이 바론일 가능성이 높았지만, 카사르는 부디 그것만큼은 아니길 바랐다.

"죄송합니다! 똑바로 말하겠습니다! 살려주십시오, 제발!"

시체와 함께 산 채로 파묻힐 지경에서야 노인은 정신을 차렸다. 저를 질질 끄는 힘에 화들짝 놀라 목숨만 살려주면 모든 것을 말하겠노라 애걸했다.

"이 반지를 어디에서 났지? 유리가, 네 놈에게 직접 주었나?"

제발 유리 이름을 말해. 카사르는 간절히 바랐다. 지금도 충분히 끔찍했지만, 다른 사내가 우리 둘 사이에 끼어 있는 건 더욱 끔찍했다.

"반지는 바론이라는 분이 주신 겁니다. 언제고 그 여인을 찾는 자가 온다면 그 반지를 주라고요. 그럼 큰 상을 받을 수 있을 거라고 했습니다."

이런 제기랄. 참담함에 그가 이를 사리물었다. 바론의 손에 이 반지가 들어갔다는 건, 그 반지를 유리가 주었단 뜻도 되었다.

'어떻게 내게 이럴 수 있어! 네가! 어떻게!'

저를 사랑하지 않는 건 좋다. 받아들일 순 없지만 견딜 순 있다. 그러나 저를 밀어 내기 위해서 죽음까지 가장하는 건 정말 아니었다. 속에서 천불이 일었다. 제 죽음을 꾸미기 위해 다른 사내를 이용하다니, 그 말을 들었을 때 그의 심정이 어떨지 정녕 모른단 말인가. 아니면, 알면서도 이렇게 잔인하게 구는 걸까?

'유리야, 대체 왜 이렇게까지 하는 거야!'

산산이 짓밟힌 마음이 너무 아팠다. 뼈에 사무치도록 묻고 싶었다. 이리 지독한 방법으로 이별을 고하는 방법이 무엇인지. 내겐 소중한 추억이, 네겐 정말 아무 의미가 없었던 것인지.

"……대체 왜."

도저히 그 질문들을 마음속에 품고 기다릴 수가 없었다. 미첼론에서 수도까지, 한순간도 쉬지 않고 전속력으로 달려왔다. 프리우스를 바라보는 카사르의 눈동자가 새까맣게 가라앉았다. 어둠에 잠긴 프리우스는 고요했다. 그가 성큼, 저택 쪽으로 걸음을 옮겼다.

*

프리우스 저택은 한밤중 찾아온 손님 때문에 발칵 뒤집혔다. 바론이 떠난 후 겨우 한숨을 놓았던 하인들은 황급히 차를 내온다, 공자님을 모셔온다 난리를 쳤다.

카사르는 아무것도 들리지 않는다는 듯 그 모든 걸 무시하고 공녀의 방으로 향했다. 예상치 못한 행보에 놀란 하인들은 얼이 빠져 그 뒷모습만 바라보았다. 그중 몇이 가까스로 정신을 차리곤 황자 전하께 알려야 한다며 뛰어갔다. 굳게 닫힌 문 앞에서 그는 한동안 움직이지 못했다. 배신감에 날뛰는 속을 가눌 수가 없었다. 이대로 유리를 보면 무슨 짓을 할지 몰랐다. 한참이나 제 속을 가다듬던 그가 문을 열었다. 제일 먼저 보인 것은 탁자 위에 일렬로 늘어선 등이었다. 발작 때문에 유리는 늘 불을 여럿 켜놓고 잠이 들었다. 말로만 듣던 것을 실제로 보니 심장이 덜컥 내려앉았다. 직접 마주한 그녀의 고통에 배신감도 잊고 와락 안쓰러움이 밀려왔다. 아무리 깊은 분노도 그녀의 아픔보다 앞설 순 없었다.

"유리야, 나야."

그의 부름을 들었음에도 유리는 미동도 안 했다. 꼿꼿한 옆모습을 보며 그는 먹먹함을 삼켰다. 그리운 얼굴을 보자 남은 원망도 소리 없이 녹아 버렸다. 카사르는 그녀의 앞으로 다가가 천천히 무릎을 꿇었다.

"유리야."

그는 유리의 손을 끌어당겨 제 이마에 대었다. 치밀어 오르는 걸 참고자 그가 느린 숨을 내쉬었다. 방금까지만 해도 이 여자가 너무 미웠다. 사랑할수록 괴롭게 만드는 여자가, 원망스러웠다. 그럼에도 그는 또 한 번 애원할 수밖에 없었다. 제 품에서 흘리던 여린 눈물을 기억하는 한, 결코 화를 낼 수 없었다.

"네가 어떻게 내게 이럴 수 있어."

유리가 느리게 눈꺼풀을 들어 올렸다. 메마른 눈동자가 그를 내려다보았다. 물끄러미 떨리는 어깨를 바라보던 유리가 손을 들어 올렸다. 그를 쓰다듬고, 달래 주고 싶었다. 그러나 불가능하다는 걸 알기에 유리는 힘없이 웃으며 손을 거두어들였다.

"이거 네 거잖아. 이게 이렇게 돌아오면 안 되는 거잖아."

카사르가 유리의 손에 반지를 끼워 넣었다. 유리는 그를 말리지도, 손을 빼지도 않았다. 흰 손가락에서 영롱하게 빛나는 반지가 무척이나 잘 어울렸다. 그에 카사르가 이를 사리물었다. 눈을 뜨면 꼭 보고 싶던 모습이건만, 전혀 기쁘지 않았다.

"여기에 피가 묻어 있었어."

검은색 핏자국. 노인은 그것이 삼 년 전 이 여자가 흘린 피라고 했다.

"그게 네가 죽을 때 흘린 피래."

그 피를 어떤 심정으로 닦아내었는지 너는 짐작이나 할까.

"네가 원하는 게 그거였니? 네가 죽었다 여기길 바랐어? 그래서, 바론에게 부탁을 했어?"

따지는 게 아니었다. 살기 위한 애원이었다. 답을 듣지 못하면 정말 죽을 것 같았다.

유리는 물끄러미 그를 내려다보았다. 그 위로 쉭쉭거리는 속삭임이 들려왔다.

—하혈을 했다고 거짓말을 했지.

영원히 모르는 것이 나았을 진실이었다. 정신을 잃기 전 영영 눈을 뜨지 않기를 바랐다. 그러나 생은 매정하게도 다시 그녀의 정신을 깨웠다. 그 이상의 고통은 없으리라 여겼건만, 찢긴 상처에서 또 한 번 피가 흐를 수 있음을 배웠다. 죽은 피는 독이 되어 또 한 번 그녀를 죽였다.

그리고 깨달았다. 이 사람과는 절대 안 돼. 이 독에 당신과 나 모두가 죽게 될 거야.

"전하. 무슨 말씀하시는지 모르겠어요."

유리는 다정히 웃으며 그의 뺨을 감쌌다. 발 디딘 곳이 늪이 되어 저를 당기는 듯한 착각이 들었다. 유리는 더욱 환히 웃으며 결심했다. 당신만은 결코 이 늪으로 끌어들이지 않으리라. 피를 흘릴수록 그 결심은 더욱 확고해져, 유리가 지켜야 할 단 한 가지가 되었다.

"이 반지 제 것 아니에요."

유리는 여상히 반지를 손가락에서 빼내었다. 삼 년 전 손가락이 부러질 때 흉터가 희미하게 남아 있었다. 다 잊은 줄 알았던 고통이 또 한 번 살아났다. 유리는 겸허히 제 고통을 감내했다. 이 사람과 끝낼 수만 있다면 무엇이든 할 수 있었다.

"유리야!"

"그 여자분이 죽었어요? 정말요?"

천진한 물음에 카사르는 숨이 턱 막혔다. 그는 분명 제 고통을 모두 드러냈다. 유리가 돌아오는 것까진 바라지 않아도 제 고통을 이리 쉽게 외면하진 않을 거라 여겼다.

반나절 전까지만 하더라도 그의 안위를 걱정하며 떨지 않았나. 저를 사랑하지는 않아도, 중요한 사람으론 여긴다 생각했다. 한데 지금의 유리는 너무도 차가웠다. 그녀의 '죽음'에 고통받는 건 보이지 않는 듯 굴었다.

"안타까워라. 정말 슬프시겠어요."

그리 말하며 유리는 웃고 있었다. 카사르는 도저히 믿을 수 없는 심정으로 그 미소를 눈에 담았다. 움켜쥔 주먹이 덜덜 떨리는 것이 느껴졌다. 이건, 아니었다. 이 여자가 이리 잔인할 순 없었다.

"하지만 사람을 착각하시는 건 안 되죠. 저는 그 여자가 아니에요."

나직한 속삭임에 그의 얼굴이 희게 질렸다. 유리에겐 제 말이 그에게 어떤 상처를 주고 있는지 똑똑히 보였다. 그의 뒤로 짙은 벼랑이 아가리를 벌렸다. 유리는 살며시 그의 어깨를 잡고, 그를 낭떠러지로 밀었다.

"그분은 이제 세상에 없어요."

이 사람이 상처 없이 우리 연을 버리기를 바랐다. 과욕이라는 걸 이젠 알았다. 하여 유리는 앞으로 그의 상처에 눈을 감기로 했다. 매정해도 어쩔 수 없었다. 다 끝난 걸 억지로 붙잡고 있던 건 그의 잘못이었다.

"그리움이 정말 크셨나 봐요. 그럴 수도 있죠. 이해는 해요."

유리는 비로소 제 이기심을 인정했다. 진실을 숨긴 건 그만을 위한 것이 아니었다. 더 이상 죄를 짓기 싫었던 얄팍한 배려였다. 죄책감에 짓눌리느니, 외롭게 죽어가는 게 낫지 싶었던 것이다.

그러나 이제는 알았다. 그를 다치게 하지 않고는 이 질긴 인연을 끊어낼 방법이 없었다. 어떤 길이든 그 앞에 고통뿐이라면 차라리 이별이 나았다. 순간은 괴로워도 살아만 있다면, 언젠간 잊을 수 있을 테니까. 죽어가는 여자와 함께 죽는 것보단 나을 테니까.

"저도 어머니께서 돌아가셨을 땐 정말 괴로웠거든요. 아시죠? 제가 죽으려 했던 거."

"너, 지금, 무슨 짓을."

유리가 내민 손목을 보며 그가 가까스로 목소리를 내었다. 흰 피부를 가로지르는 흉터에 호흡이 다 떨렸다. 그는 자신을 제어하기 위해 혼신의 힘을 다해야 했다. 그렇게 하지 않으면 이 여잘 다시금 어둠 속에 밀어 넣을 것 같았다.

"발작이 있었잖아."

"발작?"

유리가 영문을 모르겠다는 듯 고개를 기울였다. 그는 또 한 번 들끓는 폭력적인 충돌을 억지로 억눌러야 했다.

"무슨 말인지 모르겠어요."

"아까 쓰러졌잖아. 조명이 꺼지니 정신을 잃었잖아. 발작이 있었어. 몰라?"

"제가요? 무슨 말인지 모르겠는데요."

"억지 부리지 마!"

그가 와락 소리를 치며 유리의 팔을 움켜쥐었다.

"정말 이럴래? 끝까지 가볼래? 내가 이 방의 불을 모두 꺼야 솔직히 말할래? 네가 바라는 게 그거야? 내가 너 숨 넘어가는 꼴을, 봤으면 하는 거야?"

반쯤 악을 쓰는 그의 모습에도 유리는 그저 말갛기만 했다. 골똘히 생각에 잠겨 있던 유리가 차분히 그의 팔을 떼어냈다.

"아까 쓰러진 건 어둠 때문이 아니었는데요."

"뭐?"

"좀 피곤했어요. 요즘 무리했잖아요. 어젯밤에 잠을 이루지 못했죠. 기억하시죠? 전하가 제게 무슨 짓을 하셨는지. 우리 그이 걱정도 되었어요. 그 사람이 그리 화를 내는 걸 처음 봤거든요. 사실 공연을 볼 생각도 없었어요. 엘레나 언니가 하도 간절히 바라기에 같이 간 건데, 일이 꼬여버렸네요. 하여튼 전 발작 같은 거 없어요."

유리가 해사하게 웃으며 자리에서 일어났다.

"확인해 보실래요?"

유리는 가벼운 걸음으로 늘어선 등불 쪽으로 다가갔다.

카사르는 이글거리는 눈빛으로 유리가 솜에 물을 묻히는 걸 바라보았다.

'설마 지금 저 솜으로 방 안에 있는 불을 끄려는 거야?'

설마 했는데, 유리는 정말 촛불을 하나씩 다 끄기 시작했다. 점점 어두워지는 방 안 풍경에 허탈한 웃음만 나왔다. 그는 유리를 말리지 않고 그대로 두었다. 그녀가 전부 불을 끌 거란 생각은 하지 않았으니까. 그저, 시위라 여겼다. 결국엔 어둠을 이기지 못하고 그에게 진실을 말할 거라 생각했다.

"너 무슨 짓이야."

그러나 유리가 단 하나 남은 등불 쪽으로 다가갈 땐 더는 가만히 있을 수 없었다.

"네?"

"미쳤어? 진짜 발작을 일으키고 싶어? 발작이 일어나면 네가 얼마나 괴로운지 몰라?"

유리가 인상을 찌푸리며 고개를 돌렸다.

"발작, 없다니까요."

그리고 말릴 틈도 없이 젖은 솜이 마지막 촛불을 감쌌다.

파스슥.

카사르는 이를 악문 채 새까만 어둠을 응시했다. 유리의 팔을 쥔 손에 힘을 주었다. 그녀의 호흡 소리에 귀를 곤두세웠다. 발작이 일어나는 즉시 그녀를 안고 밖으로 나갈 셈이었다. 가까스로 가라앉힌 원망이 들끓어 올랐다. 자신을 학대하면서까지 그를 밀어내려는 그녀가 너무 미웠다.

"발작, 없잖아요."

그런데 그의 귀에 들려온 건 발작의 징후가 아닌 옅은 웃음소리였다. 가늘게 들썩이는 실루엣을 보며 그가 눈을 깜빡였다.

"그런 거 없어요, 저."

유리는 부러 키득거리며 수납장에 몸을 기대었다. 덜덜 떨리는 다리엔 억지로 힘을 주었다. 단언컨대 생에 단 한 번도 발작에 저항해본 적이 없었다. 반드시 성공해야 한다는 의지가 잠시의 유예를 주었다. 유예는 유예일 뿐, 언제 호흡이 넘어갈지 몰랐다. 어둠 속인지라 얼굴이 보이지 않는 게 다행이었다. 유리는 질끈 눈을 감은 채 그가 했던 말을 떠올렸다.

　―어둠을 두려워할 필요는 없어, 유리야, 눈을 감는 것과 똑같아.

　잠시 후 스르륵. 제 팔을 잡은 그의 손에서 힘이 풀려나갔다. 그와 동시에 툭, 바닥에 뭔가 떨어지는 소리가 들렸다. 놀란 유리가 움찔 눈을 떴다가, 시커먼 어둠에 굳어 버렸다. 재빨리 눈을 감았지만 벌써 손끝이 떨리기 시작했다. 발작의 전조가 분명했다. 억눌린 신음과 함께 그가 두어 걸음 물러나는 소리가 들렸다.

　조금만 더, 어떻게는 버텨야 해. 유리는 온 힘을 다했지만 금세 한계에 다다랐다.

　"리디아!"

　발작으로 쓰러지기 직전, 방 안으로 빛이 쏟아졌다. 저를 부른 것이 누구인지 확인할 여력도 없이 가쁜 숨을 몰아쉬었다. 발작은 이미 그녀를 잠식하고 있었다. 조만간 쓰러져 한참을 과거 속을 헤매이리라. 흐린 시선에 바닥에 반짝이는 뭔가가 가 닿았다. 그것은 반지였다. 그가 그녀의 손에 끼워주었고, 그녀가 다시 그의 손에 돌려주었던 아살론의 반지였다.

　"어, 어떻게."

　떨리는 목소리에 유리가 힘겹게 고개를 덜었다. 카사르가 도저히 믿을 수 없다는 듯한 눈으로 그녀를 보고 있었다. 그의 경악에 유리가 파들거리는 입매를 끌어 올렸다. 다행이다. 그의 눈엔, 아직 멀쩡해 보이나 보구나.

　"어째서, 어떻게, 발작이."

"이 새끼. 이 새벽에 또 리디아를 찾아와? 날 얼마나 만만히 봤으면 또 이따위 짓을 저질러! 너 정말 죽고 싶어!"

"그럴 리가 없어. 유리가 아닐 리가, 내가 착각을 했을 리가 없어. 그럴 리가 없어!"

"이 미친 새끼야!"

"이 손 놔! 유리야! 나를 좀 봐. 너잖아! 네가 죽었을 리 없잖아! 제발 날 좀 봐, 유리야!"

그 후부턴 어떤 일이 벌어졌는지 모르겠다. 발작에서 버티는 걸로 기력을 전부 쏟았기 때문이었다. 고성이 오가는 와중에 유리는 흐린 눈으로 반지만 바라보았다. 저 반지가 왜 저기 떨어져 있을까. 그 사람이 내게 준 소중한 반지가, 왜 저리 초라히 나뒹굴고 있나.

─카사르도 제정신이 아니야. 어디서 굴렀는지 모를 계집에게 아살론의 반지를 주다니.

어느새 사위가 조용해졌다. 방 안엔 유리 혼자뿐이었다. 더는 버틸 수가 없었다. 유리는 헐떡이며 제자리에 주저앉았다. 명치를 짓누르는 고통에 유리가 옆으로 무너졌다. 맑은 눈물이 눈꼬리를 타고 카펫을 적셨다. 그러면서도 손은 필사적으로 반지가 있을 곳으로 향했다. 마침내 반지를 움켜쥐었을 때, 유리가 울며 웃었다.

"이제 다 끝났어⋯⋯."

＊

"똑바로 대답해. 이 반지 어디에서 났어. 유리, 어디에서 만났어!"

"미친 새끼야. 내가 계속 말했잖아. 그 여자 죽었다고! 너도 눈이 봤을 거 아냐! 타서 버석거리는 시체를!"

"그 입 닥치지 못해!"

사나운 고함과 함께 바론의 턱이 돌아갔다. 미처 입을 악물지 못한 그의 입에서 왈칵 피가 터져 나왔다. 카사르가 다시 주먹을 치켜들자 뒤에 있던 기사들이 달려와 그를 말렸다. 황태자가 황자를 살해하는 일만은 막아야 했다.

"전하를 붙잡아!"

"전하, 제발 고정하십시오!"

바론의 기사들 역시 바론을 끌고 물러섰다. 바론은 피 섞인 침을 뱉으며 카사르를 노려보았다.

"큭. 미친 새끼. 감히 날 쳐?"

"유리가 죽어? 한 번 더 개소리를 지껄이면 입을 찢어주마. 반지 어디에서 났어! 당장 말해!"

"이미 죽었다고! 시체에서 꺼냈다니까! 계집이 죽었으면 장례 치러줄 궁리나 할 것이지. 남의 약혼녀한테 들이대? 뭘 어쩌려고? 시체 대신 남의 여잘 겁탈이라도 할 생각이었냐?"

"내가 너, 죽일 거야! 베논! 당장 이 손 놔!"

"전하, 제발 진정하십시오!"

카사르는 절 붙잡은 손을 떨치기 위해 몸부림을 쳤다. 그를 붙잡은 기사들의 이마에 땀이 송글송글 배어 나왔다. 장정 넷이 달라붙었는데도 카사르의 기세는 가라앉지 않았다. 어디서 그런 힘이 나오는지 말리는 사람들이 죽을 지경이었다.

"네 여자 따위에게 아무 관심 없어. 유리 어딨어. 설마 유리에게 반지를 빼앗았어? 그 여자한테, 무슨 짓을 했어?"

카사르는 정말 미칠 것 같았다. 리디아 프리우스가 유리가 아니란 걸 알겠다. 믿고 싶진 않지만 믿을 수밖에 없었다. 그가 착각했다. 그 여자에겐 발작이 없었다. 그럼 남은 건 하나뿐이었다.

"설마 유리를 해, 해쳤어? 어떻게 했어! 유리 어딨어!"

바론이 어떻게 유리의 반지를 얻은 걸까. 순식간에 최악의 결론이 그의 머릿속을 잠식했다. 도저히 받아들일 수가 없어서 다시 프리우스 공녀에게 달려가려 했다. 제발 내게 이러지 말라고, 정말 죽을 것 같으니 사실을 말해 달라 애원하려 했다.

그때 들린 싸늘한 목소리가 그의 정신을 깨웠다.

—또 리디아를 찾아? 그래. 평생 착각 속에서 살아. 그럼 비참하게 죽은 네 계집이 참 좋아할 거야. 저 죽은 줄도 모르고, 다른 여자 뒤나 졸졸, 참 끝내주는 그림이야. 그렇지?

바론은 이를 갈며 입가에 묻은 피를 닦아내었다.

"짜증 나게 진짜! 이미 죽었다고! 길거리에 썩어가는 시체가 있기에, 까보니 반지를 끼고 있었다니까?"

"우연히, 시체를, 발견해? 그걸, 나보고 믿으라고?"

그리 묻는 카사르의 목소리가 덜덜 떨렸다.

"글쎄, 우연일까?"

바론이 픽 웃으며 중얼거렸다. 눈앞이 새까맣게 변하는 것 같았다. 카사르는 확신했다. 저자는 분명 유리를 만났다. 유리를 만나, 가만히 두었을 리 없다.

"설마, 유리를, 죽……."

그 뒤론 목소리가 나오지 않았다. 온몸의 피가 쑥 빠져나가는 것 같았다. 바론의 비웃음이 더욱 진해졌다. 돌아오지 않는 그녀를 원망하는 날들이 주마등처럼 스쳐 지나갔다. 돌아오지 않는 것이 아니라, 돌아올 수 없는 것이었다면.

"카사르. 정말 진실을 원해?"

퉤! 바론이 입안에 고인 피를 뱉어내며 히죽 웃었다.

"네가 진실을 감당할 수 있긴 하고?"

쉰 속삭임에 심장이 철렁 내려앉았다. 그는 숨조차 멎은 모양새로 피 묻은 입술이 벌어지는 걸 바라보았다.

제발 말하지 마. 아니, 말해. 그 여자가 어디 있는지, 그 여잘 어디에서 만날 수 있는지.

"그 여자 죽었어. 맞아 죽었지. 나한테."

*

다시 눈을 떴을 땐 평범한 아침과 다를 것이 없었다. 한쪽 벽을 채우는 창으론 보드란 햇빛이 스며들고, 열린 창문으론 새가 지저귀는 소리가 들렸다. 그의 몸 상태 빼고는 특별한 것이 없었다. 카사르는 멍하니 붕대가 감긴 제 손을 올려다보았다.

"이게 다 무슨 일이지? 내가 왜 다친 거지?"

방 안 곳곳에 약초 냄새가 진동을 했다. 손뿐 아니라 다른 곳도 다친 듯 근육통이 극심했다. 영문 모를 상처에 혼란스러워하는 와중에 그의 옆에 서 있던 어린 종이 놀라 되물었다.

"네? 왜 다치신 거냐뇨?"

카사르는 의아해졌다. 종이 왜 저런 표정을 짓나 싶었다. 그는 어젯밤 일을 기억해 내려 했지만 소용이 없었다. 꼭 잔뜩 술을 먹은 다음 날 같았다. 고개를 갸웃하는 그의 모습에 어린 종은 사색이 되었다. 평소답지 않게 긴장하는 모습에 그가 픽 웃으며 농을 던졌다.

"설마 내가 바론과 주먹다짐이라도 한 거야?"

"의, 의사를 불러 오겠습니다."

종은 그의 말에 황급히 밖으로 달려나갔다. 멍하니 그 뒷모습을 바라보는데 머리가 깨질 것처럼 아팠다. 지끈거리는 관자놀이를 문지르는데 이상한 것들이 떠오르기 시작했다.

―대체 왜 그랬어! 그 여자한테 왜! 그 여자가 무슨 잘못을 했기에!

처음엔 꿈이라 생각했다. 그런데 시간이 지날수록 모든 것이 생생해졌다. 어느 순간 그는 그 기억이 꿈이 아닌 현실임을 깨달았다. 몇몇 일들은 마치 폭죽인 양 강렬했다. 그 외의 것들은 안개를 보는 듯 희미했다. 드문드문 기억이 끊기는 와중에 사나운 고함만이 왕왕 울렸다.

―널 살렸잖아. 그게 죄야. 너 때문에 죽었어.

피투성이가 된 얼굴로 바론은 그리 말했다. 실실 웃는 낯이 떠오르자 구역질이 치밀어 올랐다.

―반지? 내가 직접 뺐지. 그냥 뺏긴 그래서 손가락을 부러트렸지. 헐떡이며 하는 말이 가관이었어. 그걸 넘겨줄 테니, 제발 살려 달라고 빌더군. 널 살린 걸 후회한다면서 말이야!

바론과 이십 년 가까이 대립하며 깨달은 게 하나 있었다. 바론이 거짓으로 그를 조롱할 땐 흥에 취해 어조가 한결 경박해졌다. 한껏 비틀린 웃음소리를 들으며 카사르는 확신했다.

유리는 마지막 순간까지 버텼구나. 반지를 지키려 애썼구나.

―그 여자 얼굴이 궁금하지? 짐승이 따로 없었어! 피투성이가 되어 바르작거리는 걸 너도 봤어야 했는데! 혼자 보기 얼마나 아깝던지! 어떻게든 살려서 병신이 된 꼴을 보이려 했는데, 죽어 버렸지 뭐야!

아마 그 말을 듣고 나서였던 것 같다. 곁에 있는 기사의 칼을 빼앗았다. 놀란 기사들의 손에서 힘이 빠져나간 사이 바론에게 달려들었다. 검의 궤적을 따라 붉은 피가 흘렀다.

가까스로 급소를 피한 바론이 피가 솟구치는 팔뚝을 움켜쥔 채 비명을 질렀다. 그 입안에 칼을 박아넣고자 덤벼들었으나, 누군가가 그를 붙잡았다.

속이 터질 것 같았다. 진정제, 어쩌고 하는 소리가 들리더니 목 뒤가 뾰족한 것에 푹 하고 찔렸다. 천장이 뒤집히고 구역질이 치밀어 올랐다. 그다음은 잘 기억이 나지 않았다. 그날 기억은 대부분 그런 식이었다. 저주에 가까운 고함, 누군가의 신음, 붉은 피, 폐가 찢어질 것 같던 고통까지. 파편 같은 기억들이 뭉쳐질수록 바론의 선고는 더욱 선명해졌다. 그 여자 사실 내가 죽였어. 맞아 죽였지. 나한테. 그리고 하늘과 땅이 뒤집혔다. 그 뒤론 다시 기억이 끊겼다.

그날의 기억을 떠올리고, 그 일을 현실로 받아들이기까지 며칠이 더 걸렸다. 며칠 동안에도 정신이 또렷하지는 않았다. 깨어 있는 대부분 그는 바론을 죽이러 가기 위해 날뛰었으며, 저를 말리던 종들과 몸싸움을 벌였다. 소식을 들은 황궁의가 달려와 진정제를 놓을 때까지 그 사달이 계속되었다. 가끔 이성이 돌아오긴 했었다. 자의는 아니었고, 탈진하여 더는 날뛸 수 없을 때 그러했다. 그 와중에 몇 가지 소식이 들려왔다. 바론은 그날 일로 꽤 큰 부상을 입었다. 외부엔 검술 수련 중 다친 것으로 알려졌다. 황제가 이번 일을 불문율에 붙이라는 명을 내렸기 때문이었다. 드펜 황후는 제 아들을 다치게 한 죄를 물어 카사르를 폐위시켜야 한다 주장했다. 이내 형제의 반려를 해쳐놓고 무슨 할 말이 있냐는 불호령에 입을 다물었다.

정작 바론은 그날 이후론 유리를 본 적도 없다 잡아떼었다. 반지는 우연히 얻었으며, 그날의 자백은 카사르가 제 여자에게 접근하는 게 짜증 나 거짓으로 꾸민 것이라 하였다. 당연한 일이었다. 아무리 드펜 황후의 비호가 있다 하더라도 형제의 연인을 해친 건 용서받기 힘든 중죄였다.

카사르가 정신을 차린 건, 바론이 유리의 죽음을 부정한단 소식을 듣고 나서였다. 바론이 어쩌면 진실을 말하고 있을 수도 있다는 희망이 그를 지옥에서 끌어 올렸다. 그는 도저히 그 여자가 그리 아픈 죽음을 맞이했다는 걸 받아들일 수가 없었다. 그래서 그는 자신이 직접 모든 것을 확인하기로 했다. 바론의 알량한 자백이 아닌 제 눈으로 모든 것을 보아야 했다.

그는 일단 탐브란, 두 사람이 함께 살았던 그곳에서 시작하기로 했다. 이미 몇 번이나 샅샅이 뒤졌지만 이전과는 좀 달랐다. 무조건 유리가 살아 있으리라 여겼던 지난 조사와는 달리, 이번엔 최악의 가능성도 염두에 두고 있었다.

"채비가 끝났습니다. 전하. 바로 출발하실 수 있습니다."

탐브란으로 떠나겠다는 명령이 떨어진 지 하루 만에 모든 출발 준비가 끝났다. 여행용 복장으로 갈아입은 카사르가 훌쩍 말에 올랐다.

"바론. 만일 유리가 잘못되었다면."

그는 한결 야위었으나, 눈빛만은 형형하게 빛났다. 그날 이후 그는 전혀 다른 사람처럼 보였다. 애틋한 그리움이 넘실대던 푸른 눈동자는 불타는 증오로 잔뜩 메말라 있었다. 황자궁을 노려보는 그가 으르렁거렸다.

"반드시 네놈에게, 똑같은 고통을 안겨 줄 것이다."

리디아 프리우스, 그 여자를 죽여서라도.

*

"이거 너무 늦게 돌려주네요. 미안해요. 기회가 없었어요."

유리는 물끄러미 제 앞에 놓인 펜던트를 내려다보았다. 그녀의 눈치를 살피며 리사가 다시 말을 이었다.

"저도 이틀 전에나 받았어요. 사실 연회가 끝나면 주신다고 했는데. 알잖아요. 요즘 태자궁쪽이 많이 바쁜 거."

리사는 현재 아델바오르 저택에 머물고 있었다. 유리를 사칭한 벌은 받지 않았다. 벌을 내릴 당사자인 카사르가 그녀의 처분을 루한에게 맡긴 것이다. 루한은 리사와 공범이니, 결국 그녀를 도우란 뜻이었다. 단 며칠이었지만 치료를 받으며 리사의 몸 상태도 많이 회복되었다. 리사는 제 행운이 카사르 덕이란 걸 잘 알고 있었다. 하여 조금이나마 은혜를 갚기 위해 이곳에 온 참이었다.

"괜찮아요. 포기하고 있었는데 다시 찾은 걸로도 충분히 기쁜걸요."

유리는 감사 인사를 하며 펜던트를 손에 쥐었다. 사실 그리 크게 기쁘진 않았다. 요즘엔 감정이 거의 느껴지지 않았다. 슬픔도, 기쁨도 다 남의 일인 것 같았다. 얼마 전 카사르에게 제 죽음을 선언한 뒤론 제 마음 어딘가가 망가진 것 같았다.

'감정을 느끼는 것도 여유가 있어야만 가능한 일이니까.'

그래도 펜던트를 내려다보는 눈빛에는 어느새 애틋함이 어려 있었다. 어머니의 유품이어서가 아니라, 그의 손이 닿았기에 의미가 있었다.

"소중한 물건인가 봐요."

"네. 어머니의 유품이에요."

"아, 어렸을 때 어머님께서 돌아가셨어요?"

"가족이 모두 사고를 당했는데 저만 살아남았어요. 열 살 때쯤이었죠. 그 뒤론 쭉 혼자 살았어요."

"그랬군요……."

리사가 옅은 탄식을 내뱉었다. 늘 가족과 함께했던 그녀는 경험한 적 없는 아픔이었다. 비록 병마와 싸우느라 힘들긴 했지만, 그녀의 곁엔 언제나 가족이 있었다. 가난한 형편에도 그녀를 치료하기위해 애쓴 아버지, 돌아가신 어머니 대신 그녀를 돌봐 준 외가 어른들, 그리고 고향에서 그녀를 기다리고 있을 남편과 베티까지.

"이젠 괜찮아요. 옛날이잖아요. 게다가, 약혼자가 곁에 있으니까요."

"약혼자요?"

"알잖아요. 곧 바론 전하와 혼인할 거예요. 리사도 축하해 줄 거죠?"

유리가 화사하게 웃으며 리사에게 말했다. 리사는 어안이 벙벙해 입만 벙긋댔다. 그 속이 다 보여 유리가 쓴웃음을 삼켰다. 눈부신 모성애를 가진 저 여인이 참으로 순진하지 싶었다.

"그, 그럼 카사르 전하는요?"

"난 더는 그 사람 사랑 안 해요. 우린 끝났는걸요."

"네? 하지만 전하 편지를 갖고 있었잖아요."

"추억이잖아요. 내 아이 아버지였던 사람이고. 애틋하긴 하죠. 하지만 그게 다예요. 편지는 이미 버렸어요. 지금 내가 사랑하는 사람은 바론 전하구요."

리사가 알고 있는 것은 과거의 일부일 뿐. 현재의 유리가 아니었다. 유리는 설령 제 정체를 알고 있는 리사라 하더라도 더 이상의 비밀은 알릴 생각이 없었다.

"그러니 리사, 부탁할게요. 내가 누구인지, 꼭 비밀을 지켜 줘요. 이번만큼은 사랑하는 사람과 행복해지고 싶으니까요."

유리의 부탁에 리사는 할 말을 잃고 입술만 달싹이다 겨우 물었다.

"사, 사랑하는 사람이요?"

"네.

"그럼 정말 카사르 전하와는 끝인 거예요?"

리사는 저도 모르게 목소리를 높였다. 단 며칠이었지만 그녀는 카사르의 한결같은 애정을 바로 곁에서 확인했다. 그 지극한 애정을 보며 리사는 자연스럽게 유리 역시 같은 마음이길 바랐다. 엉엉 울며 죽은 아이 이름을 부르던 모습은 그녀의 소망에 확신을 더했다. 무슨 사정이 있어 떨어져 있는지는 모르지만, 언젠간 두 사람이 다시 사랑할 수 있으리라 생각했다.

오늘 이곳에 찾아온 건 당연히 찾아올 때를 조금이나마 앞당기기 위해서였다. 그럼 유리를 지척에 두고도 죽은 줄 알고 괴로워하는 카사르를 도와 은혜를 갚을 수 있을 것이다. 그런데 유리의 반응은 그런 리사의 기대를 완전히 빗나갔다.

"그럼요. 다 끝이죠."

"그럼, 아이는요? 어쩌려구요. 정말 아이에 대해서 비밀로 할 거예요?"

유리는 리사의 다급한 물음에 저도 모르게 미간을 찌푸렸다. 명치가 조이듯 아파와 어쩔 수가 없었다.

"리사."

유리는 옅은 한숨을 내쉬며 펜던트를 내려놓았다.

"아이에 대해서 왜 말해야 하나요?"

"하지만!"

"달라질 거 하나도 없어요. 죽은 아이가 살아 돌아오지도 않고, 그와 내가 다시 맺어지는 것도 아니에요. 세상엔 모르는 게 약인 일도 있어요. 굳이 지난 일을 들출 생각 없어요."

리사는 어쩌면 동화 속에 나오는 해피엔딩을 꿈꾸었는지 모른다. 유리는 그 순진함에 쓴웃음이 나면서도 한 편으로 부러웠다. 순수할 수 있다는 건, 아직 때 묻지 않은 영혼에게나 가능한 일이었다.

"하지만, 그 아인 전하의 아이이기도 하잖아요!"

냉정한 선 긋기에 리사가 떨리는 목소리로 물었다. 유리가 물끄러미 리사를 바라보았다. 리사의 의도는 아이를 잃은 상처를 혼자 감당하지 말란 것이다. 그러나 지난 삼 년간 그에게서 아이를 앗았다는 죄책감과 싸워온 그녀에겐 전혀 다르게 들렸다.

"그건 나도 많이 미안하게 생각해요."

리사를 만난 후 처음으로 유리의 미소가 흔들렸다. 감정을 가다

333

듬으려 했지만 울컥 올라오는 설움을 어쩔 수 없었다.

—유리야, 난 너를 만난 후 하루하루가 기적 같았어. 이보다 더 행복할 수는 없을 거로 생각했는데, 더한 행복이 있네. 하. 이를 어쩌지. 네가 우리 아이 이야기를 하니까 설레서 미치겠어.

그는 참 간절히도 제 아이를 기다렸다. 아이가 살아 있었다면, 분명 좋은 아빠가 될 수 있었을 것이다.

"그럼, 솔직히 말을 해도 되잖……!"

"난 사실 그 사람 아이를 죽이려 했어요."

유리가 나직한 목소리로 리사의 말을 잘랐다.

"그 사람 아이를 가진 게 너무 끔찍했어요. 그래서 칼을 들었죠. 내 손으로 배 속에 있는 아이를 죽이기 위해서였어요."

평생을 숨겨온 일이었다. 리디아에게조차 그날 일은 털어놓지 않았다.

"어떻게 하면 아이를 죽일 수 있을까 고민했어요. 서랍을 뒤졌더니 과도가 나오더군요. 그 칼로 과일을 다듬어 그 사람과 나누어 먹은 적이 있었죠. 손잡이를, 이렇게 잡았어요."

유리는 칼을 쥔 듯 모았던 두 손을 제 배에 가져다 대었다. 그러면서도 어조는 지독하게 고요했다.

"어디를 찔러야 하나 한참 생각했어요. 아기집이 어디쯤인지 모르니까. 바로 곁에선 그 사람이 자고 있었죠. 내가 자기 아이를 죽이려 한다는 것도 모르고 말이죠."

유리가 모아 쥐었던 손을 천천히 내려놓았다. 마치 어제 있었던 일과를 이야기하는 듯 담담한 얼굴로 말을 이었다.

"우리 관계는 그런 관계였어요. 그 사람이 아이에 대해서 알게 된다고 해도 달라질 건 없어요. 오히려 고통스럽기만 하겠죠. 사랑했던 여자가 최악의 엄마였다는 걸 굳이 알려줄 필요가 있을까요?"

유리의 물음에 리사는 아무 말도 못 했다. 유리는 차분히 말을 이었다.

"그러니 리사, 당신도 비밀을 지켜 줬으면 좋겠어요. 나나 그 사람을 위한다면 더욱더, 아이에 대해서는 잊어줘요."

말을 마친 유리가 찻잔을 집어 들었다. 리사는 동화 따윈 완전히 포기한 얼굴을 했다.

'이쯤이면 충분하겠지.'

유리는 그리 확신하며 펜던트 뚜껑을 매만졌다. 질린 기색으로 그 모습을 바라보던 리사가 가까스로 입술을 열었다.

"어, 알겠어요. 차 맛있었어요. 이제, 가야겠어요. 갈게요."

리사는 그녀와 눈을 마주하지 못하고 자리에서 일어났다. 외투도 잘 걸치지 못하고 허둥대는 리사를 유리가 물끄러미 바라보았다. 리사는 자식의 병을 고치기 위해 제 발로 사지로 향했던 여인이었다. 제 자식을 죽이려 했던 어미를 어찌 바라볼지, 문득 궁금해졌다.

"저기요."

방을 나서려던 리사가 몸을 돌렸다. 유리는 담담히 그 시선을 마주했다. 망설이던 리사가 입을 열었다. 유리를 보는 눈빛에 후회가 역력했다.

"그 펜던트요."

"네."

그러고도 리사는 한참이나 말을 못했다. 유리는 끈기 있게 다음 말을 기다렸다. 급할 건 없었다. 시간은 많았으니까. 입술을 짓씹으며 펜던트를 바라보던 리사가 입을 열었다.

"미안해요. 그런 사정도 모르고. 괜한 참견을 했네요."

"네?"

"선물이라 생각했는데. 내 착각이었어요. 그냥 버려도 괜찮아요. 아니, 버리는 게 좋겠어요. 그럼, 갈게요."

리사는 그 말을 끝으로 몸을 돌려 방을 나갔다. 의아하게 그 뒷모습을 바라보던 유리가 펜던트를 꺼냈다.

'선물이라니?'

앞뒤를 살피던 유리가 고개를 갸웃했다. 펜던트는 잃어버리기 전과 똑같았다. 그러니까, 이 안에 편지가 담겨 있던 것만 빼면.

"아."

유리는 멍하니 펜던트 안을 내려다보았다. 전에 없던 것이 그 안에 있었다. 카사르의 초상화였다.

"선물……."

그러고 보니 펜던트에 초상화를 담아 준다 했었다. 워낙 오래 전 일이라 까맣게 잊고 있었다. 하염없이 초상화를 내려다보던 유리가 힘없이 웃었다.

"참 예쁘게 웃네."

이제는 흘릴 눈물이 없다 여겼는데 또 눈물이 났다. 유리는 울며 웃으며 그의 초상화를 쓸었다. 버려야 한다고 생각은 했다. 그래도 미치도록 갖고 싶었다. 그의 미소를 다시는 볼 수 없으리라 여겼기에 더 욕심이 났다. 펜던트를 두 손에 움켜쥔 채 유리가 초상화에 입술을 대었다. 뜨거운 눈물이 그녀의 뺨을 타고 흘러 그의 미소를 적셨다.

"카사르……."

프리우스에서의 그날 이후, 그가 무척 괴로워한다는 걸 알았다. 바람결에 수도 없이 소식이 들려 왔다. 사람들은 연인을 잃은 황태자가 미쳐가고 있다고. 다시는 일어설 수 없을 거라고도 했다. 유리는 그 모든 소식을 전부 무시했다. 그의 고통에 무감한 것이 아니라, 그 고통이 최선이라 여겼기 때문이었다.

"미안해요. 곧 괜찮아질 거예요."

기실 그건 그에게 하는 말이 아니라 스스로에게 하는 주문이었다. 그는 강한 사람이다. 비록 지금은 아파도 곧 이겨낼 것이다. 그러면서도 또 한 번 그에게 독이 되는 제 자신에 진저리가 쳐졌다. 유리는 눈물을 참으며 자리에서 일어났다. 백 번을 생각해도 이 초상환 그녀가 가져서는 안 되었다. 그따위 짓을 해놓고 또다시 그에게 위로받을 순 없었다. 초상화를 버리는 가장 좋은 방법은 태우는 것이었다. 그걸 알면서도 차마 엄두가 나지 않았다. 하여 유리가 선택한 방법은 강에 버리는 것이었다. 한데 막상 강 앞에서 서서도 선뜻 손이 가지 않았다. 유리는 하염없이 그의 미소를 눈에 담았다. 오 분만 더. 오 분만 더. 그리 미련을 버리지 못하는 데 등 뒤에서 익숙한 목소리가 들렸다.

"리디아. 여기서 뭐 하고 있어?"

점점 가까워지는 발걸음 소리에 유리가 펜던트 뚜껑을 닫았다. 버리지 못한 초상화는 결국 그 자리를 지켰다. 옷 속으로 사라진 펜던트가 유달리 아프게 느껴졌다. 발걸음 소리가 멈추었을 때 유리는 자연스레 몸을 돌렸다. 바론이 씨익 웃으며 그녀를 바라보았다.

"거기서 뭐 해? 춥지 않아?"

"바론!"

유리는 반가운 듯 그를 끌어안았다. 지금 당장 저가 강물로 뛰어들면, 이자가 어떤 표정을 지을까 상상했다. 괴로워할까.

그 생각을 하니 절로 환한 웃음이 났다.

"어떻게 알고 왔어요?"

"어디 갔냐 물으니까 티볼라에 갔다기에 찾으러 왔지. 외투도 없이 뭐해?"

"드디어 궁에서 나올 수 있게 된 거예요?"

프리우스에서 그날 이후 바론은 황자궁 밖으로 나오지 못했다. 진노한 황제가 궁 밖으로 한 걸음이라도 나오면 궁에서 쫓아내겠다 으름장을 놓은 것이다. 평소 같으면 배 째라는 심정으로 무시했겠지만 이번엔 얌전히 그 말을 들었다. 이번 고비만 넘기면 그토록 간절히 바라던 태자 자리를 손에 넣을 수도 있었다.

"그럼. 이젠 완벽하게 자유야."

"황제 폐하께서는 화가 좀 풀리셨어요?"

"화가 안 풀렸으면 어쩔 건데? 조만간 내가 유일한 후계자가 될 텐데."

바론은 카사르가 오래 버티지 못할 거라 확신했다. 궁에 갇혀 있으면서도 간간이 카사르의 소식을 들었다. 탐브란으로 떠난 카사르가 자해를 하거나, 종에게 칼을 휘둘렀다는 말이 들려왔다. 소문이란 늘 과장되기 마련이니 다 믿을 순 없지만 근 몇 년간 카사르의 상태가 최악인 건 확실했다. 자신이 터트린 폭탄의 위력을 실감하며 바론은 만족스레 웃었다.

"다행이에요. 안 좋은 말을 들어서 걱정했어요."

"안 좋은 말?"

"그 일 때문에 당신이 곤란해졌다고요."

"큭. 그럴 거 없어. 장난 좀 쳤을 뿐인데 뭐."

"장난이라고 하는 걸 믿으세요?"

"믿어야지 어쩌겠어. 내가 그 여자를 죽였다는 증거가 있어? 그 시체가 그 여자란 증거도 없잖아. 안 그래?"

자신만한 목소리에 유리가 잘게 웃었다.

"그동안 당신을 못 만나서 너무 심심했어요. 걱정도 되고."

"걱정이 되는 사람이 궁에 한번 안 와?"

"내가 간다고 만날 수 있다는 것도 아니잖아요. 그래도 정말 많이 보고 싶었어요."

"······나도 그랬어."

바론이 나직하게 말하며 말간 미소를 눈에 담았다. 유리의 눈을 바라보는 그의 눈빛이 복잡하게 변했다. 궁에 있는 동안 아쉬운 게 딱 하나 있었다. 황제의 명 때문에 유리를 볼 수 없다는 것이다.

'참 이상해. 너를 보고 싶어서 자꾸만 갈증이 났어. 나한테 대체 무슨 짓을 한 거야?'

유리와 교제를 시작한 뒤 그녀와 이렇게 길게 떨어져 있던 건 이번이 처음이었다. 그녀는 늘 공기처럼 그의 곁을 지켰다. 그의 감정을 받아주고 바라는 건 무엇이든 들어 주었다. 시나브로 익숙해져 버린 걸까. 타의에 의해 떨어져 있는 동안 그는 이전엔 몰랐던 갈증을 배웠다.

'카사르가 네 곁에 있다는 게 너무 화가 났어. 대체 왜 그랬던 걸까?'

사실 그날 그는 계집의 죽음에 대해 밝힐 생각이 없었다. 특히 계집이 어찌 죽었는지는 무덤까지 가져갈 셈이었다. 한데 카사르가 리디아와 함께 있는 걸 보자마자 이성을 잃어버렸다. 안 그래도 하루 종일 둘을 의심하는 데 기력을 쏟은 참이었다. 결국 그는 진실을 밝혔고, 무척이나 위태로운 순간까지 갔었다.

'내가 대체 왜 그랬지?'

궁에 갇혀 있는 내내 할 일이 별로 없었다. 남는 것이 시간인지라 그는 제 선택을 몇 번이고 되새겼다. 당시엔 당연하게 여긴 감정이 이제 와 보니 무척이나 낯설었다. 그가 느낀 감정은, 분명 '질투'였다. 싫증나면 언제든 갈아치울 수 있는 여자 따위에 질투를 하다니. 그의 상식으론 있을 수 없는 일이었다.

'욕심이 없어서 흔하지 않다 여긴 걸까.'

그리고 어느 순간 그는 제 의문에 답을 찾았다. 리디아는 특별했다. 그녀는 결코, 언제든지 '갈아치울 수 있는' 여자가 아니었다.

"원하는 걸 말해 봐."

　처음엔 이 여자가 욕심이 없어 좋았다. 바라는 것이 없으니 질척거리지도 않았다. 하여 아무 죄책감 없이 다른 여자들과 몸을 섞었다. 그러나 이제는 사정이 달라졌다. 이 여자가 다른 사내와 있는 꼴을 참을 수 없었던 것처럼. 이 여자가 그를 떠나는 것도 절대 받아들일 수 없었다.

"원하는 거요? 갑자기 왜요?"

"오랜만에 만났잖아. 말해 봐. 다 들어줄게."

　이제 그는 이 여자가 제게 무엇이든 요구하길 바랐다. 원하는 걸 얻기 위해서라도, 그의 곁을 지키길 소망했다. 욕망은 타인을 묶어두는 가장 효과적인 수단이었다. 그는 뭇 여인들의 욕심은 경멸했으나, 이 여자만큼은 예외로 삼았다.

"원하는 거요? 글쎄요. 지금은 그냥 당신을 보는 게 좋은데."

"아. 그거 말고. 나만 있으면 된다는 거. 그건 이미 여러 번 들었잖아."

　그리 말하면서도 바론은 흐뭇한 기색이 역력했다. 유리는 물끄러미 그 모습을 바라보다 그의 가슴에 얼굴을 묻었다.

　내 아이를 돌려줘. 날 죽여도 좋으니, 그 불쌍한 아이를 다시 살게 해 줘.

"딱 하나 소원이 있긴 해요."

"그래? 뭔데?"

　유리의 말에 바론이 반색하며 물었다.

"나, 죽고 싶어요."

　나직한 목소리. 바론은 잠시 그 말을 이해하지 못했다. 유리는 다시 한번 그의 품에 파고들며 말했다.

"들어 줄 거예요?"

칭얼거리는 목소리에 등골에 소름이 돋았다. 바론은 얼어붙은 눈으로 제게 안긴 여자를 응시했다.

죽음. 그 단어를 떠올리자마자 이 여자가 피 흘려 쓰러진 모습이 환영처럼 지나갔다. 숨이 턱 막힐 정도로 아찔함이 밀려왔다.

"당신이랑 함께 죽고 싶어요. 그럼 우리 영영 떨어지지 않아도 되니까."

"뭐?"

"함께 죽어요, 우리."

유리가 나른한 미소를 지으며 그를 올려다보았다. 그는 참았던 숨을 겨우 토해 내며 물었다.

"죽고 싶다고? 나랑 영원히 함께하려고?"

살아 호강을 누리겠다는 게 아니라 죽음으로 사랑을 완성한다는 말. 이전엔 상상도 못한 지독한 맹목이었다. 예상하지 못한 만큼 충격적이고, 충격적인 만큼 달콤했다. 바론은 멍하니 붉은 입술을 응시했다. 유리는 곱게 눈을 흘기며 그의 목을 끌어안았다.

"아무래도 어렵죠? 미워요."

짐짓 실망한 듯 가라앉은 목소리가 무척이나 사랑스럽다. 옅은 숨결이 제 귓가를 스치는 것이 느껴졌다. 절로 그녀를 끌어안은 팔에 힘이 들었다. 안은 팔을 풀 방법을 잊어버린 것 같았다.

내가 이 여자를 어떻게 놓지? 놓아주어야만 하는 건가?

"나를 사랑해?"

아아. 이 얼마나 어리석은 물음이란 말인가. 바론은 그 말을 입에 꺼내자마자 후회했다.

"나랑 같이 죽고 싶을 정도로, 그렇게 사랑해?"

그러나 그녀의 마음을 확인하고 싶다는 욕망은, 그 후회보다 훨씬 컸다.

"당연하죠. 지금 당장이라도 같이 죽고 싶은걸."

잘게 웃는 소리와 함께 유리가 또 한 번 그의 입술을 훔쳤다. 말랑한 입술은 당장에라도 씹어 삼키고 싶을 만큼 유혹적이었다. 그는 당연한 듯 그 유혹에 굴복했고, 꺾이는 목을 받치며 등을 쓸어내렸다. 유리의 허리가 휘며 얇은 몸을 그에게 밀착했다. 살짝 벌어진 그녀의 입술 사이로 그의 혀가 파고들었다. 여린 살을 빨아들이며 말랑한 허리를 세게 움켜쥐었다. 맞닿은 입술 사이로 새어나온 신음에 그의 눈빛에 짙은 갈망이 어렸다.

"하아."

숨이 가빠진 유리가 고개를 비틀며 그에게 멀어지려 했다. 그는 씨익 웃으며 그녀의 귓불을 깨물었다.

"쿡. 간지러워요."

유리가 아이처럼 키득거리며 그를 향해 곱게 눈을 흘겼다. 그 모습이 심장이 뻐근할 정도로 어여뻤다. 유리에게서 눈을 떼지 못하는 그를 향해 그녀가 나붓이 속삭였다.

"사랑해요. 바론."

그 달콤한 부름을 들으며 그는 생각했다. 최대한 빨리 국혼을 치러야겠다. 머리부터 발끝까지, 이 여자의 전부를 가져야겠다. 황홀한 꿈이 주는 만족감이 지나치게 황홀하여 그는 보지 못했다. 녹색 눈동자에 차오른 맑은 눈물을.

＊

바론은 그 뒤로도 한참 동안이나 유리를 놓아 주지 않았다. 초상화가 담긴 펜던트는 내내 그녀의 목에 걸린 채였다. 그 상황은 유리에게 의외의 감상을 주었다. 바론이 아무리 질척하게 굴어도 그의 미소와 곁에 있단 생각을 하니 힘이 났다. 다른 사내의 미소를 품은 줄도 제 사랑을 확인하려는 바론의 모습이 제법 짜릿하기도 했다.

결국 유리는 초상화를 버리지 않기로 했다. 어차피 초상화를 들킬 염려는 없었다. 바론은 자신의 관심사가 아니면 지독하게 무심했다. 지난 반년간 바론은 그녀에게 펜던트가 있는 줄도 몰랐다. 아마 그녀 손목에 흉터가 있는 줄도 모를 것이다.

그의 미소는 봐도 봐도 자꾸만 보고 싶었다. 초상화 속 그는 누가 보아도 반할 만큼 멋졌다. 유리는 또 한 번 사랑에 빠진 소녀가 되었다. 그런 그녀를 보고 지나가 불쑥 물었다.

"공녀님, 그거 뭐예요?"

"응?"

"펜던트요. 그거 볼 때마다 웃고 계시잖아요. 혹시 바론 전하께서 주신 선물이에요? 초상화, 뭐 그런 거예요?"

호기심 어린 물음에 유리가 말없이 초상화를 내려다보았다. 지나가 뭘 알고 묻는 건 아닐 것이다. 펜던트 안에 정인의 초상화를 넣는 건 흔한 일이니까.

"응, 맞아."

유리는 지나의 말을 긍정했다. 앞으로도 종종 초상화를 보게 될 텐데, 지나에게까지 숨기고 싶진 않았다.

"내가 사랑하는 사람 초상화야."

한데 막상 입을 열자 전혀 생각지도 못한 말까지 튀어나왔다. 내내 그를 향한 마음을 숨긴 반동 때문이었을지도 모르겠다. 저도 모르게 튀어나온 고백에 유리가 놀라 숨을 멈추었다.

"초상화! 아, 정말 좋으시겠어요! 역시 황자 전하께선 정말 로맨

턱하세요. 있지요. 주변에선 다 무섭다고 하는데 전 아니에요. 다들 몰라서 그래요. 전하께서 공녀님을 이렇게 귀애하시는 걸 알면 전하가 얼마나 낭만적이신지 알 텐데!"

다행히 지나는 유리의 동요를 눈치채지 못했다. 지나의 호들갑을 들으며 유리는 차츰 침착을 찾아갔다. 그러면서도 펜던트를 매만지는 손끝이 조금은 떨렸다. 타인에게 그를 향한 마음을 고백한 건 이번이 처음이었다. 그래서인지 여운이 꽤 길었다. 떨리는 가슴을 애써 가다듬는데 지나가 또 한 번 물었다.

"공녀님께서도 전하를 많이 사랑하시나 봐요."

의도한 바는 아니겠지만 지나는 고맙게도 바론의 이름을 이름에 담지 않았다. 지나를 바라보는 유리의 눈빛이 흔들렸다.

'또 한 번 그를 사랑한다고 말하고 싶어.'

욕심이 점점 커졌다. 유리는 결국 확언이라도 하듯 그를 향한 마음을 고백했다.

"그럼, 사랑하지. 아주 많이."

그 말을 하는데 가슴이 떨리고 코끝이 시큰해졌다. 유리는 펜던트를 꼭 움켜쥐며 눈물을 참아냈다. 행복했다. 이렇게라도 그를 사랑한다 말할 수 있어 기뻤다.

"내 목숨보다도 더, 더 많이 사랑해."

"······정말요? 그게 가능해요?"

"그럼, 당연하지. 그런 사랑이 있어. 내가 죽어도 그 사람만큼은 반드시 살리고 싶은."

애틋한 고백에 지나의 눈빛이 묘하게 가라앉았다. 가슴 벅찬 충족감에 취해있던 유리는 미처 그 변화를 눈치채지 못했다. 유리는 그 뒤로도 한동안 설렘에 취해 그의 초상화를 내려다보았다. 그의 미소를 눈에 새기고, 그와의 추억을 곱씹었다. 그 모습을 물끄러미 바라보던 지나의 얼굴에서 미소가 사라져갔다. 생글거리기 좋아하는 어린 소녀의 발랄함 대신 주인의 명령만을 최우선으로 여기는 비야의 무심함만 남았다.

방밖으로 나온 지나가 품속의 종이를 꺼냈다. 몇 시간 전 받은 이 종이에는 오직 비야만 알아볼 수 있는 암호가 적혀 있었다.

―오늘 밤 자정.

주인의 도착 시각을 바라보던 지나가 고개를 들었다. 창밖에는 어느덧 어둠이 내려앉아 있었다. 칠흑 같은 밤의 장막 위를 흰 불빛이 점점이 수놓았다. 시간이 얼마 남지 않았다. 마지막으로 계획을 점검한 지나가 벽에 걸린 등불 쪽으로 다가갔다. 구겨진 서신은 순식간에 화르륵 타올랐다. 새까만 재가 먼지처럼 흩어지는 바라보다 몸을 돌렸다.

*

"불면증에 좋은 허브티예요. 드시고 나면 오늘 푹 주무실 수 있을 거예요."

목욕을 마치고 쉬고 있는데 지나가 따뜻한 차 한 잔을 건넸다. 유리는 미안한 반, 고마움 반으로 지나가 내미는 차를 받아들었다.

"고마워, 지나야. 늘 네게는 신세만 지는 것 같아. 미안해서 어쩌지."

"어휴, 공녀님. 미안해하시지 말라니까요. 이건 제가 해야 할 일인걸요."

"그래도. 매일 번거롭잖니."

"저는 정말 괜찮아요. 공녀님 불면증에 도움이 될 수만 있다면 제가 직접 허브를 따올 수도 있어요."

얼마 전 유리가 얼핏 잠을 설쳤다는 이야길 한 뒤부터 지나는 숙면에 좋은 차를 준비하기 시작했다. 유리의 불면은 차로 다스릴 수 있는 정도는 아니었지만, 저를 생각하는 소녀의 배려가 어여뻐 호의를 받아들였다. 유리는 언젠가 꼭 이 작은 소녀에게 은혜를 갚겠다는 다짐을 하며 부드럽게 웃었다.

"고마워. 그럼 오늘도 잘 마실게."

"맛은 어떠세요? 오늘은 허브 여럿을 섞었어요."

"네가 만든 건데. 당연히 좋지. 무척 향기롭다. 그런데 오늘은 맛이 좀 특이하네. 끝맛이 달콤하구나. 꿀을 넣었니?"

유리가 따뜻한 차 목넘김을 음미하며 물었다. 지나가 오늘 준비한 차는 맛뿐 아니라 향도 달콤했다.

'꼭 아카시아 꽃향기 같아. 아니, 그보다는 더 부드럽기도 한 것 같기도.'

고개를 갸웃하며 향을 맡던 유리가 차를 홀짝였다. 그 모습을 주의 깊게 바라보던 지나는 유리가 고개를 들자 언제 그랬냐는 듯 배시시 웃었다.

"꿀은 아니고요. 미누를 넣었어요."

"미누?"

"단맛이 나는 허브가 있어요. 숙면에 좋아서 계속 찾고 있었는데 오늘 우연히 발견했지 뭐예요. 원랜 구하기 되게 힘들거든요. 공녀님께서 드시면 딱 좋겠다 싶어 얼른 집어 왔어요. 저 잘했죠?"

지나는 생글거리며 찻잎을 구한 이야기를 늘어놓았다. 침대 헤드에 기댄 채 지나의 말을 듣는 유리의 입가에 부드러운 웃음이 맺혔다.

"응. 잘했어."

유리가 불쑥 지나 쪽으로 손을 뻗고 머리를 쓰다듬었다. 평소라면 하지 않았을 행동이지만, 왜인지 마음이 푸근하게 풀어져 그러고 싶었다. 지나의 웃음이 진해졌다. 마주 웃어주던 유리가 자꾸만 올라가는 입매를 한 손으로 가렸다.

"아, 왜 이렇게 웃음이 나지……."

왜일까. 아까부터 자꾸 누가 간지럼을 태우듯 웃음이 새어 나왔다. 유리는 키득거리며 지나를 바라보았다. 갈색 머리를 질끈 묶은 소녀가 마치 인형처럼 귀엽게 느껴졌다.

"지나야, 귀엽다……."

유리는 쿡 웃으며 지나의 볼을 살짝 꼬집었다. 손끝에 닿는 감촉이 묘하게 보드라웠다. 꼭 구름을 만지는 것처럼 같았다. 지나는 유리가 무슨 행동을 해도 그저 가만히 있었다. 잠시 후, 지나의 뺨에 손을 댄채로 유리가 스르르 눈을 감았다. 유리의 고개가 푹 꺾이며 컵을 든 손에서 힘이 빠져나갔다. 찻 물이 쏟아지기 전에 얼른 컵을 받아든 지나가 입을 열었다.

"공녀님, 진짜 피곤하신가 봐요."

"어?"

꾸벅 졸던 유리가 화들짝 놀라 고개를 들었다.

"벌써 졸리신가 봐요. 누워서 주무세요."

"어? 어."

어, 대체 왜 이럴까. 갑자기 말도 못 하게 졸렸다. 잠에서 깨기 위해 고개를 흔들었지만 소용없었다. 자꾸만 감기는 눈꺼풀에 유리가 당황하여 몸을 일으켰다. 이내 비틀거리며 지나에게 기대었다.

"내, 내가 왜……."

"차 효과가 좋나 봐요."

유리가 멍하니 지나의 말을 따라 했다. 차, 효과? 제 귀로 다시 들리는 발음이 매우 어눌했다. 똑바로 발음하기 위해 연신 웅얼거리는 유리의 몸을 지나가 침대에 눕혔다.

"아……."

익숙한 천장을 보며 유리가 느리게 눈을 깜빡였다. 이젠 몸에 힘이 거의 들어가지 않았다. 사지가 축축 까라지는 와중에 펜던트만 겨우 움켜쥐고 있었다. 유리가 짧은 숨을 내쉬며 눈을 떴다.

"하아. 하."

지나의 손이 차분하게 유리의 목을 짚었다. 맥을 확인하던 지나가 힐끔 시계를 바라보았다. 분당 맥박수를 확인한 뒤, 손을 거두어들였다. 이불을 덮어주며 낮게 속삭였다.

"푹 쉬세요. 공녀님. 꿈도 꾸지 마시고요."

잠시 후 탁, 어렴풋이 문 닫히는 소리가 들렸다. 혼자 남은 유리가 멍하니 눈을 깜빡였다. 술에 취한 듯 몽롱하면서도 묘하게 기분이 들떴다. 그 와중에 몸이 으슬으슬 추웠다. 유리의 안색이 창백하게 질려갔다. 유리가 덜덜 떨며 아기처럼 웅크렸다. 제 손바닥 위에 놓인 펜던트를 보고는 멈칫했다.

"카사르……."

문득 그의 얼굴이 너무 보고 싶었다. 손을 뻗어 뚜껑을 열려고 했다. 손이 움직이지 않았다. 유리가 꾹 눈을 감았다 떴다. 그러자 그의 미소가 보였다. 저를 내려다보며 부드럽게 웃는 그를 보며 유리가 쿡쿡 웃었다. 이내 속삭이며 눈을 감았다.

"사랑해요……."

어쩌면 꿈에 그를 만날 수도 있을 것 같았다. 소박한 꿈과 함께 유리가 잠에 빠져들었다.

＊

암흑이 내린 프리우스 저택은 오늘따라 빛이 드물었다. 조명 꺼진 정원에 들어선 지나가 조심스레 주위를 살폈다. 아무도 없음을 확인한 후 품속의 암기를 움켜쥐었다. 혹시라도 누군가 나타나면 그 즉시 숨통을 끊어 놔야 하기 때문이었다.

"전하. 모든 준비가 끝났습니다."

조용한 속삭임에 어둠 속에 있던 인영이 한 발 빛으로 걸어 나왔다. 메마른 얼굴엔 음영이 유독 짙었다. 지나는 재빨리 고개를 숙여 그녀의 유일한 주인에게 예를 다했다.

"따라오세요. 이쪽이에요."

정원과 마찬가지로 저택 안쪽도 거의 불이 꺼져 있었다. 지나는 작은 호롱불에 의지한 채 목적지로 향했다. 혹시라도 빛이 눈에 띄일까 검은 천으로 등불은 감싼 채였다.

그 뒤를 카사르와, 탐브란에서부터 그를 호위한 비야 둘이 따랐다. 그들은 마치 수면 위를 걷는 듯 발걸음 소리조차 내지 않았다. 목적지로 향하는 내내 그들은 아무도 만나지 않았다. 자정에 가까운 시간이라고는 하나 누군가는 깨어 저택을 살피는 게 정상이었다. 그러나 카사르도, 그 뒤를 따르는 수하들도 이 고요를 이상히 여기지 않았다. 주인의 명을 받아 비야가 처리한 일이다. 실수가 있을 리 없었다.

"공녀는 잠들었습니다."

"사용한 약은?"

"텔로스를 썼어요. 최소한 하루는 눈을 뜨지 못할 겁니다."

텔로스는 환자들의 편안한 죽음을 돕기 위한 마약성 진통제였다. 사지가 절단된 고통도 텔로스 한 병이면 완벽히 잊을 수 있었다. 효과가 강력한 만큼 부작용도 커서 해독을 제대로 하지 않으면 어떤 후유증이 올지 몰랐다. 그 모든 걸 알면서도 지나는 거리낌 없이 유리에게 텔로스를 썼다. 카사르의 명은 유리를 잠들게 하는 것뿐. 수단은 정해지지 않았으니 그녀에게 자율권이 있는 셈이었다. 그리고 그녀는, 제 주인에게 고통을 준 바론의 약혼녀에게 좋은 약을 써서는 안 된다 판단하였다.

"또 필요하신 것 있으신가요?"

지나는 분명 유리에게 호감을 갖고 있었다. 유리는 객관적으로도 좋은 여자였다. 바론에겐 아까울 정도였다. 유리는 높은 자리에 있으면서도 늘 아랫사람을 존중했다. 타인의 괴로움에 주의를 기울이고, 작은 행동 하나하나에도 배려가 배어 있었다. 지나 역시 유리에게 많은 은혜를 입었다. 지나가 평범한 하녀였다면 유리를 평생의 주인으로 선택하는 데 일말의 망설임도 없었을 것이다. 그러나 지나는 평범한 하녀가 아니었다. 비야. 주인을 위해서 제 감정쯤은 얼마든지 도려낼 수 있는 비야였다.

"필요한 것?"

지나의 물음에 카사르의 시선이 비스듬히 그녀 쪽으로 향했다. 지나는 재빨리 자신이 미리 준비한 것들을 점검했다. 피를 닦을 약과 시체를 치울 천, 목숨을 단번에 끊어 버릴 수 있는 극 독, 교살을 자살로 위장할 밧줄까지.

"일단은……."

"내가 공녀를 죽일 거라고 생각하나?"

나직한 물음에 지나가 놀라 고개를 들었다. 의중을 알 수 없는 푸른 눈동자가 그녀를 응시했다. 지나는 뒤늦게 제 실책을 깨닫고 푹 고개를 숙였다.

"아닙니다. 전하. 정말 죄송합니다."

그녀가 하달받은 명은 잠든 공녀와 단둘이 있을 시간을 만들라는 것뿐이었다. 그걸 멋대로 넘겨짚어 주인께서 공녀의 목숨을 취하실 거라 여겼다. 불완전한 판단력은 비야에겐 없으니만 못 했다.

낭패감에 입술을 깨무는 지나의 모습에 카사르가 픽 웃었다.

"네가 완전히 틀린 것도 아니다."

"전하. 정말 이 죄를……."

"죄랄 것까지야. 사실 나도 어찌 행동할지 모르니. 어쨌든 잘 부탁한다."

카사르는 그리 말하곤 닫힌 방문을 열었다. 그가 방 안으로 들어감과 동시에 지나는 얼른 문에 기대어 섰다. 실수에 대한 자책은 지운 채 새로운 임무에 집중했다. 주인께서 공녀에게서 원하는 걸 모두 얻어내실 때까지 운 나쁜 접근자를 처리해야 했다. 같은 임무를 맡은 다른 두 명의 비야 역시 어둠 속으로 스며들었다. 좁다란 복도가 순식간에 삶과 죽음을 가르는 레테의 강이 되었다.

방으로 들어가는 그 짧은 순간 묵직한 상념이 그를 휘감았다. 불과 몇 주 전까지만 해도 그는 이 안에 유리가 있을 거라 믿었다. 그녀가 저를 배신한 것이 절망스럽긴 했지만, 한쪽으론 빛나는 미래를 꿈꾸었다. 그 빛은 참으로 허무하게 스러지고 숨이 멎을 것 같은 지옥 불이 그를 집어삼켰다. 바론은 유리가 죽었다고 했다.

탐브란에서 그는 미친 사람처럼 유리의 뒤를 쫓았다. 그러면서도 제 노력이 물거품이 될지도 모른다는 걸 어느 정도 예감하고 있었다. 지난 삼 년간 탐브란을 쥐 잡듯이 뒤졌어도 아무것도 얻지 못했다. 이제 와 새로운 단서가 나올 가능성은 희박했다. 유리가 죽었다는 증거를 제외한다면.

참으로 재미있는 일이었다. 유리가 살았다 여겼을 땐 의미 없이 흘러가던 것들이, 그녀가 죽었을 수도 있었다 여기자 답 없는 퍼즐을 완성하는 힌트가 되었다. 그가 수도로 돌아온 후 탐브란에 외지 사내들이 몇 나타난 적이 있었다. 유리로 인해 탐브란이 발칵 뒤집힌 상황이라 그들은 크게 눈에 띄지 않았다.

그러다 어느 날, 그들은 갑자기 사라졌다. 마침 바론도 비슷한 시기에 궁을 비웠다는 것이 밝혀졌다. 당시 바론의 목적지로 알려졌던 북쪽 페주르 지역에 사람을 보냈다. 삼 년이 지난 지금에야 바론이 그 근처에 얼씬도 않았다는 걸 알게 되었다. 맨 등이 쩍 얼어붙는 듯 소름이 끼쳤다. 그게 무슨 의미인지 외면하고 싶지만 도저히 외면할 수가 없었다. 그렇게 탐브란에서의 시간은 어느새 독이 되어 그의 목을 졸랐다. 그는 하루가 다르게 피폐해졌다. 그녀의 죽음을 뒷받침하는 증거를 발견한 날이면 더욱 그러했다. 밤새 모두 거짓일거라 현실 부정을 하고 아침엔 멀쩡한 꼴로 탐색을 지휘했다.

그 간극이 반복될수록 바람 맞는 사막처럼 이성이 풍화되어 갔다. 그러다 한계까지 팽팽해진 현을 더 당길 수 없는 것처럼, 어느 순간부터 아무것도 느낄 수 없었다. 그는 알았다. 어느 쪽이든 결론이 나지 않으면, 조만간 미치고 말리라. 그러다 결정적인 증거가 나왔다. 바론의 수하들이 탐브란에서 사라졌을 무렵 의원의 집에 불이 났다. 저택은 전소되었고 의사는 죽었다. 맹인 노인의 집에서 발견했던 시체 역시 불에 탄 것이었다. 예사로이 넘길 수 없는 우연의 일치였다. 탐브란과 그 근처 도시들을 다 뒤져 죽은 의사와 조금이라도 관련 있는 자들을 데려왔다. 의사와 막역한 지기 중 한 명이 겁에 질려 말했다.

—삼 년 전, 어떤 사내들이 찾아와 그 친구에게 사람 하나를 치료하라 했습니다. 젊은 여자였는데, 외상이 심해 상태가 상당히 위중했다 들었습니다. 그런데 그 친구가 이상한 말을 했습니다. 살리긴 살려야 하는데, 적당히 살리라는 부탁을 들었다는……

적당히 살리라니. 그게 대체 무슨 말일까. 같은 나라 말이 이해가 되지 않아 되물었다.

—저, 저도 잘 모르겠습니다. 친구 말로는 다 죽어가는 걸 살려

놓았는데 며칠 뒤 가면 또 상태가 나빠져 있고, 또 상처가 늘고……
그랬다 했습니다. 젊은 여자가 험악한 일을 겪는 것 같은데 상대가
무서워 고발도 못 하겠다고. 제가 그대로 두면 안 될 것 같다고 설
득해서 그러겠노라 했는데, 바로 다음날 그 친구가 죽었습니다.

그때 일을 떠올리는 사내의 얼굴엔 두려움이 역력했다. 그 젊은
여자가 유리일까? 아니어야 한다고 생각했다. 그래야, 혀를 깨물
지 않을 수 있었으니까. 그럼에도 상대의 말을 들을수록 당시의 상
황이 보기라도 한 양 눈앞에 펼쳐졌다. 우습게도 피를 흘리며 쓰러
진 여자는 그가 본 적도 없는 유리가 아니라, 리디아 프리우스의 얼
굴을 하고 있었다. 속이 뒤집힐 것 같은데 먹은 게 없으니 아무것도
나오지 않았다. 그는 위액 대신 음습한 웃음을 토해 냈다. 그러지
않으면 미쳐 버릴 것 같았으니까. 킬킬거리는 와중에 누군가 다가
와 말했다.

─전하, 그분께서 정말 홍수의 손에 살해당하신 것 같습니다. 정
말 안타깝습니다만…….

그는 곁눈질로 상대의 얼굴을 확인했다. 그의 국혼을 적극적으
로 주장하던 수하 중 하나였다. 침통한 얼굴 아래로 기다리던 때가
왔노라 기꺼워하는 기색이 역력했다.

카사르는 아무렇지 않게 칼을 뽑고, 휘둘렀다. 젊은 자작의 어깨
에서 피가 분수처럼 솟았다. 비명은 그 뒤에 터져 나왔다. 그 소리
가 무척이나 거슬렸다. 먼저 말부터 못 하게 만들걸 그랬네. 그는
아쉬워하며 자리에서 일어났다. 칼을 들어올림과 동시에 억센 손
들이 그를 붙잡았다. 그리고 그 뒤는 모르겠다.

다시 눈을 떴을 땐 한밤중이었다. 창밖으로 보이는 달이 유독 밝
았다. 한쪽 팔은 침대 기둥에 묶인 채였다. 멍하니 달을 바라보는데
황제가 보낸 사람이 그를 찾아왔다. 이제 슬슬 수도로 돌아오라는

전언과 함께였다. 함께 그 말을 듣던 루한의 얼굴은 납빛으로 질려 있었다.

—유리를 찾기 전에는 못 가지. 그 말을 듣고, 어떻게 가.

깊은 한숨과 함께 누군가 태자 자리, 어쩌고 하였다. 이 와중에 후계 자리를 걱정하는 자들이 있어 웃음이 났다. 이제 그에게 지위는 아무런 의미가 없었다. 유리만 살릴 수 있다면, 누가 갖든 상관없었다. 아, 아니다. 바론 그 새끼가 갖는 건 안 된다.

유리가 정말 죽었을까? 그건 모르겠다. 받아들일 수 없다는 게 맞았다. 그렇다고 무작정 외면할 수도 없었다. 만일 그 여자가 죽었다면, 그 여자의 죽음을 부정하는 지금이 그녀에겐 또 다른 고통일 것이다. 그 여자가 명복조차 빌어줄 이 없이 억울하게 구천을 떠도는 상황을 도저히 견딜 수가 없었다. 이도저도 못 하는 절망 속에서 몇 번이고 빈속을 게워냈다. 토사물로 엉망이 된 시트처럼, 그의 인생 역시 더러운 늪에서 빠져나가지 못할 것 같았다.

그러다 문득 깨달았다. 이대로 끝낼 순 없어. 바론에게 내가 겪은 것과 똑같은 고통을 줘야 해. 억울하게 죽은 유리를 위해서라도.

그래서 리디아 프리우스를 죽이기로 했다. 방으로 들어서던 카사르가 들숨에 느껴지는 향기에 멈칫했다. 향이 유독 짙은 곳을 따라가자 창가에 늘어선 야생화 화분이 보였다. 그는 생전 처음 꽃을 본 사람처럼 멍해졌다. 유리 역시 야생화를 키웠었다. 또 한 번 깨달은 공통점에 심장이 뛰다가, 이내 가라앉았다. 그는 쓴웃음을 삼키며 고개를 돌렸다.

"내가 미쳤군."

지나의 말대로 공녀는 침대에 누워 있었다. 모로 웅크린 모양새가 꼭 아이처럼 작게 느껴졌다. 약 기운에 창백해진 안색 위로 그녀의 미간이 움찔대는 게 보였다. 꿈이라도 꾸는 걸까.

그는 의자를 끌고 공녀 앞으로 다가가 앉았다. 날카로운 단검이 검집 채로 그녀 옆에 놓였다. 물끄러미 잠든 여자를 바라보던 그가 손을 들어올렸다. 긴 손가락은 단검을 뽑는 대신, 창백한 뺨을 감쌌다. 공녀를 죽일 생각으로 탐브란을 떠났던 건 맞다. 그러다 어느새, 그녀를 보아야 할 다른 이유가 생겼다.

"유리야, 보고 싶다."

유리의 흔적을, 찾으러 온 게다.

"네가 너무, 너무 보고 싶어. 유리야."

유리의 죽음을 받아들이고 수도까지 달려오는 동안 많은 생각을 했다. 처음엔 속에서 들끓는 감정이 너무 사나워 오직 리디아 프리우스, 그 여자의 시체 앞에 선 바론을 보아야만 살 수 있을 것 같았다. 한데 문득 그런 생각이 들었다. 공녀를 향한 바론의 마음이 제 사랑과 같을까? 그에게도 공녀가, 목숨보다 귀할까? 아니 그보다도, 유리가 공녀의 죽음을 과연 기뻐하기는 할까?

그는 그 질문을 떠올리자마자 답을 알았다. 유리는 절대로 죄 없는 공녀의 죽음을 바라지 않을 것이다. 그와 동시에 기억 속 사랑스러운 목소리가 속삭이는 듯했다.

—그러지 마요. 당신, 좋은 사람이잖아요. 그 여자는 아무 잘못이 없어요.

그 순간 그는 절대로 공녀를 죽일 수 없다는 걸 깨달았다. 오갈 곳 잃은 살의가 맹렬히 날뛰었다. 그는 뜨거운 불을 품고 끙끙 앓았다.

—유리야, 나 좀 살려줘. 그럼 이제 내가 어떻게 해야 하니.

메마른 눈에선 눈물도 나오지 않았다. 들을 사람 없이 흩어지는 애원이 너무 아팠다. 유리가 아니더라도, 누군가에게는 전해야 하루를 살 수 있을 것 같았다.

그러자 또다시 이 여자가 떠올랐다. 아무리 생각해도 유리와 공녀는 정말 비슷했다. 목소리, 체형, 외모뿐 아니라 다사로운 성품도 그러했다. 그러나 공녀는 유리가 아니었고, 사람을 착각한 것이다.

잠든 공녀를 바라보는 그의 눈이 젖어들어 갔다. 거듭된 착각에 그는 이제 제 기억에 자신이 없었다. 그리 간절히 붙잡으려고 했던 기억이 이리 허무하게 흩어질 줄 몰랐다. 앞으로 무엇으로 유리를 추억해야 할지도 알 수가 없었다.

"유리야, 미안해. 내가 너를 잊었나 봐. 자꾸 다른 여자에게서 너를 느껴. 내가 어떻게 해야 할지 모르겠어. 너한테 하고 싶은 말이 있는데, 떠오르는 게 아무것도 없어. 정말……."

기적이 일어나 유리가 꿈에라도 나와 주길 바랐다. 그 여자가 웃는 얼굴을 딱 한 번만 보고 싶었다. 유리와 사랑하는 내내 참 간절히 바랐었다. 그 여자가 어찌 웃는지 알고 싶다, 손이 아닌, 눈으로 그 미소를 느끼고 싶다. 이제는 결코 이룰 수 없는 바람이었다.

"윽……."

카사르가 축 늘어진 손에 이마를 댄 채 떨리는 숨을 토해 내었다. 뜨거운 눈물이 카펫을 검게 물들였다. 전할 말이 있는데 그 사람의 얼굴조차 모른다는 게 이토록 괴로운 일인지 몰랐다. 결국 자신을 지옥으로 밀어 넣은 여인을 전령 삼아 애끓는 속을 토해 내야 했다.

"너한테 주고 싶은 게 정말, 많았어. 지금도, 네가 살아 돌아오기만 한다면, 나는……."

그 말을 끝으로 그는 한동안 말을 잇지 못했다. 한마디만 더 하면 눌러둔 모든 것이 터질 것 같았다. 낯선 여자를 붙잡고 제발 살려 달라 애원이라도 할 것 같았다.

한참을 떨리는 숨만 내쉬던 그가 고개를 들었다. 어느덧 눈매는 붉게 물들 채였다. 속이 미어지는 와중에도 평화롭게 잠든 공녀의 모습이 조금 위안이 되었다. 유리도 당신처럼 편히 잠들었다면 좋으련만. 서글피 웃던 그가 나직이 속삭였다.

"리디아 프리우스."

애달픈 마음을 조금 토해낸 덕분인 걸까. 그의 눈빛은 한결 가라앉아 있었다. 날뛰던 속도 많이 진정이 되었다. 그는 공녀를 바로 눕힌 뒤 살짝 그녀의 뺨을 쓸었다. 진중한 손길에 그녀를 향한 고마움이 묻어났다.

"내 말 들어줘서 고마워. 그리고 미안해."

그의 말이 들리기라도 한 듯, 공녀의 미간이 움찔했다. 그는 물끄러미 붉은 입술이 달싹이는 걸 내려다보았다. 마치 그 입술이 제 이름을 부르는 듯했다. 그는 쓰게 웃으며 작은 손을 꼭 잡았다. 이 지경이 되어서도 희망을 놓지 못하는 제 모습이 우스웠다.

"당신이 행복했으면 좋겠어."

그는 진심으로 이 작은 여자의 행복을 바랐다. 물론 이 여자의 행복과 그의 복수는 결코 공존할 수 없는 일이었다. 그는 앞으로 온 힘을 다해 바론의 파멸을 향해 달려갈 것이고, 절대로 질 생각이 없었다. 유리를 바라보는 그의 눈빛이 복잡해졌다. 이 여자는 결국 사랑하는 사람을 잃게 될 것이다. 그게 얼마나 끔찍한 지옥인지 알기에, 공녀가 더 가련했다. 그는 심란한 눈으로 공녀의 손목을 내려다보았다. 신산스러운 삶을 견뎌왔을 이에게 또 다른 짐을 주게 된 것이 미안했다. 조심스럽게 상흔을 매만지던 그가 숨을 불어넣듯 그 위에 입을 맞추었다.

"부디 당신이 행복했으면 좋겠어."

마지막으로 속삭인 뒤 방을 떠났다.

*

"아델바오르 경. 저를 따르시지요. 폐하께서 기다리고 계십니다."

야심한 시각, 어둠에 잠겨 있어야 할 아살론의 황궁은 대낮처럼 환했다. 기사의 안내를 받아 궁 안으로 들어가는 루한의 곁으로 노오란 횃불이 다급하게 이곳저곳을 이동했다. 급박하게 돌아가는 상황에, 기사의 뒤를 따르는 그의 눈빛이 음울하게 가라앉았다.

"이쪽입니다."

아치형 입구를 지나자 거대한 복도가 그들을 맞이했다. 까마득한 천장엔 제국의 역사가 화려한 천장화로 담겨 있었다. 일국의 지배자에게 향하는 길답게 위압감이 어마어마했다. 그러나 루한은 아무런 감흥을 느끼지 못한 채 성큼 걸음을 옮겼다. 먼지투성이 망토에선 바람의 냄새가 났다.

"폐하께서는 침전 안쪽에서 기다리고 계십니다. 무기를 주시지요."

루한은 미리 풀고 있던 검을 던지듯 넘겨주었다. 재빨리 팔을 펼친 채 눈을 감자, 기사들이 다가와 그의 몸수색을 했다. 급한 마음에 그들의 손길이 몹시 더디게 느껴졌다. 그는 짓씹듯이 말했다.

"최대한, 후. 빨리 하시죠."

탐브란에서 삼 일 동안 미친 사람처럼 말을 타고 수도로 달려왔다. 움직일 때마다 온몸의 근육이 비명을 질렀다. 반나절을 물 한 모금 마시지 못한 목은 말할 때마다 찢어질 것 같았다. 그래도 그는 아픈 줄도 몰랐다. 타들어 가는 속에 무엇을 느낄 여유도 없었다.

카사르가, 그의 주인이 사라졌다. 탐브란에서 카사르를 도와 수색을 하던 중이었다. 한 달 전이었다면 그는 부디 이 탐색이 실패하길 바랐을 거다. 그 여자가 친우의 앞길을 가로막는 꼴을 더는 참아줄 수 없었으니까. 그러나 이제는 아니었다. 그는 누구보다도 간절히 유리의 생존을 바랐다. 그날 프리우스의 저택 앞에서, 친구가 무너지는 모습을 처음으로 보았기 때문이었다.

　―유리가, 그 여자가 대체 무슨 죄를 지었어!

　루한이 아는 카사르는 그 누구보다도 강한 사람이었다. 그 지독한 이별을 겪고도 삼 년을 굳건히 버텼다. 무수히 많은 반대와 싸우면서도 의지를 꺾지 않을 정도로 단단했다. 실은 그랬기에 스스럼없이 리사를 이용해 카사르를 속였다. 제 계획이 친우의 등에 칼을 꽂는 짓임은 알았지만 이겨낼 거라 믿었던 거다.

　―안 돼. 유리야! 안 돼!

　피맺힌 절규를 듣는 순간 그는 심장이 얼어붙는 듯했다. 숨이 넘어갈 듯한, 완전히 으스러진. 산 채로 영혼이 살해당한 모습이 그와 같을까. 그 어떤 단어를 사용해도 그날 그가 본 것을 설명할 순 없었다. 그저, 끔찍했다. 바론의 피를 보고 나서야 그는 뒤늦게 자신이 한 짓의 무게를 깨달았다. 소름이 끼쳤다. 저가 바라던 것이 친우의 파멸이었나. 아니, 절대 아니었다. 다만 친우가 제게 어울리는 자리에 당당히 서길 바랐던 거다.

　루한은 그제야 제 바람을 위해선 그 여자가 반드시 살아 있어야 한다는 걸 깨달았다. 그러나 불가능한 일이었다. 바론이 삼 년이나 유리의 죽음을 숨긴 이유가 무엇일까. 그는 즉시 그 비열한 의도를 알아챘다. 바론은 기다렸던 거다. 자신의 패가, 형제를 가장 효과적으로 무너트릴 때를.

　가짜 유리가 '적절한 때'를 만드는 데 일조했던 것이다. 뼈아픈 깨달음에도 불구하고 과거를 되돌릴 순 없었다. 그가 할 수 있는 건 아무것도 없었다. 카사르가 부디 그 지옥을 이겨내길 바랄 뿐이었다.

　―이런, 입을 찢을 걸 그랬네.

　그러나 그 기도가 무색하게 카사르는 결국 피를 보았다. 함부로 입을 놀린 자작에겐 이가 갈렸다. 루한은 제 손으로 제 주인이 될 친우를 결박했다. 살기를 넘어서 광기가 일렁이는 푸른 눈동자를 마주하며 그는 직감했다. 카사르는 반드시 바론을 죽일 것이다. 그리고 어쩌면 증오가 그 자신까지 살해할지 모른다.

"황자궁은 어떻습니까? 경계를 단단히 해야 합니다."

"걱정하지 마십시오. 폐하께서 친위대를 보내셨습니다. 물샐 틈도 없이 방어하고 있으니, 최악의 경우는 반드시 막을 수 있을 겁니다."

"그럼 바론 전하께선 아직 안전하단 말이지요?"

"네. 그렇습니다."

루한은 바론의 안위에 안도하면서도 그런 제 모습이 어처구니없어 쓰게 웃었다. 만일 그가 세상에서 단 한 사람만 죽일 수 있다면 그는 주저 없이 바론을 선택할 것이다. 그가 이 모든 일의 원흉이었으니까. 그러나 지금 당장은 아니었다. 카사르가 사라진 이때 바론이 다친다면 제일 먼저 제 친우가 의심받게 될 것이다. 그걸 막기 위해 미친 듯이 달려왔다. 달려오는 내내 혹여 늦지는 않을까 불안감에 숨이 막혔다. 어쨌든 그는 늦지 않았고 바론은 아직 멀쩡했다. 다음 상황을 해결하는 건 루한이 아닌 다른 이의 몫이었다.

"들어가시지요."

가장 작은 날붙이조차 버린 채 그는 황제의 침전으로 들어갔다. 환자가 사용하는 방 특유의 약 냄새가 코를 찔렀다. 휘장을 넘고 넘자 침대에 비스듬히 기대어 누운 황제가 보였다. 여윈 팔뚝에 주사 자국이 수두룩했다. 오랜 투병으로 수척해진 외양에도 불구하고 그 눈빛만은 형형했다.

"아살론의 황제 폐하를 뵙습니다."

"가까이 오너라."

루한은 조심스레 황제 쪽으로 다가가 무릎을 꿇었다. 마지막으로 보았을 때보다 한결 마른 루한의 모습에 날 벼린 칼 같던 황제의 눈빛이 누그러졌다. 딱 봐도 마음고생이 심했다는 걸 알 수 있었다. 그는 일국의 주인이 아닌, 아들의 친구를 염려하는 아비가 되어 말했다.

"고생이 많았겠구나. 루한."

"아닙니다. 폐하."

따뜻한 황제의 목소리에 지난날의 마음고생이 주마등처럼 스쳐 지나갔다. 그는 울컥 치밀어 오르는 것을 삼키며 떨리는 목소리로 말했다.

"전 아무 고생도 하지 않았습니다. 전하에 비하면…… 제 잘못입니다. 제가 그렇게 몰아붙이지만 않았어도, 일이 이 지경이 되지는 않았을 겁니다."

"네가 최선을 다했음을 안다. 너무 자책 말거라."

"다, 제 잘못입니다. 제가, 가짜만 들이밀지 않았어도……."

끝내 다스리지 못한 자책감이 뜨거운 눈물이 되어 흘렀다. 루한은 웅크린 채 흐느껴 울며 제 죄를 고해했다.

"그 여자가, 죽어야 한다고 여겼습니다. 윽, 그게 정말로 전하를, 돕는 길이라 생각했습니다. 그런데 아니었습니다. 윽, 제가 틀렸습니다. 끊지 말아야 할 인연도 있었던 걸 몰랐습니다."

황제의 눈빛이 침통하게 가라앉았다. 괴로워하는 루한의 위로 절대 잊을 수 없는 이름이 겹쳤다. 그가 가장 사랑했던 친구였으나 끝내 자신의 손으로 죽여야만 했던, 발렌타인 백작이었다.

─루한 아델바오르를 너무 믿지 말거라. 설령 그자가 피를 나눈 형제처럼 가깝게 여겨진다 하여도, 결코 방심하지 말거라.

한때는 제 아들에게 그리 말한 적이 있었다. 루한이 카사르와 가장 가까운 친우라는 것을 알기에 더 그랬다. 루한의 됨됨이를 믿지 못해서가 아니었다. 가까운 친우일수록, 충심에 눈이 멀어 해서는 안 될 짓을 할 수 있다는 걸 경험했기 때문이었다.

—처음 뵙겠습니다. 태자 전하. 발렌타인 백작입니다.

그가 발렌타인을 처음 만난 건 오년 전이 끝난 직후였다. 당시 아살론 황권은 지금보다도 훨씬 약했다. 내로라하는 귀족 가문들은 겉으로만 충성을 맹세할 뿐, 뒤로는 더 큰 부와 권력을 탐내며 아귀다툼을 했다. 그들에게 황족이란 이름만 주인이지 기실 맛있는 먹이에 가까웠다.

—신에게 아살론이 더욱 발전하기 위한 방향을 물으셨습니까? 황제 폐하께서 힘을 가지셔야 합니다. 절대적인 권력이 이 제국을 더욱 번영케 할 겁니다.

발렌타인은 그런 귀족들과는 전혀 다른 종류의 인간이었다.

—태자 전하. 이 세상에 완벽한 인간은 없습니다. 전하 역시 그러시겠지요. 신은 아부는 모릅니다. 대신 진실은 말하지요. 눈과 귀를 가리고 귀족원의 손에 놀아나고 싶으시면 저를 떠나시고, 아살론은 제대로 세워 보고 싶으시다면 신을 요긴하게 쓰십시오. 불완전한 전하의 틈을 제가 메워드리겠습니다.

감히 태자의 단점을 정면에서 지적하면서도 백작은 자신 만만이었다. 그 당당함이 홀로 귀족들과 맞서 허덕이던 황제의 마음을 순식간에 사로잡았다. 그렇게 발렌타인 백작은 그의 가장 가까운 친우이자 충신이 되었다.

백작은 말뿐 아니라 실력도 뛰어났다. 그는 늘 올곧게 앞을 보고 선택의 순간엔 단호했으며 실행엔 망설임이 없었다. 목표를 위해서는 모든 것을 내던지는 집념으로 끝내는 자신이 바라는 모든 것을 이루었다. 백작은 진실로 뛰어나다는 말이 부족할 정도로 완벽했다. 황제는 종종 저보단 백작이 황위에 어울린다 여겼다. 단언컨대 질투는 아니었다. 그는 진심으로 최고의 인재와 친우의 연을 맺게 된 걸 감사히 여겼다.

그러다 백작이 사랑하는 여인을 만났다. 약간의 어려움이 있었으나 황제의 도움으로 해결이 되었다. 그린 듯 아름다운 두 남녀를 보며 황제는 진심으로 둘의 행복을 축하했다. 그리고 얼마 지나지 않아 황제 역시 운명적인 순간을 맞이했다. 그 여자를 본 순간 첫눈에 제 반려임을 직감했다. 그는 제 행운을 백작에게 제일 먼저 전했다. 저가 그러했듯 백작 역시 진심으로 그와 여자의 행복을 축하해 주리라 여겼다.

─안 됩니다! 그 여자가 어찌 살았는지 아십니까? 하급 귀족의 정부였던 여잡니다. 그런 여자가 일국의 어머니가 되다니요! 귀족들이 가만히 있겠습니까? 그동안 폐하와 신이 이룬 것이 무너질지도 모릅니다. 버리십시오! 버리셔야만 합니다!

외적인 조건만 보자면 발렌타인의 백작 말이 맞았다. 그 여자는 황제의 배필이 되기에는 많이 부족했다. 신분이 한미했고 귀족과 파혼한 전력이 있었다. 정식 교제였지만 상대 귀족은 인정하지 않았다. 결국 여자는 정부 취급을 받으며 내쳐져야 했다. 그럼에도 그 여자를 포기할 수가 없었다. 단 한 명의 배필을 골라야 한다면, 당연히 그 여자야 한다고 생각했다.

─제발! 신을 보아서라도 한 번만 다시 생각해 주실 순 없겠습니까? 폐하의 주변엔 얼마든지 좋은 여인들이 많습니다. 폐하께서 아살론을 통치하는 데 힘이 되어줄 유력한 가문의 영애들 말입니다!

최초의 반대이자 최초의 갈등이었다. 그럼에도 거부할 수 없는 사랑이 있다는 걸 처음 배웠다. 백작은 마지막 순간까지 국혼을 반대했다. 마음은 아팠지만, 잘 사는 모습을 보여 주면 될 거라 생각했다.

그는 차선책으로 드펜을 황비로 맞이했다. 덕분에 백작도 조금 누그러졌다. 곧이어 태어난 두 아들 덕에 황권도 굳건해지며 백작과의 관계도 예전처럼 돈독해지는 듯했다. 백작은 두 아들 중 바론 쪽에 더욱 집중했다. 그래도 크게 마음을 쓰진 않았다. 사랑하는 여인과 함께하는 시간에 취해 여타의 것들은 대수롭지 않게 여긴 것이다.

─폐하. 마음의 준비를 하셔야 할 것 같습니다. 신들의 능력으론 황후 마마를 고칠 수가 없을 것 같습니다. 송구합니다.

영원할 것 같던 행복이 깨지는 건 참 쉬웠다. 감기에 걸려 잔기침을 하던 황후가 이틀 뒤엔 피를 토했다. 급격하게 나빠지는 상태에 내로라하는 황궁의 들도 손을 쓰지 못했다. 결국, 그녀는 핏덩이 같은 아들을 남겨둔 채 세상을 떠났다. 창졸간에 덮친 비극에 그는 슬퍼할 힘도 없었다. 넋이 나간 채로 황후의 마지막을 배웅하는데 백작이 다가와 말했다.

─폐하. 심려가 크시겠습니다. 이럴수록 마음을 단단히 먹으셔야 합니다. 황후 마마를 잘 보내드린 뒤 황비 마마를 황후로 맞이하십시오. 황후 자리가 공석으로 남다니, 아니 될 일입니다.

그때 그는 분명히 보았다. 안타까워하는 얼굴 아래로 슬쩍 올라가던 입매를. 소름 끼치는 예감이 등골을 타고 흘렀다. 설마. 처음에 그는 제가 본 것을 부정했다. 사랑하는 여인에 이어 아끼는 친우까지 잃을 순 없었으니까.

부디 아무것도 나오지 않기를 바라며 조사를 시작했다. 드러난 진실은 참혹했다. 황후의 죽음 뒤에 발렌타인과 드펜이 있었던 것이다. 그리고 일의 주도는, 백작이 했다는 것도 알게 되었다. 그들을 황후를 시해한 죄로 벌할 순 없었다. 아살론에서 가장 강력한 두 가문이 결탁한 만큼 증거는 남아 있지 않았던 것이다. 그가 진실을 알게 된 것도 신이 도왔다고 밖엔 설명할 수 없었다.

배신감에 도저히 제 정신으론 살 수가 없었다. 하루하루 지옥 불에 몸이 타들어가는 것 같았다. 그래서 백작을 죽였다. 죽여야 만 했다.

—폐하. 백작의 딸이 사라졌습니다.

그때 황제는 벽장 안에 백작의 딸이 있다는 걸 알고 있었다. 그 방에 비밀 벽장이 있음을 알고 부러 모녀를 그 방에 가둔 것이었다. 그 아일 살리기 위함이 아니었다.

복수를 위해서였다. 평생 부모의 품속에서 안온하게 살아온 귀 족 영애가 사나운 세상을 홀로 견딜 수 있을 리 없었다. 심지어 그 는 유리의 탈출을 돕기까지 했다. 하여 그 어린 소녀가 제 부모가 죽어서도 눈을 감지 못할 만큼 비천해지길, 죽을 때까지 고통받길 바랐다. 죄 없는 어린 딸을 복수의 수단으로 삼을 정도로 그의 증오 는 격렬했다. 그는 평생 그 증오를 버릴 수 없을 것이라 여겼다. 황 후의 죽음에 대한 진실을 알게 된 순간 제 안의 인간성이 부서졌다 생각했으니까.

그러나 세월의 힘은 그의 예상보다 강력했다. 어느 순간부터 증 오 없이 그 아이를 떠올리는 게 가능해졌다. 그러면 꼭 그 아이의 맑은 눈동자가 생각났다. 외탁을 한 녹안은 온순한 사슴처럼 선량 했었다. 자신이 제 부모를 죽일 줄도 모르고 그에게 인사를 하며 발 그레하게 달아오르던 두 볼을 떠올리면 가슴 한구석이 뭉근하게 아 팠다. 그래서 그 아이를 찾고 싶었다.

황후가 죽었을 때 그는 모든 걸 잃었다 생각했다. 그런데 시간이 흘러 돌아보니 아니었다. 그에겐 아직도 많은 것들이 남아 있었다. 거대한 제국, 충성스러운 신하, 그의 뒤를 이을 장성한 아들까지, 다른 이들이 탐내는 모든 것을 가지고 있었다. 반면 그 아이에겐 아 무것도 없었다. 그가 모든 것을 빼앗았으니까.

한때는 정말로 발렌타인의 딸을 찾으려 한 적도 있었다. 그러다 결국 포기했다. 이제 와 돌려줄 수 있는 게 없을 거란 생각이 들었다. 그 무엇도 받아들일 수 없을 만큼, 망가져 있을지도 모르는 거니까.

"카사르, 아니 태자 전하를 찾으러 가겠습니다. 폐하, 도와주십시오. 어떻게든 찾아야 합니다. 극단적인 선택이라도 하면, 저는……!"

"그럴 리 없다. 네 주인이 얼마나 현명한지 곁에서 지켜 본 네가 제일 잘 알지 않느냐. 지금은 다만 증오의 불길이 그 눈을 가렸을 뿐, 금방 제 자리로 돌아올 게다."

아들은 저보다 죽은 아내를 더 많이 닮았다. 시련에 속절없이 주저앉던 제 젊은 시절과는 달리 강인하고 현명했다. 그러니 이 시련도 분명 이겨낼 수 있을 것이다. 문제는 그 원인이었다. 대를 이어 지속되는 비극에 황제가 깊은 한숨을 내쉬었다. 드펜의 탐욕은 그의 아내를 살해했고, 그 아들은 형제의 반려를 죽여 종래는 그 영혼까지 파괴하려 한다.

'결단을 내려야겠구나.'

황제가 물끄러미 소매 아래로 드러난 제 손목을 내려다보았다. 젊은 날 강인함을 자랑했던 근육은 병마와 싸우느라 모두 잃어 힘이 없어 보였다.

마지막 때가 멀지 않음이라. 그는 자신이 모든 힘을 잃기 전에 이 비극을 끝내야 한다 생각했다.

"이것을 프리우스에 전하여라."

"예. 폐하."

황제가 서랍장에서 황제의 인장이 찍힌 봉투를 꺼냈다. 수신인은 리디아 프리우스. 편지엔 바론과 공녀의 약혼을 허락한다는 답이 담겨 있었다. 드펜이 죽어라 반대했던 바로 그 약혼이었다.

'드펜. 당신이 바라는 건 아무것도 이루어지지 않을 것이다.'

황후가 죽은 것은 발렌타인의 맹목적인 충정이 드펜의 탐욕과 만났기 때문이었다. 당시엔 힘이 약해 복수를 모두 완성치 못했지만 원한은 잊지 않았다.

그는 단 한순간도 드펜의 아들을 황제로 만들려 한 적이 없었다. 프리우스의 사생아라면 제 약혼자에게 그 어떤 힘도 되지 못할 터. 이 약혼은 드펜의 꿈을 좌절시키는 시작이 될 것이다. 차분히 다음 계획을 더듬는데 방 밖에서 소란스러운 소리가 들려왔다. 카사르가 돌아왔다는 기사의 말이었다.

*

"으으……."

유리는 신음을 흘리며 눈꺼풀을 들어올렸다. 격자무늬 천장이 빙빙 소용돌이쳤다. 울컥 구역질이 나오는데, 욕실로 달려갈 힘도 없어 몸만 기울였다. 신물이 고스란히 이불 위로 흘러내렸다.

"하아. 하아."

아스라이 창밖으로 짙푸른 먼동이 터오는 것이 보였다.

몸이 대체 왜 이럴까. 너무도 이상했지만 그 이상은 생각할 여력이 없었다. 머리가 너무 어지러웠던 것이다. 유리가 받은 숨을 내쉬며 목덜미를 더듬었다. 차가운 펜던트의 감촉이 닿자 그제야 긴 숨을 내쉬었다.

어젯밤 그의 꿈을 꾸었다. 그의 목소리를 듣고 그와 손을 맞잡았다. 꿈속에서 그는 그녀에게 무척이나 그립다 말을 하였다. 마음이 아프면서도 한 편으론 안도했다. 그는 그녀를 죽었다 여기는 것 같았으니까. 바라는 바가 꿈으로 이루어진 걸까. 손 하나 까딱 할 수 없던 꿈속에서 유리는 그리 생각했다. 아쉬운 꿈은 짬 짧게도 끝났다. 드문드문 끊기는 기억 속에서 제 상흔에 와 닿던 온기만이 선명했다.

산이 높으면 골이 깊듯, 꿈이 기꺼웠던 만큼 끝난 후 허무감도 컸다. 유리는 온몸을 지배하는 탈력감에 멍하니 창밖만 바라보았다. 아스라이 저택 철문이 움직이는 소리와 사람 목소리가 들렸다.

누군가 저택에 찾아온 걸까. 유리는 몸을 일으키려 했다. 한데 손에 힘이 들어가지 않았다. 후들거리는 팔로 침대를 짚었다가 이내 몸이 꺾였다. 남의 것인 양 말을 듣지 않는 사지에 당황스러움이 밀려왔다. 침대에 쓰러진 채 시트만 움켜쥐는데 방문이 열리며 지나가 들어왔다.

"공녀님!"

"지나야, 나, 몸이, 너무, 이상해……."

"별일 아니에요. 이 약 먹으면 금방 괜찮아지실 거예요."

유리를 바르게 눕힌 지나가 그녀의 목을 받친 채 약병을 기울였다. 그 약이 무엇인지 물을 정신도 없이 속절없이 받아 마셨다. 약을 삼킬 힘도 없어 대부분의 약은 입 밖으로 흘러 나갔다. 힘없이 늘어져 있는 와중에 지나가 유리의 입가에 묻은 토사물을 닦아내며 침착하게 말했다.

"어제 드신 허브가 독해서 그래요. 죄송해요. 해독 중이니 금방 좋아지실 거예요."

지나가 유리에게 먹인 건 방금 조제를 마친 텔로스 해독약이었다. 재료가 부족해 완벽하진 않지만 어느 정도 효과는 있었다. 오전 중으로 카사르가 부족한 재료를 보내 주기로 하였다. 그것까지 먹이면 반나절 후엔 깨끗하게 해독될 터였다.

"푹 자고 일어나시면 되어요. 걱정하지 마세요."

속삭이는 지나를 바라보는 유리의 눈엔 초점이 없었다. 지나는 끈기 있게 약효가 돌길 기다렸다. 잠시 후, 파르르 떨리는 눈꺼풀이 감기며 녹색 눈동자가 모습을 감추었다. 유리의 숨소리가 고르게 변한 걸 확인한 지나가 이불을 덮어 주었다. 해독 과정에서 체온이 떨어질 수 있기 때문이었다. 그러다 문득 잠든 유리가 꼭 쥐고 있는 펜던트가 보였다.

"쳇. 그 못생긴 인간이 볼 게 뭐가 있다고."

펜던트 안에 담겼을 바론의 초상화를 떠올리자 지나는 괜히 기분이 나빠졌다. 바론, 그 몹쓸놈 때문에 우리 전하께서는 얼굴이 반쪽이 되실 정도로 마음고생을 하셨다. 그런 인간의 초상화를 애지중지 여기는 공녀의 모습에 심통이 날 때였다.

"카사르……."

응?

"카사르……."

지나가 제 귀를 의심하며 유리를 바라보았다. 카사르. 작지만 분명한 속삭임에 지나가 고개를 갸웃했다. 공녀가 대체 왜, 전하의 이름을 부르는 거지?

"텔로스 때문인가?"

텔로스가 해독될 땐 드물게 환각 작용이 일어나기는 한다. 대부분의 사람들은 그때 가장 소중했던 기억을 떠올리기 마련이다. 지나는 더욱 혼란스러워졌다. 공녀에게 전하가 왜 소중한 존재란 말인가?

그리고 그때, 펜던트를 움켜쥐고 있던 손에서 힘이 풀렸다. 흰 손이 툭 침대 위로 떨어짐과 동시에 펜던트의 뚜껑이 살짝 열렸다. 얼핏 보이는 익숙한 얼굴에 지나의 눈이 커졌다.

"어……?"

"리디아! 가만 두지 않겠어!"

그와 동시에, 쾅! 벼락 같은 소리와 함께 닫힌 문이 열리며 미하엘이 모습을 드러냈다.

펜던트로 손을 뻗던 지나가 화들짝 놀라 물러섰다. 덕분에 펜던트의 뚜껑이 닫히며 초상화도 모습을 감추었다.

"빌어먹을. 네 년을 살려 놨더니 결국 일이 이 지경이 되었어."

미하엘은 지나는 보이지도 않는 다는 듯 성난 걸음으로 달려와 유리의 멱살을 잡았다. 정신을 잃은 유리가 힘없이 딸려 올라가는 걸 본 지나가 기겁하여 미하엘을 말렸다.

"공자님! 무슨 짓이세요!"

그 와중에도 지나는 유리의 펜던트에서 눈을 뗄 수 없었다. 분명 얼핏 그 안에 있는 카사르의 초상화를 보았다.

뭐지? 왜 바론의 약혼녀가 전하의 초상화를 갖고 있는 거지?

"짜증 나게! 왜 들러붙고 지랄이야!"

"고, 공자님, 일단 이 손 좀, 놓으시고……."

"이것 좀 치워!"

미하엘의 일갈에 그를 따라 들어온 수하들이 지나의 두 팔을 붙잡았다. 사내들은 하나같이 꼴이 변변치 않았다. 유리가 나타난 후 바론에 의해 좌천된 자들이었다. 떵떵거리며 살다 하루아침에 저택에서 가장 비천한 존재로 전락한 그들의 눈빛엔 유리를 향한 원한이 그득 담겨 있었다. 그중 가장 살벌한 눈빛을 한 것이 바로 미하엘, 프리우스의 소공자였다. 그는 유리를 향해 잔뜩 일그러진 얼굴로 으르렁거렸다.

"빌어먹을. 네가 감히 황제의 오찬에 초대받아?"

그의 손에서 엉망으로 구겨진 초대장이 카펫 위로 떨어졌다. 불과 한 시간 전 황제가 직접 인장을 찍은 바로 그 초대장이었다.

유리는 여전히 정신을 찾지 못하고 신음을 흘렸다. 미하엘의 말뜻을 깨달은 지나가 경악하여 눈을 부릅떴다.

'공녀가 황제의 오찬에 초대를 받다니!'

황제의 오찬에 초대받는다는 건 결코 평범한 식사 초대를 의미함이 아니었다. 오찬에 참석할 수 있는 것은 황족과 그 반려뿐, 지위가 높은 공신들도 참석할 수 없었다. 그동안 바론과 약혼했던 여자 중 오찬 초대를 받은 여자는 한 명도 없었다.

오찬에 초대받았다는 건, 공녀가 황제의 인정을 받았음을 뜻했다. 유리는 바론의 공식적인 약혼녀는 아니었다. 두 사람이 결혼을 약속하고 바론이 유리를 제 약혼녀로 세상에 소개한 건 사실이지만 황제의 인정을 받지 않은 이상 비공식적 관계였다. 그동안 황제는 이번 약혼에 대해 미온적인 태도를 보여 왔다. 바론의 파혼이 워낙 잦아 제 아들을 믿지 못했기 때문이었다. 지나 역시 같은 생각이었다. 공녀도 언젠간 여타의 파혼녀들처럼 바론에게 버림받을 거라 여겼다.

'뭐야, 뭐가 대체 어떻게 된 거야? 그럼 정말 공녀가 바론과 약혼하는 거야? 아니 그것보다, 초상화는 대체 어떻게 된 거야? 왜 공녀가 태자 전하의 초상화를 갖고 있는 거냐고!'

지나의 혼란은 꿈에도 모를 미하엘이 유리의 멱살을 쥐었다. 목에 느껴지는 통증에 유리가 본능적으로 그를 밀어내려 했다. 그러나 힘없는 팔은 그에게 닿기도 전에 툭 떨어졌다.

"네가 바론과 결혼한다고? 절대 그럴 일은 없어. 너희 둘이 결혼했다간 내 목숨이 간당간당할 테니까!"

방금 오찬 초대장을 본 직후 그는 이성이 완전히 날아가 버렸다. 누이가 황제의 인정을 받았다면 결혼까지는 시간문제였다. 약혼 중에도 이토록 사는 하루하루가 끔찍한데, 누이가 황자비가 되면 지옥이 펼쳐질 게 분명했다. 손 놓고 끝을 맞이하느니 마지막 패라도 붙잡음이 옳았다.

"너는 내 손에 죽었어."

그리 으르렁거린 미하엘이 품속에서 손수건을 꺼냈다. 이내 유리의 입을 틀어막으며 지나를 붙잡은 사내들 쪽으로 눈짓을 했다. 지나는 제게로 다가오는 손수건을 보며 일단 숨을 멈추었다. 그러면서도 어찌 행동해야 할지 몰라 머릿속은 터져버릴 것 같았다.

'이를 어쩌. 공녀를 구해야 하나? 공녀가 누구인지도 모르는데? 초상화는 어떻게 해! 미하엘이 펜던트를 열어 보기라도 하면!'

손수건 너머로 유리가 축 늘어지는 것이 보였다. 긴장으로 등이 뻣뻣하게 굳었다. 저들의 의심을 사지 않을 아슬아슬한 타이밍에 정신을 잃은 척 몸에 힘을 풀었다. 여전히 공녀를 구해야 할지 말지는 갈피를 잡을 수가 없었다. 함부로 움직였다가 비아라는 게 밝혀지면, 문제가 커질 수가 수도 있었다.

"여종은 어쩔까요. 죽일까요?"

"일단 같이 끌고 가. 쓸모가 있을지도 모르니까. 빨리 움직여! 누가 오기 전에 저택을 나가야 해."

미하엘이 쓰러진 유리를 죽일 듯 노려보며 말했다. 사내들이 지나와 유리를 들쳐맨 채 방 밖으로 나갔다. 살기 어린 눈으로 유리의 뒷모습을 보던 그가 책상으로 향했다. 이내 종이 위에 몇 문장을 휘갈겨 쓴 후 저를 기다리던 수하에게 주었다.

"지금 당장 황태자에게 전해. 계집을 죽일 수 있게 도와줄 테니. 거래를 하자고!"

"대체 쟤는 왜 아직도 정신을 못 차리는 거야. 약이 잘못된 거 아니야?"

"그, 그럴 리가요. 의원이 분명 반 시간 후엔 깨어날 거라 했습니다. 거듭 확인을 했고요. 보십시오. 저 여종은 멀쩡하지 않습니까?"

"야! 너 그만 울고 똑바로 대답해. 네 주인 왜 저래? 몸에 뭔가 문제가 있는 거 아니야?"

"저, 저도 모르겠어요. 공자님. 제발 살려 주세요. 시키는 대로 다 할게요. 목숨만 살려 주세요……."

온몸의 부서질 것 같은 통증 속에서 유리가 눈을 떴다. 윙윙거리는 이명 아래로 어지러운 말 소리가 들렸다. 아까 잠에서 깨었을 때보다 더욱 심한 두통이 밀려왔다. 시야가 휘청휘청, 무너질 것 같았다. 유리가 신음을 흘리며 몸을 비트는데, 억센 힘이 그녀의 턱을 들어 올렸다.

"요것 봐라. 깨는 것도 느려 터졌네."

뭐가 어떻게 된 상황일까. 유리는 헐떡이며 저를 붙잡은 손에서 벗어나려 하였다. 그러나 소용이 없었다. 주홍빛 불빛이 일렁이는 와중에 시커먼 그림자만이 음울하게 흔들렸다.

─그 여자 깼어?

─일어나. 정신 좀 차려 봐. 죽고 싶지 않으면. 쿡. 아니지, 어차피 죽긴 하겠네.

─적당히 해. 감히 내 일을 망친 년이야. 너무 쉽게 죽여 버리면 안 돼.

이런 일을 과거에도 겪은 적이 있었다. 숨 막히는 공포에 유리가 온몸을 경직시켰다. 꿈이라기엔 지나치게 생생했다.

"내, 내가 죽어도 좋으니……."

설마 과거로 돌아오기라도 한 걸까. 유리는 본능적으로 배를 감싸려 하였다. 그러나 두터운 밧줄은 그녀의 손목을 꼭 쥔 채 놓아주지 않았다. 겁에 질린 유리가 덜덜 떨며 상대에게 애원했다.

"제발, 이 아인 죄가 없으니까……."

"뭐? 야! 지금 네 주인이 뭐라고 지껄이는 거야?"

"공자님, 으흑, 저, 저도 모르겠는데요. 으흑. 살려주세요. 보내주세요. 으흑."

정신없이 아이를 살려 달라 말하는 익숙한 목소리에 눈을 깜빡였다. 지나는 분명 과거의 그날엔 존재하지 않았다. 유리의 혼란스러운 눈동자가 상대에게 맺혔다. 저를 노려보는 눈동자가 짙은 녹빛이라는 걸 깨달은 유리의 눈이 커졌다.

이건 바론이 아니야. 미하엘 프리우스잖아.

"어쨌든 다 필요 없고. 리디아. 똑똑히 들으라고. 너는 절대로 내 인생 못 망쳐."

"그게, 무슨……."

"네가 절대로 황자비가 될 수 없다는 뜻이지!"

"윽!"

영문 모를 고함과 함께 미하엘이 유리를 던지듯 놓았다. 두 손이 묶인 탓에 중심을 잡지 못하고 어깨부터 부딪치고야 말았다. 숨이 컥 막혀 오는 격한 통증에 유리가 신음을 흘렸다. 유리가 고통스러워하는 동안 미하엘은 제 수하를 향해 짓씹듯 말했다.

"황태자는 아직 기별이 없나?"

"네, 그렇습니다요."

"대체 뭐하느라 이렇게 굼뜬 거야! 원하는 걸 준다는데!"

"혹시 아직 궁에 돌아오지 않은 게 아닐까요? 얼핏, 수도를 떠났다고 들었습니다만……."

"그게 무슨 소리야! 황태자가 수도에 없다니!"

화들짝 놀란 미하엘이 버럭 고함을 질렀다. 말을 전한 사내가 겁을 집어먹곤 몸을 움츠렸다. 그는 혹시라도 미하엘이 제게 화풀이를 할까 두려워하며 입을 열었다.

"그, 그것이, 몇 주 되었습니다. 황제 폐하의 명으로 수도를 떠났됐나, 여튼 그랬습니다요."

사내의 말에 미하엘의 얼굴이 낭패감으로 일그러졌다.

"그럼……! 빌어먹을, 그런 건 진작 말을 했어야지!"

"생각을 못 했습니다요. 죄송합니다. 공자님."

화가 난 미하엘이 사내의 멱살을 움켜쥐었다.

"이런 제기랄! 그걸 왜 이제 말해! 다 죽자는 거야!"

지난 몇 주간 미하엘은 수도 소식과 담을 쌓고 살았다. 하루아침에 바닥으로 전락한 제 신세를 받아들일 수도, 그를 그렇게 만든 누이와 한 공간에 있는 것도 불가능했기 때문이었다. 결국 도박장이나 술집 등 저택 밖으로 나돌아다녔다. 화를 풀러 간 곳에서 되레 화가 쌓였던 경험도 여럿 했다. 몇몇 인간들이 그를 끈 떨어진 두레박 신세 취급하며 무시했던 것이다.

하루하루 속에 천불이 쌓여가는 와중에 그나마 언젠가는 이 고난이 끝날 거란 믿음으로 버텼다. 비록 지금은 바론이 제 누이를 총애하나, 조만간 그 마음이 식어 누이를 버릴 것이 분명했다. 그날이 오면 제 손으로 누이의 목을 부러트리고, 저를 경멸의 눈으로 보는 인간들을 밟아버릴 셈이었다. 그런데 오늘 아침에 날아온 오찬 초대장이 그의 희망을 전부 박살 냈다. 초대장 밑에 찍힌 황제의 인장을 확인한 순간 눈앞이 껌껌하고 숨이 막혔다. 이대로 가면 정말 죽는 길밖엔 없다는 생각에 종들을 모아 누이를 납치했다. 일의 뒷수습은 황태자에게 맡길 계획을 세웠다. 그랬는데 유일한 동아줄이 수도에 없단다. 미하엘의 머리가 핑핑 소리가 날 정도로 돌아갔다.

"빌어먹을, 황태자에게 연락이 안 되면 대체 어떻게 해야 되느냔 말이야!"

"그, 그럼 아델바오르 백작에게 연락을 해보는 건 어떻습니까?

사내의 겁먹은 말에 미하엘이 휙 고개를 돌렸다.

"누구, 루한 아델바오르?"

"예, 그…… 태자 전하와, 매우 가까운 귀족이시라고……."

자신 없는 목소리가 기어들어갔다. 입술을 씹으며 사내의 제안을 생각하던 미하엘이 벌떡 자리에서 일어났다.

"좋아. 지금 당장 아델바오르 저택으로 가. 바론이 약혼하는 걸두고 볼 자신이 없으면, 당장 와서 이 여자를 데려가라고. 그 인간, 황태자 일이라면 맨발로 불이라도 걸을 것처럼 굴었으니 오찬 소식을 듣고 제정신이 아닐 거야. 빨리 움직여! 바론이 눈치채면 우리는 다 죽어!"

"예, 예. 알겠습니다!"

미하엘의 채근에 사내가 허둥지둥 방을 나갔다. 그는 손톱을 잘근잘근 씹으며 시계를 보았다. 누이를 납치한 지 겨우 한 시간밖에 지나지 않았건만 꼭 일주일은 된 것처럼 마음이 급했다. 분초가 아쉬운 상황이었다. 저택에 입단속을 해두긴 했지만 시간을 끌면 위험했다. 바론이 눈치채기 전에 카사르든 루한이든 와서 누이를 데려가야 했다. 유리를 노려보는 미하엘의 눈빛이 섬뜩하게 변했다. 어느 순간부터 그녀는 다시 정신을 잃고 축 늘어져 있었다.

'이번엔 반드시 저년을 없애 버릴 거야.'

뒤탈 없이 그 일을 이루기 위해서는 반드시 카사르의 힘이 필요했다. 바론이 카사르의 여자를 죽이고, 그 일로 카사르가 바론에게 얼마나 깊은 원한을 품었는지 미하엘은 잘 알았다. 그의 눈으로 직접 보았던 것이다. 이성을 잃은 카사르가 바론에게 칼을 휘두르는 모습을. 그날 바론이 카사르 손에 죽었다면 좋으련만 애석하게도 그렇진 못했다. 아마 앞으로도 그런 기회는 두 번 다시 오지 않을 것이다. 그렇다면 지금 카사르가 가장 간절히 바라는 일은 무엇일까. 두 번 생각할 필요도 없었다.

복수. 카사르는 무조건 바론을 죽여 복수를 완성하고 싶을 것이다. 그게 안 된다면 바론의 여자라도 없애고 싶을 것이다. 복수의 칼날이 저 계집의 심장을 찌르는 순간, 그 앞엔 자유의 길이 펼쳐질 것이다.

"너, 이름이 지나라고 했지. 아까 내가 한 말 똑똑히 기억해야 할 거야."

"그럼요! 당연하죠!"

"허튼 수작 하기만 하면……."

"무조건 공자님 시키는 대로 할게요. 저 거짓말 잘해요! 정말이에요!"

수하가 돌아오는 걸 기다리는 동안 미하엘은 몇 번이고 지나를 윽박질렀다. 비굴하게 미하엘에게 읍소하는 와중에도 지나의 신경은 온통 유리에게 쏠렸다.

'공녀가 또 의식을 잃었어. 어깨 좀 부딪혔다고 저럴 리가 없어. 약 때문에 그런 게 분명한데. 어휴, 이제 어쩌지?'

초조한 와중에서도 혼란스러운 시선이 목에 걸린 펜던트에 맺혔다.

'설마, 공녀가 전하의 그분인 걸까?'

지나도 자신의 생각이 얼마나 해괴망측한지 안다. 하지만 그게 아니라면 초상화를 설명할 방법이 없었다. 게다가 공녀는 전하의 초상화를 보며 초상화의 주인이 제 사랑하는 사람이라 하였다. 물론 그것만으로는 공녀가 전하의 '그분'이라는 결론을 내릴 수는 없었다. 백번 양보하여, 바론의 약혼녀가 태자 전하를 사랑할 수도 있는 일이었다.

'전하께서도 프리우스 공녀를 전하의 그분으로 착각하셨어. 이 모든 게 과연 우연인 걸까?'

한 번의 우연도 거듭되면 필연이 된다. 지나는 자꾸만 엄청난 결론으로 이르는 제 생각을 멈출 수가 없었다.

'일단 초상화를 먼저 확인해야겠어.'

이 말도 안 되는 우연을 설명할 수 있는 단 한 가지 방법이 있긴 했다. 지나가 초상화를 잘못 보았을 경우가 그러했다. 하여 이곳에 납치된 후부터 호시탐탐 초상화를 다시 확인할 기회만 노렸다. 문제는 미하엘이 도통 이곳을 떠날 생각을 안 한다는 것이다.

짜증 나는 인간. 평생 하수구 물이나 마셔라. 지나는 속으로 온갖 욕을 뇌까리면서도 미하엘을 방심시키기 위해 애썼다.

"그럼 당연하죠. 살려만 주시면 공자님께서 시키시는 대로 바론 전하께 말씀드릴게요. 공녀님이 제 발로 저택을 떠나셨다고요. 다른 사내를 사랑해서 도망갔다고요!"

눈물을 주룩주룩 흘리며 애원하는 모습이 영락없이 애처로운 소녀였다. 이 모든 것이 지나의 연기임은 짐작도 못 한 미하엘은 무척이나 흡족해했다. 그는 한결 여유로워진 얼굴로 큭 웃었다.

"큭. 그래. 아주 좋아. 그래야지."

오찬 초대장을 보고 순간 욱 해 누이를 납치하긴 했지만 후환은 두려웠다. 카사르가 거래에 응하기만 하면 제 뒤를 봐주겠지만, 일이 어그러질 가능성도 있었다. 바로 그때 지나가 필요했다. 바론은 제 말은 안 믿어도 이 계집종의 말은 믿을 것이다. 유리가 가장 총애하던 종이 지나라는 걸 바론도 알 테니까 말이다.

"하지만 혹시라도 말이야."

그래도 제대로 경고를 해 둘 필요는 있다. 미하엘은 자리에서 일어나 오들오들 떨고 있는 지나의 머리채를 움켜쥐었다.

"윽!"

"헛짓거리를 하면, 넌 죽어. 알아들어?"

"네, 흑, 네 그럴게요⋯⋯. 윽!"

지나의 얼굴에 퍼져나가는 두려움에 미하엘은 무척이나 만족했다. 지나는 미하엘의 경계를 풀기 위해 별로 아프지도 않으면서 열심히 아픈 척을 했다. 그러면서도 온 정신은 유리에게 쏠려 있었다.

'공녀가 정말 전하의 그분이면 어떻게 하지? 혹시라도 약 때문에 상태가 잘못되면 어떻게 해!'

텔로스 해독이 끝나지 않은 상태에서 미하엘이 마취약을 썼다. 두 약이 함께 작용해 어떤 부작용이 생길지 몰랐다. 미하엘의 말을 들어보면 그리 독한 약은 아닌 것 같지만, 방심할 순 없었다. 물론 공녀가 정말 바론의 약혼녀라면 죽든 말든 신경도 쓰지 않았을 것이다. 그러나 혹시나 하는 생각이 지나를 붙잡았다.

"공자님, 저 잠깐 공녀님 상태 좀 보면 안 될까요?"

"왜, 뭐, 또, 왜! 허튼수작은 꿈도 꾸지 마!"

"그게 아니고요. 저기, 공녀님 상태가 조금 이상한 거 같아요. 저는 멀쩡한데, 공녀님은 계속 정신을 못 차리시잖아요. 똑같은 약을 썼는데 왜 저러죠? 혹시 문제가 생긴 건 아닐까요?"

지나의 호들갑에 미하엘이 인상을 찌푸리며 유리를 바라보았다. 그러고 보니 안색이 꽤 창백해진 것 같기도 했다. 그는 유리 쪽으로 다가가 유리의 어깨를 툭툭 찼다. 그럼에도 유리는 깨어나지 못했다.

"흠. 좀 이상하긴 한데. 완전히 맛이 간 거 같기도 하고."

그 모습을 보는 지나의 속에선 천불이 났다. 정말 다 죽여 버려야 되나 하는 갈등에 휩싸였다. 그래도 최대한 참았다. 비야의 최우선 목표는 정체를 들키지 않는 것이다. 특별한 명령이 있지 않는 한, 예외는 없었다.

"태자 전하께 공녀님 왜 넘기시려는 거예요? 복수, 도와주시려고 그러는 거죠? 그럼 공녀님이 살아 계셔야 하는 거 아니에요? 이대로 돌아가시면 태자 전하가 복수를 못 하잖아요! 그럼 우리 다 죽는 거예요? 공자님! 저 죽기 싫어요! 빨리 공녀님 살려야 해요!"

"유난 좀 떨지 마! 그 약으론 절대 안 죽어!"

버럭 짜증을 내면서도 미하엘은 유리의 상태가 신경이 쓰였다. 그는 핏기 없는 유리의 얼굴을 보곤 꽉 인상을 구겼다.

"황태자가 오기 전에 죽어 버리면 곤란한데."

지나의 말대로 카사르가 원하는 건 누이를 죽이는 걸 테다. 그런데 만일 누이가 이미 죽어있다면? 미하엘은 카사르가 원하는 게 누이의 시체인지, 아니면 누이를 죽이는 행위인지 알 수 없었다. 아무래도 조금 더 조심을 해야 하나 고민에 빠질 때였다.

"공자님, 말씀드릴 게 있어요. 공녀님 몸에 사실 다른 약이 있어요."

"다른 약이라니, 그게 무슨 소리야?"

"실은 공녀님이 마약을 하세요."

지나의 눈엔 저 야비한 인간의 머릿속이 다 보였다. 하여 얼른 먹음직스러운 미끼를 던져 주었다. 예상대로 미하엘은 떡밥을 덥썩 물곤 깜짝 놀라 그녀를 바라보았다.

"뭐? 마약? 그건 또 무슨 소리야?"

"공녀님께 불면증이 좀 있거든요. 숙면을 위한 허브티를 찾아 드렸는데, 그걸로는 효과가 없다고 하셨어요. 결국, 전하 몰래 강한 약을 사용하기 시작하셨는데, 마약 정도가 되지 않으면 어림도 없더라고요. 어쩔 수 없이 공녀님께 약을 구해드렸어요. 불법인 줄은 알았는데, 방법이 없었어요."

"그럼 설마 어제도 마약을 했단 말이야?"

제국법은 마약 투여에 무척이나 엄격했다. 적발 시 신분의 고하를 막론하고 두 손을 자른다. 설령 그게 황자의 약혼녀라 할지라도 예외는 아니었다.

"하. 이거 진짜 기가 막힌데."

의외의 수확에 미하엘의 눈빛이 번뜩였다. 그러면서도 혹시 몰라 확인을 했다.

"너 지금 수작 부리는 거 아니야? 진짜야?"

"제가 어느 안전이라고 거짓을 고하겠어요! 증거도 있어요. 저기, 여기요. 이것 좀 보세요. 텔로스라는 건데 마약성 수면제예요. 어제 사실 이걸 사용하였어요. 이제 어떻게 하죠?"

어떻게 해서든 지금만 넘기면 된다. 그럼 태자 전하가 오실 테니까. 지나는 작정하고 사기를 쳤다. 그 속을 짐작도 못 한 미하엘은 승리감에 휩싸였다.

"큭. 이거 일이 완전 쉽게 풀리겠는데?"

순식간에 이번 일을 매끄럽게 처리할 시나리오가 완성되었다. 본래는 누이가 새 남자를 따라 떠난 걸로 처리하려 했지만 사실 썩 마음에 드는 계획은 아니었다. 간이고 쓸개고 다 빼줄 듯 굴던 여자가 바람을 핀다는 걸 바론이 믿지 않을 가능성이 높았다.

"하지만 마약은 다르지. 약은, 약혼자를 사랑해도 얼마든지 할 수 있으니까 말이야."

마약에 손을 대던 누이가 오찬 초대장에 겁을 먹고 저택을 떠난 거다. 황자비가 되기 위해선 반드시 황궁의의 검진을 받아야 했다. 혹시라도 꼬리가 밟힐까 두려워 일을 저지른 것이다. 뭐, 이 정도면 완벽했다.

"쟤 내 생각보다 더 미쳤네. 하긴, 지 팔에 유리 박아 넣을 때부터 알아봤어. 제정신이 아니야. 그러니까 마약에 손을 대지."

미하엘은 얼른 지나의 손에서 약을 빼앗아 품속에 넣었다. 이내 킬킬거리며 곧 다가올 누이의 최후를 음미했다.

"뭐야. 그럼 힘들게 납치할 필요도 없었잖아? 어차피 약쟁이로 뒈져 버렸을 것을."

그사이 지나는 조심스레 유리의 곁으로 다가갔다. 호흡이 어려운 듯 유리가 고통스럽게 가슴을 들썩였다. 창백한 이마는 잔뜩 땀으로 젖어 있었다. 미하엘에겐 보이지 않게 몸을 돌린 뒤 유리의 펜던트를 확인했다.

'역시!'

역시나 그 안에 담긴 건 카사르의 초상화였다. 지나는 능숙하게 펜던트 고리를 풀어 품속에 집어넣었다. 이내 유리를 편하게 눕힌 뒤 맥을 짚었다. 이 꼴을 전하께서 보셨다간 미하엘이 요절날 거란 확신과 함께였다.

'맥은 정상인데 몸이 너무 차. 체온을 유지해야 해.'

지나는 재빨리 자신의 앞치마를 벗어 유리의 가슴에 덮었다. 이쯤 되면 이판사판이었다. 이것까지 막으면 정체고 뭐고 없었다. 어차피 태자 전하가 오시는 순간 저들은 개밥 신세가 될 것이다.

지나는 미하엘의 눈치를 보며 은근슬쩍 밑창에 숨긴 암기를 꺼냈다. 한 번만 더 공녀의 몸에 손을 대면 그 손바닥에 구멍을 뚫어 버릴 셈이었다. 비야의 의무가 중요하긴 하지만, 주인께서 사랑하는 여인을 지키는 건 더 중요했다.

"공자님, 아델바오르 저택에 다녀왔습니다."

"오, 좋아. 백작은 뭐래?"

"백작은 자리에 없었습니다. 입궁했다고 하더군요. 그나저나 좋은 소식을 들었습니다. 황태자가 수도에 돌아왔다고 합니다."

사내의 말에 미하엘이 반색하며 말했다.

"그래? 잘되었군. 조만간 연락이 오겠는데?"

"공자님 서신을 받은 건 확실한 거 같습니다. 그런데, 황태자가 거래에 응하긴 하겠죠?"

"당연하지. 다 떠먹여 주는 걸 거절하겠냐?"

한결 여유로워진 미하엘과 달리 그의 수하들은 여전히 겁에 질려 있었다. 그들은 유리를 미워하긴 했지만 미하엘보다는 덜 미쳐 있었다. 유리가 황자비가 되면 다 죽은 목숨이란 으름장에 얼떨결에 일에 끼었지만, 시간이 갈수록 후환이 두려웠다. 처음엔 자신만만해 하던 미하엘이 초조한 모습을 보여 더 그렇기도 했다.

"뭐, 응하지 않더라도 상관은 없어. 나한테 패가 없는 것도 아니고 말이야. 내가 말이야, 황태자의 약점을 쥐고 있다고."

미하엘이 자신만만한 얼굴로 말했다.

"너희 그거 모르지? 황태자가, 앞을 볼 수 없다는 거 말이야."

마음이 편해지니 잊고 있던 것들이 생각났다. 베아트리체 홀에서 불이 난 날, 그는 두 사람의 뒤를 미행했었다. 카사르가 들어간 병원을 기억해 놨다가 두 사람이 나오자마자 의사를 족쳤다. 카사르가 입막음을 한 탓인지 의사는 처음엔 모르쇠로 일관했다. 결국 어린 자식들에게 칼을 들이밀고 나서야 납작 엎드려 진실을 고했다.

─그 사내, 앞을 보지 못했습니다. 지병 때문이었지요.

─지병? 그럼 앞을 못 본 게 이번이 처음이란 말이야?

─종종 시력 상실이 일어났었을 겁니다. 완치가 멀지 않다고 한 거 보면 투병 기간이 못 해도 반년은 넘었을 겁니다.

처음엔 그 즉시 카사르의 증상을 바론에게 알리려 했다. 그러나 입도 벙긋 하지 못하고 실패했다. 저택에 돌아갔을 때 그는 저를 반쯤 죽이려하는 바론과 마주쳤다. 누이에게 누명을 씌우려 했다는 게 그 이유였다. 요망한 계집이 대체 혀를 어떻게 놀린 것인지 기가 막힐 정도였다. 제 눈으로 본 것이 있어 아니라고 필사적으로 항변했지만 먹히지 않았다.

"멍청한 새끼. 내 손에 든 것이 뭔지도 모르고 말이야. 쥐여 줘도 알아보지 못하면 그게 병신이지 뭐야. 진짜 장님은 따로 있었네."

그날의 치욕을 떠올리며 미하엘이 비릿한 웃음을 지었다. 그때 사용하지 못한 패가 이번엔 진가를 발휘할 거란 강한 확신이 들었다. 카사르가 누이를 죽이면 그는 카사르와 공범이 된다. 문제는 상대의 신분이었다. 카사르의 신분이 높은 만큼 이 거래는 미하엘에게 불리할 수밖에 없었다. 그러나 이 패만 잘 쥐고 있다면 자신의 위치가 압도적으로 유리했다.

"굳이 살려서 대령할 필요가 있나? 죽여도 되는 거 아니야? 어차피 죽어 있으면 제가 어쩔 거야? 나한테 따지기라도 할 거야? 내가 지 비밀도 알고 있는데?"

제 유리함을 곱씹을수록 미하엘의 마음은 유리를 죽이는 쪽으로 기울었다. 유리가 프리우스에 나타난 이후 겪었던 굴욕의 세월이 주마등처럼 스쳐 지나갔다. 그 원한을 갚는 가장 확실한 방법은, 자신이 직접 저 계집을 난도질 해 죽여 버리는 것이다.

"그래, 까짓 내가 죽이지 뭐. 황태자에겐 시체나 파먹으라고 해야겠어."

어느덧 진녹색의 눈동자엔 광기에 가까운 살의가 일렁이기 시작했다. 손에 든 술을 벌컥벌컥 기울인 미하엘이 자리에서 일어났다. 그의 손은 슬금슬금 탁자 위에 있는 단도로 향해갔다.

'미하엘 프리우스. 공녀님을 죽일 셈인 거야.'

지나는 미하엘의 마음이 한쪽으로 기운 것을 눈치채고 암기를 움켜쥔 손에 힘을 주었다. 그녀는 재빠르게 동선을 파악했다. 공기가 얼어붙는 듯한 긴장감이 밀려왔다.

"공자님! 황태자가 왔습니다!"

그때였다. 밖에서 망을 보고 있던 사내가 다급하게 방 안으로 뛰어들어왔다. 어떻게 유리를 죽일지 고심하던 미하엘이 화들짝 놀라 돌아섰다.

"뭐야, 왜 이제 와?"

열린 방문으로 아스라이 웅성거리는 소리가 들려왔다. 인상을 쓴 채 유리와 열린 문을 번갈아 바라보던 미하엘이 단도를 제자리에 놓았다.

"뭐, 그래. 그냥 황태자에게 넘기지 뭐."

뭐, 이왕 이렇게 된 거 그냥 편하게 생각하기로 했다. 계집을 제 손으로 죽일 방법이 아예 없는 것도 아니었다. 그 방법을 떠올리며 그는 실실 웃었다.

"흥정을 해야겠어. 비밀을 지켜 줄 테니 저년의 목을 내가 꺾겠다고. 미치지 않고서야 내 말을 듣겠지. 입 다물어 주는 대가로 그 정도면 싼 거 아냐?"

미하엘은 방 안에 두 사람을 감시할 사람도 남기지 않고 방을 나갔다. 계집 종 따위가 무엇을 할 수 있겠냐 싶어서 그런 거지만, 완전히 오판이었다.

지나는 그들이 나가자마자 달려가 살짝 문을 열었다. 어렴풋이 카사르의 목소리가 들리는 듯도 싶었다. 저도 모르게 안도의 한숨이 새어 나왔다.

"공녀님! 저예요! 정신 좀 차려보세요!"

유리는 여전히 의식을 차리지 못하고 있었다. 지나는 칼로 얼른 유리의 손을 묶은 밧줄을 풀었다. 이내 차갑게 식은 그녀의 몸을 주무르기 시작했다. 유리의 몸에 한결 온기가 도는 걸 느끼며, 간절하게 기도했다.

'빨리 오세요. 전하. 제발요!'

*

"어서 오십시오. 태자 전하. 아주 바쁘셨다고 들었는데, 얼굴이 퍽 좋아 보이십니다. 하하."

미하엘은 저택 회랑에서 기다리고 있던 카사르를 보며 실실 웃었다. 그의 방자한 태도에 카사르를 호위하던 기사들의 기세가 일순 사나워졌다. 그러거나 말거나, 미하엘은 여유만만이었다. 카사르가 이곳에 찾아온 이상 거래의 주도권은 그에게 있었다. 상대가 설령 황태자라 하더라도 계집을 얻고 싶으면 제 말에 따라야 했다.

"미하엘 프리우스. 그대는 눈앞에 계신 분이 누구신지 모르는가? 장차 제국을 이끄실 아살론의 태자전하시다. 응당 마땅한 예를 갖추어야 할 것을!"

끝이 없는 듯 뻗어나가던 미하엘의 자신감을 꺾은 건 루한의 서릿발 같은 호령이었다. 그 기세에 놀란 미하엘이 순간 움찔하여 루한을 바라보았다. 무척이나 사나운 상대의 눈빛에 저도 모르게 시선을 피했다.

'에이 씨, 뭐야. 저 인간들. 왜 저렇게 험악해?'

문제는 루한만이 아니었다. 카사르와 눈이 마주친 미하엘이 흠칫했다. 낮게 가라앉은 눈빛이 마치 서늘한 불과 같았다. 숨을 조이는 듯한 압박감에 미하엘은 자신이 유리한 상황임에도 불구하고 먼저 꼬리를 내렸다. 괜히 상대를 자극한 것은 아닌지 순간 후회가 되었다.

"아, 예. 송구합니다. 프리우스 가문의 장자, 미하엘 프리우스입니다. 제국의 태양이신 황태자 전하를 뵙습니다."

"미하엘 프리우스. 나를 보자고 한 정확한 이유가 무엇이지?"

미하엘의 태도 변화에도 불구하고, 카사르의 싸늘한 기세는 변하지 않았다. 카사르가 구겨진 종이를 휙 던졌다. 발치에 나뒹구는 종이를 바라보는 미하엘의 눈이 커졌다. 오늘 아침, 그가 카사르에게 보낸 서신이 분명했다.

"설마, 이 서신의 내용이 참인가?"

"저, 전하."

"누이를 죽이고 싶은데 혼자는 겁이 나니, 내게 누이의 피를 뒤집어쓰라는 것. 그게 그대가 의도한 바가 맞는가?"

나직하면서도 무척이나 엄혹한 목소리였다. 짙푸른 눈동자에 경멸이 어린 걸 깨달은 미하엘은 또 한 번 당황했다. 카사르가 제 제안에 이리 부정적인 반응을 보일 줄은 상상도 못 했던 것이다.

"어, 예, 맞습니다만."

그에 카사르가 뿌득 이를 갈았다. 미하엘이 흠칫 놀라 입을 꾹 다물었다. 그런 미하엘을 바라보는 카사르의 눈빛이 점차 사나워졌다. 그는 실제로 엄청나게 불쾌했다. 이 모든 것이 공녀를 잡아 두었다는 미하엘의 서신 때문이었다.

프리우스 저택에서 나온 후 그는 곧바로 황궁으로 향했다. 제자리로 돌아가 제대로 복수를 하기로 결심한 만큼, 한시라도 빨리 태자 자리로 복귀해야 했다.

갑자기 사라졌다가 나타난 황태자의 모습에 황궁은 한바탕 난리가 났다. 루한은 그가 돌아왔다는 소식을 듣자마자 미친 사람인 양 태자궁으로 달려왔다. 삼 일만에 본 얼굴을 삼 년 만에 보기라도 하듯 그를 붙잡고 엉엉 울었다. 모든 것이 제 죄라며 무릎까지 꿇고 속죄하는 모습에 카사르는 당황했다. 이내 진심으로 저를 걱정하는 친우의 마음을 깨닫고 그를 달래었다. 유리를 잃은 건 여전히 고통스럽지만, 지금처럼 힘이 되어주는 이들이 있다면 견딜 수 있을 것 같기도 했다. 황제는 아무 말도 없이 떠난 아들에게 그 어떤 힐난도 하지 않았다. 용서를 빌러 온 그의 손을 잡고 모든 것을 이해한다며 따뜻한 위로를 건넸다.

황제는 그에게 바론의 약혼을 허락했다는 말도 했다. 마음이 어지러운 시기에 이런 결정을 해 미안하다는 사과와 함께였다. 절대 그렇게 생각하지 마시라 했다. 아들의 혼인을 허락하는 건 황제의 마땅한 권리였다. 바론의 약혼이 제게 불리하게 작용할 거란 생각도 하지 않았다. 그는 이제 수단 방법을 가리지 않고 바론을 파멸시킬 터였다. 약혼 따위는 별 걸림돌이 되지 않았다. 다만 마음에 걸리는 게 있기는 했다. 리디아 프리우스, 그 여자가 받을 상처였다.

─태자 전하. 거래를 원합니다. 리디아 프리우스를 죽이고 싶으시다는 거 압니다. 복수를 도와드릴 테니 아래에 적힌 주소로 오시지요. 계집을 넘기겠습니다. 대신 제 안전을 보호해 주십시오.

그가 미하엘의 서신을 본 건 마침 그가 프리우스 공녀에 대해서 생각하고 있을 때였다. 타이밍이 워낙 기가 막혀 그는 처음엔 이게 바론의 속셈은 아닌가 싶었다. 불과 몇 시간 전에 본 공녀가 납치되었다니 믿기지 않았던 것이다. 혹시나 싶어 그는 프리우스로 사람을 보냈다. 지나라면 분명 진실을 알고 있을 테니까. 한데 프리우스 저택엔 프리우스 공녀도, 지나도 없었다. 대신 지나가 공녀의 방바닥에 남긴 비밀 표식만 있었다.

─공녀가 납치 ─ 구해야 ─

무척이나 급박한 상황이었는지 표식은 채 완성되지 않은 채였다. 그 보고를 듣자마자 카사르는 출발 준비를 했다. 바론에게 알릴 생각은 애당초 하지 않았다. 그는 바론의 능력도, 그의 마음도 믿지 않았다. 괜히 앞뒤 안 가리고 덤볐다간 공녀가 다칠 수도 있었다. 게다가 섣불리 이 일을 알렸다간 괜히 공범으로 몰려 역풍을 맞을 수도 있다는 우려도 들었다.

"설마 제 제의를 거절하시는 겁니까? 하! 그럼 그만두십시오. 계집이야 원래 자리로 돌려보내면 됩니다. 약에 취해서 오늘 일은 기억도 못 할 테니까요. 까짓! 그래요. 그렇게 합시다! 그럼 저 계집은 황자 전하와 약혼을 하겠죠. 태자 전하가 원하는 게 그거 아닙니까?"

카사르의 반응이 영 마뜩찮자 미하엘은 전략을 바꿨다. 상대가 기싸움을 하고 있다 판단하고 강하게 나간 것이다. 처음엔 좀 두려웠지만 허세를 부리면 부릴수록 자신이 유리하다는 걸 새삼 실감했다. 카사르는 미하엘의 눈빛이 다시 한번 자신만만하게 바뀐 걸 보며 피식 웃었다.

"아델바오르 백작. 준비한 것을 꺼내지."

"예. 전하."

루한은 품속에서 돌돌 말린 종이를 꺼냈다. 미하엘은 미심쩍게 그것을 펼쳤다가, 안에 써 있는 내용을 보고 눈이 휘둥그레졌다.

"허, 이, 이게 사실입니까?"

고급스러운 종이 안에는 이번 '거래'에 대한 내용이 담겨 있었다. 프리우스 공녀를 받는 대신 미하엘의 안전을 보장한다는 것이다. 미하엘은 거래를 걷어찰 것처럼 굴던 카사르가 증서까지 미리 준비해 온 것에 얼떨떨하면서도 기분이 좋아졌다.

"써 있는 그대로다. 공녀는 내가 데려가도록 하지. 공녀의 끝을 어찌 낼지는 내가 결정하면 되겠지?"

"쿡쿡. 당연하지요. 전하의 마음대로 하십시오. 살리든 죽이든, 고문을 하든 전하 뜻대로 하시면 됩니다."

미하엘은 싱글벙글 웃으며 증서를 품속에 넣었다. 당연히 카사르가 누이를 살릴 거라곤 상상도 안 했다.

카사르가 미쳤는가? 제 앞길을 막을 여자를 살려 보내게.

"이쪽으로 오시지요."

뜻하지 않은 횡재에 취해있기 때문에 미하엘은 눈치채지 못했다. 카사르의 눈짓에 따라 저택 곳곳으로 스며드는 비야의 움직임을. 그들이 노리는 것이 바로 미하엘 품속에 있는 증서라는 것도. 전부다.

"공녀의 상태는 어떻지?"

"뭐, 숨은 붙어 있습니다."

실실거리며 답하는 미하엘의 모습에 카사르의 얼굴에 불쾌함이 어렸다. 아니, 불쾌한 걸 넘어서 불길하기까지 했다.

5장

이해할 수 없는 일이었다. 그는 그저 인도적 차원에서 공녀를 구하려는 것이다. 바론에게 원한이 있다고 그 반려를 해치는 똑같은 수준이 되고 싶진 않았으니까. 지나의 약 때문에 공녀가 아프게 된 것도 마음이 쓰였다. 텔로스를 사용하는 게 그의 명은 아니었지만 수하의 잘못은 주인에게도 책임이 있었다.

"거래의 기본은 알고 있겠지. 공녀의 상태가 좋지 않으면, 이 거래는 끝이야."

"걱정하지 마십시오. 알겠습니다."

살릴 생각도 없으면서 상태가 뭐 그리 중요하단 말인가?

미하엘은 속으로 불만을 삼키며 카사르를 앞장섰다. 어두컴컴한 복도를 지나 굳게 닫힌 문이 보였다. 그 순간 기묘한 예감에 카사르가 눈을 깜빡였다. 쿵쿵쿵. 심장이, 터질 것처럼 뛰었다.

"여기에 있습니다."

영원처럼 느리게 열리는 문 틈 사이로 창백하게 질린 공녀의 얼굴이 제일 먼저 보였다. 그는 홀린 듯 그 자리에 섰다.

"전하!"

공녀의 곁을 지키던 지나가 다급하게 그를 부르며 자리에서 일어나는 것이 보였다. 그 부름이 마치 이곳이 커다란 회랑인 양 윙윙 울렸다.

"전하! 이것 좀 보세요!"

지나가 반짝이는 뭔가를 내밀며 그에게 달려왔다. 미하엘이 무어라 소리를 치며 그 앞을 막으려 했고, 그와 동시에 기사들이 미하엘의 두 팔을 붙잡았다. 그는 그 어지러운 혼란과 전혀 상관없는 양 공녀에게서 눈을 떼지 못했다.

"공녀가 전하의 초상화를 가지고 있었어요! 전하가 찾던, 그분일지도 몰라요!"

*

"영애의 상태는 어떠한가. 심각한 건가?"

"모르겠어요. 백작님. 맥박은 안정적인데 체온이 너무 낮아요. 약 때문에 그런 거 같은데, 해독을 못 하겠어요."

유리를 살피던 지나가 울상이 되어 말했다. 곁에 있던 루한이 깜짝 놀라 되물었다.

"해독을 못 한다니. 해독이 불가능하다는 뜻인가?"

"그게 아니고요. 약이라는 게 너무 많이 쓰면 약이 될 게 독이 되기도 하거든요. 일단 의원이 와야 해요. 그나저나 어쩌죠? 공녀님이 정말, 설마 그분이라면……."

"쉿! 그건 전하께서 판단하실 일이야. 다른 생각 말고 일단 치료에만 집중해."

루한의 조언에도 불구하고 지나는 유리를 향한 걱정에 어쩔 줄을 몰랐다. 두 사람이 대화를 나누는 동안 카사르는 한마디도 하지 않았다. 그저 음울한 눈빛으로 정신을 잃은 유리를 바라볼 뿐이었다. 이 여자가 정말 유리일까. 믿고 싶으면서도 믿고 싶지 않았다. 이 여자가 만일 유리라면, 그가 영혼을 팔아서라도 되살리고 싶었던 여자가 멀쩡히 살아 있는 것이다. 기뻐해야 마땅한 일이건만 그는 도저히 기뻐할 수가 없었다.

왜 하필 이 여자가 유리일까. 아니, 이 여자가 유리가 맞기는 한 걸까. 그가 가라앉은 눈으로 펜던트 뚜껑에 음각된 글씨를 내려다보았다. M, 그리고 V. 처음 보는 물건이 아니었다. 리사, 가짜 유리가 가지고 있던 어머니의 유품이 분명했다. 이걸 대체 왜, 이 여자가 가지고 있는 걸까. 펜던트 안 초상화를 본 그의 눈빛이 더욱 가라앉았다. 기쁘기는커녕 온갖 물음표만이 머릿속에 가득했다. 이 여자가 정말 유리일까? 유리가 정말, 그의 초상화를 보고 사랑하는 사람이라 했을까? 카사르는 고개를 저었다. 솔직히 믿을 수가 없었다. 차라리 이 모든 것이 바론의 함정이라는 게 그럴듯했다.

"윽……."

낮은 신음에 그가 움찔하며 유리를 보았다. 유리는 여전히 의식이 없었다. 종종 눈을 뜨긴 했지만 아무것도 알아보지 못하고 다시 정신을 잃었다. 얼어붙은 그의 눈동자가 창백하게 젖은 뺨에 가 닿았다. 얼핏 보아도 상태가 별로 좋지 않은 것 같았다. 지나가 응급처치를 하긴 했지만 역부족인 듯싶었다. 지나가 발을 동동 구르며 말했다.

"전하! 의원께서는……."

"사람을 보냈어. 금방 올 거다."

그는 조금 망설이다 손을 들어올렸다. 머뭇대던 손길이 이내 유리의 이마를 짚었다. 차가운 감촉에 움찔하면서도 그는 그대로 있었다.

"열은 없으니 큰 걱정은 마라."

그는 그리 말하며 황급히 손을 떼어냈다. 방금의 행동은 이 여자가 유리라 믿었기 때문이 아니다, 혼자 종종대는 지나가 안쓰러워 잠시 도운 것뿐이다, 그리 생각하면서도 그녀의 열을 쟀던 손바닥은 불이 붙은 듯 뜨거웠다.

'미치겠군. 정말.'

유리의 열을 쟀던 손을 내려다보며 그가 이를 사리물었다. 긴 흉터가 남아 있는 손바닥이 파르르 떨렸다. 그는 제 동요가 두려움 때문이란 걸 깨닫고 쓰게 웃었다.

'믿고 싶지 않으면서도 저 여자가 걱정되긴 하는구나.'

불과 하루 전까지 그는 지옥에 있었다. 가까스로 죽지 않고 살아 돌아왔건만, 희망이 또 한 번 그에게 손짓했다. 그는 선뜻 그 손을 잡을 수가 없었다. 희망 뒤에 또다시 참혹한 벼랑이 기다리고 있을까 두려웠다.

─전하. 그 여자는 죽었어요.

눈앞의 여자가 제게 '유리의 죽음'을 선언하던 순간이 여전히 생생했다. 영혼이 송두리째 갈리는 듯한 끔찍한 경험이었다. 그랬던 여자가 제 초상화를 보고 사랑하는 사람이라 했다고? 그는 믿을 수가 없었다. 믿기엔 지나치게 달콤한 꿈이었다. 꿈이 달수록 그 뒤에 기다리는 지옥이 얼마나 끔찍한지 그는 누구보다 잘 알았다.

'혹시 이 모든 게 바론의 음모는 아닐까.'

충분히 설득력 있었다. 바론은 그를 함정에 빠트리기 위해서라면 설령 제 약혼녀라도 얼마든지 이용할 수 있는 위인이었다. 어쩌면 미하엘에게 부러 오찬 소식을 흘렸을 수도 있다. 그가 자극을 받고 극단적인 행동을 하길 기다렸을지도 모른다.

'내가 분명 이 여자를 죽일 거라 생각했겠지. 황자비 시해 죄라도

뒤집어씌우겠다, 이건가.'

극단적인 가정이기는 했다. 어쨌든 이 여자를 유리라고 믿는 것
보단 신빙성이 있었다. 그리 생각하면서도 그는 자꾸만 여자에게
로 향하는 시선을 멈출 수가 없었다. 여자의 마른 입술은 파리하게
질려 있었다. 무심함을 가장하려던 눈빛에 또 한 번 왈칵 두려움이
어렸다. 만일 저 여자가 진짜 유리라면? 저 여자가 아픈 것이, 그의
수하가 사용한 약 때문이라면?

도저히 참을 수 없어진 그가 벌떡 자리에서 일어났다. 무서워서
미칠 것 같았다. 지나가 유리의 머리 밑 베개를 세우고 약을 먹이려
는 게 보였다. 한데, 자꾸만 고개가 툭 떨어져 내렸다. 초조하게 그
모습을 보던 카사르가 저도 모르게 그쪽으로 다가갔다.

"내가 하지."

그는 지나의 약을 받아들고는 유리의 몸을 조심스레 끌어안았
다. 까라지는 고개를 제 가슴으로 기대는데 그녀의 뺨이 닿은 곳이
쿡 하고 아팠다. 그는 이를 악물곤 유리의 입가에 조심스레 약을 흘
려 넣었다. 이젠 진짜 미칠 지경이었다.

"괜찮겠지요?"

불안하여 묻는 지나의 모습에 카사르는 아무 말도 하지 않았다.
괜찮겠지. 괜찮아야만 했다.

여자의 땀에 젖은 이마에 머리칼이 달라붙어 있었다. 그는 조금
떨리는 손으로 그녀의 이마를 닦아 내었다.

"전하! 제게 이러실 순 없습니다! 계집을 넘겨 드렸잖습니까! 제
게! 윽! 놔! 이 개새끼들아!"

사지가 결박당한 미하엘이 절 붙잡은 손을 뿌리치며 발악을 했
다. 펜던트 속 초상화를 보기 전까지만 하더라도 그는 자신이 이런
대접을 받으리라곤 상상도 못 했다. 미하엘은 두 눈이 시뻘겋게 달

아오른 채 다시 악을 썼다.

"거래를 했잖습니까! 내 안전을 지켜 주겠다고! 복수를, 윽, 놔! 도왔잖아! 착한 척 말라고! 어차피 그 여잘 죽일 거잖아!"

귀가 아플 정도로 큰 고함에 유리의 미간이 움찔했다. 그 모습을 보는 카사르의 눈빛이 새파란 칼날처럼 변했다. 이내 그가 얼음처럼 차가운 목소리로 말했다.

"시끄럽군. 저 새끼 치워."

싸늘하게 미하엘을 응시하던 카사르가 다시 유리에게로 고개를 돌렸다. 그의 눈빛은 언제 그랬냐는 듯 금세 애틋해졌다. 사실 나는 네가 누구인지 모르겠다. 그래도, 일단은 살려야겠다.

"지하 감옥이 있더군요. 그 곳에 가두도록 할까요?"

"어디든. 닥치게 만들어."

유리를 방해하지 못하게.

"뭐? 날 가둔다고?"

그 말에 미하엘은 이성이 완전히 날아가 버렸다. 기대했던 귀한 대접은커녕 목숨이 간당간당할 지경인데 제정신일 리 없었다.

"이런, 씨발! 카사르! 잘난 척하지 마. 당신! 사람들을 속였잖아! 앞도 못 보면서, 괜찮은 척! 큭! 정상인 척! 병을 숨겼잖아! 장님 황태자라니, 황제가 되겠다니! 그게 말이 돼! 진실을 알면 세상이 가만히 있을 것 같아!"

그와 동시에 방 안엔 묵직한 정적이 내려앉았다. 카사르는 무표정하게 사람들의 경악을 훑었다. 뒤늦게 정신을 차린 수하가 얼른 미하엘의 입을 틀어막았다. 카사르가 손짓으로 기사를 제지했다. 미하엘이 어디까지 알고 있는지, 확인해야 했다.

미하엘이 이를 뿌득뿌득 갈며 저주하듯 말했다.

"그래, 그때부터 알아봤어야 했어. 어쩐지 저 계집이 네 증상을 알고도 입을 꾹 다물더라니. 제 약혼자의 정적을, 크윽, 지켜 주려는 게 말이 돼? 그때부터 알아봤어야 했어! 너희 둘 뭐야, 무슨 사이야!'

그 말에 카사르가 아, 낮은 탄식을 내뱉었다. 맞다. 그동안 유리의 흔적을 쫓느라 미처 생각하지 못했다. 바론은 아직도 그의 증상을 모르고 있었다. 이 여자가 그의 비밀을 지켜 주었단 뜻이었다. 공녀가 유리가 아니라면 그를 지켜 줄 이유가 무엇이란 말인가? 심지어 그가 약혼자에게 칼까지 휘둘렀는데? 묵직한 깨달음에 카사르가 침음을 삼켰다.

"……이제 됐어."

"예. 알겠습니다."

기사들은 재빨리 미하엘의 입에 재갈을 물렸다. 짓누르다시피 하여 끌고 갔다. 미하엘의 지위를 생각하면 무척이나 처참한 꼴이었지만 카사르는 신경 쓰지 않았다. 그저 이 세상에 품 안의 여자만 존재하는 듯했다. 이젠 정말 이 여자가 유리인 것 같기도 했다.

"전하. 아델바오르에서 사람이 왔습니다."

"당장 들여보내."

"예, 알겠습니다."

점점 가까워지는 발걸음 소리를 들으며 그가 유리를 침대에 눕혔다. 조금 망설이다 창백하게 질린 뺨을 한번 감쌌다. 침대 위에 놓인 펜던트를 집어 들었다. 심장은 제 것이 아닌 양 폭주하기 시작했다. 드디어 확인할 수 있을 것이다. 이 여자가 누구인지.

"저, 전하. 안녕하세요. 오랜만이에요. 아니, 오랜만입니다."

문이 열리자 리사가 어색한 미소를 지으며 인사를 했다.

리사는 아델바오르 저택에서 아이와 낮잠을 자다가 갑자기 이곳에 오게 된 참이었다. 그 연유는 몰랐지만 크게 걱정하진 않았다. 카사르는 그녀의 은인이고, 은인이 제게 해를 끼치지 않을 거란 믿

의 정체를 알아야 했다.

"우린 지금 간절히 리사 님 도움이 필요해요. 제발 도와주세요."

"윽, 으윽. 죄송, 해요."

"절 믿으세요. 유리 님에 대해서 솔직히만 말해 주세요. 우릴 도와주면, 전하께서도 진정하실 수 있어요."

지나의 침착한 대응에 리사는 차츰 안정을 찾아갔다. 연신 카사르의 눈치를 보며 입술을 달싹였다.

"그, 그게……."

"대체 언제, 어떻게 유리 님의 정체를 알게 된 거예요? 언제요?"

카사르에겐 두 사람의 대화가 들리지도 않았다. 간절히, 그 단어에 이성이 완전히 날아가 버릴 것 같았다. 그의 입매가 고통스럽게 일그러졌다. 유리의 거부는 아무리 겪어도 익숙해질 수가 없었다.

그는 고개를 저었다. 아니, 지금은 그따위 생각을 할 때가 아니다. 그는 얼른 몸을 돌려 유리에게로 향했다. 여전히 의식이 없는 모습에 속이 뭉그러질 것 같았다. 그는 유리의 상체를 안아들며 다급히 말했다.

"의사가 올 때까지 못 기다려. 차라리 내가 데리고 움직이는 게 낫겠어. 지금 당장 마차를 준비해. 어서!"

"곧 테온 경이 올 겁니다. 잠시만 기다리십시오, 전하. 잘못하다 간 길이 어긋날 수 있습니다."

루한의 만류에 카사르가 질끈 눈을 감았다. 진정이라, 그래야 한다는 걸 머리로는 알았다. 그러나 가능할 것 같지 않았다. 그는 그녀의 맥을 확인하고자 목덜미를 짚었다. 제 손이 덜덜 떨리는 걸 보며 이를 사리물었다.

"우연히 저분 펜던트를 주웠어요. 그 안에, 전하가 쓰신 편지가 담겨 있었어요. 그래서 알았어요. 저분이 유리 님이라는 걸요."

"펜던트요? 언제요? 어디서요?"

리사는 지나의 물음에 움찔하며 입을 다물었다. 펜던트를 발견한 곳은 아이의 침대 옆이었다. 그 만남을 설명하려면 유리가 제 아이를 보고 울었단 것까지 말해야 했다. 리사의 겁먹은 눈동자가 카사르에게로 향했다. 유리의 유산에 대해 밝혀도 될지 말지, 감이 잡히지 않았다.

─나는 그 사람 아이를 죽이려 했어요. 너무나 끔찍했으니까.

예전엔 카사르가 무조건 죽은 아이에 대해서 알아야 한다고 생각했다. 그래야 유리의 슬픔을 나눌 수 있을 테니까. 그러나 유리의 고백을 듣고 나서는 마음이 바뀌었다. 딸을 가진 어미로서 리사는 제 아이를 죽이려 했을 유리의 마음을 도저히 이해할 수가 없었다.

둘 사이에 대체 얼마나 끔찍한 인연이 있을지도 짐작조차 할 수 없었다. 사랑했던 여자가 제 아이를 유산한 걸 알게 된다면 카사르는 분명 안타까워할 것이다. 그런데 만일 그 여자가 제 아이를 '죽이려'했다는 것까지 알게 되면? 그래도 그 여자를 사랑할 수 있을까?

"그, 그게요. 아델바오르 저택에서 우연히 봤어요."

리사는 힘없는 평민이고 카사르는 다음 보위에 오를 황태자였다. 만일 카사르가 이번 일을 빌미로 그녀에게 큰 벌을 내린다면 리사가 기댈 수 있는 사람은 유리밖에 없었다.

한데, 만일 유리가 죽은 아이 때문에 카사르의 눈 밖에 난다면? 그럼 대체 누가 저를 구해 줄 것인가?

"공녀님이 지나가시다 뭘 떨어트리셨어요. 돌려주려고 집어 들었는데 펜던트가 열려 있더라고요. 우연히 그 안에 담긴 편지를 봐서 알게 되었어요."

리사도 자신의 선택이 너무도 이기적이라는 걸 알았다. 하지만 어쩔 수가 없었다. 그녀에겐 채 한 살도 되지 않은 딸이 있었다. 딸의 목숨을 걸고 모험을 할 순 없었다. 두 사람의 문제는 두 사람의 몫으로 남겨놓고 어떻게든 이 자리를 살아서 떠나야만 했다.

"사랑하는 유리에게, 라고 시작된 편지였어요. 발신인은 전하셨고요. 그래서 공녀님이 전하가 찾던 분이라는 걸 알았어요. 그분 자리를 빼앗긴 했지만, 편지만큼은 돌려 드리고 싶었어요. 소중하게 간직하던 물건인 거 같았으니까. 그래서 연회 날 공녀님을 찾아갔던 거예요."

진실을 숨기면서도 죄책감은 무럭무럭 자라나 맘 약한 리사의 속을 채웠다. 아이에 대해서 말하지 않는 대신, 편지에 대해서만큼은 똑바로 전하고 싶었다. 리사의 말에 카사르가 도저히 믿을 수 없다는 듯 입술을 달싹였다.

"편지라니, 설마 유리가 그 편지를 아직도……."

그녀가 사라지기 전날 밤, 그는 처음이자 마지막으로 그녀에게 편지를 썼다. 오전에 잠시 일이 있어 마을에 내려갔던 유리는 해가 저물 때까지 돌아오지 않았다. 어느새 억수같이 쏟아지는 빗줄기에 그는 점점 걱정이 되기 시작했다. 유리를 찾으러 가고 싶건만, 앞을 볼 수 없기에 섣불리 움직일 수도 없었다. 유리가 위험에 처했을지도 모르는데 움직이지 못하는 자신이 얼마나 원망스러웠던가. 그러다 결국엔 참지 못하고 폭우가 쏟아지는 암흑 속으로 걸어 들어갔다. 자신이 걷는 길이 진짜 유리를 향한 길인지 알지도 못한 채로 그는 걸었다. 우산도 들지 않고 기억 속에 남아 있는 길을 더듬어 가며 목이 터져라 유리를 불렀다. 젖은 흙길에 미끄러지면서도 아픈 줄도 모르곤 몇 번이나 다시 일어났다. 상실된 시각 대신 평생을 단련한 감각들이 오직 한 여자만을 쫓았다. 그러던 중, 미약한 신음에 들렸다.

―윽…….

―유리야!

　산길 어딘가에서 유리는 정신을 잃은 채 쓰러져 있었다. 얼음장처럼 차가운 체온을 만졌던 순간을 기억한다. 조금만 늦었다면, 정말 큰일이 벌어졌을지도 모른단 생각에 순간 숨을 쉴 수 없을 정도로 아찔했다. 유리를 집으로 데려와 젖은 옷을 갈아입히고 데운 돌로 체온을 유지시켰다. 제 몸 역시 유리 못지않게 상태가 나빴지만 신경 쓸 겨를이 없었다.

　집으로 돌아온 뒤에도 유리는 한마디도 하지 않고 소리 없는 눈물만 흘렸다. 뭔가, 아주 큰일이 벌어진 게 분명했다. 몇 번이고 이유를 물었지만 유리는 끝끝내 침묵을 지켰다. 제 여자가 우는 모습도 보지 못하는 자신이 원망스러웠다. 하여 그녀가 잠들었을 때 편지를 썼다. 언젠간 널 꼭 지켜 줄 수 있을 거라며, 투박하지만 마음이 담긴 편지를 썼다. 그리고 다음 날, 유리는 사라졌다.

　"대체 왜……."

　유리를 바라보는 그의 눈빛이 혼란스럽게 변했다. 그녀가 그의 편지를 가지고 있었다는 게 믿기지 않았다. 정말, 그를 여전히 사랑하고 있기라도 한 걸까. 그는 저도 모르게 고개를 저었다. 저를 사랑하는 여자가 저를 지옥으로 밀어 넣었다는 게 말이 안 되었다. 혼란스럽게 그녀를 바라보던 그가 묘한 감촉에 흠칫하여 손이 닿은 곳을 바라보았다. 저도 모르게 유리의 손목을 붙잡고 있었다.

　―십 년 정도 되었나. 어머니께서 돌아가시고 극단적인 선택을 했어요.

　이 상처가 십 년 전 생겼다고? 그럴 리가 없었다. 그는 유리의 몸에 대해선 속속들이 다 알았다. 이렇게 깊은 상처가 있었다면 몰랐을 리 없었다. 그리고 그 순간, 작게나마 그녀를 원망하는 마음은 모두 사라져 버렸다.

그가 없는 지난 삼 년 동안 아주 큰일이 벌어진 게 분명했다. 그의 눈빛이 아프게 변했다. 대체 무슨 일이 있었던 걸까? 그의 빛이 되어주던 여자가, 어찌하여 가장 절망적인 이들이나 할 법한 선택을 했단 말인가?

"환자는 어디에 있습니까?"

"절 따라오십시오. 전하께서 기다리고 계십니다."

창밖에선 마차 멈추는 소리, 사람들의 대화 소리가 연이어 들렸다. 테온이 방 안으로 들어올 때까지 그는 유리에게서 시선을 떼지 못했다. 진맥이 시작되자 또 다른 긴장에 숨이 멎을 것 같았다. 이제야 겨우 만난 여자를 다시 잃을지도 모른다는 공포가 목을 조였다.

"다행입니다, 전하. 공녀님 상태가 위중하진 않습니다. 약을 여럿 복용한 것이 문제입니다만, 이 아이가 응급처치를 아주 잘 한 것 같습니다. 마취약 때문에 체온이 좀 떨어졌습니다만, 금방 해결이 될 겁니다."

희망적인 진단에 카사르는 가까스로 고개를 끄덕였다. 거인이 심장을 움켜쥔 듯, 제 운명이 또 한 번 유리에게 종속되었음을 실감했다. 마지막으로 확인하여야 할 것이 있다. 그는 유리의 손목을 보이며 물었다.

"테온 경. 확인해야 할 것이 있네. 이것이, 언제 생긴 흉터인지 알 수 있겠는가?"

"허. 이런."

가느다란 손목에 깊게 팬 상흔은 경험 많은 황궁의조차 당황시켰다. 그는 신중하게 상처를 살핀 뒤 말했다.

"정확한 시기는 알 수 없습니다. 상처가 난 시기보다, 치료 시기가 흉터를 결정하기 때문입니다."

"내게는 십 년쯤 된 상처라고 했소."

"그건 아닙니다. 그리 어렸을 때 난 상혼이 이리 깊을 수는 없습니다. 패인 부분이 자라면서 어느 정도 얕아지기 때문이지요. 길어야 삼사 년입니다."

단호한 답에 카사르가 이를 사리물었다. 혹시나 했는데, 역시나였다.

"저, 테온 님. 공녀님 어깨도 좀 봐주세요."

"무슨 일 있더냐?"

"아까 미하엘이 공녀님을 밀쳤어요. 어깨부터 바닥에 부딪혔는데 엄청 아파하셨어요."

지나의 고자질에 카사르의 안광이 새파랗게 빛났다. 미하엘의 최후가 정해진 순간이었다.

"알겠다. 전하, 치료를 해야 하니 일단 주위를 물려주시지요."

치료에 필요한 최소한의 인원만 남자, 지나가 유리의 앞섶을 조심스럽게 풀었다. 이불로 가슴 앞쪽을 가린 뒤, 어깨를 덮은 드레스 자락을 내렸다. 가느다란 어깨가 붉게 물들어 있는 게 보였다.

카사르의 얼굴이 험악하게 일그러졌다. 숨 넘어가는 심정이란 게 이런 것인가 싶었다.

"뼈에는 이상이 없습니다. 단순 타박상이니 금방 가라앉을 겁니다."

테온은 유리의 어깨를 움직여 뼈의 상태를 확인한 후 연고를 지나에게 넘겼다. 지나는 세심하게 상처 위에 약을 바른 뒤 유리의 옷을 정리했다.

두 사람 모두 유리에게 향하는 손길이 무척이나 조심스러웠다. 그들에게 유리는 이미 주인의 반려나 매한가지였다. 밖에 있는 기사들 역시 같은 생각을 하고 있었다.

"일단은 안정이 제일 중요합니다. 의식을 깨울 수는 있지만 그렇지 않은 것이 좋겠습니다. 이삼 일 쯤 지나면 의식을 회복할 겁니다. 다만, 후유증은 좀 남을 수 있습니다."

"후유증이라면?"

"큰 건 아닙니다. 아마 오늘 일은 기억하지 못할 겁니다. 만취한 사람의 기억이 끊기는 걸 생각하시면 이해하기 쉬우실 겁니다."

"그럼 다 잊는단 말이군."

유리를 내려다보는 카사르의 눈빛이 복잡해졌다.

"유리야."

지나와 테온이 나가고 그와 그녀 둘만 남았을 때, 그는 그녀를 불렀다. 아무 대답도 돌아오지 않았지만 그 자체로 충분했다. 말아 쥔 손 마디마디에 입을 맞춘 그가 속삭였다.

"네가 정말 유리인 걸까."

머뭇대던 손길이 살며시 그녀의 얼굴을 감쌌다. 마디 굵은 손끝이 그녀의 윤곽을 덧그렸다. 익숙한 감촉이 새삼 사무쳤다. 너무 아프다가도 그녀의 호흡 소리를 들으면 안도할 수 있었다. 그는 젖은 눈으로 그녀를 바라보다 피식 웃었다. 그러고 보니 전에도 이런 일이 있었다.

─발작이 일어났어. 유리야.

유리가 발작을 일으킨 날도 오늘처럼 그녀의 곁을 지켰었다. 그때는 두려움보다 기쁨이 훨씬 컸었다. 그녀가 저를 밀어내긴 했지만 계속 그러진 않을 거라 여겼다. 발작까지 알아냈으니 도망칠 수 없을 거라 생각했다.

"한데, 죽은 사람이 되어서까지 나를 떠나려 했네."

그는 쓰게 웃으며 유리의 마른 입술을 쓸었다. 푸르스름한 입술에 조금씩 혈색이 돌아오고 있었다. 유리가 간절히 제게서 벗어나려 했다고, 리사는 말했다. 듣지 않았어도 이미 알고 있는 사실이었다. 유리는 그와 함께할 생각이 전혀 없었다.

"그런데 이를 어쩌지. 나는 여전히 너를 포기할 수가 없어."

죽어서라도 그를 떠나려 했는데 실패했다는 걸 알면 유리는 어떤 얼굴을 할까. 그는 손목의 상흔을 매만지며 쓰게 웃었다. 유리가 이리 아프게 살아 왔건만 그럼에도 뛰는 맥이 기쁘기만 했다.

"이번에 눈을 뜨면 너는 또 똑같은 선택을 하겠지."

그가 제 정체를 알았다는 걸 알게 되면 유리는 반드시 그를 떠날 것이다. 물론 그는 세상 끝까지라도 그녀를 쫓을 것이다. 그러나 그건 그가 바라는 사랑이 아니었다. 그는 그녀의 몸뿐 아니라, 마음 한 자락까지 제 것이길 바랐다.

"혹시 나를 밀어내는 게 바론을 사랑해서, 그래서 그런 거야?"

지나는 유리가 그를 사랑하고 있다고 했다. 글쎄…… 그는 믿을 수가 없었다. 이제는 제 눈으로 보고, 제 귀로 듣지 않은 것은 확신하지 않기로 했다. 혹시라도 자신이 틀렸을 경우 헛된 믿음에 시간을 낭비하고 싶지 않았던 것이다. 일단, 지금은 유리가 살아 있는 것에 만족했다. 유리의 마음은 천천히 알아가면 된다. 어지러운 속을 가다듬으며 그가 유리의 손목에 입술을 대었다. 맥박 소리를 들으며 그녀가 살아있다는 걸 음미했다. 그래, 지금은 이것으로 충분했다. 모든 것을 잃어 보았기에, 단 하나에 감사할 수 있었다.

*

"미하엘이 모든 계획을 자백했어. 재활용도 안 될 개자식이더군."

카사르가 유리의 곁을 지키는 동안 루한은 미하엘을 심문했다.

"영애를 죽인 뒤 다른 사내랑 도망갔다는 누명을 씌우려 했다더군. 마약 어쩌고, 헛소리를 하던데 그건 무슨 말인지 모르겠고."

심문이 끝나자 미하엘은 악에 받쳐 자신이 공작이 되면 아델바오르를 박살 내겠다며 악을 썼다. 루한은 절대 이루어질 수 없는 꿈을 마음껏 비웃어 주었다. 미하엘은 절대로 살아서 이 저택을 빠져나갈 수 없을 테니까. 그래도 혹시 모르는 일인지라 카사르에게 미하엘의 처분을 물으러 왔다.

"미하엘은 어떻게 처리할까?"

"죽여야지."

그 단호한 선언에 루한이 고개를 끄덕였다. 당연한 일이었다. 미하엘은 절대 살려두어서는 안 될 독이었다. 만일 목숨을 붙여 돌려보냈다가는 그 독이 유리의 목을 또 한 번 조를 것이다.

루한은 감격에 겨운 눈으로 카사르 곁에 있는 유리를 바라보았다. 예전의 미움이 무색하게 루한은 유리가 정말 고마웠다. 바론의 약혼녀고 뭐고, 살아 숨 쉬는 것만으로도 엎드려 절을 하고 싶었다. 이제 유리는 루한의 인생에서 두 번째로 중요한 여자가 되었다. 첫 번째는, 당연히 엘레나였다.

"그럼 이제 바론하고 프리우스 가문 쪽이 문제인데."

두 사람의 모습을 보며 루한이 말끝을 흐렸다. 고마움은 크지만 해결해야 할 난제도 있었다. 유리는 공식적으로 황제의 인정을 받은 바론의 약혼녀였다. 두 사람이 맺어지기까진 아직도 험난한 고비가 남아 있었다. 다행히 바론은 아직 유리의 실종을 눈치채지 못했다. 아침 오찬 초대 소식이 전해진 이후, 드펜이 궁을 뒤집은 것이다. 오찬을 엎어버리겠다고 날뛰는 황후를 말리느라 궁 밖으론 한 걸음도 못 나오고 있었다. 이것만 보면 드펜에게 감사할 일이지 싶었다.

잠든 유리를 보며 카사르가 말했다.

"프리우스는 아직 유리의 실종에 대해서 모를 거야."

"그렇더군. 미하엘이 입단속을 시킨 거겠지. 하지만 이제 곧 알게 되지 않을까? 사람이 영영 사라지는데 모를 수가 없잖아."

루한은 카사르가 당연히 유리를 프리우스에서 데리고 나올 거라 생각했다. 겨우 찾은 연인을 떠나보낼 리 없기 때문이었다.

그런데 카사르의 대답은 루한의 예상과는 완전히 달랐다.

"유리는 다시 프리우스 가문으로 돌려보낼 거야."

"뭐?"

"다시 리디아 프리우스로 살게 둘 거야. 그게 그녀가 원하는 바니까."

"뭐, 뭐라고?"

담담한 선언에 루한이 경악하여 물었다.

"그게 무슨 말이야. 공녀를 원래대로 돌려보내겠다니! 리디아 프리우스는 바론의 연인이야. 게다가 폐하께선 오늘 공녀를 오찬에 초대하셨어. 그대로 두었다간 진짜 약혼을 하게 될지도 모른다고!"

"알아. 그래도 상관없어."

루한의 당황에도 카사르는 제 의견을 굳히지 않았다. 기실 약혼이 아니라 그보다 더한 것을 해도 상관없었다. 손 안의 온기를 느끼는 그의 눈에 단호한 결심이 서렸다. 이제야 마음의 정리가 되었다. 이 온기를 유지할 수만 있다면 무엇이든 할 수 있었다. 그가 붙잡는다고 해서 유리가 그의 곁에 남을까? 아니, 그렇지 않았다. 오히려 더욱 필사적으로 그를 떠나려 할 것이다. 그럴 바엔 차라리 그녀를 속여서라도 제 곁에 붙잡아 놓음이 옳았다.

"그럼 설마 공녀를 포기하겠다는 거야?"

"아니. 절대로. 때를 기다릴 뿐이야."

제 손으로 이 여자를 떠나보내는 건 분명 고통스러운 일이다. 그러나 더 큰 것을 얻을 수만 있다면 그는 얼마든지 현재를 포기할 수 있었다. 그녀가 원하는 대로 그녀는 바론의 약혼녀로, 그는 연인을 잃은 황태자로 살 것이다. 유리의 지난 삼 년을 알아내기 전까진, 그렇게 할 것이다.

"유리가 이러는 덴 분명 이유가 있을 거야. 진짜 리디아 프리우스라면 분명 알고 있겠지. 그 여자를 찾아야 해."

리디아 프리우스. 카사르는 그 여자가 유리를 돕고 있으리라 확신했다. 바론을 속일 정도로 완벽하게 다른 삶을 살기 위해선, 당사자의 도움을 받는 수밖에 없었다. 그녀를 만나면 미궁에 빠진 지난 삼 년을 알 수 있을 것이다. 어쩌면 유리의 진짜 속마음도 알게 될지도 모른다.

그러니 반드시 그 여자를 찾아내야 한다. 목표를 정한 그의 눈빛이 날카롭게 빛났다. 이제 남은 것은 단 하나. 모든 역량을 총동원하여 진짜 리디아 프리우스를 찾아내는 것뿐이었다.

"전하. 모든 준비가 끝났습니다."

갑옷 입은 기사가 찾아오자 카사르는 손수 유리를 안아 들고 밖으로 향했다. 저택 앞엔 그녀를 프리우스로 돌려 보낼 마차가 준비되어 있었다. 그 옆을 지키는 것은 수도 경비대에서 일하고 있는 비야였다.

"전하, 영애는 제가 모시겠습니다."

그는 얼른 달려와 유리를 받아들려 했지만 카사르는 고개를 저었다.

"아니, 내가 직접 하지."

그는 손수 유리를 마차에 태웠다. 먼저 마차에 타 있던 지나가 얼른 유리를 의자에 기대게 하였다. 힘없이 툭 떨어지는 고개를 보자 그의 눈빛이 금세 애달프게 변했다. 마냥 희었던 뺨에 혈색이 돌아온 것이 그나마 위안이 되었다.

"지나. 유리를 잘 부탁한다."

"걱정하지 마세요. 제가 무슨 수를 써서든 공녀님 안전하게 모실 게요."

문이 닫히고 마차가 저택을 떠날 때까지 카사르는 눈을 떼지 못했다. 마차가 완전히 사라진 뒤에야 저택 쪽으로 몸을 돌렸다.

"미하엘 프리우스의 처리가 끝났습니다."

"시체는?"

"확실히 절반만 남게 될 것입니다."

"그래. 그대로 진행하도록."

기사의 말에 카사르가 고개를 끄덕였다. 그것을 신호로 붉은 횃불이 저택 곳곳에 번져나갔다. 그는 무심한 눈길로 노란 불꽃이 저택을 집어삼키는 모습을 바라보았다.

"이제 가지."

무너지는 저택을 뒤로하며 카사르가 훌쩍 말에 올랐다. 그의 수하들 역시 빠르게 말에 올랐다.

불길보다 더욱 붉은 노을을 뒤로 한 채 카사르는 생각했다. 설령 태양이 지더라도 더는 암흑에 지지 않을 것이다. 그가 무슨 수를 써서든 모든 어둠을 몰아낼 테니까.

*

"너 지금 미쳤어? 미하엘 그 새끼 장례를 치르자고? 그 자식이 누구를 건드렸는지 잊었어? 내가 죽이지 못한 것도 짜증 나 죽겠는데, 뭐?"

"그, 그래도, 공작가의 혈육이었으니……."

"닥치지 못해!"

"큭, 죄송합니다. 전하."

411

유리가 눈을 떴을 때 제일 먼저 들린 건 바론의 고함 소리였다. 대체 무슨 일이 있었던 건지 그는 듣는 귀가 아프도록 악을 써댔다. 귀를 막고 싶었지만 손 하나 까딱할 힘이 없었다. 유리가 신음을 흘리며 베개에 고개를 파묻었다. 그때, 익숙한 목소리가 들렸다.

"윽…….."

"공녀님, 저예요. 제 목소리 들리세요?"

유리는 가까스로 눈을 떴다. 소녀가 무척이나 걱정스러운 얼굴로 자신을 보고 있었다. 입술을 열어 말을 하려는데, 목이 찢어질 것 같았다. 그녀의 상태를 눈치챈 지나가 쪼르르 달려가 물을 가져왔다.

"여기요. 저한테 기대세요."

지나는 유리의 목을 받쳐 조심스레 컵을 기울였다. 찬물이 들어가자 정신이 맑아지며 차츰 몸에 힘이 들어갔다. 지나의 부축을 받아 유리가 침대를 짚으며 일어나는데, 바론이 반색하며 다가왔다.

"리디아! 정신이 들어?"

"바론, 나, 대체 왜 이러는……."

지잉 하고 밀려오는 두통에 유리가 말을 다 끝내지 못하고 인상을 찡그렸다. 뭐가 어떻게 된 것일까. 어지러운 와중에도 유리는 필사적으로 마지막 기억을 더듬었다. 물에 퍼져나가는 물감인 양 몇몇의 얼굴들이 엉망으로 이지러져 떠올랐다. 그중에서 제일 강렬했던 건, 저를 무척이나 애달피 바라보던 카사르의 눈빛이었다.

'왜 그 사람 얼굴이 떠오르는 거지?'

유리는 멍하니 눈을 깜빡였다. 그가 저를 보며 사랑한다고 속삭이는 것도 보였다. 이제 대체 무슨 일인 걸까. 말도 안 되는 상황에 유리가 이마를 짚었다.

'설마, 그 사람 꿈을 꾼 걸까?'

유리는 반사적으로 목에 매달린 펜던트를 매만지며 생각했다. 꿈이라기엔……. 그의 얼굴이 지나치게 생생했다.

설마 그를 만난 걸까? 유리가 고개를 저었다. 그를 만난 건 아닐 거다. 그가 저를 향해 사랑한다 말하다니, 꿈에서나 가능한 일이 아닌가.

'초상화 때문인 걸까.'

유리가 아, 낮은 탄성을 뱉으며 펜던트를 움켜쥐었다. 아무래도 초상화의 여운 탓에 그의 꿈을 꾼 것 같았다. 그 생각을 하니 새삼 그의 미소가 그리웠다. 아쉬운 마음에 펜던트를 매만지는 걸 지나가 의미심장한 눈으로 보았다. 그런 유리의 상태를 살피던 바론이 걱정스럽게 물었다.

"미하엘이 너를 납치했었어. 기억 안 나?"

"납치라니. 그게 무슨……. 아니, 나 전혀 모르겠어요. 그게 대체 무슨 말이에요?"

"역시 기억이 없네. 그럴 만도 해. 그 새끼가 너한테 약을 썼거든."

바론의 설명에 유리의 눈빛에 혼란이 어렸다. 납치라니. 그런 엄청난 일을 겪었는데 생각나는 게 아무것도 없었다.

"오라버니가 나를 왜, 납치한 거예요?"

"오라버니는 무슨! 절대로 그렇게 부르지 마. 그 자식, 너를 죽이려 했으니까!"

"오라, 아니 미하엘 프리우스가요?"

"그래. 그래놓고 콱 뒈져버렸지. 빌어먹을, 내 손에 죽었어야 했는데."

그리 말하는 바론의 얼굴은 무척이나 사나웠다. 유리는 혼란스러움을 삼키며 미하엘의 죽음에 대해 들었다.

삼 일 전 미하엘 프리우스가 그녀를 납치했단다. 그러던 중 수도 경비대에게 발각이 되었고, 증거를 없앤답시고 그녀를 가두었던 저택에 불을 질렀다고 했다. 문제는 그 불이 확 번져버렸다는 데 있었다. 미하엘은 증거를 없애기도 전에 무너지는 기둥에 깔려 그 자리에서 즉사했다.

"미하엘이 완전히 미친 거지."

지난 일을 설명하는 바론의 목소리가 점점 가라앉았다. 지금 그는 그 답지않게 무척이나 음울했다. 유리를 지키지 못했다는 죄책감 때문이었다. 소유물을 잃을 뻔했을 때와는 전혀 다른 지끈거림이 며칠째 그를 괴롭히고 있었다. 그는 제 불편한 감정을 전부 미하엘 탓으로 돌렸다.

"이게 다 미하엘 프리우스, 그 자식 때문이야. 장례는 무슨! 시체라도 요절을 내 버리겠어."

유리는 멍하니 바론이 미하엘을 저주하는 걸 흘려들었다. 삼 일이 지났다는 말을 들은 순간, 그녀의 납치보다 더욱 궁금한 것이 생겼다.

'카사르. 그 사람은 지금쯤 어떻게 지내고 있을까. 여전히 힘들어하고 있을까. 지금은 괜찮아졌을까.'

리사에게 그의 소식을 들은 이후 벌써 삼 일이 지났다. 혹시라도 그에게 다른 일이 생기진 않았을까 걱정이 되었다. 물론 제게 그를 걱정할 자격이 없다는 건 안다. 그래도 사람 마음이라는 게 생각대로 움직이진 않았다. 유리는 평소보다도 훨씬 강하게 그의 안위를 걱정하는 제 상태에 당황했다.

내가 왜 이러는 걸까? 그 사람 꿈을 꾸었기 때문인 걸까?

"일단 리디아. 잠시 쉬고 있어. 나는 저 인간들하고 이야기 좀 하고 올 테니까."

유리의 이마에 살짝 입을 맞춘 바론이 밖으로 나갔다. 얼굴 곳곳에 상처가 난 기사들이 고개를 숙인 채 그 뒤를 따랐다. 문이 닫히기 무섭게 바론의 고함이 이어지기 시작했다.

"단체로 미쳤냐? 장례? 그따위 말을 또 지껄일 거면 당장 여기에서 혀 깨물고 죽어!"

유리는 그 소란을 흘려들으며 멍하니 펜던트를 내려다보았다. 오늘따라 내가 왜 이럴까? 그 사람이 왜 이렇게 그리운 걸까?

유리의 눈치를 보던 지나가 은근슬쩍 침대에서 멀어졌다. 그녀는 욕실로 들어가 욕실 정리를 하는 척하면서도 계속 유리의 행동을 유심히 살폈다. 지나가 멀어지자 유리는 조심스럽게 펜던트의 뚜껑을 열었다. 익숙한 얼굴에 그녀의 눈빛이 무척이나 아련해졌다. 손끝으로 그의 미소를 쓸며 그의 이름을 달싹였다.

"카사르……."

그와 동시에 수건을 정리하는 척 그녀를 훔쳐보던 지나의 눈빛이 변했다.

'방금 전하 이름 부른 거 맞지? 그렇지?'

사실 소리는 전혀 들리지 않았다. 입 모양이 확실한 것도 아니었다. 그래도 지나는 유리가 제 주인의 이름을 불렀으리라 굳게 믿었다. 당연한 일이었다. 전하의 초상화를 보고 할 말 또 뭐가 있겠는가? 있다면, 사랑한다는 고백 정도?

"지나야. 혹시 납치된 날 무슨 일이 있었는지 아는 거 있니? 그날의 기억이 전혀 없어."

"저도 잘 모르겠어요. 갑자기 공자님과 공녀님이 사라지셨다는 것밖에는……."

카사르의 명령에 따라, 지나도 함께 납치되었다는 것은 비밀로 하기로 하였다. 혹시라도 바론이 제 주인을 지키지 못했다는 트집을 잡아 지나를 족칠 수 있기 때문이었다. 미하엘이 죽어 짜증이 난

단 이유로 죄 없는 기사들을 후려치는 인간이라면 능히 그럴 만했다.

"죄송해요, 공녀님. 제가 공녀님을 잘 보필했어야 했는데……."

"무슨 말이야. 네가 무슨 잘못을 했어. 오히려 걱정 끼쳐서 미안할 걸. 나 때문에 많이 번거로웠겠구나."

"아니에요. 공녀님께서 살아 돌아오신 걸로 충분히 기뻐요."

순진한 시녀를 연기하는 동안에도 지나의 머리는 핑핑 돌아갔다. 어떻게 하면 저분의 비밀을 알아낼 수 있을까. 모른 척 카사르 전하의 첫인상에 대해 물어볼까. 아님, 펜던트를 보여달라고 해 볼까. 갑자기 들이대면 의심하진 않을까. 온갖 전략을 짜며 기회를 노리는데 벌컥 문이 열렸다.

"저, 그런데 공녀님 혹시……."

"하아. 진짜 일 더럽게 안 풀리네."

바론의 얼굴을 보자마자 지나는 얼른 입을 다물고 찌그러졌다. 그러면서도 속은 마구 부글거렸다.

저 재수 없는 자식. 왜 하필 지금 들어오고 난리야! 영영 꺼져버릴 것이지! 바론은 제 뒤통수에 작렬하는 욕도 모른 채 성난 얼굴로 유리의 곁에 앉았다.

"왜요, 무슨 일 있어요?"

"아무리 생각해도 이상해. 미하엘, 그 자식이 혼자 이번 일을 벌였을 리 없어. 생각해 봐. 그 병신이 무슨 깡이 있어서 이렇게 엄청난 짓을 저질렀겠어?"

"그럼 누군가 오라버니를 도왔다는 거예요? 누가요?"

"누구겠어. 카사르, 그 자식이지."

돌연 등장한 그의 이름에 유리가 숨을 죽였다. 그 순간 거짓말처럼 묘한 장면이 머릿속에 펼쳐졌다. 유리는 그에게 안긴 채 그를 올려다보고 있었다. 그녀를 내려다보는 짙푸른 눈동자가 무척이나 애틋했다.

─조금만 기다려. 유리야.

그와 동시에 그가 맥이 뛰는 손목 안쪽을 부드럽게 쓸었다. 엄지 끝이 그리는 궤적이 무척이나 섬세했다. 유리는 부지불식간에 제 손목을 내려다보았다. 그 감촉이 어찌나 생생한지, 그의 손이 닿았던 곳이 찌릿하기까지 했다. 유리는 떨림을 참으며 말했다.

"그럴 리가 있겠어요. 태자 전하는 이곳에 계시지도 않는 걸요. 수도를 떠나셨다면서요."

"아니, 그 자식 삼 일 전에 돌아왔어. 그러니까 의심하는 거야! 제기랄. 탐브란에서 혀를 깨물고 죽어버릴 것이지. 대체 왜 멀쩡하게 돌아온 거야? 목숨처럼 사랑하던 여자가 죽었다면서. 목숨이 죽었는데, 제가 무슨 정신으로 살겠다는 거야?"

바론의 불평에 유리는 순간 숨이 멎을 것 같았다. 그가 수도에 돌아왔단다.

'그럼 이제 나를 찾는 건 그만둔 걸까?'

바론을 보는 유리의 눈빛이 더욱 간절해졌다. 조금 더 그에 대해서 듣고 싶었다. 절박한 마음을 알 길 없는 바론은 연신 사나운 욕을 퍼부었다.

"반드시 밝혀내고 말 거야. 그 새끼가 이번 일의 배후라는 걸."

이미 그는 지난 삼 일간 이번 일과 카사르의 연관성을 밝히기 위해 온 힘을 다했다. 그러나 결국 실패했다. 아무리 파고 파도 되레 카사르가 이번 일과 연관이 없다는 결론에만 이르렀다. 미하엘의 납치 계획은 어린아이가 짰나 싶을 정도로 허술했다. 수도 경비대에게 잡힐 정도였으니 두말할 것도 없었다. 만일 카사르가 개입하였다면 이 일이 이리 허술하게 끝나진 않았을 거다. 그래도 바론은 현실을 인정할 수 없었다. 아니 인정하지 않았다. 유리의 죽음을 알려 카사르를 무너트리려는 계획이 실패한 이상 누명이라도 씌워야 했다.

문제는 현실이 그리 녹록지 않다는 데 있었다. 현재 그를 향한 수도 여론은 최악이었다. 사람들은 반려의 죽음을 극복한 카사르를 칭송하는 한편 바론에겐 형제의 연인을 살해한 패륜아라며 손가락질했다. 그래도 황제가 리디아를 인정했다는 소식이 전해진 후엔 분위기가 좀 바뀌었다. 물론 문제는 여전히 남아 있었다. 요즘 드펜은 하루가 멀다 하고 약혼을 때려치우라며 볶아 댔다. 그 모습만 보면 납치의 배경이 카사르가 아닌 황후라 해도 믿을 정도였다.

"그런데요, 전하. 정말 태자 전하가 공녀님을 납치하셨을까요? 그런데 왜 공녀님을 구해 주셨을까요?"

그때 지나가 불쑥 입을 열었다. 바론은 계집종 따위가 제게 말을 건 것이 어이없어 헛웃음을 쳤다.

"뭐라고?"

"수도 경비대 중에 태자 전하를 따르는 이가 있었다고 들었어요. 태자 전하는 관련 없는 게 아닐까요? 진짜 납치를 한 거면, 공녀님을 죽이셨을 거고요. 이렇게 멀쩡하게 돌려보냈을 리가……."

"뭐야 너. 지금 누구에게 말을 거는 거야? 어딜 끼어들어! 너 죽고 싶어?"

"앗, 아니요! 아닙니다! 죄송합니다! 전하!"

바론의 호통이 떨어지기 무섭게 지나는 얼른 유리 옆에 붙었다. 그런 지나를 보며 바론이 이를 갈았다.

"저 꼬맹이가, 정말 죽을라고!"

"내가 사과할게요. 미안해요. 바론. 이 아이가 아직 어려서 그래요. 지나야. 다시 사과 드려. 어서."

"죄송합니다, 전하. 정말 죄송합니다. 무슨 벌이든 달게 받을게요."

유리의 옆에 붙어 화를 피하겠다는 지나의 계획은 적중했다. 유리가 지나를 감싸자 바론은 더 이상 지나를 갈구지 못했다. 오갈 데 잃은 그의 화살은 다시 미하엘에게 향했다.

'미하엘, 그 새끼만 살아 있었어도!'

바론의 바람과는 달리 미하엘은 죽어 버렸다. 죽은 시체는 바론의 발길질에 엉망이 되었다. 그럼에도, 여전히 분은 풀리지 않았다. 아니 시간이 갈수록 화가 쌓여갔다. 바론의 눈빛이 사나워졌다. 이 화를 뒤집어씌울 자가 필요했다. 그의 칼 끝은 자연스레 제 형제에게로 향했다. 그는 열심히 이번 일과 카사르를 엮을 방법을 궁리하기 시작했다. 그러면서도 그의 마음 한구석에서 묘한 목소리가 들리기 시작했다.

대체 나는, 이 여자가 다친 것에 왜 이리 화가 나는 걸까?

*

"오찬 초대요?"

의사의 진맥을 받던 유리가 의아하게 물었다. 손목을 감싼 리본을 바라보던 바론이 고개를 들었다.

'쟤가 팔에 저런 걸 두르고 다녔나?'

바론의 눈빛에 의아함이 어렸다. 그러다가도 금세 잊고 인상을 구기며 입을 열었다.

"역시 미하엘이 아무 말도 안 했군. 전혀 못 들은 거지?"

"전혀요. 초대장이 온 줄도 몰랐어요."

빌어먹을 새끼. 바론이 사나운 욕을 뇌까렸다. 유리를 진맥하는 의사가 겁을 먹곤 어깨를 움츠렸다. 유리는 옅은 한숨을 내쉬며 바론의 팔을 잡았다. 어쨌든 이 상황에서 저 자를 달랠 수 있는 건 그녀밖에 없었다.

"너무 화 내지 마요. 나는 괜찮으니까."

바론의 인상이 더욱 험악하게 변했다. 괜찮다는 말, 바라는 것이 없다는 말. 매양 듣는 말인데도 불편했다. 그는 부글거리는 속을 삼키며 유리를 보았다. 죽다 살아난 주제에 여전히 욕심 없는 모습이 거슬렸다. 처음부터 그랬던 건 아니었다. 유리가 납치된 직후부터 그는 점점 예전과는 다른 자신의 모습을 발견하고 있었다.

약혼녀의 납치 소식을 들은 순간을 생생하게 기억한다. 납치. 그 단어를 듣자마자 삼 년 전, 제 발아래 널브러져 있던 여자가 떠올랐다. 그 여자를 납치하여 그가 어떤 짓을 저질렀나. 그 여자는 영혼까지 바스라진 채 그대로 죽어 버렸다. 그가 그리 만들었다.

반쯤 넋이 나가 프리우스로 달려왔다. 의식 없는 여자를 처음 보았을 때 온몸에 소름이 오도독 돌았다. 희게 질린 그녀의 얼굴이 순간 피에 젖은 듯한 환영이 보였던 것이다. 그리고 빌어먹게도, 그 위에 죽은 계집의 마지막 얼굴이 겹쳤다. 동시에, 지난 삼 년간 미처 날뛰던 형제의 모습이 주마등처럼 스쳐 지나갔다. 눈앞이 캄캄했다. 제 여자를 살려내라 발악을 하는 것은 형제가 아니라 저였다. 그리고 그 환영은 리디아가 깨어난 후에도 불쑥불쑥 찾아왔다.

"씨발, 재수 없게 진짜."

결국 또 욕이 나왔다. 재수 없게 그따위 상상을. 움켜쥔 주먹에서 땀이 배어나왔다. 그 험악한 기세에 의사는 완전히 쪼그라져 버렸다. 유리에게 먹일 약을 조제하면서도 손을 벌벌 떨었다. 애꿎은 의사에게 눈을 부라린 바론이 흠칫했다. 유리가 놀란 듯 눈을 동그랗게 뜬 채 저를 보는 게 보였다. 그는 입술을 잘근잘근 깨물다 얼른 표정을 풀었다.

"미하엘, 그 새끼 말이야."

"아, 그래요."

유리가 어색하게 웃으며 고개를 끄덕였다. 그러고선 이내 창밖으로 시선을 돌렸다. 조금 멍한 듯한 얼굴이었다. 그는 잠시 할 말을 잃고 여자의 옆얼굴을 바라보았다. 납치 이후 그녀가 좀 이상해졌다. 자꾸 뭐에 홀리기라도 한 듯 딴생각에 빠졌다. 왜 그러는지 묻기는 자존심이 상해서 죄 없는 의사만 갈궜다. 의사는 몸이 회복되는 과정이라며 쩔쩔맸다. 답을 듣고도 속이 시원해지지 않았다. 짜증과 함께 불안이 치밀어 올랐다. 그는 그러한 제 상태에 또 한번 이를 갈았다. 달거리하는 계집도 아니고, 대체 저가 왜 이리 예민하게 군단 말인가?

"황궁 오찬에 참석할 수 있는 건 황족뿐이야. 네가 오찬에 초대받았다는 건, 폐하께서 널 인정하셨단 뜻이야."

질척해지는 기분을 바꾸고자 그가 화제를 돌렸다. 그나마 오찬을 생각하면 엿 같은 기분이 조금 나아졌다.

"인정이라뇨? 그럼, 설마."

"그래. 공식적인 혼인이 멀지 않은 거지. 아니, 이미 그리된 거나 마찬가지야. 네가 황자비가 된 거라고. 무슨 말인지 알겠지?"

"정말이에요?"

되묻는 목소리가 떨렸다. 바론은 그녀의 놀란 모습을 보며 저도 모르게 웃었다. 분명 저와의 약혼을 기뻐하는 것이리라. 그러자 갑자기 나들이 가는 어린애인 양 기분이 들떴다. 그는 유리의 손을 붙잡고 달콤하게 속삭였다.

"그래. 우리 아버지가 드디어 너와 나의 진가를 알아본 모양이야."

유리의 납치 후 며칠 동안 속을 끓이긴 했다. 미하엘을 직접 벌하지 못한 것도 화나고, 카사르와 이번 일을 엮을 구멍이 없는 것도 속이 터졌다. 그럼에도 그의 기분은 썩 괜찮은 편에 가까웠다. 전부 유리가 황제의 인정을 받았기 때문이었다. 가끔 이 여자 때문에 싱숭생숭한 것만 때면, 퍽 좋았다.

일전에 사고를 친 후로, 그는 당분간 약혼식에 대한 기대는 접었다. 형제의 반려를 죽였다 어쩐다 지랄을 하는데 곱게 약혼을 허락해 줄 리 없다 여겼던 것이다. 그런데 그의 아비는 참으로 뜬금없게도 그의 근신이 풀린 다음 날 약혼을 허락한다는 전갈을 보냈다. 황제의 놀라운 행보는 거기서 끝이 아니었다. 오찬 소식을 듣고 온갖 난리를 치는 드펜을 황제가 직접 막아 주었다. 웬일로 방패막이가 되어주는 아버지 덕분에 그는 황궁에서의 상황이 아주 편해졌다.

황제가 대체 왜 마음을 바꾼 걸까. 처음엔 짚이는 바가 없었다. 그러다가 탐브란에 있던 카사르의 소식을 듣게 되었다. 그 미친놈이 젊은 자작에게 칼을 휘둘렀단다. 이거다 싶었다. 황제도 그 소식을 들었던 게다. 그리고 그놈이 자신의 생각과는 달리 영 몹쓸 놈임을 깨달았을 거란, 확신이 들었다.

'어쩌면 날 황태자로 삼으려는 걸지도 모르지.'

바론은 그 어떤 상황이라도 제 입맛에 맞게 바꾸는 탁월한 재주가 있었다. 처음엔 짐작이었던 것이 어느덧 확신이 되었다. 어느새 그의 마음속엔 조만간 태자 자리에 오를 제 모습이 가득 찼다.

"리디아. 난 네 아들을 이 나라 황제로 만들 거야."

앞으로 다가올 만족스러울 미래를 그리며 바론이 진하게 웃었다. 제 곁에 앉는 바론을 유리가 말없이 말간 눈으로 보기만 했다. 바론은 그녀의 침묵 역시 멋대로 해석했다.

'욕심이 크면 벌을 받을 것 같다, 그런 큰 꿈은 무섭다, 겁이 난다, 뭐 그런 이야기를 하려는 거겠지.'

바론은 얌전히 제게 안기는 여자를 보며 쿡 웃음을 지었다. 역시나 이 여자는 욕심 없는 모습이 제일 어여뻤다. 그러니 기뻐할 만한 걸 찾아주는 보람이 있었다.

"이젠 너도 황족이라고. 욕심 좀 부려도 돼. 널 모실 사람도 올 거고, 우리 아버진 네 건강을 챙길 의사도 보낼 거야. 특별 취급을 불안해할 건 없어. 당연한 일이니까. 기뻐해도 된다고."

무척이나 자상한 목소리였다. 유리는 그 달콤한 속삭임을 흘려들으며 딴 생각을 했다. 황궁 오찬이라. 황족들이 온다고 했지. 그럼, 그 사람도 오는 걸까?

"오찬에는 누가 와요?"

"우리 가족은 다 오겠지. 폐하랑, 어머님이랑 그리고 뭐."

바론이 살짝 미간을 찌푸렸다.

"카사르도 오겠지."

"아, 그래요?"

되묻는 유리의 목소리에 묘한 생기가 돌았다. 더 설명을 하려던 바론이 멈칫했다. 기분 나쁜 위화감이 밀려왔다. 뭐지?

"응. 아마 올 거야. 국장을 치러야 해서 바쁘다 어쩐다 하긴 하는데. 바쁘면 영 안 왔으면 좋겠지만. 하여튼 그래."

"국장이라뇨? 누가 돌아가셨어요?"

"누구긴. 카사르와 만났던 여자 말이야."

"아."

유리가 낮은 신음을 내뱉었다. 그리고 아무 말도 없었다. 바론은 주의깊게 그녀의 안색을 살폈다. 뭔가 좀, 이상했다. 뭐라 설명할 수는 없는데, 하여튼 뭔가가 불편했다.

"그럼 결국 그 여자, 죽은 거래요?"

"응. 확실히 죽었단 증거를 발견한 것 같더라고. 국장을 치른다고 하던데. 말 같잖은 소리지. 진짜 황태자비도 아닌데 무슨 국장을. 하여튼 웃겨."

"국장은 언제에요?"

"다음 달쯤 되겠…… 어?"

바론이 말을 채 잇지 못하고 입을 다물었다. 유리가 갑자기 활짝 웃으며 그를 끌어안은 것이다. 여린 몸이 제게 안겨드는 동안 바론은 손 하나 까딱하지 못했다.

"바론."

이 여자의 웃음이, 이토록 아름다웠나.

"어, 응?"

"기뻐요."

여린 속삭임이 귓가를 간질거렸다. 그는 북처럼 울리는 제 심장 소리를 들으며 얼떨떨하게 물었다.

"……뭐, 여자가 죽었다는 게?"

"아아."

유리가 잘게 웃으며 그의 어깨에 얼굴을 묻었다.

"우리가 드디어 약혼하게 되니까요."

이상했다. 행복해하는 여자의 목소리에서 묘하게도 옅은 울음기가 느껴졌다. 잠시 굳어 있던 그가 황급히 제게 매달린 여자를 떼어 내었다. 환한 미소 아래로 말간 녹안에서 눈물이 주르륵 흘러내렸다. 심장이 콱, 메이는 듯한 기분에 그가 가까스로 입을 열었다.

"왜 울어?"

"기뻐서……."

"그게 울 일이야?"

"그럼요. 아주 기뻐요."

유리는 진심으로 그리 말했다. 기쁘고 감사해서, 그래서 눈물이 났다. 곧 국장이, 그녀의 장례식이 열린단다. 카사르가 그녀의 죽음을 확신한단 뜻이었다. 이제 그는 더는 그녀를 찾지 않을 것이다.

"당신과 함께하는 게 정말, 너무, 기뻐요."

그녀를 버렸던 신이 드디어 마지막 행운을 허락하나 보다. 그 긴 고난의 세월이 마침내 마무리를 찍나 싶었다. 이제 남은 것은 그녀를 이리 만든 자들과 끝을 맞이하는 것뿐이었다.

바론은 할 말을 잊고 제 약혼을 기뻐하는 여자를 바라보았다. 너무 기뻐, 눈물까지 흘리는 모습을 보았다. 젖은 뺨을 감싸는 손끝이 살짝 떨렸다. 이 여자가 저로 인해 흘리는 눈물에 짜릿한 충만감이 가슴을 채웠다. 그럼 그렇지. 얘한텐 나밖에 없지. 그는 홀린 듯 비스듬히 고개를 기울여 그녀의 입술을 삼켰다. 짭조름한 눈물 맛과 함께 잠시 찾아왔던 불안은 눈 녹듯 사라졌다. 본디 한 몸이었던 양 보드랍게 안겨드는 여자를 느끼며 그는 안도했다.

역시 이 여자는 내 것이다. 그 누구도 탐낼 수 없는, 오직 그만의 것이었다.

*

마음의 큰 짐을 덜었기 때문일까. 유리는 빠르게 몸을 회복하여 갔다. 지나의 극진한 간호도 큰 몫을 했다. 그 뒤에 카사르가 있다는 건 물론 아무도 몰랐다.

오찬 준비는 순조롭게 진행되었다. 오찬일이 다가올수록 황제는 유리에게 많은 관심을 보였다. 덕분에 바론의 기분은 날이 갈수록 상승 곡선을 그렸다.

"내 말이 맞지? 우리 아버지가 후계자를 갈아치울 마음을 먹은 게 맞다니까."

황제는 각종 재물 뿐 아니라 그녀를 보필할 궁인까지 보냈다. 아랫사람을 부리는 데 익숙하지 않은 유리가 보기에도 그들은 대단했다. 프리우스의 하인들과는 달리 행동 하나하나에 기품이 있었다.

바론의 말에 따르면 그들은 모두 귀족 출신이라고 했다. 알고 보니 하나같이 내로라하는 집들의 딸이었다. 출신만 보자면 사생아인 리디아보다 훨씬 높았다. 그럼에도, 그들은 유리를 제 윗사람으로 대하는 데 거리낌이 없었다. 그들의 행동에서 유리는 자신이 황자비가 될 날이 멀지 않았음을 실감했다.

"안녕하십니까, 공녀님. 처음 뵙겠습니다. 부족하나마 폐하를 모시고 있는 테온이라고 합니다. 황궁의로 일하고 있지요. 공녀님의 건강을 살펴드리기 위해 왔습니다."

"아, 그렇군요. 감사합니다."

심지어 황제는 그녀에게 황궁의까지 보냈다. 테온의 방문에 유리는 깜짝 놀랐다. 약혼 전에 제 몸 상태를 점검할 궁의가 온다는 이야긴 들었지만, 황제의 주치의까지 올 줄은 몰랐던 것이다.

"그럼 진맥을 먼저 해 보겠습니다. 손을 좀 주시겠습니까?"

"네."

새삼 긴장한 유리가 조심스레 손목을 내밀었다. 손목의 상흔은 리본으로 가린 채였다. 제 아들의 여자가 죽으려 했다는 걸 황제가 알아 좋을 게 없기 때문이었다. 혹시라도 리본을 풀어야 한다 말하진 않을까 걱정했으나, 다행히 그렇진 않았다. 그는 리본 그대로 진맥을 한 뒤 몇 가지 문진을 통해 유리의 상태를 점검했다.

"특별히 불편한 곳은 없으십니까? 불면이 있다거나, 쉽게 피로해지거나, 뭐 그런 것들 말입니다."

"아니요. 전혀 없어요. 아주 좋아요."

유리는 담백하게 웃으며 고개를 저었다. 제 몸 상태와는 별개로 그녀는 치료받을 생각이 없었다. 어차피 죽음이 머잖았는데 번거롭게 고칠 필요가 없다 여긴 것이다. 게다가 테온은 황제의 사람이었다.

아무리 아파도 제 가족을 죽인 황제의 도움을 받고 싶지 않았다.

─황제 폐하께서는 정말 좋은 분이세요. 모시는 주인이셔서 하는 말이 아니라, 진짜로 그렇답니다. 한 번 제 사람이라 여기면 끝까지 지켜내는 분이기도 하시지요. 공녀님께서도 폐하의 사랑받는 며느님이 되실 거예요.

황궁에서 온 궁인들은 종종 황제를 칭찬했다. 처음엔 입 발린 말이려니 했다. 유리에게 황제는 제 모든 것을 앗아간 악인이었으니까. 그런데 시간이 지날수록 그들이 진심으로 황제를 존경하고 좋아하는 것처럼 느껴졌다. 유리는 점차 혼란스러워졌다. 제 사람을 그리 아긴 황제가 친우에겐 왜 그리 모질었을까? 혹시 반드시 그래야만 하는 이유가 있었던 건 아닐까?

'그럴 리가 없어. 우리 아버지가 어떤 분이신데.'

발렌타인 백작은 주인을 위해서라면 제 가족이라도 바칠 수 있는 분이셨다. 그녀의 어머니, 마르디네 발렌타인 역시 같았다. 황제를 향한 아버지의 깊은 충정을 질투하기는커녕 되레 응원하고 존경했다. 그랬던 분들이 황제에게 위해를 끼쳤을 리 없다.

'그만 생각하자. 어차피 변하는 건 없으니까.'

유리가 쓰게 웃으며 과거에 대한 기억을 떨쳤다. 자신이 왜 이리 흔들리는지 잘 알고 있었다. 궁인들의 칭찬은 진짜 이유가 아니었다. 그저 카사르의 행복을 깨고 싶지 않을 뿐이었다.

바론은 종종 카사르에 대한 이야기를 했다. 국장을 준비하는 제 형제를 조롱하는 것이 대부분이었다. 사랑하는 여자 장례식을 준비하면서, 멀쩡한 꼴로 돌아다니는 게 말이 되느냐며 그를 비난했다. 그 말이 무척이나 기뻤다. 카사르는 지금 과연 행복할까. 그건 잘 모르겠다. 그래도 예전보다는 나을 것이다. 유리는 자신이 밀어넣은 지옥에서 제 힘으로 걸어나온 그가 너무 고마웠다.

그래서 더 복수가 꺼려졌다. 망설임이 심해질 땐 모든 걸 그만두고 숨어버릴까, 생각한 적도 있었다. 그럴 순 없으니 자꾸만 복수를 멈출 핑계를 찾으며 죄 없는 부모님을 의심하는 것이다.

"공녀님, 안색이 조금 안 좋으십니다."

"아니에요. 별거 아니에요. 아 그리고 제 건강은 걱정하지 마세요. 저, 정말 괜찮거든요."

어지러운 마음이 얼굴에 드러났는지 테온이 걱정스럽게 물었다. 유리는 얼른 표정을 정리하고선 아무렇지 않은 듯 웃었다. 겉으로만 웃을 뿐, 기실 두터운 장벽을 친 것이었다. 테온은 그런 유리의 안색을 신중하게 살피다 물었다.

"혹시, 제가 불편하십니까?"

"네?"

"치료의 기본은 환자의 정보를 정확히 아는 것입니다. 아뢰옵기 황송하지만 공녀님껜 치료가 좀 필요할 것 같습니다. 진맥 결과도 그렇고요. 한데 무조건 괜찮다고 하시는 것이 좀 이상합니다. 마치 제게 뭔가를 숨기려는 것처럼 보인다는 거지요. 혹시, 두려워하는 게 있으십니까?"

제 속을 꿰뚫고 있는 듯한 테온의 말에 유리는 말없이 상대를 바라보았다. 속내를 들킨 것이 조금 놀랍긴 했을 뿐, 딱히 불쾌하진 않았다. 아마도 상대의 맑은 눈동자 때문인 듯싶었다. 인자한 미소가 꼭 돌아가신 할아버지를 보는 듯도 했다.

"두려워하다뇨. 오해세요. 저 정말 괜찮아요."

유리는 어색하게 웃으며 테온의 손이 닿았던 손목을 매만졌다.

테온이 불쾌하진 않아도 불편하기는 했다. 올곧은 눈빛에 자꾸 그 사람 생각이 난 것이다. 그때 둘의 대화를 듣고만 있던 지나가 냅다 끼어들었다.

"의사 선생님, 여쭈어 볼 것이 있어요. 달거리가 불규칙적인 것도 큰 문제가 되나요?"

"흠, 여인에겐 꽤 큰 문제지. 왜 그러느냐?"

"헉, 그럼 어쩌죠. 공녀님께서 달거리를 거의 안 하세요. 무슨 큰 병에 걸리신 건 아닐까요?"

"지나야!"

세상에나, 깜짝 놀란 유리가 외마디 비명처럼 지나를 불렀다. 월경 이야기를 꺼내기에 설마 했는데, 저리 사고를 칠 줄 몰랐다. 유리의 얼굴이 민망함에 붉게 변했다. 아니, 이건 민망함의 문제가 아니었다. 그녀는 황자비가 될 사람이었다. 황손을 잉태해야 할 여인이 월경을 하지 않는다는 말이 돌면 정말 큰일이 날 수도 있었다. 정말로 화가 난 유리가 지나를 질책했다.

"지나야. 이게 지금 무슨 짓이니!"

"죄송해요. 공녀님, 그런데 너무 걱정이 되어서요."

지나는 유리의 눈치를 보며 금세 꼬리를 말았다. 유리는 입술을 꾹 깨문 채 지나를 노려보았다. 지나가 주책맞게 말을 하는 게 이번이 처음은 아니었다. 일전에 바론과 대화를 할 때도 몇 번이나 끼어들어서, 바론이 버럭 화를 내기까지 했다. 지나를 감싸긴 했지만 혹시라도 불벼락이 떨어지진 않을까 무척이나 불안했더랬다.

"공녀님, 혹시 월경에 문제가 있으십니까?"

"아니에요. 이 아이가 잘못 알고 말하는 거예요. 저는 정말……."

"자궁은 여인에게 광장히 중요한 장기 중 하나입니다. 그쪽의 기운이 막혔다면 다른 곳에도 문제가 있을 확률이 큽니다."

그녀를 걱정하는 테온의 어조는 무척이나 진중했다. 상대의 진실된 태도에 유리는 더욱 불편해져 버렸다. 차라리 진찰을 끝내는 게 낫지 않을까 싶어 입을 열려는데, 테온이 더 빨랐다.

"아이야. 공녀님께 내 긴히 드릴 말씀이 있다. 잠시 나가줄 수 있겠느냐?"

"네! 알겠습니다."

지나는 테온의 말이 떨어지기 무섭게 방을 나가 버렸다. 그 모습만 보면 지나의 주인이 유리가 아니라 테온인 것 같았다. 유리는 어처구니가 없어 아무 말도 할 수 없었다. 아니, 하고 싶지 않았다. 입을 열면 지나를 향해 버럭 화를 낼 것 같았다. 고집스레 입술만 깨문 채 테온을 외면하는데, 물끄러미 그 모습을 보던 테온이 손녀를 달래듯 인자하게 물었다.

"공녀님. 혹시 치료를 받기 싫으신 겁니까?"

—유리야, 정말 치료 안 받을 거야? 치료 받기 싫은 거야?

불현듯 떠오르는 기억에 유리가 주먹을 움켜쥐었다.

—응. 난 싫어. 그냥 이대로 살 거야.

—무슨 말이야. 치료 시기를 놓치면 영영 아이를 가질 수 없을지도 몰라.

—듣던 중 반가운 말이네. 나 절대로 아이 같은 거 갖지 않을 테니까.

유산의 충격은 유리의 마음뿐 아니라 몸에도 깊은 흉터를 남겼다. 아기집에 커다란 후유증이 남은 것이다. 이전까진 규칙적이던 달거리가 거의 없다시피 했다. 리디아는 몇 번이고 제대로 된 치료를 권했지만, 유리가 거부했다. 다시는 제 몸에 생명을 품을 자신이 없었다.

—황태자 아이라도 포기할 거야? 사람 일은 모르는 거야. 그 사람하고 너하고 다시 맺어지면 어쩌려고 그래!

리디아의 물음에 유리는 제대로 대답을 하지 못했다. 답이 너무도 명확했던 것이다.

그의 아이를 품는 것. 그건 그녀가 가장 간절히 바랐던 일 중 하나였다. 과거로 돌아가 그의 품에 아이를 안겨줄 수만 있다면 무슨 짓이든 할 수 있었다. 물론 절대 이루어질 수 없는 꿈이었다. 다시는 그와 사랑을 나눌 수 없을 테니까. 그러니 치료를 받을 필요도 없었다.

"공녀님, 앞으로 황족을 잉태하실 몸이 아니십니까. 반드시 치료를 받으셔야 합니다."

그래서 더 싫었다. 혹여 바론과 몸을 섞었다가 그의 아이를 갖는다면? 상상만으로도 끔찍했다. 아직까진 바론이 그녀의 몸엔 손을 대지 않고 있지만 앞으로는 모를 일이었다. 그런 일이 벌어지게 두느니 차라리 죽는 게 나았다.

"월경이 불규칙적인 건 맞아요. 하지만 큰 문제라고 생각하진 않아요. 그렇다고 영영 치료를 안 받겠단 뜻이 아니에요. 다만, 지금은 때가 아닌 것 같아요. 전하께 걱정 끼치고 싶지 않으니까요. 안 그래도 제가 납치를 당한 일 때문에 많이 심란해하세요. 그분 마음, 힘들게 하게 싶지 않아요."

이쯤이면 이유가 되었을까. 유리는 매끄럽게 웃으며 거부를 했다. 여전히 속은 편치 않았다. 계속되는 실랑이에 정신이 지치는 것 같았다.

"사실 드릴 말씀이 있습니다. 공녀님. 폐하께서 공녀님께 황궁의를 보내려 하신 건 맞지만, 많은 의사들 중 제가 온 이유는 따로 있습니다. 공녀님을 뵙고자 자원했기 때문입니다."

테온이 조심스럽게 입을 열었다.

"사실은 공녀님을 살펴달라 제게 특별히 부탁을 하신 분이 계십니다. 바로 태자 전하 십니다."

생각지도 못한 이름의 등장에 유리의 미소가 허물어졌다. 너무 놀라 당황을 숨길 생각도 못 했다. 테온이 던지는 폭탄은 그게 끝이 아니었다.

"제 소개를 다시 하겠습니다. 저는 태자 전하의 증상을 치료하는 주치의입니다. 공녀님께서도 아실 겁니다. 전하께서 종종 앞을 보실 수 없다는 걸 말입니다. 외부에 알려져서는 안 되기에, 신과 아델바오르 백작님만 알고 있던 비밀이었습니다. 그리고 이제는 공녀님께서도 그 비밀을 알고 계시지요."

테온을 바라보는 유리의 눈동자가 흔들렸다. 상대는 그저 증오하는 황제가 보낸 의사가 아니었다. 카사르를 치료하는 사람, 그 사람을 도와주는 사람이었다.

"전하께서 공녀님께 감사 인사를 하고 싶어 하셨습니다. 황자 전하의 약혼녀께서 비밀을 지켜 주시는 게 쉬운 일이 아니라는 걸 잘 알고 계시기 때문입니다. 전하께서는 공녀님께 정말 큰 은혜를 입었다 여기십니다. 직접 감사 인사를 드리고 싶으나, 현재 상황이 썩 좋지 않아 그러지 못하는 걸 많이 미안하게 생각하십니다."

"……미안해하실 일이 아니에요. 제가 한 일이 그리 큰일도 아니었는걸요."

대답하는 목소리가 조금 떨렸다. 그녀의 눈앞에 있는 건 테온이지만, 그의 입을 빌어 전해지는 말은 카사르의 것이었다. 그에게 고맙단 말을 듣는 건 기쁘면서도 마음 아픈 일이었다. 미안하다는 말은 듣는 건 고통스럽기까지 했다.

"이것 좀 보시겠습니까? 태자 전하께서 수도에 돌아오신 날, 미하엘 프리우스가 보낸 서신입니다."

유리는 테온이 내미는 종이를 떨리는 손으로 받아들었다. 서신을 내려다보는 녹안이 크게 팽창했다. 구겨진 종이 안엔 그녀를 죽일 수 있도록 돕겠으니, 자신의 안전을 보장해 달라는 미하엘의 제

안이 담겨 있었습니다.

"물론 태자 전하께서는 거래에 응하실 생각이 없으셨습니다. 그렇다고 편지를 무시했다간 공녀님께서 위험해지실 수 있는 상황이었지요. 섣불리 움직일 수도 없었습니다. 미하엘 프리우스와 공범으로 몰릴 가능성이 있었으니까요. 결국, 수도 경비대에 연락을 해 서신에 적힌 접선 장소로 사람을 보내게 했지요."

"아……."

이럴 수가. 드러나는 진실에 유리가 침음을 삼켰다. 그저 운이 좋아 살아난 줄 알았는데, 아니었다. 그녀의 생존 뒤엔 그의 안배가 있었던 것이다.

"제가 이렇게 간절히 부탁드립니다. 태자 전하께선 공녀님께 은혜를 갚길 바라십니다. 부디, 치료를 받으십시오. 태자 전하께서 빚을 갚으실 수 있도록 도와주시면 안 되겠습니까."

유리는 차마 대답을 못하고 고개를 떨구었다. 지난날, 카사르에게 뱉었던 모진 말들이 주마등처럼 스쳐 지나갔다. 마지막순간 보았던 그의 절망하던 얼굴까지 모두 다. 유리의 눈매가 시큰하게 달아올랐다. 더는 고집을 피울 수가 없었다. 그의 앞에서 유리는 늘 죄인일 수밖에 없었다. 이렇게 해서라도 그의 말을 들어주고 싶었다. 결국 유리는 고개를 끄덕였다.

"알겠어요. 테온 경 말씀대로 할게요."

*

시나브로 시간이 흘러 오찬의 날이 밝았다. 날이 날이니만큼 꼭 두새벽부터 치장 준비가 시작되었다. 황궁에서 온 궁녀들은 숙련된 솜씨로 그녀의 준비를 도왔다.

"공녀님, 드레스가 준비되었습니다."

푸른색 드레스를 바라보는 유리의 눈이 복잡하게 변했다. 깊은 바다색을 닮은 드레스는 티 없이 흰 그녀의 피부와 무척이나 잘 어울렸다.

—마르디네. 공작이 그대를 영지에 숨긴 이유를 알겠소. 백작에게 질투가 날 정도구려. 그대 모습이 마치 바다의 여신 같소.

발렌타인의 마지막 밤. 어머니께서 입으셨던 드레스 역시 푸른색이었다. 반나절 후, 여신의 드레스는 어머니의 피로 붉게 물들었다.

—푸른색 드레스? 좀 밋밋하지 않아?

이 드레스는 황제가 오찬용으로 선물한 것 중 하나였다. 바론은 다른 드레스를 더 마음에 들어 했지만 유리가 고집을 피웠다. 푸른 드레스를 본 순간, 다른 드레스는 고려조차 할 수 없었다.

'황제가 과연 나를 알아볼까?'

그녀는 어렸을 때부터 어머니를 닮았단 말을 참 많이 들었다. 황제 역시 그녀를 보며 크면 어머니처럼 아름다운 레이디가 될 거라 칭찬을 했었다.

지난 십이 년간, 종종 궁금했다. 발렌타인이 황제에게 어떤 의미였을지.

'발렌타인을 기억하고 있기는 할까? 다 잊어버리진 않았을까?'

아버지가 돌아가시기 전까지만 하더라도 황제는 아비를 제 가장 가까운 친우라 불렀다. 덕분에 아버지는 백작이었지만 공작 못지 않은 영향력이 있었다. 그땐 황제와 막역한 지기인 제 아비가 참 자랑스러웠다.

'애당초 친우도 아니었던 건 아닐까.'

이제 와 돌아보면 사실 별로 가까운 사이도 아니었던 것 같다. 황제가 발렌타인을 그리 특별하게 여겼다면 부모님의 비참한 죽음이 말이 되지 않았다.

'그러니 다 잊었겠지. 나도, 아버지도, 어머니도. 모두 다.'

그래도 어쩌면 기억하고 있을지도 모른다. 푸른색 드레스를 입은 그녀의 모습에 돌아가신 어머니를 떠올릴 수도 있었다. 물론 그녀의 진짜 정체는 상상도 못할 것이다. 리디아 프리우스와 유리엘 발렌타인 사이에는 아무런 연결 고리도 없으니까.

'황제가 어머니를 떠올리기라도 한다면 그걸로 족해.'

유리는 거울 속에 비친 제 모습을 바라보며 쓴웃음을 지었다. 유리는 황제가 죄책감을 느끼는 건 바라지도 않았다. 다만 발렌타인의 최후를 기억이라도 하길 바랐다. 이대로 잊혀지기엔 부모님의 죽음이 너무 아팠다.

'카사르. 잘 지내고 있는 거겠지.'

테온은 오찬 직전까지 이틀에 한 번씩 그녀를 찾아왔다. 그녀의 상태를 확인하고, 그에 맞게 약을 처방했다. 테온의 정성 어린 치료 덕분에 유리의 몸 상태는 많이 좋아졌다. 삼 년간 그녀를 괴롭히던 지독한 불면 역시 완화되었다.

유리가 테온의 방문을 반기게 된 이유는 또 있었다. 테온은 종종 카사르의 소식을 전해 주었다. 바론의 약혼녀란 위치 때문에 카사르의 이름을 입에 올리는 것조차 부담스럽던 그녀에겐 테온은 가뭄의 단비처럼 반가운 존재였다.

―태자 전하께서는 요즘 국장 준비로 매우 바쁘십니다. 큰일을 겪으셨는데도 불구하고 굳게 버티고 계시지요. 워낙 강한 분이시니 어렵지 않게 극복하실 수 있을 겁니다. 아, 언제고 한 번 공녀님을 뵈었으면 하시더이다. 아무래도 직접 감사 인사를 전하고 싶으신 것 같습니다. 물론 부담스러우시면 거절하셔도 됩니다. 마음의 준비가 되시면, 그때 신에게 말씀해 주십시오.

테온의 부탁은 그녀를 심란하게도, 설레게도 하였다. 저를 지옥으로 밀어 넣은 줄도 모르고 그녀를 은인으로 여기는 그의 모습이 심란하면서도, 유리가 아닌 리디아 프리우스로 그 앞에 설 수 있다는 게 설레었다.

유리는 더 이상 그를 만나는 게 두렵지 않았다. 그가 저를 죽었다 여기는 이상 카사르에게 유리는 형제의 약혼녀, 그 이상도 이하도 아니었다. 이젠 마음껏 그를 눈에 담고, 그에게 웃어줄 수 있다는 게 무척이나 기뻤다. 황제와의 만남이 부담스러운 와중에도 그 생각만 하면 힘이 났다.

"공녀님, 도착했습니다. 마차에서 내리시지요."

유리는 궁인들의 도움을 받아 조심스레 마차에서 내렸다. 이제 계절은 완연한 여름의 시작이었다. 우거진 녹음 사이로 낮게 울리는 매미 소리가 그녀를 반겼다. 높게 솟은 건축물 사이로 유독 눈에 띄는 자그만 건물이 보였다.

"저곳이 바로 오찬이 열리는 쉴브론 궁입니다."

쉴브론 궁은 황족과 오찬을 담당한 궁인이 아니면 들어갈 수 없었다. 유리를 이곳으로 안내한 이들 역시 예외는 아니어서, 유리를 에스코트 하던 이들이 어느 순간 멈추어 섰다. 미리 쉴브론 궁의 규칙을 들은 유리는 놀라지 않고 조심스레 걸음을 옮겼다.

"프리우스 공녀?"

그리고 그때, 등 뒤에서 그녀의 심장을 뛰게 하는 단 하나의 목소리가 들려왔다. 생각보다 이른 만남에 유리가 우뚝 자리에 멈추었다. 미리 대비를 하였건만 머릿속은 텅 빈 것 같았다. 그의 발자국 소리가 점점 가까워지는 걸 들으며 유리가 가까스로 표정 관리를 하였다. 이젠 습관이 된 긴장에 심장이 세차게 뛰었다. 심호흡을 하며 마음을 가다듬었다.

'나는 유리가 아니야. 리디아 프리우스야. 이 사람도 이젠 날 유리로 보지 않아. 이젠 정말 괜찮아.'

천천히 돌아서는데, 밝은 햇빛에 유리가 살짝 눈을 감았다. 그 짧은 찰나에 그의 발걸음 소리가 한결 가까워졌다. 손끝이 차게 식어갔다. 유리가 느리게 눈꺼풀을 들어 올렸다. 어느새 바로 앞에 선 그의 모습에 치맛자락을 움켜쥔 손가락이 파르르 떨렸다.

"그동안 잘 지냈습니까?"

그가 부드럽게 웃으며 인사를 건넸다. 마지막으로 긴장의 끈을 놓지 않던 유리는 예전과는 달리 아무렇지 않은 듯한 그의 표정에 안도하며 미소를 지었다.

"네, 전하께서도 잘 지내셨지요?"

이상했다. 그를 마지막으로 본 것이 불과 몇 주 전인데, 꼭 일 년은 된 것처럼 아득하게 느껴졌다. 테온의 말대로 카사르는 한결 편안해 보였다. 조금 야위긴 했지만, 그날의 괴로움은 전혀 보이지 않았다.

'다행이다. 정말.'

저가 그의 걱정을 참 많이 하고 있었나보다. 알고는 있었지만, 막상 그의 웃음을 실제로 보자 눈물이 핑 돌았다. 유리는 얼른 고개를 떨구어 눈물을 숨겼다.

"그럼요. 이 모든 게 다 프리우스 공녀 덕분입니다."

예전과 달라진 건 또 있었다. 그날과 달리 그는 무척이나 깍듯했다. 그녀를 유리라고 부르지도, 말을 놓지도 않았다. 그게 묘한 허무감과 안도감을 동시에 주었다.

"바론은 조금 늦을 거라고 하더군요. 에스코트 해도 되겠습니까?"

그는 무척이나 담백한 얼굴로 손을 내밀었다. 유리는 조금 망설이다 손을 마주 잡았다. 이젠 굳이 그를 밀어낼 필요가 없었던 것이다.

'참 따뜻하다.'

제 손등을 감싸는 온기에 유리는 목이 메었다. 그동안 이 온기가 얼마나 그리웠던가. 함께한 시절, 그의 품에 안겨 있으면 그녀를 괴롭게 하던 많은 것들이 힘을 잃곤 했다. 죽은 부모님도, 황제의 마지막 말도 사르르 녹아 버리는 것 같았다. 지금도 그랬다. 함께 걷는 이 순간만큼은 둘 사이 악연이 모두 부질없게 느껴졌다. 유리는 이제라도 그의 품속에서 목 놓아 울고 싶다는 욕심을 삼키며 걸음을 옮겼다. 쉘브론 궁은 금세 가까워졌다. 그와 나란히 걸을 시간도 얼마 남지 않았단 뜻이었다. 가까워지는 목적지를 야속해하며 걸음을 옮기는데, 그가 물었다.

"공녀께서 큰일을 겪으셨다 들었습니다. 이젠 괜찮으신 겁니까?"

"네, 그럼요. 다 전하께서 신경 써주신 덕분이에요."

유리의 감사 인사에 그가 옅게 웃으며 고개를 저었다.

"그럴 리가요. 저는 한 게 없습니다."

"테온 경께 이야기 들었어요. 절 많이 걱정하셨다고……. 감사해요. 테온 경이 정말 큰 힘이 되어 주셨어요."

"……힘이라니요. 오히려 그대에게 죄를 지었지요."

카사르는 그리 말하며 제자리에 멈추어 섰다. 그의 얼굴에서 스르르 미소가 사라졌다. 급격히 가라앉은 분위기에 당황한 유리가 물었다.

"죄라뇨, 그게 무슨 말씀이세요?"

카사르는 물끄러미 유리를 보다 낮게 말했다.

"그대에게 꼭 해야 할 말이 있습니다. 들어 주겠습니까?"

"네?"

"잠시만 내게 시간을 내줄 수 있겠습니까?"

묘하게 간절한 목소리였다. 유리는 이유를 물을 생각도 못 하고 홀린 듯 고개를 끄덕였다. 그 순간 그의 입매가 그림처럼 유려한 미소를 만들어냈다. 놀란 유리가 움찔 몸을 떨었다. 함께 살았던 시절, 그가 그녀에게 사랑한다 말할 때 짓던 미소와 꼭 같았던 것이다.

"그대에게 꼭 사과를 하고 싶었습니다."

그는 금세 미소를 지우고 진지한 얼굴로 말했다.

"사과라뇨? 전하가 왜요?"

"그동안 그대에게 너무 많은 폐를 끼쳤기 때문입니다."

"폐라니요. 무슨 말씀을 하시는지, 저는 도통 알 수가……."

"그대를 유리라고 착각한 것 말입니다. 그대의 데뷔 무도회를 망치고, 그대가 원치 않는데 억지로 찾아가기도 했지요. 무척이나 괴로웠을 걸 압니다."

아. 유리가 멈칫하며 입을 다물었다.

"당시 난 제정신이 아니었습니다. 유리가 그리 죽었다는 걸 받아들일 수가 없더군요. 심지어 아끼는 부하를 벨 뻔한 적도 있었지요. 황태자가 아니라, 광인이라 불러야 옳을 겁니다. 도저히 나를 통제할 수가 없었지요. 내게 유리는 그런 여자였으니까요."

그리 말하는 그의 안색은 무척이나 어두웠다. 잘못한 건 저인데, 그가 사과를 하는 상황에 유리는 어찌해야 할지 알 수가 없었다.

"그래서 그대에게 몹쓸 짓을 한 겁니다. 정말 미안합니다."

"아니에요. 힘드셨잖아요. 그러니까 이해할 수 있어요."

그를 위로하는 말을 하면서도 결국 그의 시선을 피했다. 양심의 가책 때문에 그의 얼굴을 마주 볼 수가 없었다. 그런 유리의 마음을 알 리 없는 그의 자책은 점점 더 깊어만 갔다.

"아닙니다. 버텼어야 했습니다. 그렇지 못한 내 잘못입니다. 그대가 날 절대로 용서하지 않는다 하여도……."

"그렇지 않아요!"

결국, 유리는 견디지 못하고 그의 말을 잘랐다. 더는 그의 사과를 들을 수가 없었다. 이내 정신없이 그의 잘못을 부정하기 시작했다. 그런 유리를 보는 그의 눈매가 붉게 물들어 갔지만, 유리는 눈치채지 못했다.

"전하를 용서하지 않는다뇨. 그렇지 않아요. 다 이해해요. 용서할 수 있어요. 아니, 제가 용서할 일도 아니라고 생각해요. 저도 사랑하는 사람이 있으니까 알 수 있어요. 만에 하나라도 그 사람이 다치면⋯⋯."

말이 덜컥 목에 걸렸다. 이 사람이 다치면, 나는 견딜 수 있을까? 그럴 수 없을 거로 생각했다. 한데 이 사람은 그동안 저 때문에 너무 많이 다쳤다. 자신이 준 모진 상처들을 생각하자 코끝이 시큰해졌다. 유리는 결국 눈물을 참기 위해 두 손을 세게 움켜쥐어야 했다.

"이런, 내가 그대를 괴롭게 한 겁니까?"

그때, 따스한 손이 그녀의 두 손을 감쌌다. 단단한 온기에 유리가 입술을 깨물었다.

"사실 미하엘의 편지를 받았을 땐 조금 찔렸습니다. 처음 유리의 죽음을 알게 되었을 땐 나도 미하엘처럼 생각했으니까요."

나직한 고백에 유리가 말갛게 젖은 눈으로 그를 올려다보았다. 어느새 그의 입가에 쓴웃음이 맺혀 있었다.

"하지만 곧 정신을 차렸습니다. 유리가 별로 좋아하지 않을 것 같아서요. 그 생각을 한 다음부터는 살아봐야겠단 생각을 했습니다. 그러자 그 뒤론 이런 생각이 들더군요. 유리가, 내게 당신을 보내 준 것은 아닌가 하는."

그리 말하는 그의 목소리는 무척이나 서글펐다.

"그대에게 부탁이 하나 있습니다. 들어줄 수 있겠습니까?"

"⋯⋯네, 그럴게요."

유리는 먹먹함을 삼키며 고개를 끄덕였다. 그녀는 그 앞에서 너무 큰 죄인이었다. 그를 위해선 무엇이든 해야 했다. 다시 함께 사랑하자는 것만 제외한다면, 전부 들어주어야 했다. 그런 유리를 바라보는 푸른 눈동자엔 어느덧 짙은 애정이 담겼다.

"그럼 종종, 내게 유리가 되어 줄 순 없겠습니까?"

"……네?"

"사실 아직도 그녀가 많이 그립습니다. 많이 극복한 것처럼 보이지만 그렇지도 않습니다. 너무 그리운데, 그립단 말을 하지 못하니 병이 되더군요. 그래서, 말도 안 되는 부탁이라는 건 알지만,"

그의 목소리가 한층 간절해졌다.

"종종, 아니, 아주 가끔씩만 그대가 유리가 되어주면 안 되겠습니까? 그 여자를 잊을 수 있도록, 그녀에게 전할 말을 대신 들어주면 안 되겠습니까?"

쏴아아. 바람이 불었다. 유리는 꿈쩍도 못 하고 그를 바라보았다. 그가 부르는 제 이름에 놀랐던 정신이 차츰 돌아왔다. 그가, 그녀에게 유리가 되어 달라 부탁을 한다. 그녀를, 그녀의 이름으로 부르겠다고 했다. 그의 곁에, 유리가 되어 설 수 있었다.

"그럴게요."

유리는 저도 모르게 고개를 끄덕였다. 거부할 이유를 단 하나도 찾지 못했다.

"그렇게 할게요."

그동안 정말 간절히 과거로 돌아가길 바랐다. 그가 사랑했던 '유리'가 되어, 그의 부름을 듣는 건 그녀의 가장 간절한 소망이었다. 그의 제안은 그녀의 꿈을 이루는 가장 완벽한 방법이었다. 그녀는 이 말도 안 되는 행운이 얼떨떨하기까지 했다.

"정말 고맙소."

유리를 보는 그의 미소가 한결 짙어졌다. 더불어 유리의 마음도 더욱 편해졌다. 다시 만난 후, 그를 늘 괴롭게만 만들던 자신이 그를 다시 웃게 했다는 게 참 행복했다.

"태자는 벌써 도착을 했군."

그때였다. 등 뒤에서 묵직한 목소리가 들려왔다. 유리의 입가에 맺혔던 미소가 파삭 얼어붙었다. 그녀를 향하던 시선이 천천히 그녀의 어깨 너머로 움직였다.

"폐하! 오셨습니까."

유리는 멍하니 반가움이 어린 그의 얼굴을 바라보았다.

"잠시만 기다리십시오."

그가 부드럽게 웃으며 유리를 빗겨 지나갔다. 마주 잡은 손에선 스르르 힘이 빠져나갔다. 그와 동시에 찬물이라도 뒤집어쓴 듯 싸하게 속이 식었다.

"폐하, 수행원도 없이 혼자 오시다니요."

"허허. 짐의 궁에서 쉴브론이 수행원이 필요한 거리더냐."

"제가 부축해 드리겠습니다. 제 팔을 잡으시지요."

"걱정하지 마라. 아직 두 다리는 멀쩡하니까. 어디, 달리기 경주로 확인 한번 해 보겠느냐?"

유리는 우두커니 선 채로 부자의 대화를 들었다. 다시 들은 황제의 목소리는 소름 끼치도록 따뜻했다. 발렌타인의 종말을 고할 때의 그 싸늘함은 전혀 찾아볼 수 없었다.

"저 영애는……."

"프리우스 공녀입니다."

카사르의 소개에 유리는 주먹을 움켜쥐었다. 이내 느리게 몸을 돌렸다. 제 표정이 부디 멀쩡해 보이길 바랐다. 아니, 분명 멀쩡할 것이다. 이 순간을 위해 준비한 가면을 뒤집어쓴 채, 유리가 시선을 들어 올렸다.

"처음 뵙겠습니다. 폐하. 프리우스 공작의 차녀, 리디아 프리우스입니다."

그리고 유리는 보았다. 흥미로운 듯 그녀를 바라보던 황제의 미간 일순 움찔하는 것을. 유리는 더욱 해사하게 웃으며 그의 손이 닿았던 손목을 움켜쥐었다. 이미 사라진 온기를 되새기며 부디 무너지지 않게 해 달라 기도했다. 그녀에게 늘 행복은 잠시 스쳐 지나가는 바람이었다. 오늘도, 그러했다.

카사르가 황제를 부축하며 걷게 된 탓에 유리는 자연스레 뒤로 물러섰다. 몇 걸음 떨어져 두 사람의 뒤를 따르는 유리의 귀로 대화 소리가 드문드문 들려왔다.

"……을 뽑을 준비는 잘되어…….."

"최대한 빨리 진행하려 하고 있습니다. 심려를 끼쳐 드려 죄송합니다."

"지나간 사람을 잊는 것이 쉽지는 않…… 나 역시…….."

명료하게 들리는 카사르의 말과는 달리 황제의 목소리엔 힘이 없었다. 물끄러미 황제의 뒷모습을 바라보는 유리의 귀로 두 사람의 대화가 바람처럼 흩어 지나갔다.

'황제가 저리 작은 사람이었나.'

그녀가 기억하는 황제는 참 컸다. 키나 체구 때문만은 아니었다. 한 나라의 수장으로서, 특유의 위압감이 있었다. 끝내는 해일처럼 몰아쳐 가족을 앗고 그녀의 인생 전체에 긴 그림자를 남겼다.

"……황후도 내게 이르기를…….."

한데 지금 황제의 모습은 그때와 완전히 달랐다. 얼굴엔 병색이 완연하고 몸은 많이 야위었다. 소매 아래로 드러난 팔뚝은 유리의 팔 만큼이나 얇았다. 노쇠한 황제는 아들의 부축 없이는 걷기도 쉽지 않아보였다. 아들에게 단단히 기댄 황제의 모습에 유리가 시선을 떨구었다.

'꽤 살가운 부자 사이인가 보구나.'

카사르는 부모님 이야기를 거의 하지 않았었다. 어머니께서 어릴 적 돌아가셨다는 것 말고는 들은 바가 없었다. 반면 바론은 종종 황제나 드펜 황후에 대한 이야기를 했다. 좋은 소리는 거의 없었다. 특히 황제에 대한 반감이 상당했는데, 유리가 있든 말든 제 아비를 조롱하는 말을 서슴지 않았다. 오 년 전 태자 책봉에서 밀려난 것이 가장 큰 원인이었다. 어쩌면 그런 바론의 모습을 보며 카사르도 아비와 사이가 좋지 않으리라 짐작했던 것 같다. 아니, 짐작이 아니라 기대였고, 바람이었다. 그럼 그를 향한 죄책감을 조금은 덜 수 있지 않을까 싶었던 것이다.

'역시 만나면 안 되는 사이였네. 우린.'

유리는 또 한 번 그와 자신 사이에 존재하는 거리를 실감했다. 쓴웃음을 삼키며 걸음을 옮기는데 바론이 그녀를 불렀다.

"리디아!"

입구에서 기다리고 있던 바론은 반색하며 그녀에게 다가왔다. 황제에게만 대충 인사를 하고 카사르는 무시했다. 이내 진하게 웃으며 그녀를 끌어안았다.

"오늘 아주 예쁜데. 푸른색 드레스도 잘 어울리네."

오찬 당일, 그는 평소보다 훨씬 들떠 있었다. 제 형제보다 자신이 먼저 반려를 맞이하는 오찬을 열었다는 게 그의 흥분을 키웠다. 그는 주변에 과시라도 하듯 농밀한 입맞춤을 했다. 붉은 입술을 깨물듯 탐했다가, 슬쩍 떨어져 나갔다.

"고마워요."

유리는 감흥 없는 입맞춤에도 곱게 눈을 접어 웃었다. 카사르의 시선이 잠시 두 사람에 닿았다 떨어졌다. 바론이 씨익 웃으며 유리를 오찬장 안으로 데려갔다.

"리디아, 이쪽으로 와."

오찬이 열리는 쉴브론 궁은 비록 크기는 작았지만 우아한 매력이 있었다. 상아색 벽을 장식한 황금 문양들에선 기하학적인 기품이 느껴졌다. 유리가 그동안 경험했던 그 어떤 연회장들과도 다른 느낌이었다.

"저분이 그 유명한 드펜 황후셔. 우리 어머니시지."

바론이 힐끗 고갯짓을 하며 한 여인을 가리켰다. 드펜의 첫인상은 무척이나 강렬했다. 그녀는 장성한 아들이 있다고는 믿기 힘들 정도로 젊어 보였다. 바론이 얼핏 제 어머니가 한때는 아살론 최고의 미녀였다며 이죽대었다.

"인상이 더럽지? 널 못 잡아먹어서 안달이 나신 게야."

칼의 여왕. 드펜을 보며 유리가 떠올린 단어였다. 비현실적으로 아름다운 외모에 유리를 향한 눈빛은 칼날처럼 싸늘했다.

"이리 와. 잡아먹히기 전에 네가 잡아먹어 버려."

바론은 낄낄거리며 유리를 끌고 드펜 쪽으로 향했다. 유리는 바론의 지시대로 강하게 나갈 생각은 없었다. 하여 음전한 귀족 영애의 모습으로 드펜 앞에 섰다.

"황자, 내게 할 말이 있습니까?"

유리를 소개하러 왔다는 걸 뻔히 알면서도 드펜은 유리를 투명인간 취급했다. 유리는 바론이 황후에게 싸움을 걸기 전 재빨리 선수를 쳤다.

"처음 뵙겠습니다, 황후 마마. 리디아 프리우스입니다."

황후는 바론의 대답을 가로챈 유리를 휙 노려보았다. 마치 눈빛으로 그녀를 죽여 버리기라도 할 듯 살벌했다. 평범한 귀족 영애였다면 오금이 저려 풀썩 주저앉았을 것이다. 그러나 유리는 평범한 귀족 영애가 아니었다. 담담히 그 눈빛을 받아내는 모습에 황후가 뿌득 이를 갈았다. 유리는 그쯤에서 먼저 수그리기로 했다.

"제게 부족한 점이 많습니다. 많이 배우겠습니다. 황후 마마."

그동안 황제는 대화에 끼지 않았다. 대신 황후와 말을 나누는 유리를 유심히 지켜보기만 했다. 유리는 황제 쪽으론 시선을 주지 않았다. 굳이 눈을 마주쳐 도드라져 보일 생각은 없었다. 유리가 의도한 건 황제가 죽은 어머니를 떠올리는 것이지, 제 정체를 밝혀 파란을 일으키는 게 아니었다.

'지금 당장 뭘 어쩔 수 있는 것도 아니니까.'

유리는 새삼 이곳에 제 편이 하나도 없다는 걸 실감했다. 맨몸으로 화살비 아래에 선 듯 피로감이 밀려왔다. 깊은 심호흡을 하며 마음을 가다듬는데 바로 앞에서 헛기침 소리가 들렸다. 반사적으로 고개를 들었다가, 맞은편에 앉은 카사르와 눈이 마주쳤다. 그 순간 그의 입가에 옅은 미소가 어렸다.

'괜찮습니까?'

그녀의 불편한 마음을 아는 걸까. 아니면 그녀의 기분 탓인 걸까. 그의 눈빛이 마치 그리 묻는 것 같았다. 그와 동시에 머리끝까지 차 있던 긴장이 스르르 녹는 거 같았다. 마법처럼 밀려드는 편안함에 유리는 저도 모르게 마주 웃으려다, 움찔하며 고개를 숙였다.

"아르스 왕국에서 민란이 발생했다고 합니다. 규모가 크지는 않으나, 주의해서 살펴볼 필요는 있을 것 같습니다."

"생각해 둔 조치가 있느냐?"

"아르스 상황이 나빠지면 광물 수입에 차질이 있을 수 있습니다. 그러므로……."

바론은 오찬의 주인공이 유리라 했지만, 대화는 거의 남자들이 주도했다. 국가 정세에 관한 화제가 대부분이었다. 황제가 운을 띄우면 카사르나 바론이 의견을 냈다. 바론은 종종 카사르의 의견에 딴지를 걸었는데, 잘 모르는 유리가 듣기에도 별로 시답잖은 시비들이었다.

"그나저나, 프리우스 공녀의 어머니는 무슨 일을 했다고 했지요? 천한 무희였다고 들었는데, 그게 사실인가요?"

황후는 말을 뱉는 족족 유리에게 화살을 날렸다. 유리의 신분, 유리의 어머니, 유리의 과거 등 그녀의 약점이 될 만한 말을 거침없이 쏟아냈다.

"황후 마마께서 알고 계시는 그대로입니다. 제 모친께선 수도 살롱에서 일하신 적이 있습니다."

"무희의 딸이 내 아들의 비가 되려 하다니. 참 흥미롭군요."

"아무래도 제게 부족한 점이 많다고 생각합니다. 늘 노력하고 있으나 배움이 미천하며 황자 전하께 누가 되지 않기만을 바랄 뿐입니다."

유리는 황후의 공격이 무엇이든 흔들리지 않고 담담히 받아 냈다. 바론은 처음엔 제 어미가 입을 열 때마다 인상을 구겼지만, 유리의 차분한 대처에 금세 흥미로운 얼굴을 했다. 두 여자의 대화가 점점 이어지자 실실 웃기까지 했다. 드펜의 기세가 사나워졌다. 그녀는 기싸움이 의도한 대로 흘러가지 않자 심지어 카사르까지 끌어들였다.

"태자 생각은 어떠합니까? 황자의 약혼이 좀 이르다는 생각이 들지는 않습니까?"

"글쎄요. 황후마마께선 어찌하여 그런 생각을 하십니까?"

"국가에 큰 행사를 앞두고 있지 않습니까. 조만간 태자비 간택 무도회가 열릴 계획이라 들었습니다. 약혼은 그 이후에 하는 것이

낫지 않겠습니까?'

태자비 간택 무도회라니. 생각지도 못한 단어에 유리가 놀란 눈을 했다. 카사르는 드펜에게 향했던 시선을 유리로 돌리더니 이내 부드럽게 웃었다.

"태자비를 맞이할 준비를 하고 있습니다. 아무래도 이제는 때가 된 것 같아서 말입니다."

"아⋯⋯."

카사르의 말에 유리는 조금 당혹해 말문이 막혔다. 그러나 금세 정신을 차리고 고개를 끄덕였다.

"정말 축하드려요."

그가 새 반려를 찾다니. 당연히 축하해야 할 일이었다. 그녀 역시 늘 간절히 바라던 일이었다. 그런데 자꾸만 가슴이 지끈거렸다.

'정신 차려 유리엘. 당연한 일에 왜 이렇게 흔들리는 거야.'

홀로 시끄러운 속을 달래다 우연히 그와 눈이 마주쳤다. 푸른 눈동자가 힐끔 그녀의 입술 쪽으로 향했다. 깨물린 입술을 보자 표정 없던 얼굴에 슬며시 미소가 드리웠다.

'어?'

놀란 유리가 눈을 깜빡였다. 그사이에 그의 얼굴엔 거짓말처럼 미소가 사라져 있었다. 결국 유리는 자신이 본 것이 착각이겠거니 하고 말 수밖에 없었다.

"공녀의 어머니께서는 일찍 돌아가셨다 들었는데. 맞는가?"

그때, 황제가 유리에게 처음으로 말을 건네었다.

"네. 열 살쯤에 먼저 세상을 뜨셨습니다."

"어머니께선 어찌 돌아가셨는가?"

황제의 질문에 유리가 어떻게 대답할지 사람들의 관심이 쏠렸다. 유리는 침착하게 나이프를 내려놓고 두 손을 다소곳이 모았다.

"제가 어렸을 때 큰 화를 당하였습니다."

"화를 당하였다, 어떤 화였는가?"

"누명 때문에 돌아가셨습니다."

유리는 굳이 진실을 숨기지 않았다. 자신의 어머니뿐 아니라 리디아의 어머니 역시 누명으로 세상을 떠났기 때문이었다.

"……누명이라."

유리의 답을 들은 황제는 한동안 말이 없었다. 황제가 떠올린 죽음이 누구의 것이었는지는 알 수 없었다. 유리는 차분히 황제의 시선을 받아 냈다. 황제가 제 얼굴에서 과연 무엇을 읽어낼지, 그런 것들만 생각했다.

"안타까운 일이군."

잠시 후 황제가 짧게 말하며 먼저 시선을 돌렸다. 저도 모르게 긴장하고 있었는지 급격한 피로감이 몰려왔다. 고기를 씹으면서도 꼭 종이를 먹는 것 같았다. 결국, 더는 식사를 잇지 못하고 식기를 내려놓았다.

오찬은 얼마 가지 않아 끝났다. 식사 도중 황제가 몸이 좋지 않다며 자리를 떴고, 드펜은 그 핑계로 회장을 박차고 나갔다. 바론은 흐지부지 끝난 오찬에 인상을 구기다가, 제 맞은편에 쓸쓸하게 앉아 있는 형제를 보곤 히죽 웃었다.

"리디아, 우리도 가자. 온 김에 내 궁 구경도 해야지."

유리는 바론의 안내에 따라 황자궁 이곳저곳을 구경했다. 그의 취향이 반영된 듯, 황자궁은 호화로운 걸 넘어서 사치스럽기까지 했다. 곳곳에 전시되어 있는 예술작품들을 보며 제 재력을 뽐내는 바론에게 유리는 대충 맞장구를 쳐 주었다.

그때 황제가 보낸 궁인이 두 사람을 찾아왔다.

"황자 전하, 폐하께서 찾으십니다."

"폐하께서? 왜, 아프시다면서. 쉬는 거 아니었어?"

"긴히 하실 말씀이 있다 합니다. 저는 그저 명을 전할 뿐이라, 자세한 연유는 모릅니다."

"흠. 대체 무슨 일이지."

고개를 갸웃하는 바론을 유리가 마른 눈으로 보았다. 황제의 부름이 어쩌면 자신과 관련된 것은 아닐까 싶었던 것이다. 궁인과 함께 나가는 바론의 뒷모습을 보며 유리는 생각했다.

'혹시 날 알아보기라도 한 걸까?'

아주 조금은 그럴지도 모른다는 생각이 들었다. 가능성이 희박하다 뿐이지 불가능한 일은 아니었으니까. 만일 그렇다면 이제 어떻게 행동해야 하는 걸까. 유리는 차분히 앉아서 앞으로의 일을 가늠했다.

'오히려 잘된 일일 수도 있지 않을까.'

유리가 원하는 건 복수였다. 황제가 그녀를 정체를 알게 되어도 복수는 가능했다. 자신이 죽인 친우의 딸인 줄도 모르고 아들과의 약혼을 허락했다는 걸 알게 되면, 분명 큰 충격을 받을 테니까. 그것도 꽤 괜찮은 결말이지 싶었다.

아니, 그저 괜찮다는 걸 넘어서 꽤 끌리기까지 했다. 비록 그녀는 처참히 죽더라도, 빠르게 모든 것을 끝낼 수 있다는 게 마음에 들었다. 유리는 만일 일이 벌어졌을 때 제 끝이 어찌 날지 상상하다 피식 웃었다. 온갖 끔찍한 결말을 떠올리면서도 겁은 나지 않았다.

카사르가 안전하기 때문이었다. 카사르는 확실히 그녀가 죽었다고 생각하고 있었다. 심지어 잊기 위해 노력까지 하는 중이었다. 그녀가 '리디아 프리우스'든, '유리엘 발렌타인'이든 어느 쪽으로 죽어도 상처받지 않을 것이다. 그가 다치지 않는다면 그녀 역시 두렵지 않았다. 유리는 새삼 제 안의 많은 것들이 돌이킬 수 없을 만큼 망가졌다는 것을 실감했다. 가까스로 살아있는 것들 대부분은 오직 그를 향한 감정이라는 것도, 알았다.

"리디아!"

바론은 생각보다 일찍 돌아왔다. 대화가 잘 끝났는지 그는 나갈 때보다 훨씬 밝은 얼굴이었다. 복도에 걸린 그림을 구경하던 유리를 와락 끌어안으며 말했다.

"리디아. 너 정말 끝내줬어."

"네?"

"우리 아버지가 네가 엄청나게 마음에 들었나 봐. 오찬이 대성공 이었단 뜻이야!"

바론이 신나게 떠들어대는 소식을 요약하면 이랬다. 황제가 그녀를 위한 연회를 베풀어 주고 싶어 한다.

"네가 데뷔 무도회 때 안 좋은 일을 겪었잖아. 그게 마음이 좀 쓰인다고 하더라고. 약혼이 잘 진행되려면 자고로 비가 될 사람이 기반이 단단해야 한다고, 이번에 다시 한번 수도 전체에 널 소개하는 연회를 열어주고 싶으시대. 그것도, 당신께서 직접 말이지!"

바론은 평소답지 않게 황제에게 존대까지 했다. 황제의 결정이 엄청나게 마음에 든 듯싶었다. 유리는 겨우 무도회 정도가 그리 기뻐할 일인가 싶어 조금 의아해졌다.

"그럼 좋은 거예요?"

"당연하지! 아살론 역사상 황자 약혼녀 중에, 너처럼 특별대우를 받은 건 손에 꼽을 거야. 이건 황녀들이나 받는 행운이라고! 네가 얼마나 마음에 들었으면 그러겠어?"

바론은 오찬 성공에 대한 기쁨을 숨기지 않고 볼을 부볐다. 유리가 인정을 받은 게 마치 자신이 인정을 받은 듯 기뻤다. 유리의 입가에 희미한 미소가 맺혔다.

그래, 이것도 썩 괜찮은 결말이지 싶었다.

"그럼 연회는 언제쯤 해요?"

"최대한 빨리 해야지. 우리 어서 약혼해야 하잖아."

바론의 말에 유리가 고개를 갸웃했다.

"그럼 태자비 간택은……."

"그건 무조건 미뤄질 거야. 우리 약혼 먼저 진행하기로 했어."

"아……. 그랬군요."

유리의 눈빛이 조금 흐려졌다. 태자비 간택 무도회가 연기되는 게 기쁜지 아닌지 애매했다. 유리는 여전히 제 마음 속에 남아 있는 욕심을 깨닫곤 쓰게 웃었다.

'애매하다니, 당연히 아쉬워해야지. 한시라도 빨리 그의 곁에 좋은 여자가 서야 하잖아. 정신 차려, 유리엘 발렌타인. 그 자리는 네 자리가 아니라고.'

그래도 미련은 쉽게 털어지지 않았다. 사실 제 마음은 상관없는 일이었다. 그가 좋은 여자를 만나면 전부 해결될 일이다. 유리는 부디 그가 제 흔적 따위는 말끔히 없애줄 정도로 좋은 사람을 만나길 소망했다.

—가끔 유리가 되어 줄 수 있겠습니까?

간절한 부탁을 떠올리자 가라앉았던 기분이 금세 좋아졌다. 그가 반려를 맞이하기 전 제게 온 행운이 믿기지가 않았다. 그가 그녀를 잊는 걸 돕는 동안, 그녀는 그의 유리로 돌아갈 수 있었다. 그의 부름에 거리낌 없이 대답할 수 있었다. 이보다 더 완벽한 재회는 없었다. 그 사람이 언제쯤 저를 유리라고 불러 줄까. 벌써부터 그날이 기대되었다.

'사랑한다고 고백하면, 많이 놀랄까?'

'유리가 되어주기로 했으니, '유리'의 입장에서 말을 해도 되지 않을까. 상상만으로도 심장이 두근거렸다. 달콤한 꿈은 점점 커져 어느덧 유리가 가장 간절히 바라는 일로 이어졌다.

'안아 달라고 하는 건 역시 안 되겠지?'

서툴고 두려워하던 그녀를 섬세히 어루만지던 손길을 기억한다. 사랑하는 사내에게 안겨 그 사람과 하나가 되는 게 얼마나 황홀한 일인지 그 덕에 배웠다. 그와 함께한 첫 경험은 둘도 없이 아름다운 추억이었다. 그 다정한 품속에서 유리는 여신이 된 듯한 행복감을 느꼈다. 푸른 눈동자에 비친 제 모습이 마치 보석처럼 아름다워 보였다.

'그 사람 이름이라도 제대로 불러주고 싶다.'

사랑한다는 말, 안아달라는 말. 전하고 싶은 마음이야 굴뚝같지만 진짜로 할 수는 없었다. 그런 말을 아무렇지도 않은 얼굴로 할 자신이 없었던 것이다. 자신은 아마 사랑의 '사'자만 꺼내도 눈물을 참을 수 없을 것이다. 그럼 그 사람은 분명 무척 놀랄 거고, 겨우 찾은 평화는 깨져 버릴 것이다. 그래도 상상을 하는 것 정도는 뭐 어떠랴 싶었다. 그에게 사랑을 고백하는 제 모습을 떠올리는 것만으로, 입매가 부드럽게 풀렸다. 그 편안한 미소에 바론이 유리의 볼을 톡톡 두드렸다.

"뭐가 그렇게 좋아? 내 말 듣는 거 맞아? 다른 생각하고 있는 거아니야?"

"다른 생각은요. 그날, 최고로 예뻐야 한다고 했잖아요. 맞죠?"

유리가 배시시 웃으며 가느다란 팔로 그의 목을 끌어안았다. 슬쩍 바론의 입술을 훑으며 처음으로 카사르와 입을 맞추었던 날을 떠올렸다. 스르르 눈을 감으니 저를 내려다보며 웃던 푸른 눈동자가 어른거리는 듯했다.

"갑자기 왜 이래?"

"좋아서요."

유리가 맑게 웃으며 그에게 안겨들었다. 바론은 평소와는 달리 적극적인 유리의 애교에 좀 놀라다가 금방 진한 웃음을 지었다.

"좋다고 방심하면 안 돼. 이젠 슬슬 준비를 시작해야 한다고. 장신구랑 드레스는 내가 특별히 고르도록 할 거야. 이번엔 고집 피우지 말고. 알겠지?"

"알겠어요."

"우리 어머니, 앞으로 시도 때도 없이 너한테 지랄을 해댈 거야. 짜증나도 너무 덤비지는 마. 이왕 이렇게 된 거 긁어 부스럼 만들지 말고 순식간에 식을 올려 버리자고. 아까처럼만 해. 완벽했어. 너도 봤지? 우리 어머니가 완전히 꿀 먹은 벙어리가 된 걸."

"네, 그럴게요."

유리는 얌전한 학생처럼 고개를 끄덕였다. 순한 양처럼 오직 그만 바라보는 모습에 바론이 웃음을 터트렸다. 이 여자가 강퍅한 아비까지 만족시켰기 때문 일까. 오늘따라 유독 예뻐 보였다.

"사랑해요."

유리가 곱게 눈웃음을 치며 속삭였다. 그 달콤한 고백에 가슴속엔 비눗방울이 보글거리는 듯했다. 그는 참지 못하고 키득 웃으며 물었다.

"너는 정말, 왜 이렇게 갈수록 예뻐지는 거야?"

유리는 부드러운 미소와 함께 진심을 삼켰다.

'이자와 함께 죽을 수 있는 날은, 언제일까?'